NUEVA HISTORIA DE LOS ESTADOS UNIDOS

Nueva edición revisada

Autores

Texto original en inglés

Paul R. Baker, Ph.D.
New York University
New York, NY

William H. Hall
Junior High School 99
New York, NY

Editores

Bertram L. Linder, Principal
Benjamin Cardozo High School
Bayside, Queens, NY

Edwin Selzer, Assistant Principal
Eastern District High School
Brooklyn, NY

Co-autor

Versión en español

Ginés Serrán-Pagán, M.A.

MINERVA BOOKS, LTD.

30 West 26th Street, New York, NY 10010

An Educational Design Services Publication

Published by arrangement with William H. Sadlier, Inc.

MINERVA BOOKS, LTD.
30 West 26th Street
New York, NY 10010

ISBN: 0-8056-0135-X

Printed in the United States of America

AL MAESTRO

Esta edición revisada de *Nueva Historia de los Estados Unidos* ha sido actualizada teniendo en cuenta los hechos históricos más recientes: el primer año de la presidencia de Bill Clinton; los cambios políticos en Europa; la reunificación de Alemania; la transformación política de la Unión Soviética; la elección de Nelson Mandela como presidente de Sudáfrica; el acuerdo entre Israel y la Organización para la Liberación de Palestina; y los problemas actuales en Yugoslavia y en el continente africano.

Esta obra es el resultado de la colaboración de cinco educadores con muchos años de experiencia en el área de estudios sociales.

Este texto ofrece un curso completo de historia de Estados Unidos. Está escrito en un lenguaje sencillo, para estudiantes de un nivel escolar intermedio; pero cada tema se trata con tal madurez y riqueza de datos que puede servir igualmente para estudiantes de escuela secundaria.

Al final de cada capítulo hay una sección muy completa de ejercicios de repaso y estudio, con numerosas preguntas. Los estudiantes pueden expresar sus propias ideas y opiniones, formular hipótesis, llegar a conclusiones a través del proceso de deducción. En pocas palabras, el propósito es hacerles pensar, reflexionar y desarrollar lo que han leído.

El texto está profusamente ilustrado con fotografías, dibujos, gráficas y mapas que el maestro puede utilizar, a su discreción, para actividades en la clase.

Para terminar, nos gustaría mencionar que esta obra toma en cuenta en todo momento el hecho de que la sociedad en Estados Unidos es un mosaico de culturas, uno de los valores más grandes que caracteriza a este país y que contribuye en gran medida a su grandeza.

Esperamos que nuestro esfuerzo editorial sea provechoso tanto para el maestro como para los estudiantes.

Agradecemos muy sinceramente a las siguientes organizaciones, firmas comerciales y personas que mencionamos a continuación por facilitarnos las fotografías, dibujos y grabados que aparecen en esta obra:

The American Museum of Natural History, págs. 5, 68

AP/Wide World Photos, págs. 312, 315, 317, 318, 319, 320, 322

María E. Blanco, págs. 22 (arriba), 182

Culver Pictures, Inc., págs. 16, 22 (abajo), 45, 47, 81, 91, 92, 113, 116, 119, 125, 127, 128, 162, 170, 190, 198, 199, 209, 217

The Democratic National Committee, pág. 282

Denver Public Library Western Collection, pág. 346

The Ford Motor Company, pág. 223

German Information Center, pág. 267

Library of Congress, págs. 74, 79, 83, 95, 132, 134, 136, 140, 141, 142, 147, 151, 185, 187, 275

Museum of the City of New York, págs. 181, 343

National Aeronautics and Space Administration (NASA), págs. 337, 339, 340

New York Public Library, págs. 2, 4, 6, 7, 9, 11, 15 (arriba), 15 (abajo), 19, 21, 25, 26, 30, 31, 32, 34, 36, 43, 52, 53, 54, 55, 59, 60, 62, 67, 70, 71, 78, 80, 85, 89, 90, 94, 100, 104, 105, 106, 107, 111, 114, 118, 123, 126, 133, 135, 139, 146, 163, 166, 172, 176, 179, 192, 193, 194, 201, 208, 218, 227, 272, 301, 344

Plimouth Foundation, pág. 18

Republican National Committee, pág. 315

United Nations, pág. 261

UPI/Bettman Newsphotos, págs. 168, 196, 206, 210, 219, 230, 236, 237, 244, 250, 252, 256, 266, 270, 276, 279, 281, 287, 290, 295, 298, 329

U.S. Army, págs. 243, 247 (arriba), 249

U.S. National Archives, págs. 211, 225, 226, 229, 240

INDICE

Capítulo 1

LAS CRUZADAS Y EL RENACIMIENTO CONDUCEN A NUEVAS EXPLORACIONES

Entre los años 500-1000 d.C. la mayoría de los europeos vivían en pequeños pueblos y cultivaban la tierra para poder abastecer sus necesidades y pagar sus rentas. Casi todos los productos que la gente consumía eran artículos producidos localmente. La mayoría de las personas no sabían cómo se vivía lejos de sus propios pueblos, parecía que no había necesidad de conocer otras tierras o comerciar con otros pueblos.

Esta situación cambió pronto. Alrededor del año 612 d.C. surgió una nueva religión en el Oriente Medio. La religión se llamó Islam o Islamismo y sus seguidores fueron llamados musulmanes. La doctrina impulsaba a sus creyentes a la conquista de otras tierras con el objetivo de extender el Islamismo. Los ejércitos musulmanes conquistaron la península Ibérica, gran parte del norte de Africa y el Oriente Medio, incluyendo Palestina, tierra llamada por los cristianos "la tierra santa". Pero la mayor parte de las naciones de Europa estaban influidas por el Cristianismo y se sentían obligadas a defender la "tierra santa", patrimonio de la Cristiandad. Durante los siglos XI, XII y XIII, el poder cristiano europeo organizó una serie de Cruzadas o expediciones militares al Oriente Medio, con el objetivo de rescatar "la tierra santa" del poder musulmán. Estas Cruzadas abrieron las fronteras, pusieron en contacto a diferentes pueblos y constituyeron una de las principales causas de la expansión del comercio y la exploración.

Como resultado de las Cruzadas, Europa amplió sus conocimientos sobre las tierras del Oriente. Los navegantes descubrieron rutas nuevas y más rápidas y los comerciantes descubrieron también las riquezas que el Oriente les ofrecía. Uno de los viajeros a Asia más famosos fue el italiano Marco Polo. Cuando volvió a Europa en 1295 escribió un libro acerca de las riquezas que había visto: seda, oro y plata. Muchos leyeron su libro. Todos estos acontecimientos fueron la plataforma para nuevas exploraciones.

En el siglo XIV, parcialmente debido a las Cruzadas, el período histórico conocido como *Renacimiento* comenzó en Europa. El Renacimiento fue una época de interés por la filosofía, literatura, ciencia y artes, especialmente las de la antigua Grecia y Roma. Durante este tiempo, las viejas formas de vida de Europa estaban cambiando. Con el deseo de vivir mejor, mucha gente que en el pasado había trabajado en las labores del campo, ahora emigraba a las ciudades. Por tanto, la demanda de mercancías, especialmente los productos del Oriente, creció.

NUEVAS RUTAS COMERCIALES

Debido a su localización, las ciudades-puerto de Italia, como Venecia, llegaron a ser preponderantes en las nuevas rutas comerciales del Oriente. Los comerciantes de estas ciudades transportaban sedas y especias desde las bahías del Mediterráneo oriental a muchos lugares del norte y del oeste de Europa. De hecho, estos comerciantes italianos controlaban ampliamente el abastecimiento de Europa con productos del Oriente.

Los comerciantes de España, Portugal y otros países pronto decidieron competir con los italianos. Pensaron que el mejor camino sería encontrar nuevas rutas comerciales hacia el Oriente. Las rutas italianas eran en su mayor parte rutas terrestres. Quizás las rutas por mar podrían ser más rápidas y baratas.

En Portugal se empiezan a dibujar y a estudiar nuevos mapas de la superficie de la tierra. Dos nuevas rutas hacia el Oriente se vislumbraban como posibles. Una, bajando por la costa oeste de África, pasando el Cabo de Buena Esperanza y dirigiéndose después al Océano Índico hasta llegar a la India o a las islas del este de la India. Desde 1418, los marinos portugueses comenzaron a aventurarse cada vez más lejos, bajando a lo largo de la costa oeste africana. En 1498 el capitán portugués *Vasco de Gama* hizo la travesía completa de esta ruta.

La otra era navegar hacia el oeste a través del Atlántico. Era una idea nueva y atrevida. Los marinos portugueses habían alcanzado las Azores, un archipiélago del Atlántico a mil millas de distancia de la costa portuguesa. Pero nadie había navegado más al oeste de dicho archipiélago. El océano era llamado el "Mar de las tinieblas". Existía la creencia común de que la tierra era plana. En consecuencia, navegar más allá hacia el oeste por el "Mar de las tinieblas" era considerado peligroso. Los navegantes podían alcanzar el "límite" de la tierra y... ¡precipitarse!

Sin embargo, algunos hombres cultivados de la época tenían una idea diferente. Creían que la tierra era redonda. En esta idea estaba basado el viaje hacia el oeste. Si la tierra era redonda, viajando hacia el oeste se podía rodear el globo y finalmente llegar al Oriente.

CRISTÓBAL COLÓN

Hasta 1492 ningún europeo intentó llegar a la India (en Oriente) a través

Cristóbal Colón en la corte de Isabel y Fernando.

de una ruta occidental. El viaje de Cristóbal Colón a través del "Mar de las Tinieblas", fue uno de los acontecimientos decisivos de la historia.

El viaje de Colón comenzó con su estudio de la navegación y la geografía. Determinó que las Indias estaban a una distancia relativamente corta del oeste de Portugal.

Colón, como joven marino, estaba establecido en Portugal. Fue aquí, en 1484, donde propuso por primera vez su viaje a través de una ruta occidental. Sin embargo, el rey de Portugal no estaba convencido de que merecía la pena tal viaje, debido al riesgo que entrañaba.

Entonces, Colón se dirigió al rey Fernando y a la reina Isabel de España. Ellos estaban dispuestos a oírle pero no estaban entusiasmados con la idea que Colón les proponía. Finalmente, dejaron la decisión en manos de sus consejeros, que rechazaron el plan de Colón.

Colón decidió exponer su plan a los reyes de Inglaterra y de Francia. Pero antes de que éstos le dieran respuesta se le convocó para que volviera a España. Personalidades influyentes en España habían conseguido cambiar la disposición de la reina Isabel para que financiara el plan de Colón.

Los preparativos para el viaje pronto estuvieron listos. España proveyó a Colón con tres barcos y provisiones suficientes para un año. Aunque los barcos —la *Niña*, la *Pinta* y la *Santa María*— no eran nuevos, estaban bien construidos y habían soportado duras travesías. El mayor, la *Santa María*, tenía más o menos el tamaño de un pequeño yate.

La expedición salió de Palos, España, el viernes 3 de agosto de 1492. En primer lugar, los tres barcos enfilaron hacia el sur, hacia las islas Canarias, para abastecerse de agua, comida y otros víveres. Más tarde navegaron hacia el oeste a través de mares desconocidos.

Al principio, las condiciones de navegación eran excelentes. Los barcos no encontraron tormentas, había fuertes vientos y tenían comida suficiente. Todos se sentían con buen ánimo.

Sin embargo, conforme las semanas pasaban, los marineros comenzaron a temer que no volverían a España. Llevaban sin ver tierra más tiempo del que Colón había previsto. Muchos querían volver a casa antes de que les ocurriera algún percance. No obstante, Colón permanecía tranquilo e intentaba convencerlos de que la tierra no estaba lejos.

Inesperadamente aparecieron señales de tierra. En primer lugar, los marineros vislumbraron una rama en el agua. Poco tiempo después vieron una planta, más tarde una pieza de madera tallada y, finalmente, una bandada de pájaros de tierra. Los ánimos crecieron cada vez más.

De repente, a primera hora de la mañana del 12 de octubre de 1492 un grito de "Tierra a la vista" resonó desde uno de los barcos. ¡En verdad era tierra! Colón y su tripulación habían cruzado el Océano Atlántico.

Más tarde, en el mismo día pisaron la playa de la que llamaron isla de San Salvador (hoy Watling), a menos de 400 millas al este de la costa de Florida. Colón estaba convencido de que había alcanzado una de las islas extremas de las Indias Orientales que estaban cerca de Japón. Así, de este modo, las nuevas islas descubiertas al oeste de Europa llegaron a ser conocidas como las Indias Occidentales.

Dos días más tarde, Colón se dispuso a navegar otra vez. Se dirigió hacia el oeste, esperando encontrarse con Japón. Pero sus barcos pronto arribaron a otras islas. Alcanzaron las costas de Cuba y se dirigieron al sureste, hacia la Española. Aquí ocurrió un grave accidente: la Santa María naufragó. Sin embargo, la tripulación se dispuso a aprovechar parte de la madera del barco, que fue usada más tarde para construir un pequeño fuerte en la Española. Este fuerte fue el primer establecimiento europeo en el Nuevo Mundo.

¿QUIÉN DESCUBRIÓ EL NUEVO MUNDO?

Cristóbal Colón no fue el primer europeo que llegó al Nuevo Mundo. Algunos siglos antes de que él llegara, otros europeos habían visitado estas playas. Pero estos primeros visitantes no pueden ser llamados los "descubridores" del Nuevo Mundo. Mucho antes de que ellos llegaran, personas no europeas lo habían descubierto y se habían establecido en el hemisferio occidental.

LOS INDIOS, LOS DESCUBRIDORES DE AMÉRICA

Los indios probablemente llegaron de Asia. Cruzaron Norteamérica a través del estrecho de Bering, la estrecha lengua de agua que separa Asia de América del Norte.

Estos primeros pobladores indios no dejaron nada escrito, pero se han encontrado muestras de sus utensilios y armas. A partir de estos restos se ha determinado que los indios probablemente comenzaron a llegar al hemisferio occidental de 20.000 a 40.000 años atrás.

Algunos de los indios permanecieron en Alaska y en el norte de Canadá. Sus descendientes son los esquimales de hoy. Otros se esparcieron por el centro de Canadá, los Estados Unidos y América Central y del Sur. Llegaron a dividirse en numerosas bandas, tribus, o naciones diferentes. Estos grupos llegaron a separarse unos de otros no sólo por la distancia sino también por las diferencias de costumbres, religión, economía y gobierno. Repasemos brevemente algunas de las poblaciones indias más importantes.

4. LOS MAYAS

En la época de Colón, los grupos indios más avanzados vivían al sur de los territorios que forman hoy los Estados Unidos. Uno de estos grupos eran los *mayas*. Vivían al sur de México y en Centroamérica.

Los mayas desarrollaron sistemas de escritura y matemáticas. Estudiaban astronomía y establecieron un calendario. También sabían cómo plantar maíz; esta cosecha, junto con la de papas y tomates, llegó a ser su alimento básico.

Los mayas eran también expertos arquitectos, ingenieros y escultores. Construyeron hermosos templos, edificaciones sagradas con escaleras ascendentes y plataformas en forma de pirámides.

Cristóbal Colón sale de España para el Nuevo Mundo.

LOS AZTECAS

Otra población india muy avanzada era la de los *aztecas*. Vivían al norte y en el centro de México. En la época en que los exploradores españoles llegaron a América, los aztecas eran mucho más poderosos que los mayas.

El centro de la civilización azteca y la capital del imperio era Tenochtitlán, que fue erigida en el lugar de la actual ciudad de México. Estaba rodeada de un lago y conectada a la bahía por puentes levadizos. Los españoles encontraron alrededor de 300.000 habitantes.

Los aztecas desarrollaron a un alto nivel su propia cultura. Pero también se apropiaron de algunos logros de la cultura maya, como, por ejemplo, el calendario y el sistema matemático. También copiaron de los mayas los métodos agrícolas y las formas del arte y de la arquitectura.

LOS INCAS

Quizás los indios más avanzados de esta época fueran los *incas* de Suramérica. Su inmenso imperio incluía zonas de lo que hoy es Ecuador, Perú, Bolivia y Chile. Eran más expertos en el uso del metal que otros pueblos indios y fueron hábiles constructores de caminos.

En técnicas agrícolas, los incas eran también muy expertos. Crearon tierras de cultivo en las montañas, haciendo en ellas terrazas planas. También desarrollaron un sistema de riego para las zonas agrícolas en lugares de muy poca precipitación.

LOS INDIOS DE NORTEAMÉRICA

Cuando Colón llegó al Nuevo Mundo había aproximadamente cien millones de indios en todo el continente americano. En Norteamérica, vivían unos diez millones.

Los indios de la costa del Noroeste tenían una pesca muy abundante. Sus canoas las hacían de un solo madero.

Los indios de Norteamérica estaban divididos en 600 naciones o tribus. En su mayor parte, la economía de estos indios estaba basada en la caza, la pesca, la recolección de raíces silvestres, bayas y semillas. Algunas técnicas agrícolas, particularmente el cultivo del maíz, frijoles y calabaza, se llevaban a cabo en algunas zonas del suroeste y del sureste.

Los indios de Norteamérica eran diestros en su entorno. Los animales no eran usados sólo como fuente de alimento. Sus pieles eran utilizadas como vestidos y viviendas, sus huesos para armas y utensilios.

Las naciones indias norteamericanas tenían diferentes formas de gobierno. Sólo algunas de ellas estaban dirigidas por un líder con poder absoluto. Era más común que un grupo de nobles poderosos ostentara el poder. Los jefes eran escogidos por sus méritos, especialmente por sus hazañas guerreras. El escoger a los jefes de este modo es quizás lo que más distinguía a los indios de Norteamérica de sus vecinos del sur.

Algunas naciones se reunían formando confederaciones. Dichas confederaciones eran alianzas para una protección recíproca. La confederación de Iroquois (iroqueses), al norte del estado de New York era quizás la más importante. Sin embargo, la mayoría de las naciones preferían ser independientes y se formaban muy pocas confederaciones. Más tarde, esta actitud, la superioridad militar de los blancos y las enfermedades, contribuyeron a la derrota de los indios.

PRIMEROS VISITANTES EUROPEOS EN EL NUEVO MUNDO

Es posible que los primeros visitantes del Nuevo Mundo fueran *monjes irlandeses*. En el siglo IX, un grupo de estos monjes se estableció en Islandia (Iceland). Después de muchos años fueron expulsados por invasores *escandinavos*. Como los *escandinavos* o *vikingos* se adueñaron de toda la isla, los monjes probablemente emigraron a Groenlandia (Greenland, "Tierra

El desembarco de los vikingos.

Verde") o Labrador (Labrador es ahora parte de Canadá).

Al comienzo del año 986, los invasores vikingos capitaneados por *Eric el Rojo* se establecieron a lo largo de las costas de Groenlandia. Desde allí viajaron hacia el oeste, probablemente hasta Labrador y Terranova (Newfoundland, en Canadá). Alrededor del año 1000, el hijo de Eric, *Leif Ericson*, llegó a una zona a lo largo de la costa americana que él denominó Vinland (Tierra de Vin). Los vikingos intentaron establecerse allí, pero fueron expulsados por indios hostiles.

En un siglo se olvidaron los descubrimientos vikingos del Nuevo Mundo.

COLÓN SE PONE EN CONTACTO CON LOS INDIOS

Colón y su tripulación se sorprendieron al ver los habitantes de las islas que habían descubierto. Esperaban encontrarse con ricos orientales viviendo en una tierra rica. Pero las personas que encontraron eran más bien pobres y no parecían tener rasgos orientales puros.

EL VIAJE DE REGRESO Y LA BIENVENIDA DEL HÉROE

En enero de 1493, Colón inició el viaje de regreso a España. Dejó 39 hombres para que exploraran la Española y buscaran oro. Su carga incluía papas, tomate, tabaco. También llevó consigo diez indios que llevaban joyas de oro.

Al fin, Colón llegó a Palos, España, el 15 de marzo de 1493. Hacía sólo 32 semanas que había salido del mismo puerto. Volvió como un gran héroe y le rindieron grandes honores. Le fueron concedidos títulos. Recibió privilegios. Su nombre llegó a ser conocido en toda Europa.

Los europeos se maravillaban con las historias de los lugares que Colón y su tripulación habían visto. No obstante estaban más interesados en los indios que Colón había llevado. Estas personas del otro lado del océano no llevaban ricos vestidos, ni tenían una religión conocida, ni armas poderosas. Pero llevaban adornos de oro. Su apariencia y conducta recordaba a los europeos las historias de la "edad dorada" —una época en el pasado en la que la gente vivía en paz en hermosas islas lejanas.

LOS VIAJES POSTERIORES DE COLÓN

Colón viajó tres veces más al Nuevo Mundo. En su segundo viaje volvió a la Española. En el tercero exploró parte de la costa este suramericana. Durante este viaje se le acusó de gobernar mal las nuevas tierras descubiertas y se le envió a España encadenado. No obstante, fue perdonado y pronto organizó otra expedición, la cuarta y última.

En este viaje, Colón exploró la costa este de Centroamérica. Buscaba oro y un paso a través de las tierras descubiertas, hacia China y Japón, que todavía creía que se encontraban hacia el oeste. Pero no encontró ni mucho oro ni el ansiado camino por el oeste. Después de naufragar en Jamaica, volvió a España, donde murió en 1506.

Colón desembarca en San Salvador.

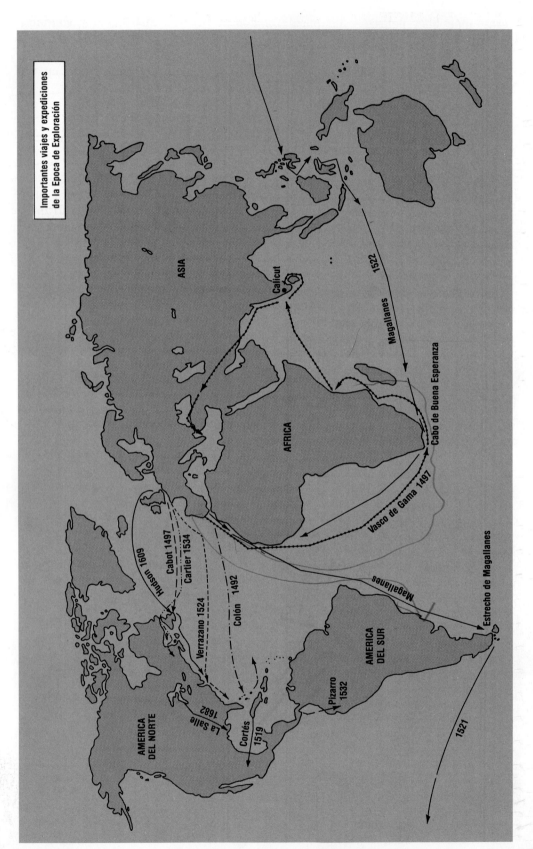

Importantes viajes y expediciones
de la Epoca de Exploración

ASIA

Calicut

AFRICA

Cabo de Buena Esperanza

Vasco de Gama 1497

Magallanes

1522

AMERICA
DEL NORTE

Hudson 1609

Cabot 1497

Cartier 1534

Verrazano 1524

Colón 1492

La Salle 1682

Cortés
1519

Pizarro
1532

AMERICA
DEL SUR

Magallanes

Estrecho de Magallanes

1521

OTRAS EXPLORACIONES ESPAÑOLAS

Pronto, otros exploradores siguieron a Colón al Nuevo Mundo. La mayor parte de ellos, si no todos, estaban al servicio de España.

Uno de los primeros fue *Américo Vespucio*, un marino italiano que dirigió una expedición española a la desembocadura del río Amazonas, en Brasil, en el año 1499. Vespucio fue una de las pocas personas de la época que comprendió que las nuevas tierras descubiertas no eran parte de Asia sino un "Nuevo Mundo".

Más tarde se sugirió que a las nuevas tierras se les llamara como a él. La idea tuvo aceptación y el nombre de "América" fue pronto utilizado. (En italiano, su nombre era *Amerigo Vespucci*; al servicio de España, *Américo Vespucio*, en español.)

En 1513, el explorador español *Vasco Núñez de Balboa* descubrió el Océano Pacífico. En los 200 años siguientes los exploradores europeos intentaron encontrar una vía marítima que los condujera, a través de América, al Océano Pacífico.

Nunca lo lograron porque el llamado "paso noroeste" no existía.

Sin embargo, eventualmente, *Fernando de Magallanes*, un portugués al servicio de España, encontró un camino por mar para llegar a través del Atlántico al Pacífico. En 1519, Magallanes partió de España con cinco barcos, cruzó el Atlántico y navegó bajando por la costa este de Suramérica. Rodeó el continente pasando por el estrecho que hoy lleva su nombre y entró en el Océano Pacífico. A pesar de las dificultades de la travesía, Magallanes y su tripulación continuaron su viaje a través del Pacífico y eventualmente llegaron a las islas Filipinas. Magallanes y cuarenta de sus hombres perdieron la vida a manos de los filipinos. Finalmente, un barco regresó a España en 1522, al mando del español Juan Sebastián Elcano. Era la primera vez que alguien daba la vuelta al mundo.

LOS ESPAÑOLES CONQUISTAN MÉXICO Y PERÚ

Aunque los sufrimientos eran grandes,

Balboa (izquierda) toma posesión del Pacífico. Magallanes (derecha), observa las estrellas, guía de los navegantes en alta mar.

la esperanza de encontrar vastas cantidades de oro llevó a muchos europeos a explorar el Nuevo Mundo. Durante sus exploraciones, Colón había encontrado pequeñas cantidades del precioso metal y existían indicios para pensar que había más. Así, los españoles comenzaron a buscar oro en las islas del Caribe. Cuando la búsqueda fracasó, se dirigieron hacia las tierras de Centroamérica. Fue aquí donde *Hernán Cortés* descubrió el imperio azteca en 1519.

Al principio, Cortés estableció relaciones amistosas con los aztecas. Pero, su verdadero objetivo era apoderarse de las riquezas de los aztecas para España y, finalmente, sus hombres atacaron a los indios. Puesto que las armas de los aztecas no podían competir con las de los españoles, los indios fueron rápidamente derrotados. El poderoso imperio azteca se desmoronó y las normas españolas fueron establecidas en México.

En 1532 *Francisco Pizarro*, otro explorador español que buscaba oro, hizo una incursión en el imperio de los incas, en Perú. En pocos años éste también fue conquistado, y parte de Perú, Ecuador, Chile y Bolivia se añadieron a las posesiones españolas del Nuevo Mundo, que cada día aumentaban considerablemente.

LOS ESPAÑOLES EN NORTEAMÉRICA

En el norte de México cundió el desánimo entre los españoles con respecto a la búsqueda de las riquezas. Los aventureros españoles exploraron Florida y otras áreas al sur de los Estados Unidos. Pero no encontraron ni oro ni plata. En el suroeste, un misionero español contaba historias de "las 7 ciudades de oro", pero el intento de encontrarlas fue un fracaso.

No obstante, durante la última parte del siglo XVI, los españoles continuaron explorando vastas zonas de lo que hoy es conocido como el sur y el suroeste de los Estados Unidos. Un puesto militar se estableció en San Agustín (hoy St. Augustine), Florida. Misiones católicas españolas se instalaron en lugares tan al norte

como la bahía de Chesapeake, en Virginia. Hacia 1600, había pequeños establecimientos españoles en el suroeste de los EE.UU. y hacia finales del siglo XVIII los españoles se habían extendido hasta California.

INGLATERRA Y FRANCIA COMIENZAN A BUSCAR EL PASO DEL NOROESTE

Cinco años después del primer viaje de Colón, el italiano *Juan Cabot* navegó a través del Atlántico. No estaba al servicio de España sino de Inglaterra.

Cabot salió de Inglaterra el 2 de mayo de 1497. Al cabo de casi dos meses arribó a la costa noreste de Norteamérica. Como Colón, Cabot creyó que había llegado al Oriente.

A su vuelta a Inglaterra fue recibido como héroe. Pero el principal interés de Inglaterra en el Nuevo Mundo era encontrar el camino, por el noroeste, hacia el Oriente. El descubrimiento de este camino podría proveer al mundo de una nueva e importante ruta comercial para las riquezas del este. También podría suponer para Inglaterra una posición aventajada en esta ruta.

Un año después de su primer viaje, Cabot inició un segundo viaje. El descubrimiento del paso noroeste era su meta. Planeó navegar a lo largo de la costa de Norteamérica hasta encontrar el paso, cruzarlo y continuar hacia Japón.

Sin embargo, una vez en Norteamérica, buscó en vano este paso. Finalmente, se encontró con pocos víveres y se vio forzado a volver a Inglaterra.

Después del fracaso de Cabot, el gobierno inglés decidió que el Nuevo Mundo no ofrecía gran interés para Inglaterra y durante casi un siglo no llevó a cabo ninguna exploración importante.

Unos cuantos años después de que Cabot hiciera su viaje, los franceses también comenzaron a explorar el Nuevo Mundo. En 1524, *Giovanni di Verrazzano*, un italiano al servicio del gobierno francés, intentó buscar el paso noroeste para Fran-

Las tierras descubiertas por Cabot (izquierda) y Cartier (derecha) eran más valiosas que el paso del noroeste.

cia. Navegó hacia el norte de la costa atlántica de Norteamérica, desde North Carolina hasta Nueva Escocia, pero no encontró ningún paso.

Diez años más tarde, en 1534, el francés *Jacques Cartier* se embarcó en la misma empresa. Navegó hacia el sur de la costa oeste de Terranova (en Canadá) y por el golfo de San Lorenzo (St. Lawrence). Pero tampoco encontró el paso.

Cartier descubrió el río San Lorenzo el año siguiente.

También creyó que había encontrado oro y diamantes. Pero, desafortunadamente, el "oro" era hierro o cobre y los "diamantes", cuarzo común.

El gobierno francés estaba tan decepcionado de los resultados de Cartier como el gobierno inglés lo había estado con los de Cabot. Por lo tanto, decidió no intentar ninguna empresa más en el Nuevo Mundo.

FRANCIA ESTABLECE SUS PRIMERAS COLONIAS PERMANENTES

A principios del siglo XVII, Francia logró establecer sus primeras colonias en Norteamérica. Estas primeras colonias fueron localizadas en la zona del río San Lorenzo en Canadá. En la orilla de este río, en 1608, *Samuel de Champlain*, un comerciante y explorador francés, fundó la ciudad de Quebec.

A mediados del siglo XVII, los exploradores, misioneros y comerciantes de pieles franceses habían realizado incursiones desde el valle de San Lorenzo hasta la región de los Grandes Lagos (Great Lakes). En 1682, *Robert Cavalier, Sieur de la Salle*, el más importante de los exploradores franceses, bajó por el río Mississippi desde su nacimiento en Minnesota hasta su desembocadura en el golfo de México. Se apoderó de toda la región en nombre del gobierno francés, llamándola Louisiana en honor del rey Luis XIV. En 1697, una colonia francesa se estableció en el golfo de México y en 1718 fue fundada la ciudad de New Orleans.

Así, en los primeros años del siglo XVIII, los franceses habían extendido su poder sobre una vasta área de Norteamérica que era llamada "Nueva Francia". Esta zona se extendía desde el río San Lorenzo en el norte hasta el golfo de México en el sur, y desde los Montes Apalaches (Appalachian Mountains) en el este hasta las Montañas Rocosas (Rocky Mountains) en el oeste.

EXPLORACION DE HECHOS Y OPINIONES

I. Para mejorar tus conocimientos

Define, describe o identifica cada uno de los términos siguientes. Señala de qué modo está conectado cada uno de ellos con el descubrimiento y exploración del Nuevo Mundo.

1—"Paso noroeste"
2—Mar de las Tinieblas
3—Vasco de Gama
4—mayas, aztecas, incas
5—Fernando de Magallanes
6—vikingos
7—Cristóbal Colón
8—Confederación Iroquois
9—Vasco Núñez de Balboa

II. Preguntas

Contesta a las preguntas siguientes. Acompaña tus respuestas con ejemplos o información específica.

1—¿Qué características de la civilización maya, azteca e inca impresionaron más a los europeos? ¿Y las que menos los impresionaron?

2—¿Por qué los europeos en el siglo XV consideraban el Océano Atlántico como un "Mar de tinieblas"?

3—¿Por qué querían los europeos explorar el Nuevo Mundo?

4—¿Por qué estaban los europeos tan interesados en descubrir el "paso noroeste"?

5—¿Cuáles fueron algunos de los problemas que los primeros colonos europeos tuvieron que afrontar en el Nuevo Mundo?

III. Conceptos

Los términos siguientes representan conceptos, ideas amplias que han jugado un papel importante en la experiencia americana, especialmente en el descubrimiento y exploración del Nuevo Mundo.

Con tus propias palabras, escribe una pequeña definición de cada uno de estos conceptos.

1—ruta comercial
2—cruzada
3—conquista
4—colonia
5—descubrimiento
6—poblado permanente
7—exploración

IV. Ideas organizadas

Lee las cuatro "ideas organizadas" siguientes. Cada una de ellas perfila hechos y conceptos estudiados en este capítulo para formar una generalización que podría ser aplicada a muchos períodos históricos. Basándote en tus lecturas y lo dicho en clase, da ejemplos específicos que sostengan o desaprueben esas ideas.

1—Sobrevivir en un entorno extraño depende a menudo de la habilidad de la persona para establecer amistad con la gente de ese entorno.

2—La gente que tiene teorías no comprobadas, frecuentemente, debe buscar la financiación de otros para comprobar la certeza de sus ideas.

3—El miedo y la superstición, muchas veces, demoran nuevas exploraciones y descubrimientos.

4—La gente a menudo emprende una misión peligrosa si el resultado exitoso de la misma les promete fama o fortuna.

¿Qué otras ideas pueden desarrollarse a partir del material de este capítulo?

V. Ideas para construir

1—¿Qué razones no económicas podían haber impulsado a los europeos a explorar otras partes del mundo? Explícalo.

2—¿Qué cualidades crees tú que debería tener una persona para arriesgarse a realizar un viaje desde Europa hacia el oeste en el siglo XV? ¿Qué conocimientos hubieran ayudado a esta persona a tener éxito en su viaje?

3—¿Por qué crees tú que los primeros exploradores consideraron a América más como un obstáculo que tenía que ser vencido que como una fuente de recursos naturales que podían ser aprovechados?

4—¿Por qué crees tú que había tantos exploradores dispuestos a navegar para otros países y no para el suyo propio?

5—¿Has leído algo acerca del alto nivel de desarrollo tecnológico de los indios de América Central y del Sur? ¿Cómo crees tú que reaccionaron los primeros exploradores cuando vieron las proezas de ingeniería que se han mencionado en el texto?

6—Puesto que las grandes civilizaciones creadas por los mayas, aztecas e incas desaparecieron hace tiempo, ¿cómo sabemos nosotros acerca de ellas? Explícalo.

7—¿Por qué crees tú que Colón fue tratado como un héroe en España cuando regresó del primer viaje?

VI. Aplicación de ideas y formación de juicios

Contesta a las preguntas siguientes.

Comprueba que sustentas tus ideas y opiniones con evidencia a partir de tus lecturas y lo dicho en clase.

1—Mira el mapa de la página 8. Muestra las rutas de algunos de los primeros exploradores. ¿Cuál de las empresas de los exploradores crees que fue la más importante para la posterior colonización de América? ¿Por qué? ¿Cuál crees que fue la menos importante? ¿Por qué? ¿Parece que los viajes se conforman según algún modelo? Explícalo.

2—¿Cómo pueden compararse los motivos para la exploración del espacio en el siglo XX con los de la exploración del Nuevo Mundo en los siglos XV y XVI? ¿Cuáles son las diferencias?

3—Si hombres como Colón, De Gama y Magallanes no hubieran nacido, ¿hubieran sido llevadas a cabo sus hazañas por otros? Si es así, ¿cómo y cuándo? Si no, ¿qué características especiales tenían estos hombres para poder cambiar el curso de la historia?

4—Imagina que te ha sido otorgada la tarea de organizar una colonia en el Nuevo Mundo. ¿Qué planes seguirías? ¿Qué víveres comprarías? ¿Cómo seleccionarías la gente que te acompañaría?

Capítulo 2

POBLADOS COLONIALES

INGLATERRA RECONSIDERA LA IDEA DE LA COLONIZACIÓN

La reina Isabel I de Inglaterra murió en el año 1603. Con su muerte finalizó la guerra que había estallado entre Inglaterra y España. Jaime I, el nuevo rey, firmó un tratado de paz con España. Ordenó también el final de la piratería inglesa contra los barcos españoles.

Esta orden significaba que las riquezas del Nuevo Mundo podían dejar de entrar en Inglaterra, ya que habían estado llegando como resultado de la piratería inglesa sobre los barcos españoles que traían los tesoros del Nuevo Mundo.

Sin embargo, Inglaterra quería seguir con su parte de las riquezas del Nuevo Mundo. Fundar colonias era la mejor manera para conseguirlo. De este modo, la idea de fundar colonias en Norteamérica comenzó a tentar una vez más a los comerciantes y aventureros ingleses.

DOS COMPAÑÍAS MERCANTES— PLYMOUTH Y LONDON (LONDRES)

En 1606, algunos comerciantes ingleses pensaban en alguna nueva forma de ganar dinero fundando colonias. Decidieron formar *compañías por acciones*. Esto significaba que cada comerciante tenía que invertir algo de dinero en la compañía. Así, todos los comerciantes compartirían los beneficios de la compañía de acuerdo con la cantidad de dinero invertida. De este modo podía ser recogido bastante dinero para pagar la habilitación de una expedición y fundar una colonia. Sin embargo, si la colonia fracasaba, todos los miembros de la agrupación compartirían las pérdidas. Cada comerciante perdería una menor cantidad de dinero que si él solo hubiera financiado por completo la aventura.

Los colonos que pagaran su propio viaje estarían en condiciones de trabajar para ellos mismos una vez que llegaran a Norteamérica. Los que no podían pagar su viaje, venían a cargo de la compañía y a cambio les entregarían a ésta los beneficios que obtuvieran en el Nuevo Mundo durante siete años.

El rey concedió una cédula real a dos compañías. La *Virginia Company of Plymouth* quería establecer una colonia a lo largo de la costa norte de Norteamérica. La *Virginia Company of London* quería fundar otra en la costa sur.

Tras corto tiempo, la compañía Plymouth envió en 1607 una expedición al territorio que ocupa hoy Maine. Se fundó una colonia en la desembocadura del río Sagadahoc. Pero los colonos encontraron muy dura la vida en Norteamérica y después de un solo invierno regresaron a Inglaterra.

LA FUNDACIÓN DE JAMESTOWN

La London Company tuvo más éxito. Este grupo organizó una expedición que salió de Londres en diciembre de 1606. En mayo de 1607 llegaron a un lugar a unas 50 millas al norte del río James, más arriba de la bahía de Chesapeake, en Virginia. Aquí fundaron una colonia a la que llamaron Jamestown. Ésta ·fue la primera colonia inglesa permanente en Norteamérica.

Los colonos habían sido instruidos para hacer tres cosas: buscar oro y plata, continuar la búsqueda del "paso noroeste" y encontrar un lugar apropiado para producir sedas y tintes. Pero Jamestown estaba mal localizada para tales empresas. La tierra era pantanosa y boscosa. Los pantanos estaban infestados de mosquitos que transmitían la malaria. (Durante el primer verano, más de la mitad de los colonos murieron de esta enfermedad.) No había ni oro ni plata.

Había también otros problemas. La expedición había sido mal organizada. Muchos de los colonos no estaban preparados para vivir en lugares desolados ni estaban preparados para construir ni plantar, lo cual era necesario para sobrevivir.

Capitán John Smith

Finalmente, un atrevido y joven aventurero, *John Smith*, se hizo cargo del mando. Smith había peleado como soldado contra los turcos en Europa y había obtenido el grado de capitán. Había sido capturado y vendido como esclavo pero pudo escapar y volver a Inglaterra.

La torre de la iglesia de Jamestown aún se encuentra en su isla en el río James como monumento al primer poblado permanente en los Estados Unidos.

La jefatura de Smith sobre la colonia fue estricta. Terminó con la búsqueda del oro. En cambio, puso a los colonos a plantar maíz y a construir casas. Consiguió que cada colono contribuyera con algo para organizar un almacén de mercancías. A nadie le estaba permitido tener propiedad privada. Consiguió también que los indios llevaran a los colonos comida y víveres diversos. De este modo, durante el primer invierno en Jamestown, los colonos no murieron de hambre.

En octubre de 1609, Smith fue herido por una explosión de pólvora y tuvo que volver a Inglaterra. Sin él, la colonia rápidamente volvió a tener graves problemas. El hambre, las enfermedades y los ataques de los indios redujeron la población a una fracción de lo que había sido. Fue el período recordado después como "la época del hambre".

JAMESTOWN SE CONVIERTE EN UNA COLONIA REAL

En 1610 nuevos colonos y víveres frescos llegaron de Inglaterra. Este acontecimiento dio ánimo a muchos colonos que habían sobrevivido a la época del hambre para seguir viviendo en Jamestown. Al año siguiente, un nuevo gobernador, *Thomas Dale*, llegó de Inglaterra. Igual que John Smith, Dale era un líder lleno de vigor. La vida en Jamestown comenzó a mejorar bajo su mandato. Los indios se hicieron más amistosos, especialmente después de que *John Rolfe*, uno de los colonos, se casó con *Pocahontas*, la hija del jefe local indio *Powhatan*. Pero lo más importante fue que los colonos descubrieron que el tabaco podía crecer bien en la región. Pronto comenzaron a enviar grandes cantidades de este producto a Inglaterra.

En este período se instituyó el primer gobierno representativo en el Nuevo Mundo. Era la *Virginia House of Burgesses*. Este cuerpo legislativo estaba formado por unos representantes llamados *burgesses* elegidos por varios poblados de Virginia. Se reunía con el gobernador y su

Primera reunión de la House of Burgesses en Virginia.

consejo para crear leyes para la colonia. Comenzaron la labor en 1619.

Pero Virginia no consiguió prosperar. En 1622 muchos colonos perecieron en un gran ataque de los indios. Otros murieron de enfermedades o volvieron a Inglaterra. De las 6.000 personas que habían intentado establecerse en Virginia, sólo quedaban alrededor de 1.200 en 1623.

Por esta razón, el rey Jaime I tomó de nuevo la cédula de la compañía de Londres en 1624 e hizo a Virginia *colonia real*. Virginia quedaba así por completo bajo el control del rey. Impuso un gobernador real que gobernaba sin la ayuda de los "burgesses". Esta forma de gobierno continuó hasta 1639. En este año, el rey Carlos I, que subió al trono después de Jaime I, permitió de nuevo la elección de representantes en la colonia de Virginia.

LOS PEREGRINOS Y LOS PURITANOS

El primer poblado inglés permanente en New England fue fundado en 1620. En este año, un grupo de unos 100 hombres y mujeres llegaron a la bahía de Cape Cod, en lo que hoy es Massachusetts, a bordo del Mayflower. Habían abandonado Inglaterra por razones religiosas, lo que motivó que más tarde se les conociera como los *peregrinos* ("pilgrims"), personas que viajan a lugares sagrados o a nuevas tierras.

En Inglaterra, los peregrinos habían formado parte de una de las más amplias sectas religiosas, la de los *puritanos*. Dicha secta creía que la Iglesia de Inglaterra necesitaba una reforma ya que, según ellos, estaba corrompida por ideas y prácticas malignas y por tanto debía ser purificada.

El gobierno inglés no estaba de acuerdo con los puritanos. De hecho, los persiguió por sus creencias. A pesar de esto, muchos puritanos siguieron trabajando desde dentro de la Iglesia de Inglaterra para reformarla.

Sin embargo, otros decidieron separarse por completo de la iglesia establecida. Estas personas fueron llamadas *separatistas*. Algunos de ellos decidieron abandonar Inglaterra e ir donde pudieran practicar sus creencias libremente.

Los peregrinos eran una de las sectas. Primero fueron a Holanda, pero aunque allí gozaban de libertad religiosa, sufrían por otros motivos ya que no les estaba permitido asociarse en gremios de artesanos. Esto implicaba una dificultad para sobrevivir. Y, por otra parte, temían que sus hijos perdieran sus raíces inglesas en Holanda.

LA FUNDACIÓN DE LA COLONIA DE PLYMOUTH

Finalmente, los peregrinos decidieron ir al Nuevo Mundo. Convencieron a un grupo de comerciantes de Londres para formar una compañía que suministrara el dinero suficiente para la expedición. Se dirigieron a una zona cerca de la desembocadura del río Hudson. Pero los vientos los llevaron a las costas del cabo Cod en Massachusetts, donde decidieron quedarse. Llamaron a su nuevo hogar *Plymouth* en honor del puerto inglés del cual habían partido. Antes de que los peregrinos pisaran tierra, sus líderes redactaron y firmaron el *Acuerdo del "Mayflower"*. Por medio de este convenio se formó un gobierno para la colonia. Todos los pasajeros del "Mayflower", el barco en el que llegaron los peregrinos, eran miembros del gobierno. Dicho gobierno trabajaría con unas normas mayoritarias. Intentaría crear leyes justas y procurar el bien de todos.

Durante los primeros meses, los habitantes de Plymouth, como en Jamestown, tuvieron que hacer frente a muchas contrariedades. Los peregrinos habían llegado en noviembre y no estaban preparados para el frío invierno de New England. Tenían problemas para encontrar suficiente comida ya que no eran expertos cazadores ni pescadores. Casi la mitad de los colonos murieron antes de la primavera.

Esta reconstrucción muestra cómo debió haber sido Plymouth en los primeros tiempos.

De todos modos, la vida no era tan difícil como lo había sido en Jamestown. En la primavera, los peregrinos plantaron cultivos. Aunque sus víveres eran limitados, al otoño siguiente pudieron celebrar su primer *Thanksgiving* (Acción de gracias). Invitaron a los indios como huéspedes.

También comerciaron el maíz excedente que habían cultivado, cambiándoselo a los indios por pieles. De este modo, pronto pudieron pagar a los comerciantes ingleses que habían financiado la colonia.

LA COLONIA DE LA BAHÍA DE MASSACHUSETTS

Cuando el rey Carlos I de Inglaterra subió al trono en 1625 comenzó a tratar a los puritanos más duramente que su padre. Por esta razón, muchos de ellos comenzaron a pensar en la idea de abandonar Inglaterra. En 1628, un grupo de ricos comerciantes puritanos organizó la *Massachusetts Bay Company*. Se les concedió el derecho de colonizar un área que llevaba el mismo nombre de la compañía, al norte de Plymouth.

El primer grupo numeroso de colonos puritanos llegó a Massachusetts en 1630. Iban dirigidos por *John Winthrop*, el primer gobernador de la colonia. Había por lo menos mil colonos en este grupo. Fundaron la ciudad de Boston y unas cuantas poblaciones en sus alrededores. En los diez años siguientes, unos 20.000 colonos más llegaron a New England.

Al principio, el gobierno de la colonia de la Bahía de Massachusetts estuvo en manos de unos cuantos hombres. El gobernador era elegido entre los oficiales de alto grado de la compañía, y él, junto con un pequeño número de asistentes, legislaba. Formaron un gobierno "*oligárquico*".

Poco después, algunos colonos comenzaron a solicitar participación en el gobierno. Al cabo de unos cuantos años se les concedió el derecho de voto a los que tenían acciones en la compañía. Estas personas fueron llamadas *hombres libres* y elegían representantes para un órgano legislativo llamado la *Corte General*. Estaba compuesta por el gobernador, sus asistentes y un consejo de representantes de varios poblados. Gradualmente, el nú-

18

mero de hombres libres fue creciendo. La Corte General, además de ser un órgano legislativo, se convirtió en tribunal de justicia.

El gobierno puritano, de todos modos, estaba todavía lejos de lo que nosotros consideraríamos hoy como democrático. Los hombres libres representaban sólo una pequeña parte de la población total de la colonia. El resto no estaba representado en el gobierno. Además, todos los hombres libres tenían que ser miembros de la Iglesia Puritana para poder votar.

La mayoría de los colonos puritanos se hicieron granjeros y se establecieron en pequeños pueblos. Sin embargo, el clima y la tierra de New England no eran tan favorables para la agricultura como los del sur. Por tanto, muchos colonos se hicieron comerciantes, armadores y pescadores. Las tareas forestales eran otra ocupación importante. Grandes cantidades de pescado y otros alimentos eran enviados a Europa y a las Antillas. La madera y el licor eran también importantes mercancías comerciales.

Las creencias puritanas eran muy estrictas. Los clérigos predicaban que los hombres eran "perversos" y vivían una vida "pecaminosa". Prevenían a los hombres de la severidad de Dios, que castigaría duramente a los pecadores.

En consecuencia, los puritanos estaban preocupados especialmente en la salvación de sus almas. Creían que sólo con tener una fe verdadera y firme y por llevar una vida de trabajo y de férrea disciplina, podían alcanzar dicha salvación.

A causa de su religión, los puritanos dieron mucha importancia a la educación. Creían que cada persona debía leer la Biblia. Por esta razón, la colonia de Massachusetts Bay aprobó leyes estableciendo escuelas elementales para enseñar a los niños a leer y a escribir. También se organizaron escuelas secundarias para preparar a los estudiantes para la universidad. En 1636, los puritanos funda-

El barco **Arbella** condujo al gobernador Winthrop a la Massachussetts Bay Colony en 1630.

ron la universidad de *Harvard*, la primera de los Estados Unidos.

LA INFLUENCIA PURITANA

Las austeras actitudes de los puritanos también impusieron normas estrictas en la forma de vida. La mayor parte de la diversión y de la vida social, por ejemplo, tenía lugar en tabernas y posadas. Allí, la gente hablaba con los amigos, bebía y jugaba a las cartas, leía periódicos, se encontraba con viajeros y hablaba de negocios.

Sin embargo, algunos miembros de la iglesia desaprobaban la bebida. Su actitud acarreó el que muchas tabernas tuvieran una "mala" reputación.

Los puritanos tampoco eran amantes de los deportes. Casi todos ellos fueron prohibidos. La colonia de Plymouth hasta tenía reglas contra "todo paseo inoportuno e innecesario por las calles y los campos".

Una razón para esta actitud hacia "la diversión" era religiosa, ya que los puritanos creían que ésta interrumpía la relación del hombre con Dios. Otra razón era económica. Sobrevivir suponía que todo el mundo tenía que trabajar duramente. Si los colonos se entretenían, no podrían realizar bien su trabajo.

OTROS POBLADOS EN NEW ENGLAND

Los puritanos habían ido a Massachusetts para practicar libremente su religión. Sin embargo, negaron este mismo derecho a otras sectas. Sólo era permitida la Iglesia Puritana. Cualquiera que se negara a seguir sus creencias era castigado o expulsado de la colonia.

Uno de los que se vio forzado a abandonar la colonia fue *Roger Williams*, ministro puritano, ya que sus ideas fueron consideradas perturbadoras por otros líderes puritanos.

Roger Williams creía que la gente debía practicar su religión, cualquiera que ésta fuera. Pensaba que las diferentes creencias religiosas y puntos de vista podían

coexistir en la comunidad pacíficamente.

Williams también creía que Inglaterra no tenía derecho a reclamar tierras americanas. Argüía que la tierra pertenecía a los indios y que debía ser comprada y pagada antes de establecerse en ella. Los puritanos tampoco estaban de acuerdo con él en este punto.

En 1635, la Corte General expulsó a Williams de Massachusetts Bay. En la primavera de 1636 se dirigió a Rhode Island. Allí compró tierra a los indios y estableció una nueva colonia en Providence. Algunos que tampoco estaban de acuerdo con las creencias puritanas lo siguieron. Se fundaron varias comunidades en *Rhode Island* en 1644. Una cédula la proveía de un gobierno representativo; y la separación de la Iglesia y del Estado estaba garantizada por el Parlamento inglés.

Durante este período, también otros colonos se trasladaron desde Massachusetts Bay hacia otros lugares de New England. En 1622 varias ciudades más al sur se unieron en la colonia de *Connecticut*. Hacia el norte, *New Hampshire* se hizo colonia en 1679. También se fundaron nuevos poblados en *Maine*. Pero éste siguió formando parte de Massachusetts hasta que se convirtió en estado en 1820.

LA FUNDACIÓN DE MARYLAND

En 1632 una nueva colonia se estableció en Maryland, al norte de Jamestown, en la parte alta de la Bahía de Chesapeake. Fue la primera *colonia de propiedad* que tuvo éxito. *George Calvert*, el *Lord Baltimore*, había recibido la tierra de Carlos I como una posesión personal. Tenía derecho a recaudar rentas, a nombrar gobernador y a legislar.

Calvert era católico, como muchos de los primeros colonos de Maryland. Más tarde, sin embargo, los protestantes excedieron en número a los católicos.

Los primeros católicos, como los peregrinos y los puritanos antes que ellos, huían de las persecuciones religiosas de

Roger Williams hizo buena amistad con todos los indios.

Inglaterra. Vinieron especialmente a Maryland. Calvert había planeado su colonia como refugio para católicos ingleses.

En 1649 Maryland aprobó la *"Ley de Tolerancia"* que garantizaba la libertad religiosa en la colonia. Era un paso histórico hacia la libertad de religión en Norteamérica.

Maryland prosperó rápidamente porque los colonos aprendieron de los errores cometidos en Virginia. Evitaron una "época de hambre" y se portaron mejor con los indios.

Como en Virginia, el tabaco fue pronto la cosecha más importante de la colonia.

NEW YORK Y NEW JERSEY — DOS "COLONIAS INTERMEDIAS"

New York comenzó siendo una colonia holandesa: *New Netherland (Nueva Holanda)*. En 1609, los holandeses enviaron al explorador *Henry Hudson* a América. Éste navegó por el norte del río que hoy lleva su nombre, y reclamó toda esa zona para los holandeses.

Al cabo de pocos años, una compañía comercial holandesa había construido un fuerte en la isla de Manhattan. Comerciantes holandeses establecieron puestos comerciales a lo largo del río Hudson y desde aquí comerciaban muy favorablemente en pieles con los indios. Con el tiempo, una población muy diversa se estableció en la colonia holandesa. La ciudad de New Amsterdam, en la isla de Manhattan, pronto se pobló con gente de muy diferentes nacionalidades.

Para fomentar la colonia, el gobierno holandés concedió a algunos ciudadanos holandeses grandes cantidades de tierra en New Netherland. Los que recibieron estas donaciones fueron conocidos como *patroons (encomenderos)*. A cambio de la tierra recibida, los encomenderos tenían que llevar a un cierto número de colonos a la colonia. Los encomenderos pagaban el viaje de los colonos y los proveían de víveres. A cambio, los colonos trabajaban en la tierra de sus encomenderos y también tenían que darles parte de sus cosechas anuales como "renta".

Los encomenderos tenían mucho poder. En sus propias tierras gobernaban como querían. Eran independientes del control del gobernador colonial.

Pronto los ingleses comenzaron a de-

Henry Hudson

nia holandesa de New Netherland. Por consiguiente, las fuerzas navales inglesas atacaron a New Amsterdam y forzaron a los holandeses a entregar la colonia. Pronto la llamaron *New York* en honor de su nuevo propietario inglés.

El Duque de York donó algunas de las tierras que le habían sido regaladas. Donó a sus amigos *Sir George Carteret* y *Lord John Berkeley* todas las tierras que había entre el río Hudson y el río Delaware. Éstos fundaron allí la colonia de *New Jersey*. Pero, por esa época, ya algunos colonos europeos estaban viviendo en New Jersey. La mayoría eran holandeses y suecos y también había algunos colonos procedentes de Massachusetts Bay. Berkeley y Carteret trataron de estimular a más colonos para que fueran a sus tierras ofreciéndoselas libremente y proveyéndoles de un gobierno democrático. Muchos puritanos se establecieron en New Jersey y más tarde, un buen número de cuáqueros.

sear la colonia holandesa. Estaba localizada entre las colonias inglesas de New England y las del sur, y los ingleses querían extenderse hacia esta región intermedia. Pensaban que New Netherland estaba en su territorio. También envidiaban el próspero comercio holandés.

En 1664, el rey Carlos II de Inglaterra donó a su hermano, el *Duque de York*, el extenso territorio entre Connecticut y el río Delaware. Esta área incluía la colo-

Primeras etapas de asentamiento en la colonia de Penn.

PENNSYLVANIA Y DELAWARE

En 1681, el rey Carlos II donó a *William Penn* una vasta zona de tierra al oeste del río Delaware y al norte de Maryland. Penn era cuáquero. Como los puritanos, los cuáqueros eran una secta religiosa que a menudo era despreciada y tratada injustamente en Inglaterra. Por este motivo, Penn decidió establecer una colonia cuáquera en América. Hablaba de su colonia como un "experimento sagrado" porque todos los grupos cristianos podrían gozar allí de libertad religiosa. La colonia fue llamada *Pennsylvania* (la selva de Penn) en honor del padre de Penn.

Al igual que Roger Williams, Penn creía que las tierras debían pagarse a los indios y trató a éstos con justicia y respeto. El resultado fue la paz entre los indios y los colonos de Pennsylvania durante medio siglo.

Penn le hizo publicidad a su colonia por toda Europa. A ella llegaron colonos de diferentes tierras, pero la mayoría eran alemanes. La colonia creció rápidamente. El comercio con las Antillas se desarrolló tanto que pronto Pennsylvania llegó a ser la colonia más rica en Norteamérica.

En 1701, una parte de Pennsylvania se separó, la zona que bordeaba el sur del río Delaware y se extendía al sur de la costa atlántica. La nueva colonia se llamó *Delaware*.

LAS CAROLINAS Y GEORGIA

"Carolina" era una amplia región al sur de Virginia. En 1663, el rey Carlos II de Inglaterra donó esta vasta zona a ocho de sus amigos. En sus nuevas tierras, estos ricos ingleses pretendían establecer un sistema de *granja arrendataria*.

Bajo este sistema, los colonos no poseerían la tierra en que vivían sino que pagarían una "renta" al dueño por el uso de ella. Cada año el granjero arrendador daría al propietario parte de la producción que había cultivado o parte de los beneficios que había recibido por venderla. Esto sería la renta de un año. El propietario de la tierra sería uno de los ricos ingleses a quien Carlos II había donado la tierra en 1663.

Sin embargo, los acontecimientos no se desarrollaron tan bien como estos ocho ingleses habían esperado. Muchos granjeros pequeños de Virginia se trasladaron a la parte norte de "Carolina". Consideraban la tierra como suya propia y por tanto no pagaban renta por ella.

North Carolina, como pronto fue llamada esta parte del país, se convirtió en una guarida de piratas y criminales. Muchos esclavos fugitivos huyeron allí.

En el sur de "Carolina", el sistema de granjas de *"plantación"* creció. Una "plantación" era una enorme hacienda cultivada por esclavos.

Eventualmente, la zona en la que el sistema de plantación era empleado se llamó *South Carolina*. Charleston, una amplia ciudad de esta zona, se convirtió en el puerto más importante y en una de las ciudades más grandes del sur. También llegó a ser un centro social para los propietarios de las plantaciones. Muchos franceses protestantes que buscaban libertad religiosa vinieron a vivir aquí. Había colonos de New England y de las Antillas.

En 1712, tanto North como South Carolina tuvo su gobierno propio y no mucho después cada una se convirtió en colonia real aparte.

La última de las colonias inglesas en establecerse en lo que más tarde se llamaría Estados Unidos fue *Georgia*. Estaba localizada al sur de South Carolina. *James Oglethorpe* y otros ricos ingleses la fundaron en 1732. Quisieron establecer allí un refugio de deudores.

Con la fundación de Georgia, había 13 colonias inglesas a lo largo de la costa este de Norteamérica. Se extendían desde el actual Maine en el norte hasta la frontera de Florida en el sur, que era propiedad española.

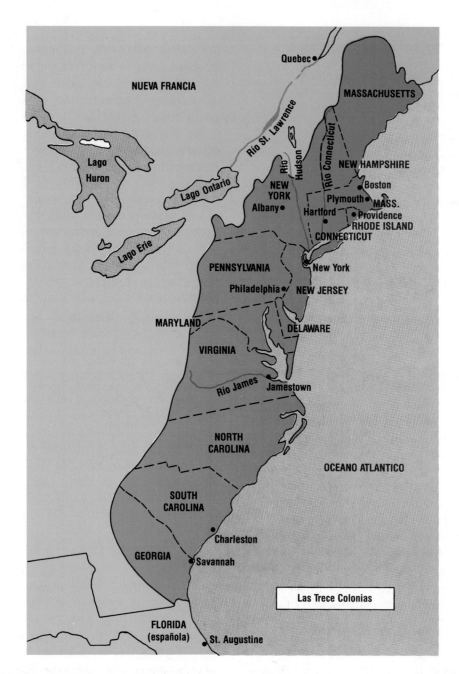

Las Trece Colonias

LOS RECIÉN LLEGADOS EUROPEOS ENCUENTRAN INDIOS AMISTOSOS

Los indios fueron serviciales y amistosos con los primeros exploradores europeos de Norteamérica. Les sirvieron como guías y comerciaron con ellos. Intercambiaban pieles por telas, rifles y otras mercancías europeas.

Lo más importante fue que los indios enseñaron al hombre blanco sus formas de caza, pesca y agricultura. Sin esta ayuda, muchos colonos se hubieran muerto de hambre. Muchos de los alimentos que comemos hoy los conocieron por primera vez los colonos gracias a los indios, como por ejemplo el maíz, los frijoles y la calabaza.

Las relaciones de amistad entre los blancos y los indios cambiaron pronto. Cuanta más gente blanca llegaba, tanto más aumentaban los problemas y las discordias.

Intercambio económico entre indios y blancos.

LA TIERRA: ¿PODRÍA SER VENDIDA?

Uno de los problemas que había era la profunda diferencia cultural entre las dos razas: las diferentes formas de vida y de pensamiento. Esto se reflejó muy pronto en las actitudes hacia la propiedad.

Los indios consideraban que sus tierras pertenecían a *toda la tribu* o *nación* y no eran propiedad privada.

Las leyes y costumbres de los hombres blancos eran diferentes. La tierra no era considerada como propiedad de la comunidad sino de la familia. Individuos o entidades comerciales eran *dueños* de ciertas tierras y tenían el derecho de venderlas o utilizarlas de cualquier modo.

Algunos indios creían que se les pagaba por un *uso* temporal de la tierra. Creían que los granjeros blancos iban sólo a compartir la tierra para cosechar alimentos. Pero cuando los blancos les informaron a los indios que no podían regresar a las tierras ocupadas por los nuevos "dueños", las relaciones amistosas se rompieron.

CÓMO COMENZÓ LA GUERRA CON LOS INDIOS

Gradualmente el temor y la sospecha crecieron entre los indios. A la vez, los blancos comenzaron a ver a los indios como una amenaza.

Pronto comenzó la hostilidad, que duraría 250 años. Para muchos blancos, los indios eran "salvajes" peligrosos y para muchos indios los blancos eran gentes codiciosas que robaban sus tierras.

Hacia 1620, blancos e indios habían comenzado a luchar en una serie de guerras que continuaron durante los 250 años siguientes.

Con una superioridad en armas y en fuerzas militares, los blancos lograron expulsar a los indios de las tierras del este. Algunas tribus fueron casi exterminadas a causa de las guerras y de enfermedades como la viruela. Muchas de estas enfermedades eran desconocidas en América antes de la llegada del hombre blanco.

LAS FRONTERAS AVANZAN HACIA EL OESTE

Durante sus primeros años, el gobierno de los Estados Unidos firmó tratados (acuerdos oficiales) con las tribus indias más importantes. Estos tratados prometían a los indios que podían quedarse con sus tierras tribales. En esta época, muchos blancos norteamericanos vivían en la zo-

Los sentimientos contra los indios aumentaron debido a las falsas imágenes creadas por las publicaciones.

na de la costa este (la del Atlántico). Las colonias del oeste no llegaban más allá de las montañas Allegheny.

Sin embargo, al principio de la década de 1800, la situación estaba cambiando. Entre 1790 y 1820 la población de Estados Unidos creció más del doble. Los colonos se trasladaron más al oeste y se introdujeron en el territorio indio. Así, los pactos firmados con los indios se rompieron a menudo. Los blancos no cumplieron sus promesas al expulsar a los indios de sus territorios.

EXPLORACION DE HECHOS Y OPINIONES

I. Para mejorár tus conocimientos

Define, describe o identifica cada uno de los términos siguientes. Señala qué conexión tiene cada uno de ellos con la historia de los poblados coloniales.

1—William Penn
2—Peregrinos
3—Jamestown
4—Compañía por acciones
5—Tabaco
6—Casa de "Burgesses"
7—John Smith
8—Puritanos
9—Roger Williams
10—Acuerdo del "Mayflower"

II. Preguntas

Contesta a las preguntas siguientes. Acompaña tu respuesta con ejemplos o información específica.

1—¿Cómo contribuyó la falta de libertad religiosa en Inglaterra al establecimiento de las colonias norteamericanas?

2—¿Por qué crees que fue tan duro para los primeros colonos aclimatarse a las condiciones de vida de Norteamérica?

3—¿Cuáles son los factores que pudieron

haber llevado a una colonia a resultados satisfactorios? ¿Cuáles pudieron incrementar el fracaso?

4—¿De qué forma se diferenciaban los gobiernos y las estructuras económicas de North y South Carolina, y de Georgia, de los de las colonias del norte?

III. Conceptos

Los términos siguientes representan conceptos, ideas amplias que han jugado un papel importante en la experiencia norteamericana, especialmente en la historia del establecimiento de las colonias. Con tus propias palabras, escribe una pequeña definición de cada uno.

1—oligarquía
2—hambre
3—separación de la Iglesia y el Estado
4—gobierno representativo
5—liderato, jefatura
6—libertad religiosa
7—granjas arrendatarias
8—gobierno de la mayoría

IV. Ideas organizadas

Lee las cuatro "ideas organizadas" siguientes. Cada una de ellas perfila hechos y conceptos tratados en este capítulo para formar una generalización que podría ser aplicada a muchos períodos históricos. Basándote en tus lecturas y lo dicho en clase, da ejemplos específicos que sostengan o desaprueben esas ideas.

1—Comúnmente, la madre patria considera a sus colonias como una fuente de recursos económicos o de beneficios.

2—Sobrevivir en un entorno extranjero a menudo depende de la habilidad de los dirigentes.

3—Colonias geográficamente aisladas pero fundadas por colonos originarios del mismo país a menudo se desarrollan de forma diferente.

4—Cuando un individuo o grupo domina el gobierno, sus puntos de vista afectan enormemente la vida social, económica y política de los otros ciudadanos.

¿Qué otras ideas se pueden formar a partir del material de este capítulo?

V. Ideas para construir

1—¿Cuáles son las dos razones que impulsaron a los comerciantes ingleses a fundar colonias en 1607?

2—¿Era la compañía por acciones un negocio privado, una empresa del gobierno o una mezcla de ambos? Explícalo.

3—¿Por qué crees que fue tan duro para los primeros colonos de Jamestown adaptarse a las condiciones de Virginia? Explícalo.

4—¿Quién crees que fue el mayor culpable de las pérdidas humanas en la "época del hambre"? ¿Los colonos? ¿El gobierno inglés? ¿Los indios? Explícalo.

5—¿De qué modo fueron la organización y el desarrollo de Plymouth semejantes a los de Jamestown? ¿De qué modo fueron diferentes?

6—¿Crees que las restricciones puritanas en torno al ocio fueron una buena idea para la vida del siglo XVII? ¿Por qué sí o por qué no?

7—¿Por qué los holandeses y los ingleses estaban interesados en incrementar la población europea de la región "intermedia"?

8—¿Qué similitudes o diferencias había entre los motivos para establecer las dos Carolinas y Georgia y los que había para fundar las primeras colonias inglesas?

9—¿Por qué crees que las dos Carolinas se convirtieron en el hogar de personas tan diversas y con diferentes ocupaciones?

10—¿Crees que los indios podían haber prevenido las desafortunadas consecuencias? ¿Cómo? Si no lo pudieron, ¿por qué no?

11—¿Qué clases de presiones sobre los indios pudieron surgir de un incremento en la población blanca?

VI. *Aplicación de ideas y formación de juicios*

Contesta las preguntas siguientes. Comprueba tus ideas y opiniones con ejemplos específicos de tus lecturas o discusiones de clase.

1—¿Sería mejor para los colonos saber que podían esperar ayuda de la madre patria regularmente o saber que tenían que valerse por ellos mismos? Explícalo.

2—¿Qué factores explican las diferencias en los sistemas sociales, económicos y políticos que se desarrollaron en las colonias inglesas de Norteamérica? ¿Qué similitudes? Explícalo.

3—¿Cómo supones tú que el gobierno británico justificó ante el pueblo de Gran Bretaña su ataque a la colonia holandesa de New Netherland? ¿Y ante el gobierno holandés?

Capítulo 3

LA EXPERIENCIA COLONIAL

¿POR QUÉ LLEGARON LOS COLONOS?

Razones económicas. La mayoría de los inmigrantes vinieron a Norteamérica para mejorar sus condiciones de vida y las de sus familias. Eran —en las palabras del poema grabado en la estatua de la libertad— "los cansados, ... los pobres, ... las masas en tropel en busca de libertad".

La mayor parte de la inmigración, de hecho, había venido por razones económicas. En 1600, por ejemplo, la demanda de lana inglesa creció enormemente. Muchas granjas en Inglaterra se dedicaron a esquilar ovejas. Los granjeros que una vez habían plantado cosechas se vieron desalojados de sus tierras. Algunos comenzaron a mendigar por las calles de Londres. Miles se marcharon a las colonias inglesas de Norteamérica, donde la tierra era fértil y barata.

Razones religiosas. Muchos inmigrantes también vinieron a Norteamérica en busca de libertad religiosa: el derecho a practicar sus creencias religiosas.

En muchas partes del mundo había una Iglesia establecida y organizada. La gente que quería tener otras creencias religiosas al margen de las establecidas, era a menudo perseguida. Algunas veces era encarcelada.

Los primeros peregrinos y puritanos de New England estaban en desacuerdo con la Iglesia de Inglaterra. Vinieron a Norteamérica y establecieron su propia Iglesia. Más tarde, los cuáqueros hicieron lo mismo, e igualmente, grupos católicos ingleses, protestantes alemanes y los protestantes franceses conocidos como "hugonotes" (Huguenots).

Los judíos, especialmente, sufrieron persecución en muchos países a causa de su religión. Llegaron a Norteamérica procedentes de los "ghettos" (juderías) de Rusia, Polonia, Alemania y otros países europeos.

No obstante, las diferencias religiosas causaron problemas también en la nueva tierra. Los cuáqueros fueron a veces castigados o expulsados de las ciudades de New England. Los inmigrantes irlandeses católicos en algunas ocasiones fueron víctimas de prejuicios anticatólicos. También muchos prejuicios antisemitas del "terruño" continuaron existiendo en Norteamérica.

Pero, por lo menos después de 1789, ningún funcionario del gobierno podía decir a nadie a qué iglesia debía pertenecer. Ese año, la constitución de los Estados Unidos garantizó la libertad religiosa de practicar sus creencias religiosas.

LOS COLONOS COMIENZAN A TRASLADARSE TIERRA ADENTRO

A finales del siglo XVII las poblaciones inglesas de Norteamérica habían llegado a formar una parte importante del imperio británico. Al principio, la mayoría de los colonos vivían en granjas, en ciudades

En barcos como éste se transportaba a criminales convictos de Inglaterra a las trece colonias norteamericanas.

y pueblos cerca de la costa, o a lo largo de los valles de los ríos costaneros. A principios del siglo XVII, sin embargo, los colonos comenzaron a trasladarse gradualmente hacia el interior. Talaban bosques enteros y los convertían en tierras de labranza. En 1763 había poblados hasta los Montes Apalaches en el oeste.

LA POBLACIÓN COLONIAL CRECE

La población de estas colonias creció rápidamente. En 1700 había unas 250.000 personas. En 1750 había alrededor de 1.000.000. En 1775, había cerca de 2.500.000.

Una de las razones de tan rápido crecimiento de población fue que la familia colonial era normalmente numerosa. Era difícil encontrar jornaleros y por ello tener un gran número de hijos era una ventaja económica para una familia de granjeros. Los niños podían trabajar en la granja desde muy jóvenes. De mayores podrían cultivar sus propias granjas en tierra no usada, que era abundante.

Había otra razón para explicar el crecimiento de la población. Durante todo el siglo XVIII, los colonos seguían llegando de Europa. La mayoría buscaba oportunidades económicas que su patria no podía ofrecerles. Otros venían huyendo de las persecuciones religiosas, las guerras y el servicio militar.

La mayor parte de los colonos venían voluntariamente, pero otros llegaron en contra de su voluntad. Eran reos criminales en Inglaterra y eran enviados a las colonias como castigo. Innumerables colonos llegaron como sirvientes con contrato. Su viaje era pagado por alguien a quien tenían que servir durante los primeros años en Norteamérica.

EMPIEZA LA ESCLAVITUD

Los negros fueron traídos contra su voluntad a Norteamérica, encadenados. Los primeros llegaron a bordo de un barco holandés que desembarcó en Jamestown, Virginia, en 1619. Al principio fueron considerados como sirvientes con contrato. Pero pronto, los sirvientes negros fueron tratados de diferente modo que los sirvientes blancos.

Los blancos normalmente eran liberados tras un período de trabajo definido. Para los negros, el período era a menudo indefinido. Algunos sirvientes negros eran contratados para "siempre". Esto fue lo habitual a partir de finales del siglo XVII.

¿POR QUÉ AUMENTÓ LA ESCLAVITUD?

En esta época la esclavitud se extendió rápidamente por las colonias del sur de Norteamérica. El sur era una región agrícola. Los esclavos eran necesarios como trabajadores en las granjas. Otros trabajadores podían abandonar el trabajo, quizás cuando el granjero los necesitaba más. Pero los esclavos nunca podían dejar de trabajar sin el permiso de sus amos. Por tanto, para los granjeros blancos, la población negra era la mejor fuente de esclavos, ya que eran fuertes y trabajadores. Muchos provenían de aldeas y de granjas africanas y por tanto conocían las labores de la tierra.

Algunos blancos habían intentado esclavizar a los indios, pero éstos se escapaban y escondían entre su propio pueblo, cosa que no podían hacer los negros.

LA ESCLAVITUD EN EL NORTE

La esclavitud existía, asimismo, fuera de las tierras del sur. En los primeros años de Norteamérica también había esclavos en las colonias del norte. Pero nunca se extendió mucho la esclavitud por esta zona, ya que las granjas de New England eran pequeñas y no era tan necesaria la labor de los esclavos. A principios de la década de 1800, muchos estados del norte tenían leyes prohibiendo la esclavitud.

Pero los mercaderes del norte participaban activamente en el comercio de esclavos. La mayoría de los esclavos que llegaban a Norteamérica eran traídos por

Esta familia será afortunada si todos los miembros se venden al mismo comprador. La separación era la suerte de muchos.

barcos mercantes del norte. Los negreros de New England capturaban o compraban negros a lo largo de la costa oeste africana y más tarde los vendían a los propietarios de las plantaciones del sur o a los negreros antillanos.

Muchos de estos negreros del norte se hacían ricos en el llamado "triángulo comercial". Transportaban esclavos desde África, ron y azúcar de las Antillas y mercancías manufacturadas de New England.

En 1775 había cerca de 500.000 negros en Norteamérica. Se encontraban en todas las colonias. La inmensa mayoría eran esclavos y los que no lo eran, generalmente eran considerados "ciudadanos de segunda clase". Desde los primeros tiempos la discriminación y la segregación racial privaron de libertad e igualdad a los negros.

SE CONFIGURA UNA SOCIEDAD "NORTEAMERICANA"

En la época de la Revolución Norteamericana, casi dos tercios de la población de las colonias era inglesa. La mayoría procedía de Inglaterra; otros habían venido de diferentes partes de Gran Bretaña o de posesiones inglesas en las Antillas.

El tercio restante de la población norteamericana estaba formado por gente de diferentes nacionalidades. En este grupo que no era inglés, los alemanes constituían la mayoría. Algunos se instalaron en Maryland, New Jersey y New York. Pero la mayoría fue a Pennsylvania en busca de libertad religiosa. A menudo establecieron sus propias comunidades en donde hablaban alemán y mantenían las costumbres y tradiciones de su país.

Los colonos escoceses y los escoceses-irlandeses formaban otro grupo numeroso de colonos que no eran ingleses. Los escoceses-irlandeses llegaron del norte de Irlanda. Eran descendientes de escoceses que habían emigrado a Irlanda en el siglo XVII. En Irlanda habían vivido del comercio de exportación. Pero Inglaterra dictó ciertas leyes prohibiendo la exportación de algunas mercancías irlandesas.

La marcha hacia el oeste requería subir la cordillera de Allegheny.

Estas leyes privaron a los escoceses-irlandeses de su subsistencia y por eso comenzaron a buscar otro lugar donde vivir. Alrededor de 1714, los primeros inmigrantes escoceses-irlandeses llegaron a Norteamérica.

Como los alemanes, la mayoría de éstos se establecieron en Pennsylvania. Desde allí algunos se trasladaron al oeste de Virginia y a North y South Carolina.

Irlandeses, suizo-alemanes, suecos, holandeses y franceses también llegaron a las colonias. También había algunos judíos en Rhode Island, New York y South Carolina.

A mediados del siglo XVIII los visitantes europeos se sorprendían enormemente por la gran variedad de nacionalidades. A su modo de ver estaban surgiendo "nuevas personas", "los americanos". Ciertamente, una nueva sociedad americana parecía estar configurándose.

El mapa que sigue muestra la colonización británica en Norteamérica en vísperas de la guerra revolucionaria. Señala la extensión de las poblaciones inglesas y los tipos de productos de las colonias norteamericanas.

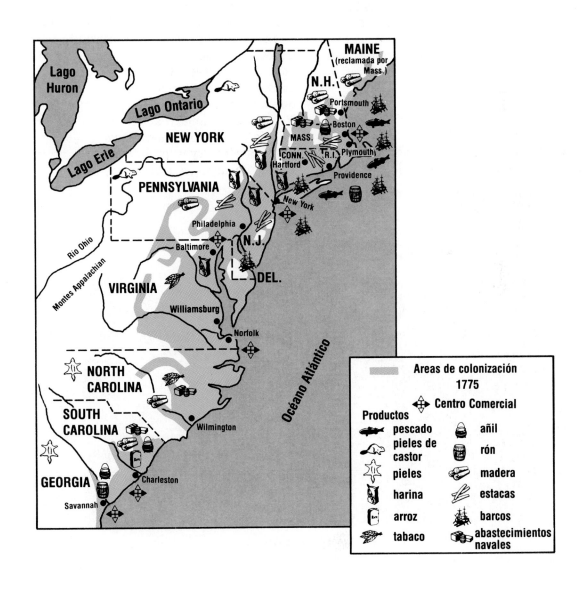

LA TIERRA Y EL MAR DAN LA SUBSISTENCIA

La mayoría de los primeros colonos vivían en granjas y se ganaban la vida trabajando la tierra. Normalmente el granjero trabajaba su propia tierra. Sin embargo, había algunos *granjeros que arrendaban* en el valle del río Hudson y a lo largo de las playas de Virginia ("Tidewater"). Éstos cultivaban tierras de otros propietarios a cambio de compartir las cosechas. El desmonte del bosque era un proceso largo y difícil. Pero las ricas cosechas merecían el esfuerzo.

Las granjas y las plantaciones del sur utilizaban esclavos para producir grandes cantidades de *cultivos básicos* para la exportación. En las plantaciones del sur llegó a ser habitual plantar unos cuantos cultivos, con la exclusión de prácticamente todos los demás, excepto en pequeñas cantidades.

El *tabaco* pronto llegó a ser el cultivo más importante del sur, y era usado para pagar las mercancías importadas.

En otras colonias del sur, como Virginia, el tabaco era usado de la misma manera para obtener toda clase de productos de los comerciantes.

Otros norteamericanos se ganaban el sustento en los bosques cazando animales para obtener pieles; o si no, comerciaban con los indios: las pieles a cambio de armas, cuchillos y licor.

Otros vivían del mar. En New England, por ejemplo, la pesca era el sustento más importante.

Una plantación de tabaco en las colonias del Sur. El tabaco fue una de las cosechas más importantes del Sur durante la época colonial.

34

GRANJAS DE SUBSISTENCIA Y MERCADOS DE ALIMENTOS LOCALES

Durante el período colonial, la economía norteamericana estaba basada en la producción y exportación de cultivos básicos tales como el tabaco, el arroz y los granos. Gradualmente, en el último período colonial, con la población extendiéndose cada vez más lejos de las zonas costeras, muchas granjas de tamaño pequeño y mediano se dedicaron a producir alimentos destinados al gasto personal. También grandes granjas o plantaciones producían cultivos básicos para exportar a Europa y a la vez cultivaban alimentos para los habitantes de la granja.

Más tarde, los granjeros comenzaron a plantar cultivos no sólo para sus propias familias y trabajadores sino también para la venta local. Los alimentos se vendían a las ciudades vecinas. Pero ya que más del 90% de la gente vivía de la tierra y hacía vida de granjeros, este comercio con los alimentos no llegó a ser muy próspero. La única excepción eran las plantaciones del sur, las cuales producían tabaco y algodón para la exportación.

Uno de los motivos más importantes de las naciones europeas para establecer colonias en el Nuevo Mundo era el de comerciar y traer nuevas mercancías a la madre patria. Así, algunas de las primeras colonias norteamericanas fueron al principio meros puestos comerciales. Se esperaba allí el establecimiento de un intercambio regular de mercancías con los indios. Varias de las primeras empresas coloniales fueron organizadas como compañías de las que se pretendía sacar provecho para los miembros y para sus países.

Sin embargo, como las colonias crecían mucho y su economía se ampliaba, comenzó a establecerse una nueva relación entre la colonia y la madre patria. Este cambio en las relaciones fue el origen de muchos problemas a los que se enfrentaron los colonos ingleses en Norteamérica a finales del siglo XVIII.

LA VIDA EN LOS PUEBLOS Y EN LAS CIUDADES

Sólo cerca del 5% de la población colonial vivía en ciudades y pueblos en los primeros días de Norteamérica. Este grupo, aunque pequeño, dejó una huella en la vida colonial norteamericana. Las oportunidades para la recreación y la diversión eran mayores en las áreas urbanas que en las comunidades agrícolas. También había oportunidades para diferentes tipos de trabajo.

En la década de 1770, Philadelphia, con una población de unos 35.000 habitantes, se convirtió en la ciudad más grande de América. Era también una de las ciudades más grandes en el mundo de habla inglesa. New York era la siguiente en tamaño con unas 25.000 personas. Boston tenía cerca de 16.000. Otras ciudades eran Charleston, en South Carolina, con 12.000 habitantes; Newport, en Rhode Island, con 11.000; y New Haven, en Connecticut, con 8.000.

Con la excepción de Charleston, en South Carolina, que llegó a ser un centro importante para la exportación de productos de las plantaciones, había pocas poblaciones en el sur lo suficientemente grandes para ser llamadas ciudades. Por ejemplo, en la década de 1770, Williamsburg era la capital de Virginia pero era poco más que una aldea.

La ciudad más grande y poblada de New England en el período colonial era Boston, Massachusetts. El comercio y la construcción de barcos eran el sustento económico de la ciudad. Desde el interior, los granjeros traían los vagones cargados de maíz y trigo o conducían reses y caballos al mercado de la ciudad. Los comerciantes compraban los artículos que traían estos granjeros. Entonces embarcaban estos productos y animales y los enviaban a las Antillas o a las plantaciones del sur donde eran comprados por los propietarios de las plantaciones. Los comerciantes de Boston también embarcaban mercancías para Inglaterra, incluyendo pieles

El viejo capitolio en Philadelphia en la década de 1770. En esa época Philadelphia era la ciudad más populosa de los Estados Unidos.

de castor y de gamuza (cuero de venado) y a menudo también troncos de árboles para utilizarlos como mástiles y berlingas de barcos. A cambio, varios tipos de mercancías manufacturadas eran importadas de Inglaterra.

EL "TRIÁNGULO COMERCIAL" DE LOS COMERCIANTES DE NEW ENGLAND

Los comerciantes de New England controlaban la mayoría de los buques de las colonias. Se encargaban del llamado "triángulo comercial". Esto significaba que, al igual que un triángulo, muchas de las rutas comerciales que estos barcos seguían tenían tres direcciones.

Una de las rutas más comunes, por ejemplo, empezaba por enviar un barco cargado de provisiones desde New England a las Antillas. Allí, esta carga se cambiaba por azúcar que era transportada a

través del Océano Atlántico hasta Inglaterra. Desde allí las mercancías manufacturadas se llevaban a las colonias de New England.

Otra ruta comercial triangular era la siguiente: las provisiones eran enviadas a las Antillas para ser cambiadas por melaza. La melaza era llevada a New England donde la convertían en ron, que luego se enviaba a la costa africana. Allí, los comerciantes negreros cambiaban el ron por esclavos. Éstos eran entonces conducidos a las Antillas y cambiados por melaza, que era a su vez transportada a New England. Cada uno de estos pasos representaba ganancias para los comerciantes.

Los comerciantes de New England también enviaban sus barcos a transportar mercancías entre las colonias del sur e Inglaterra. El tabaco o el arroz se transportaba a Inglaterra y ropa de lana, productos de hierro y otras mercancías manufacturadas se llevaban a las colonias.

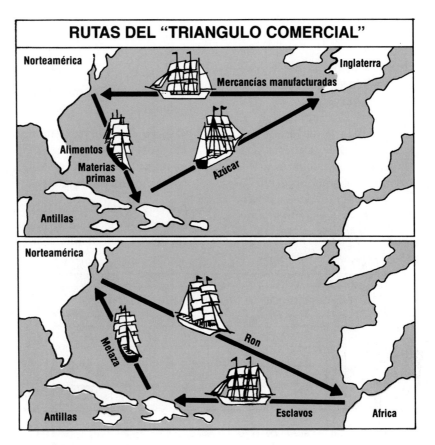

RUTAS DEL "TRIANGULO COMERCIAL"

Norteamérica

Inglaterra

Mercancías manufacturadas

Alimentos

Materias primas

Azúcar

Antillas

Norteamérica

Melaza

Ron

Antillas

Esclavos

Africa

MERCANTILISMO Y LEYES DE NAVEGACIÓN

El comercio entre las colonias e Inglaterra estaba basado en una idea o principio llamado *mercantilismo*. De acuerdo con este principio, los mayores países del mundo adquirirían poder y riquezas incrementando la cantidad de sus exportaciones a otros países, disminuyendo así la cantidad de sus importaciones de otros países. De este modo, podían obtener más oro y plata, que era lo que se usaba para pagar las mercancías. Muchos dirigentes nacionales pensaban que el gobierno debía controlar todo el comercio con el exterior para asegurar que las exportaciones fueran mayores que las importaciones y por tanto entrara más dinero.

Las colonias ayudaban a Inglaterra, ya que la abastecían de materias primas y a la vez eran un mercado de consumo para las mercancías manufacturadas inglesas. De este modo, las colonias ayudaban

a Inglaterra a exportar más y a importar menos de países extranjeros. Para reforzar esta forma de comercio, los líderes ingleses intentaban decir a los colonos americanos cómo debían llevar a cabo su comercio y sus otras actividades económicas.

Por esto, el Parlamento aprobó una serie de *Leyes de navegación* en diferentes ocasiones en los siglos XVII y XVIII. El propósito principal de estas leyes era asegurar que todo el comercio de las colonias fuera transportado en barcos ingleses o coloniales, tripulados en su mayor parte por tripulación inglesa. Además, ciertos "artículos enumerados" producidos en América sólo se podían enviar a Inglaterra u otra colonia inglesa. Sólo así (con licencia especial) se podía transportar la mercancía a países extranjeros como Francia o España. Al principio, este sistema se aplicó a productos tales como el tabaco, algodón, azúcar y añil, pero más tarde se aplicó también al arroz, los artículos navales (resina, alquitrán, terpentina, mástiles, berlingas), cobre, mineral y pieles.

Las leyes de navegación también preveían que ninguna mercancía de países extranjeros fuera embarcada a las colonias excepto a través de Inglaterra. El propósito de esta medida y de las descritas anteriormente era, por supuesto, hacer a Inglaterra más rica y poderosa.

Otras leyes con el mismo objetivo se aprobaron en el Parlamento para controlar la manufactura en las colonias americanas:

—*La Ley de la lana* prohibía la **exportación** del tejido lanar hecho en las colonias.

—*La Ley del sombrero* prohibía la **exportación** de los sombreros hechos en las colonias.

—*La Ley del hierro* fomentaba la producción del hierro en bruto pero prohibía la manufactura de productos de hierro, como las herramientas.

—*La Ley de la melaza* imponía un fuerte impuesto a la melaza, el ron y el azúcar traídos a Norteamérica. La finalidad

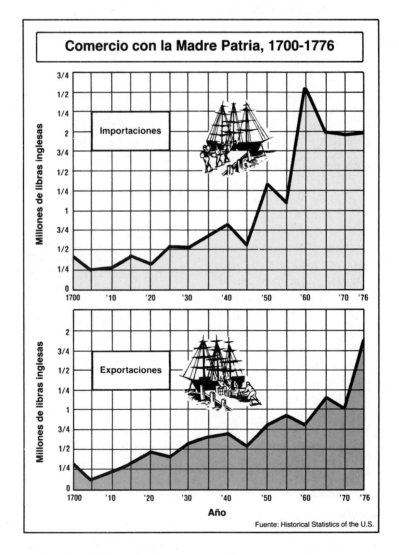

Comercio con la Madre Patria, 1700-1776

Fuente: Historical Statistics of the U.S.

Estas gráficas muestran el valor total de todos los productos que las colonias importaban y exportaban de y a Gran Bretaña, "la Madre Patria", entre 1700 y 1776.

de esta regulación era reducir el comercio entre las colonias y las islas francesas y españolas en las Antillas.

NEGACIÓN A OBEDECER LAS LEYES DE NAVEGACIÓN

Por lo general, los comerciantes coloniales y los propietarios de barcos se oponían a los controles. Muchos se negaban a obedecer las leyes de navegación y comerciaban directamente con las islas extranjeras de las Antillas y con los países del continente europeo.

La economía colonial prosperaba, así como la demanda de alimentos, pieles, maderas y cultivos. Pero el desacuerdo con las regulaciones del comercio provocaba conflictos entre los colonos y el gobierno de Londres. A la larga, ésta llegó a ser una de las principales causas de la Revolución Norteamericana.

ESCASEZ DE DINERO

Aunque había prosperidad en las colonias, pronto sobrevino un nuevo problema económico: la *escasez de dinero*. De acuerdo con las regulaciones mercantiles, estaba prohibido enviar oro y plata a las colonias norteamericanas. Por otra parte, a las colonias no les estaba permitido acuñar su propia moneda. La mayoría de las monedas usadas en las colonias venían de las Antillas españolas. Sin embargo, el suministro de dichas monedas fue dismi-

nuyendo gradualmente. El papel moneda era emitido de vez en cuando, pero perdía rápidamente su valor porque no estaba apoyado por oro y por tanto la gente no le tenía confianza.

EL PROBLEMA DE LA TIERRA — RICOS Y POBRES

Los colonos pronto se enfrentaron con problemas económicos más difíciles. En las regiones desarrolladas del litoral Atlántico cada vez había menos tierra, lo cual era un grave problema para los recién llegados y para los sirvientes a punto de completar su contrato de trabajo. En el sur, los dueños de las plantaciones se apropiaban de las mejores tierras. A menudo, alquilaban parte de sus tierras baldías a colonos que no podían obtener sus propias tierras. Años más tarde, los colonos que necesitaban tierra la podían obtener trasladándose hacia el oeste. Pero en el período colonial, la zona al oeste de los montes Apalaches estaba todavía casi inexplorada.

Como resultado de este problema en torno a la tierra, la disparidad entre ricos y pobres se hizo más amplia. De un modo similar, en los pueblos y ciudades el control de la vida económica por los poderosos comerciantes y los profesionales produjo descontento. La economía de las colonias norteamericanas estaba creciendo y haciéndose compleja, pero a la vez el número de gente pobre aumentaba.

EXPLORACION DE HECHOS Y OPINIONES

I. Para mejorar tus conocimientos

Define, describe o identifica cada uno de los términos siguientes. Muestra cómo está conectado cada uno con la economía colonial.

1—granjeros arrendatarios
2—sirvientes con contratos
3—tabaco
4—Williamsburg, Virginia
5—New Amsterdam
6—triángulo comercial
7—Ley de la lana
8—Ley del
sombrero
9—Ley del hierro
10—Ley de la melaza

II. Preguntas

Contesta a las preguntas siguientes. Acompaña tus respuestas con ejemplos o información específica.

1—¿Qué les atrajo de Norteamérica a los primeros colonos ingleses?

2—¿De qué modo ayudaron los indios a la economía en las colonias norteamericanas durante los primeros tiempos?

3—¿Por qué fue más rápido el crecimiento de las ciudades del norte que el de las del sur?

4—¿Por qué estableció el Parlamento las Leyes de navegación?

5—¿Por qué era ilegal el triángulo comercial? ¿Por qué era tan beneficioso el comercio con África?

III. Conceptos

Los términos que siguen representan conceptos, ideas amplias que han jugado un papel importante en la experiencia de Estados Unidos, especialmente en la economía colonial. Con tus propias palabras, escribe una pequeña definición de cada una de ellas.

1—cultivos básicos
2—esclavitud
3—mercantilismo
4—Leyes de navegación
5—artículos enumerados
6—"madre patria"
7—colonia

IV. Ideas organizadas

Ahora siguen cuatro "ideas organizadas". Cada una de ellas perfila hechos y conceptos tratados en este capítulo, para formar una generalización que podría ser aplicada a muchos períodos históricos. Basándote en tus lecturas y lo dicho en clase, da ejemplos específicos que sostengan o desaprueben estas ideas.

1—Un país funda colonias por razones puramente económicas.

2—El desarrollo económico de una colonia o de un país requiere un continuo abastecimiento de mano de obra barata.

3—Las ciudades y los pueblos se desarrollan porque se apoyan en rutas comerciales activas.

4—El establecimiento de colonias da a la "madre patria" el derecho de controlar la economía de la colonia.

V. Ideas para construir

1—¿Qué fuerzas o debilidades crees que se pueden desarrollar en un país que está habitado por una gran variedad de gentes?

2—¿Por qué pensaron los europeos que los norteamericanos eran otro tipo de gente? Explícalo.

3—¿Por qué crees que los esclavos blancos nunca fueron esclavos de por vida?

4—Si las colonias del norte hubieran tenido granjas tan grandes como las del sur, ¿crees que hubiera habido también esclavos en esos estados? ¿Por qué sí o por qué no?

5—¿Por qué crees que los ingleses no querían que se desarrollara mucho la manufactura colonial?

6—¿Cómo crees que reaccionó la mayoría de los colonos a las restricciones comerciales y de manufactura? ¿Cómo hubieras reaccionado tú si hubieras vivido en Norteamérica en esa época? Explica tu contestación.

VI. Aplicación de ideas y formación de juicios

Contesta a las preguntas siguientes. Sustenta tus ideas y opiniones con datos específicos de tus lecturas o lo dicho en clase.

1—En Inglaterra, Norteamérica era, a menudo, vista como una tierra de abundancia. ¿De qué modo fomentó esto la colonización? ¿Podría haber perjudicado esta idea el abastecimiento de mano de obra barata? ¿Por qué?

2—En el viejo mundo tú hubieras nacido

en una determinada clase económica en la que hubiera sido muy difícil mejorar. ¿Qué factores hacen que sea más fácil para la gente de Norteamérica el poder ascender de clase social y mejorar sus condiciones económicas? ¿Cómo se medía el valor de una persona en Norteamérica?

3—El entorno natural de un lugar es un factor importante en el desarrollo de la economía. ¿Cómo afectó al entorno el desarrollo de la economía en las áreas del sur? ¿Y en el norte?

4—El mercantilismo era un sistema practicado por los países colonizadores de Europa. ¿De qué modo afectó este sistema a la economía colonial?

Capítulo 4

LUCHAS COLONIALES

LOS COLONOS SE RESISTEN AL CONTROL BRITÁNICO

A principios del siglo XVIII, era claro que Francia e Inglaterra pronto se disputarían el control de Norteamérica. A medida que las colonias inglesas crecían, los franceses estaban asegurando su control sobre un área mayor hacia el oeste. Allí habían desarrollado un importante comercio de pieles con los indios. Para que los ingleses se mantuvieran fuera de esta zona construyeron una línea de fuertes desde Canadá a Louisiana.

Desafortunadamente para los franceses, sus vastas posesiones americanas estaban escasamente pobladas. Los cazadores y comerciantes de pieles iban y venían pero muy pocos colonos franceses se establecían allí. A mediados del siglo XVIII, los colonos ingleses de Norteamérica sobrepasaban en número a los habitantes de Nueva Francia en una proporción de 20 a 1.

Comenzó la lucha por Norteamérica finalmente, pero ésta fue sólo una parte del conflicto a escala mundial entre Francia e Inglaterra. Estas dos grandes potencias europeas se enfrentaron en cuatro guerras entre 1689 y 1763. Norteamérica se vio afectada sólo ligeramente en las tres primeras contiendas. Pero en la última, el control del continente era el principal objetivo. A esta guerra se le llamó en Europa *"la guerra de los siete años"*. En América, fue conocida como la *"guerra francoindiana" (French and Indian War)* ya que muchos indios eran aliados de los franceses en contra de los ingleses y los norteamericanos.

COMIENZA LA GUERRA FRANCOINDIANA

La guerra comenzó en la frontera oeste de las colonias inglesas. El reclamo conflictivo de tierras fue la principal causa de la lucha. En 1740, unos colonos de Virginia se habían trasladado, pasando por los Montes Apalaches, al norte de la zona del río Ohio. Como respuesta, los franceses enviaron tropas a la zona y construyeron nuevos fuertes.

Queriendo conservar la zona para los británicos, el gobernador de Virginia mandó en 1754 un cuerpo de soldados a la región, bajo las órdenes del *teniente coronel George Washington*. En una breve batalla cerca del fuerte Duquesne (hoy día la ciudad de Pittsburgh), Washington fue derrotado. Al año siguiente, el gobierno inglés envió tropas a América a las órdenes del *general Edward Braddock*. Pero éstas fueron derrotadas por un grupo de franceses e indios y el general Braddock perdió la vida.

Después de estas contrariedades sufridas por los ingleses, los indios se aliaron definitivamente con los franceses. Desde entonces, las incursiones indias a las colonias fronterizas inglesas fueron mucho más frecuentes. Además, las fuerzas fran-

Los indios tenían muchísimos compradores de pieles de castor y otros animales. ¿Por qué escaseó el abastecimiento poco después?

cesas, al mando del *general Louis Montcalm*, tomaron varios fuertes británicos al norte del estado de New York y se trasladaron a 60 millas de Albany.

Los colonos norteamericanos no ayudaban mucho a los británicos en estos enfrentamientos ya que no tenían ejércitos formales y las milicias que tenían estaban muy poco entrenadas y por tanto no podían enfrentarse a las tropas regulares. Los gobiernos coloniales también tenían mucha dificultad para recaudar dinero para las campañas militares.

En 1754 se celebró un congreso en Albany, en un intento de que las colonias cooperaran más en la guerra. Sin embargo, sólo siete legislaturas coloniales enviaron delegados. *Benjamin Franklin*, uno de los delegados a este *Congreso de Albany*, propuso un plan de unión de las colonias, el cual no fue aceptado.

LOS BRITÁNICOS OBTIENEN UNA SORPRENDENTE VICTORIA

En 1758, *William Pitt* fue nombrado primer ministro de Gran Bretaña. Introdujo una política de guerra que eventualmente llevó a Inglaterra a la victoria. Su estrategia consistió en mantener a Francia en tensión con los países europeos que estaban aliados con Inglaterra. También

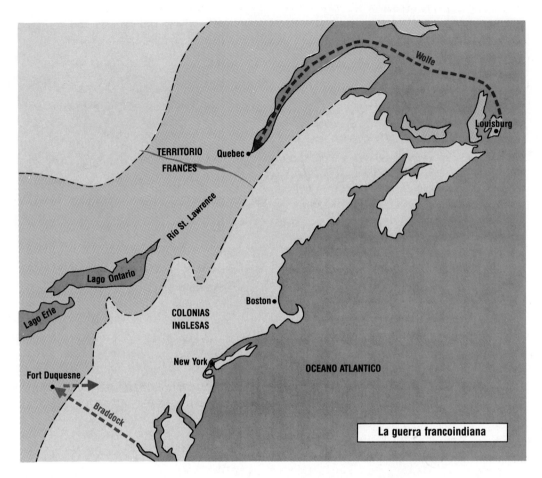

La guerra francoindiana

fortaleció las fuerzas navales inglesas y envió más tropas a Norteamérica.

La batalla decisiva de la guerra ocurrió en septiembre de 1759. *James Wolfe,* un joven general inglés, condujo sus tropas por encima de los acantilados que protegen Quebec a los Altos de Abraham. Allí derrotó decisivamente a los franceses a las órdenes de Montcalm y tomó la ciudad. Ambos jefes, Wolfe y Montcalm, murieron en la batalla. Pero al tomar Quebec, Wolfe obtuvo el control del río San Lorenzo y con él, todo Canadá.

EL TRATADO DE PARÍS PONE FIN A LA GUERRA

La paz se restauró oficialmente con el *Tratado de París,* firmado en 1763. Por los términos de este tratado, el imperio francés en Norteamérica llegó a su fin. Francia perdió Canadá y toda la región

este del río Mississippi (excepto New Orleans). Sólo conservó dos pequeñas islas de Terranova (Canadá) y otras dos en las Antillas.

España, aliada de Francia en la contienda, entregó Florida a los británicos a cambio de La Habana (Cuba). Por medio de otro tratado, Francia entregó a España todas las tierras francesas al oeste del Mississippi, junto con New Orleans. Era una recompensa por la ayuda que le había prestado en la guerra.

EN BUSCA DE LA IGUALDAD

Poco después de terminar la guerra, el gobierno inglés comenzó a fortalecer el control sobre las colonias. Sin embargo, al mismo tiempo, los colonos se mostraban cada vez más independientes en su actitud con respecto al imperio británico. Una vez sin el peligro de los franceses, no necesitaban la protección de las fuerzas inglesas. Por otra parte, muchas de las medidas tomadas por el gobierno británico después de la guerra iban en contra de los intereses coloniales.

Entre muchos colonos estaba surgiendo un sentimiento *nacionalista*. Comenzaban a considerarse diferentes a los ingleses y a los europeos. Habían desarrollado su propia forma de vida "norteamericana" y en muchos aspectos ésta era diferente de la del viejo mundo. Por otra parte, los intereses locales de los colonos eran para ellos más importantes que los del imperio británico.

Por eso, muchos colonos consideraban que debían ellos mismos controlar su propio futuro sin interferencia o ayuda británica. Esperaban que con el tiempo el gobierno inglés compartiera este punto de vista y que los habitantes de Gran Bretaña los consideraran sus iguales dentro del imperio.

Se criticaba la forma en que el gobierno inglés actuaba en las colonias. Los comerciantes querían mayor libertad de comercio. Las industrias manufactureras querían menos restricciones para sus productos. Los hacendados de las plantaciones del sur querían extenderse hacia nuevas tierras. Los trabajadores y pequeños granjeros también tenían sus quejas.

LA TIERRA, CAUSA DE DISPUTAS

Una de las principales causas del descontento colonial con el control británico fue la tierra. Después de la guerra francoindiana se crearon graves problemas a causa de esto. Los comerciantes de pieles querían que las tierras del oeste fueran para los cazadores indios ya que éstos les suministraban pieles. Por otro lado, los comerciantes de bienes raíces querían que se ampliara el territorio para poblaciones.

En 1763, el gobierno británico todavía no había solucionado el problema, pero ese año el gobierno se vio forzado a ac-

En los concejos de los indios, todo el mundo podía expresar su opinión. Aquí se ve al cacique Pontiac cuando explica su estrategia.

tuar. Los indios, al mando de su jefe *Pontiac*, atacaron a las tropas británicas en la frontera oeste. Esto condujo a una sangrienta guerra con los indios. Pero para evitar más enfrentamientos el rey firmó la *proclamación de 1763*. Este tratado reservaba para los indios todas las tierras al oeste de una línea que se extendía a lo largo de los Montes Apalaches. Los colonos prometieron mantenerse al este de la "línea de la proclamación". A aquellos que ya la habían traspasado, se les ordenó que salieran de ella.

LOS IMPUESTOS, LA CAUSA PRINCIPAL DEL DESCONTENTO

Los impuestos fueron otra fuente de problemas entre el gobierno británico y las colonias de América. Los británicos tenían grandes deudas tras la guerra francoindiana. Muchas personas en Inglaterra opinaban que eran los colonos los que tenían que pagar estas deudas por medio de impuestos.

Sin embargo, el gobierno británico no quería que los colonos pagaran sólo las deudas de la guerra sino también otros gastos coloniales. Los colonos consideraban que esto era injusto. Pronto los impuestos fueron la principal causa del descontento colonial con el gobierno británico.

En 1764, el Parlamento dictó la *Ley del azúcar* para reunir fondos en las colonias. Esta ley, en realidad, rebajó el impuesto sobre la melaza importada a las colonias desde las Antillas. Pero al mismo tiempo se instituyó un nuevo sistema de recaudación de impuestos con la intención de que éstos se pagaran en su totalidad. La ley se hacía cumplir rigurosamente. Las colonias, indignadas por esta medida, empezaron a importar cada vez menos mercancías de Inglaterra, lo cual dio como resultado que las relaciones entre las colonias y la madre patria empeoraron.

En 1765, el Parlamento dictó la *Ley del timbre*. Esta ley ordenaba que varios tipos de material impreso —como periódi-

cos y almanaques— tenían que llevar un timbre oficial. Los papeles oficiales y de negocios de diferentes clases también estaban sujetos a esta ley. Tales documentos no se consideraban válidos sin el timbre.

La tasa del timbre era una tasa directa. Se pagaba directamente al gobierno. Afectaba a todas las colonias por igual.

Anteriormente, tasas similares habían sido creadas por los mismos colonos. Sus propias legislaturas coloniales habían dictado muchas leyes en torno a los impuestos y los colonos las habían aceptado. Pero ahora los colonos opinaban que la ley del timbre era algo diferente. Había sido dictada por el Parlamento inglés y no por los órganos legislativos coloniales. Los colonos no tenían representantes en el parlamento inglés y por tanto no habían tenido voz en el asunto. A su modo de ver, esto era tributación sin representación.

La reacción de las colonias fue negativa. Los comerciantes firmaron acuerdos para no importar mercancías de Inglaterra hasta que la Ley del timbre fuera revocada. Otros colonos formaron una organización conocida como los *Hijos de la libertad*. Este grupo tomó medidas contra los que estaban a favor de la tasa o los que la toleraban. Sus miembros atacaron a los vendedores de timbres, destruyeron sus timbres y quemaron sus propiedades.

En Inglaterra, los comerciantes pronto sufrieron las consecuencias en la baja de ventas a Norteamérica y por tanto también comenzaron a instar al Parlamento para que eliminara la Ley del timbre. Finalmente, el Parlamento decidió que era mejor para los intereses de Inglaterra el que se eliminara dicha ley.

LOS DERECHOS DE TOWNSHEND

Aunque la ley del timbre había sido eliminada, el gobierno británico no renunció a su empresa de imponer tasas a las colonias. En 1767 el Parlamento dictó los *Derechos de Townshend*. Estas leyes imponían nuevos impuestos para lo que se importaba en las colonias. El gobierno inglés creó nuevas oficinas gubernamentales para recaudar los impuestos.

Una vez más, los colonos se opusieron, los comerciantes norteamericanos rehusaron importar mercancías inglesas y, una vez más, los colonos y el gobierno se enfrentaron.

LOS COLONOS Y LOS SOLDADOS SE ENFRENTAN

En 1768, dos regimientos de tropas británicas fueron enviados a Boston para prevenir el contrabando. Como resultado hubo varios enfrentamientos entre los colonos y los soldados. La mayoría de estos incidentes no fueron muy importantes. Pero uno de ellos fue grave. Ocurrió en 1770. Hoy se le llama la *masacre de Boston*.

Este desafortunado acontecimiento comenzó cuando unos cuantos jóvenes lanzaron bolas de nieve al centinela de la aduana. Ocho o nueve soldados fueron a auxiliarlo. El capitán ordenó a los soldados disparar sobre los que habían provo-cado el incidente. Tres hombres murieron en el acto y varios más fueron mortalmente heridos. Crispus Attucks, un ciudadano negro, fue una de las personas que murieron en este incidente.

EL TÉ PRODUCE OTRA CONFRONTACIÓN

Después de la masacre de Boston, el gobierno británico comenzó a mostrar cierta moderación. Trasladó a las tropas fuera de Boston. Revocó los Derechos de Townshend. Sólo se mantuvo una pequeña tasa sobre el té importado para demostrar que el Parlamento tenía derecho a imponer impuestos a las colonias.

Sin embargo, algunos norteamericanos tampoco quisieron pagar este impuesto y sólo bebían el té que entraba de contrabando en las colonias.

Por otro lado, los colonos comenzaron a importar de nuevo mercancías inglesas. Por una breve temporada disminuyó la tensión.

Pero en 1773, el gobierno británico aprobó la Ley del té y los problemas se reanudaron. De hecho, la ley dio a la British East India Company el control

Un grupo de ciudadanos de Boston, disfrazados de indios, abordaron los barcos y echaron todo el té al agua.

total del comercio del té con las colonias.

Los norteamericanos, una vez más, respondieron hostilmente. En Boston, *los Hijos de la Libertad* decidieron impedir la entrada del té. A este incidente se le conoce con el nombre de *fiesta del té de Boston*. Uno de los que tomó parte en esta famosa "fiesta del té" describió el incidente con estas palabras: "un grupo de habitantes de Boston, disfrazados de indios, abordaron los barcos y arrojaron toda la mercancía al agua".

FUERTE REACCIÓN BRITANICA

El gobierno británico no podía ignorar la fiesta del té de Boston y reaccionó con decisión.

Ya que el gobierno no podía castigar a los individuos que habían tomado parte en el incidente, decidió castigar a todo el estado de Massachusetts. Así, el Parlamento dictó unas leyes por las que el puerto de Boston se cerraría hasta que las colonias pagaran a la Compañía de la India Oriental el té que había perdido. Además, cuatro regimientos de tropas británicas, al mando del *general Thomas Gage*, fueron enviados a Boston.

Ese mismo año, el Parlamento también dictó una *Ley de acuartelamiento* más severa que las anteriores. Esta ley exigía que las colonias proveyeran a las tropas británicas de Norteamérica con comida y alojamiento. Una ley similar había sido dictada en 1765, hacía poco menos de una década. Pero la nueva ley decía que las tropas debían ser alojadas en los hogares de los colonos así como en barracas. Era de aplicación en todos los hogares de todas las colonias.

AL BORDE DE LA REBELIÓN: EL PRIMER CONGRESO CONTINENTAL

Estas nuevas medidas alarmaron a los colonos. Les parecía que el Parlamento podría ser capaz de quitarles todos sus derechos. Por tanto, en todas las colonias se comenzaron a convocar asambleas generales para hablar de lo que, unidos, podrían hacer para que el Parlamento respetara sus derechos y libertades. El resultado fue el *primer Congreso Continental*, celebrado en Philadelphia en septiembre de 1774. Todas las colonias, excepto Georgia, enviaron representantes a esta reunión.

Muchos miembros del congreso estaban a favor de una actitud violenta o de una rebelión declarada. En este grupo había personalidades como *Patrick Henry* de Virginia, *Samuel Adams* y *John Adams* de Boston.

Bajo el liderazgo de los miembros más radicales, el congreso acercó más a los colonos a la rebelión. Recomendaron que todo comercio con Inglaterra fuera interrumpido inmediatamente. Además, sugirieron que los colonos se armaran y organizaran tropas. Pronto, regimientos de *"hombres al minuto" (milicianos)* se encontraban en todas las colonias para realizar entrenamientos militares.

El congreso también adoptó una *Declaración de Derechos y Agravios*. Este documento manifestaba las quejas de los colonos acerca de la forma en que los trataba el gobierno británico. También apuntaba los derechos y libertades que los colonos consideraban suyos. Finalmente, expresaba la esperanza de que pronto se restableciera la armonía entre Gran Bretaña y sus colonias norteamericanas.

El congreso se clausuró en octubre, pero se citaron para un nuevo congreso el mes de mayo siguiente.

EXPLORACION DE HECHOS Y OPINIONES

I. Para mejorar tus conocimientos

Define, describe o identifica cada uno de los términos siguientes. Muestra cómo está conectado cada uno con la historia del conflicto colonial.

1—Ley del timbre
2—La fiesta del té de Boston
3—Proclamación de 1763
4—Ley de navegación
5—Masacre de Boston
6—Hijos de la libertad
7—Primer Congreso Continental
8—Guerra francoindiana
9—Derechos de Townshend

II. Preguntas

Contesta a las preguntas siguientes. Acompaña tus respuestas con ejemplos o información específica.

1—¿Cuáles eran las ventajas y desventajas del sistema imperial tanto para la madre patria como para las colonias?

2—¿Qué provocó la lucha en Norteamérica entre los franceses y los ingleses? ¿Cuáles fueron los resultados de esta guerra?

3—¿Por qué y cómo cambiaron las relaciones inglesas con sus colonias de Norteamérica después de 1763?

4—¿Qué querían decir los colonos americanos con "tributación sin representación"? ¿Por qué era esto importante?

5—Utilizando la información de este capítulo, construye una cronología de los "acontecimientos que condujeron a la Revolución Norteamericana". Encabeza tus columnas así: "Política británica", "Reacción colonial" y "Respuesta británica".

III. Conceptos

Los términos que siguen representan conceptos, ideas amplias que han jugado un papel importante en la experiencia de Estados Unidos, especialmente en la historia del conflicto colonial. Con tus propias palabras, escribe una pequeña definición de cada una de ellas.

1—nacionalismo
2—sistema imperial
3—oportunidad económica
4—impuestos
5—contrabando
6—conflicto
7—población
8—deuda

IV. Ideas organizadas

Siguen cuatro "ideas organizadas". Cada una perfila hechos y conceptos discutidos en este capítulo para formar una generalización que podría ser aplicada a muchos períodos históricos. Basándote en tus lecturas y lo dicho en clase, da ejemplos específicos que aprueben o desaprueben estas ideas.

1—Las colonias tienden a comprometerse en las disputas internacionales de su madre patria.

2—Un sistema imperial requiere que la madre patria regule el comercio y la manufactura de sus colonias.

3—Las colonias, a menudo, son más independientes en su actitud hacia la madre patria cuando sus necesidades de protección militar o sus necesidades económicas son menores.

4—Los intereses económicos y políticos de las colonias y su madre patria no son siempre los mismos.

¿Qué otras ideas pueden desarrollarse a partir del material de este capítulo?

V. Ideas para construir

1—¿Cómo crees que un inglés fiel habría visto los acontecimientos que condujeron a la revolución norteamericana?

2—Imagina que te hubieran pedido sugerir alguna solución pacífica al conflicto entre Gran Bretaña y sus colonias norteamericanas. ¿Qué términos propondrías a cada uno de los lados para terminar la disputa? ¿Por qué?

3—De acuerdo con las resoluciones de la Ley del timbre, ¿qué derechos de todos los ingleses violaba esta ley?

4—El gobierno inglés produjo la Proclamación de 1763 para evitar más problemas con los indios. ¿Qué otras razones crees que había para restringir la expansión de las colonias? Explícalo.

5—¿Cómo crees que reaccionaron la mayoría de los colonos ante esta proclamación? ¿Por qué?

6—¿Por qué crees que los participantes en la fiesta del té de Boston se preocuparon tanto por el disfraz y el secreto?

7—Imagina que vivías en Boston en 1773. ¿Hubieras participado en la fiesta del té? ¿Por qué sí o por qué no?

8—Crispus Attucks, uno de los muertos en el incidente de Boston, era una persona con antecesores blancos y negros. ¿Te dice su muerte algo acerca de las relaciones raciales en Boston en 1770? Si es así, ¿qué? Y si no, ¿por qué no?

9—¿Por qué crees que los indios decidieron participar en una guerra entre naciones europeas?

10—¿Qué problemas hubieran sufrido Inglaterra y Francia para suministrar alimentos y armas a sus tropas a 3.000 millas de distancia? Explícalo.

11—Imagina que la guerra francoindiana hubiera acabado en un empate. ¿Cómo hubiera afectado esto más tarde a la historia americana? Explícalo.

VI. Aplicación de ideas y formación de juicios

Contesta a las preguntas siguientes. Comprueba que tus ideas y opiniones estén sustentadas por tus lecturas y lo dicho en clase.

1—En 1782, John Adams escribió: "América ha estado mucho tiempo enrolada en las guerras europeas. Ha sido, desde el principio, una especie de pelota entre las naciones de la contienda". Basándote en la información de los dos últimos capítulos, ¿estás de acuerdo con esto? Explícalo.

2—¿Crees que uno o más planes o acciones de Inglaterra desde 1651 a 1776 fueron más importantes que los otros para conducir a Norteamérica a la revolución? Si es así, ¿cuál? Explícalo. Si no, ¿por qué comenzó la revolución en 1770 y no en 1650?

3—La gran distancia (3.000 millas) que separaba a Inglaterra de Norteamérica, ¿cómo pudo haber contribuido a: a) un vacío en la comunicación entre ingleses y norteamericanos; y b) el crecimiento del nacionalismo norteamericano?

4—En 1964, el candidato presidencial Barry M. Goldwater dijo: "el extremismo en defensa de la libertad no es un defecto. La moderación en la búsqueda de la justicia no es una virtud". ¿Qué personas y acontecimientos a mediados de la década de 1700 hubieran seguido las ideas de Goldwater? ¿Qué o quiénes se habrían opuesto? Explícalo.

Capítulo 5

LA GUERRA
REVOLUCIONARIA

LA GUERRA COMIENZA
EN LEXINGTON Y CONCORD

Hacia mediados de abril de 1775, Boston estaba lista para la guerra. Un aire tenebroso invadía la ciudad. El estado de ánimo era tenso. Ambos contrincantes esperaban intranquilamente la primera ráfaga.

Lo esperado llegó el 19 de abril de 1775. La tarde anterior, el *general Thomas Gage*, comandante de las tropas británicas en Boston, se enteró de que los colonos estaban almacenando armas en *Concord*, a quince millas de distancia. Ordenó a unos 700 soldados británicos que fueran rápidamente, desde Boston, a sorprender a los colonos, confiscar y destruir las armas.

Sin embargo, los revolucionarios de Boston se enteraron de los planes del general Gage. Inmediatamente enviaron a *Paul Revere, William Dawes* y al *Dr. Samuel Prescott* a alertar a la región vecina del plan británico.

Al amanecer de la mañana siguiente, 19 de abril de 1775, las fuerzas británicas llegaron a *Lexington*, un pueblo a unas cinco millas de Concord. Alguien, británico o norteamericano, abrió el fuego, siendo éstos los primeros disparos de la revolución norteamericana.

Las tropas británicas marcharon luego hacia Concord, pero ya los habitantes de Concord estaban avisados de su proximidad y del auténtico motivo de su visita.

El destacamento británico se dirigía hacia el centro de la ciudad. Una partida de 200 soldados tenía órdenes de tomar posesión del puente norte. Otras partidas fueron enviadas a varias zonas de la ciudad en busca de abastecimientos de armas. Pero antes de que los soldados hubieran llevado a cabo su misión fueron atacados por los habitantes de Concord. Las tropas británicas retrocedieron hacia Boston.

LA BATALLA DE BUNKER HILL

Las batallas de Lexington y Concord no dejaron ninguna duda a ambos contrincantes de que la guerra realmente había empezado. En estos enfrentamientos murieron 73 soldados británicos, 174 fueron heridos y 26 dados por desaparecidos. Las bajas norteamericanas eran un poco más leves: unos 93 colonos, entre muertos, heridos y desaparecidos.

Después de que las tropas británicas volvieron a Boston, los milicianos norteamericanos rodearon la ciudad con la idea de capturar y expulsar a los británicos. Pero éstos se mantenían firmes y los norteamericanos comenzaron el *asedio de Boston*, que duró casi un año. Durante este tiempo, ambos contrincantes se preparaban para la lucha que se acercaba.

Mientras tanto, otro pequeño enfrentamiento tuvo lugar en junio de 1775, en una colina. Fue conocido como la batalla de *Bunker Hill*. Las fuerzas coloniales

Oficiales ingleses montados a caballo dirigen el ataque en la batalla de Lexington.

ocuparon otra colina, Breed's Hill, situada en Charlestown, separada de Boston por el río. Las tropas británicas en Boston abrieron fuego contra la posición norteamericana y el 17 de junio tomaron por asalto la colina. Dos veces fueron rechazados, pero su tercera carga tuvo éxito. Tras la retirada de los norteamericanos, los británicos tomaron también la cercana colina de Bunker Hill, de donde toma nombre la batalla.

EL SEGUNDO CONGRESO CONTINENTAL: UN EJÉRCITO Y UNA PETICIÓN

El *segundo Congreso Continental* tuvo lugar en Philadelphia el 10 de mayo de 1775, aproximadamente un mes después de la lucha en Lexington y Concord. Una vez más, los delegados vinieron de todas las colonias, menos de Georgia.

Uno de los primeros actos del Congreso fue organizar un ejército. La guerra, hasta el momento, se había limitado al territorio de New England y todos los enfrentamientos los habían protagonizado sus habitantes, quienes, en su mayoría, habían tenido muy poco entrenamiento militar. Además, todas las milicias locales tenían sus propios comandantes, lo que hacía difícil la coordinación.

El segundo Congreso Continental creó un *ejército continental* para todas las colonias. *George Washington* fue nombrado comandante en jefe. Las tropas para el ejército debían ser reclutadas en todas las colonias y no sólo en New England. Los gastos debían ser también compartidos por todas las colonias, de acuerdo con su población.

El Congreso también pidió al rey Carlos III y al Parlamento que buscaran una solución al conflicto y pusieran fin a la guerra. No pedían la independencia sino una mayor consideración hacia las colonias. Pero el rey y el Parlamento no atendieron las peticiones y consideraron a los colonos rebeldes y traidores.

No todos los ingleses estaban de acuerdo con la actitud del gobierno británico con respecto a las colonias.

El gobierno británico contrató soldados extranjeros para que lucharan en el ejército británico. Cerca de 30.000 soldados mercenarios alemanes de la región de Hesse (*Hessians*) se pusieron al servicio de Inglaterra durante la guerra. La contratación de soldados extranjeros fue lo que más enojó a los colonos.

EL SEGUNDO CONGRESO CONTINENTAL: LA DECLARACIÓN DE INDEPENDENCIA

Como resultado de la actitud hostil del gobierno británico, muchos norteamericanos comenzaron a creer que sólo les quedaba un recurso: declararse independientes de Gran Bretaña. Por supuesto, algunos colonos como *Samuel Adams* y *Thomas Paine* habían sugerido esto algunas veces, pero sólo tras la lucha en Lexington y Concord, la mayoría de los norteamericanos comenzaron a creer que la independencia era la mejor solución.

Finalmente, en junio de 1776, *Richard Henry Lee*, delegado de Virginia, elevó una propuesta al Congreso Continental. La propuesta decía que "estas Colonias Unidas deben ser, por derecho, libres e independientes". El 2 de julio de 1776 el Congreso aprobó la resolución de Lee. Y el 4 de julio, los delegados adoptaron oficialmente la *Declaración de Independencia*.

Este documento fue escrito por *Thomas Jefferson*. En este documento se declaraba la igualdad de los hombres y la obligación del gobierno de proteger los derechos del pueblo. También decía que si el gobierno no respetaba los derechos del pueblo, éste podía sustituirlo por otro gobierno mejor.

Thomas Paine era un recién llegado a las colonias y comprendió rápidamente el problema que tenían. En su panfleto *Common Sense (Sentido común)*, daba muchas razones para la independencia de las colonias. La Declaración de Independencia fue el resultado lógico que siguió al panfleto "Common Sense". Sus dos primeros párrafos explican claramente los sentimientos de los colonos.

Los conocimientos del genial Franklin, ilustre estadista, fueron de mucho provecho para la joven nación. En este dibujo de 1876 se ve de pie, entre los redactores de la Declaración de Independencia. De izquierda a derecha: Thomas Jefferson, Roger Sherman, Franklin, Robert R. Livingston y John Adams.

LA DECLARACION DE INDEPENDENCIA
DE LOS ESTADOS UNIDOS

Lectura de la Declaración de Independencia en Philadelphia.

**La Declaración de Independencia fue
aprobada en Philadelphia, el 4 de julio
de 1776, por el Congreso Continental.**

Cuando, en el curso de los acontecimientos humanos, un pueblo se ve en la necesidad de disolver los lazos políticos que lo han unido con otro, y ocupar, entre las naciones de la tierra, un sitio separado e igual, al cual tiene derecho según las Leyes de la Naturaleza y el Dios de esa Naturaleza; el respeto debido a las opiniones del género humano exige que se declaren las causas que han obligado a ese pueblo a la separación.

Aceptamos como verdades evidentes que todos los hombres nacen iguales, que están dotados por su Creador de ciertos derechos inalienables, entre los cuales están el derecho a la Vida, a la Libertad y al logro de la Felicidad; que, para asegurar estos derechos, los hombres establecen Gobiernos, derivando sus justos poderes del consentimiento de los gobernados; que cuando una forma de gobierno se convierte en destructora de estos fines, es un derecho del pueblo cambiarla o abolirla, e instituir un nuevo gobierno, basado en esos principios y organizando su autoridad en la forma que el pueblo estime como la más conveniente para obtener su seguridad y su felicidad. En realidad, la prudencia recomienda que los gobiernos erigidos mucho tiempo atrás no sean cambiados por causas sencillas y transitorias; en efecto, la experiencia ha demostrado que la humanidad está más bien dispuesta para sufrir, mientras los males sean tolerables que a hacerse justicia aboliendo las formas de gobierno a las cuales se encuentra acostumbrada. Pero cuando una larga cadena de abusos y usurpaciones, que persiguen invariablemente el mismo objetivo, hace patente la intención de reducir al pueblo a un despotismo absoluto, es derecho del hombre, es su obligación, expulsar a ese gobierno y buscar nuevos guardianes para su seguridad futura. Tal ha sido el paciente sufrimiento de estas colonias; tal es ahora la necesidad que las obliga a cambiar sus antiguos sistemas de Gobierno. La historia del actual **rey** de la Gran Bretaña es una historia de agravios y usurpaciones **repetidas**, que tienen como meta directa la de establecer una tiranía absoluta en estos estados. Para demostrar lo anterior exponemos los siguientes hechos ante un **mundo que** no los conoce:

El Rey ha rehusado aprobar las leyes más favorables y necesarias para el bienestar público.

Ha prohibido a sus gobernadores aprobar leyes de importancia inmediata y apremiante, a menos que su ejecución se suspenda hasta obtener su aprobación; y, una vez suspendidas, se ha negado por completo a prestarles atención.

Se ha negado a aprobar otras leyes convenientes a grandes regiones pobladas, a menos que esos pueblos renunciasen al derecho de ser representados en la Legislatura, derecho que es inestimable para el pueblo y perjudicial sólo para los tiranos.

Ha convocado a los cuerpos legislativos en sitios desusados, incómodos y distantes del asiento de sus documentos públicos, con la sola idea de fatigarlos para cumplir con sus medidas.

En repetidas ocasiones ha disuelto las Cámaras de Representantes, por oponerse éstas con firmeza viril a sus intromisiones en los derechos del pueblo.

Durante mucho tiempo, y después de esas disoluciones, no ha permitido la elección de otras cámaras; con lo cual los poderes legislativos han retornado al pueblo, permaneciendo el Estado, mientras tanto, expuesto a todos los peligros de una invasión exterior y a convulsiones internas.

Ha tratado de impedir que aumentase la población de estos Estados, entorpeciendo con ese propósito las Leyes de Naturalización de Extranjeros; rehusando aprobar otras para fomentar su inmigración y elevando las condiciones para poder adquirir nuevas tierras.

Ha entorpecido la administración de justicia al no aprobar las leyes establecidas por los poderes judiciales.

Ha hecho que los jueces dependan solamente de su voluntad, para poder desempeñar sus cargos y en cuanto a la cantidad y pago de sus emolumentos.

Ha fundado una gran diversidad de nuevas oficinas, enviando a un contingente de funcionarios que acosan a nuestro pueblo y reducen su sustento.

En tiempo de paz, ha mantenido entre nosotros ejércitos permanentes, sin el consentimiento de nuestros órganos legislativos.

Ha influido para que la autoridad militar sea independiente de la civil y superior a ella.

Se ha asociado con otros para someternos a una jurisdicción extraña a nuestra constitución y no reconocida por

Samuel Adams

nuestras leyes; aprobando sus actos de pretendida legislación:

Para acuartelar, entre nosotros, grandes cuerpos de tropas armadas.

Para protegerlos, por medio de un juicio ficticio, del castigo por los asesinatos que pudieran cometer entre los habitantes de estos Estados.

Para suspender nuestro comercio con todo el mundo.

Para imponernos impuestos sin nuestro consentimiento.

Para privarnos, en muchos casos, de los beneficios de un juicio por jurado.

Para transportarnos más allá de los mares, con el fin de ser juzgados por supuestos agravios.

Para abolir en una provincia vecina el libre sistema de las leyes inglesas, estableciendo en ella un gobierno arbitrario y extendiendo sus límites, con el objeto de dar un ejemplo y disponer de un instrumento adecuado para introducir el mismo gobierno absoluto en estas Colonias.

Para suprimir nuestras Cartas Constitutivas, abolir nuestras leyes más valiosas y alterar en su esencia las formas de nuestros gobiernos.

Para suspender nuestros órganos legislativos y declararse investido con facultades para legislarnos en todos los casos, cualesquiera que éstos sean.

Ha abdicado de su gobierno en estos territorios al declarar que estamos fuera de su protección y al emprender una guerra contra nosotros.

Ha saqueado nuestros mares, destruido nuestras costas, incendiado nuestras ciudades y arruinado la vida de nuestro pueblo.

Actualmente, está transportando grandes ejércitos de extranjeros mercenarios para completar la obra de muerte, desolación y tiranía, ya iniciada en circunstancias de crueldad y perfidia que apenas si encuentran paralelo en las épocas más bárbaras, y por completo indignas del jefe de una nación civilizada.

Ha obligado a nuestros ciudadanos, aprehendidos en alta mar, a que tomen armas contra su país, convirtiéndolos así en los verdugos de sus amigos y hermanos, o a morir bajo sus manos.

Ha provocado insurrecciones internas entre nosotros y se ha esforzado por lanzar sobre los habitantes de nuestras fronteras a los inmisericordes indios salvajes, cuya conocida disposición para la guerra se distingue por la destrucción de vidas, sin considerar edades, sexos ni condiciones.

En varias oportunidades, hemos pedido una reparación en los términos más humildes; nuestras súplicas constantes han sido contestadas solamente con ofensas repetidas. Un príncipe, cuyo carácter está marcado, en consecuencia, por todas las acciones que definen a un tirano, no es el adecuado para gobernar a un pueblo libre.

Tampoco hemos incurrido en faltas de atención para con nuestros hermanos británicos. Les hemos comunicado, oportunamente, los esfuerzos de sus leyes para extender una autoridad injustificable sobre nosotros. Les hemos recordado las circunstancias de nuestra emigración y colonización en estos territorios. Hemos apelado a su justicia y magnanimidad naturales, y los hemos conjurado, por los lazos de nuestra común ascendencia, a que repudien esas usurpaciones, las cuales, inevitablemente, llegarían a interrumpir nuestros nexos y correspondencia. Ellos también se han mostrado sordos a la voz de la justicia y de la consanguinidad. Por tanto, aceptamos la necesidad que proclama nuestra separación, y en adelante los consideramos como al resto de la humanidad: Enemigos en la Guerra, Amigos en la Paz.

En consecuencia, nosotros, los representantes de los Estados Unidos de América, reunidos en Congreso General, y apelando al Juez Supremo del Mundo en cuanto a la rectitud de nuestras intenciones, en el nombre, y por la autoridad del buen pueblo de estas Colonias, solemnemente publicamos y declaramos, que estas Colonias Unidas son, y de derecho deben ser, Estados Libres e Independientes; que se hallan exentos de toda fidelidad a la Corona Británica, y que todos los lazos políticos entre ellos y el Estado de la Gran Bretaña son y deben ser totalmente disueltos; y que, como Estados Libres e Independientes, tienen poderes suficientes para declarar la guerra, concertar la paz, celebrar alianzas, establecer el comercio y para efectuar todos aquellos actos y cosas que los Estados Independientes pueden, por su derecho, llevar a cabo.

Y, en apoyo de esta declaración, confiando firmemente en la protección de la Divina Providencia, comprometemos mutuamente nuestras vidas, nuestros bienes y nuestro honor sacrosanto.

John Hancock

New Hampshire

Josiah Bartlett	Matthew Thornton
Wm. Whipple	

Massachusetts Bay

Saml. Adams	Robt. Treat Paine
John Adams	Elbridge Gerry

Rhode Island

Step. Hopkins	William Ellery

Connecticut

Roger Sherman	Wm. Williams
Saml. Huntington	Oliver Wolcott

New York

Wm. Floyd	Frans. Lewis
Phil. Livingston	Lewis Morris

New Jersey

Richd. Stockton	John Hart
Jno. Witherspoon	Abra. Clark
Fras. Hopkinson	

Pennsylvania

Robt. Morris	Jas. Smith
Benjamin Rush	Geo. Taylor
Benja. Franklin	James Wilson
John Morton	Geo. Ross
Geo. Clymer	

Delaware

Caesar Rodney	Th. M'Kean
Geo. Read	

Maryland

Samuel Chase	Charles Carroll
Wm. Paca	of Carrollton
Thos. Stone	

Virginia

George Whyte	Thos. Nelson Jr.
Richard Henry Lee	Francis Lightfoot Lee
Th. Jefferson	Carter Braxton
Benja. Harrison	

North Carolina

Wm. Hooper	John Penn
Joseph Hewes	

South Carolina

Edward Rutledge	Thomas Lynch Junr.
Thos. Heyward Junr.	Arthur Middleton

Georgia

Button Gwinnett	Geo. Walton
Lyman Hall	

EL SEGUNDO CONGRESO CONTINENTAL: UN GOBIERNO CENTRAL

Hasta casi el final de la guerra, el segundo Congreso Continental actuó lo mejor que pudo, como un gobierno central para los nuevos *Estados Unidos*. Sin embargo, no tenía derecho legal alguno para hacer esto. No tenía autoridad para recaudar impuestos o para alistar hombres en el ejército. Sólo podía recaudar dinero y hombres de los estados. Pero a menudo, éstos no querían cooperar y la situación era por tanto muy difícil.

El Congreso, también, emitió papel moneda "continental". Desafortunadamente, el papel perdía pronto su valor ya que no estaba respaldado por el oro. "No vale ni un continental", se convirtió en una expresión popular para indicar que algo tenía muy poco o ningún valor.

Sin embargo, el Congreso obtuvo unos préstamos de los tres enemigos europeos de Gran Bretaña —Francia, España y Holanda—. Con estos préstamos el Congreso pudo comprar suministros militares para continuar la guerra.

¿PODÍAN LOS NORTEAMERICANOS GANAR LA GUERRA?

Las posibilidades de que Norteamérica ganara la guerra parecían muy escasas ya que no tenían suficiente armamento. Muchas de las tropas estaban pobremente entrenadas y carecían de disciplina. No tenían fuerzas navales. El dinero escaseaba. Ni tampoco la totalidad de la población apoyaba la guerra (quizás un tercio de la población se oponía a la independencia).

Por otro lado, las tropas británicas estaban mucho mejor equipadas y entrenadas que las norteamericanas. Las fuerzas navales inglesas eran las más poderosas de toda Europa. Además, Gran Bretaña era lo suficientemente rica como para contratar tropas extranjeras.

Pero los norteamericanos tenían unas cuantas cosas a su favor. Algunas de las tropas y oficiales del ejército habían tenido cierta experiencia en la guerra franco-indiana. Muchos ciudadanos sabían cómo usar las armas de fuego. Además, los norteamericanos habían luchado en su propio terreno y conocían bien la tierra y las mejores formas de pelear en ella.

Mientras tanto, los británicos estaban fuera de su tierra y en zonas difíciles para su abastecimiento. Luchaban de una forma que podría ser efectiva en Europa pero no en tierras de Norteamérica. Además, parte de las tropas británicas tenían poco entusiasmo por la guerra.

LA GUERRA EN LOS ESTADOS INTERMEDIOS

El asedio de Boston continuó hasta marzo de 1776. Cuando los norteamericanos comenzaron a cercarla, los ingleses, bajo el *general William Howe*, abandonaron la ciudad y retrocedieron a Canadá. Desde su nueva base en Canadá, Howe planeó atacar y capturar la ciudad de New York, que era un buen puerto. También había un gran número de colonos leales en la ciudad.

En junio de 1776, Howe trasladó sus tropas de Canadá a New York. El general Washington trató de impedir que las tropas británicas ocuparan tan importante plaza. Así pues, encaminó su ejército hacia New York. En agosto, las dos tropas se enfrentaron en la *batalla de Long Island*. El ejército de Howe derrotó a los norteamericanos que se retiraron hacia el norte, a *White Plains*. Aquí, el ejército continental perdió otra batalla. Washington se vio obligado a retirarse a Pennsylvania a donde le siguió Howe.

Sin embargo, en diciembre de 1776, Washington ganó por fin una batalla. Se enteró de que Howe había enviado a sus tropas a sus cuarteles de invierno en New York y en la noche de Navidad cruzó el río Delaware y capturó casi 1.000 soldados mercenarios alemanes en *Trenton*, New Jersey.

A principios de enero de 1777, Washington derrotó de nuevo a los británicos

Los ingleses abandonan Boston en 1776.

importante en *Saratoga*, New York. El *general John Burgoyne*, comandante británico, había planeado una campaña militar para aislar a New England de los estados del sur. Creía que si conseguía dividir a los norteamericanos podría derrotarlos más fácilmente; por tanto, trasladó sus tropas desde Canadá al lago Champlain, al norte del estado de New York. Hizo planes para unirse a las tropas del general Howe, que venían de New York, cerca de Albany. Una tercera fuerza, que venía del oeste, del valle Mohawk al norte del estado de New York, se uniría también a Burgoyne y a Howe.

La estrategia de Burgoyne estaba condenada al fracaso. El general Howe, en vez de dirigirse hacia el norte para encontrarse con Burgoyne, se encaminó por mar a Philadelphia, la capital norteamericana. Arribó a la bahía de Chesapeake y en la *batalla de Brandywine*, Pennsylvania, el 11 de septiembre de 1777, derrotó al primer destacamento de Washington que le salió al paso. En octubre, derrotó una vez más a los norteamericanos en la *batalla de Germantown*. Entró en Philadelphia y pasó allí el invierno de 1777-78. El Congreso Continental huyó a York, Pennsylvania. Washington y sus tropas derrotadas se retiraron a *Valley Forge*, donde sufrieron terribles penalidades durante el invierno.

en la *batalla de Princeton* y los expulsó de New Jersey. Con esta batalla terminaron los enfrentamientos durante ese invierno. El ejército norteamericano tenía más esperanzas de triunfo.

LA CAMPAÑA DE SARATOGA: EL MOMENTO DECISIVO DE LA GUERRA

En el otoño de 1777, las fuerzas norteamericanas ganaron una victoria aún más

Washington en Valley Forge.

Las otras tropas británicas, que arribaban del oeste, tampoco se encontraron con las de Burgyone, ya que fueron derrotadas en la *batalla de Oriskany*, New York, el 6 de agosto de 1777.

Esto suponía que Burgoyne no tenía el apoyo que necesitaba para llevar a cabo su plan. A pesar de todo, continuó encaminándose hacia el sur donde pronto tuvo dificultades y problemas de abastecimiento. Lo peor ocurrió cuando las tropas que había enviado a Vermont para recoger suministros fueron derrotadas en la *batalla de Bennington*, Vermont, el 16 de agosto de 1777.

Burgoyne, finalmente, llegó a un lugar cerca de Saratoga, en New York. Aquí, las tropas norteamericanas bloqueaban su camino y tuvo que enfrentarse a ellas. Acechado, Burgoyne se rindió al *general Horatio Gates* en Saratoga, el 17 de octubre de 1777. Casi 7.000 soldados británicos fueron hechos prisioneros.

La victoria norteamericana de Saratoga fue el momento decisivo de la guerra. Tras la derrota de Burgoyne, los norteamericanos comenzaron a tomar el control de la guerra. Parecía que Gran Bretaña podía perder.

FRANCIA INTERVIENE EN LA GUERRA

La derrota de Burgoyne tuvo otra consecuencia importante: Francia decidió intervenir en la guerra como aliada de los norteamericanos. Cuando las noticias de la derrota de Burgoyne llegaron a París, el gobierno francés reconoció diplomáticamente a los Estados Unidos. Esto suponía un reconocimiento oficial por parte del gobierno francés de la independencia de las colonias de Gran Bretaña.

Un poco más tarde, el gobierno francés firmó una alianza militar con los Estados Unidos. Esto acaeció en febrero de 1778. Por los términos de este tratado, Francia se convertía en aliada de los Estados Unidos. Una vez más, Francia luchaba con su antiguo rival, Gran Bretaña. Benjamin

Franklin jugó un papel importante en estos acuerdos.

UNA PEQUEÑA ARMADA OBTIENE ÉXITOS

Los norteamericanos tenían una armada muy reducida. El Congreso Continental había previsto llevar a cabo muy pocas batallas navales. Pero finalmente, tuvieron que contratar muchos barcos *corsarios* (*"privateers"*). Con estas fuerzas, los Estados Unidos consiguieron ganar unas cuantas batallas navales.

Un comandante naval, *John Paul Jones*, se atrevió a cruzar el Atlántico y llegó hasta Gran Bretaña.

John Paul Jones

En la primavera de 1778, Jones hizo varias incursiones en ciudades litorales y capturó algunos barcos británicos. En septiembre de 1779, Jones, al mando del *Bonhomme Richard*, atacó al barco de guerra inglés *Serapis* en el Mar del Norte. En el enfrentamiento, el *Bonhomme Richard* sufrió graves daños y poco tiempo después se hundió. Pero Jones y su tripulación abordaron y capturaron el *Serapis*.

SE REDUCEN LAS OPERACIONES MILITARES EN LOS ESTADOS INTERMEDIOS ATLANTICOS

Tras el fracaso de Burgoyne en Saratoga, los británicos tomaron más precauciones. El general Howe fue reemplazado por el *general Henry Clinton*. A las tropas de Howe se les ordenó que abandonaran Philadelphia y regresaran a New York. Washington trató de cortar la retirada de las tropas británicas en la *batalla de Monmouth*, New Jersey, el 28 de junio de 1778, pero no lo consiguió y las fuerzas británicas llegaron a New York.

Washington no estaba seguro de lo que Clinton planeaba. Se estableció en los cuarteles generales de *White Plains*, New York, para observar a los británicos. Sin embargo, tuvo que pasar la mayor parte de su tiempo tratando de impedir que sus tropas desertaran. También recaudó dinero y abastecimientos para sus soldados, que estaban cansados y mal preparados.

Por este motivo, las operaciones militares en la zona intermedia atlántica se paralizaron temporalmente.

Había, sin embargo, una minoría peleando en la zona de la frontera oeste durante los años 1778 y 1779. Una pequeña guarnición al mando del *coronel George Rogers Clark* capturó varios puestos británicos, incluyendo *Kaskaskia* y *Vincennes*, en el río Mississippi.

LA GUERRA FINALIZA

Las batallas finales de la guerra fueron en el sur. El general Clinton decidió acometer una invasión a los estados del sur. Atacando desde el mar, las fuerzas

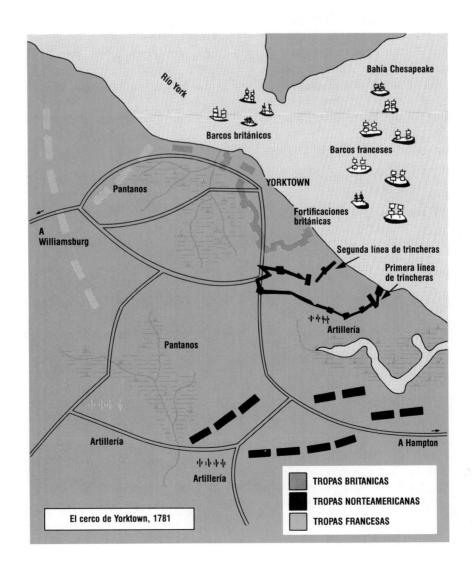

El cerco de Yorktown, 1781

Río York

Bahía Chesapeake

Barcos británicos

Barcos franceses

YORKTOWN

Pantanos

Fortificaciones británicas

A Williamsburg

Segunda línea de trincheras

Primera línea de trincheras

Artillería

Pantanos

Artillería

A Hampton

Artillería

Artillería

TROPAS BRITANICAS
TROPAS NORTEAMERICANAS
TROPAS FRANCESAS

británicas capturaron *Savannah* (29 de diciembre de 1779) y *Charleston* (12 de mayo de 1780). Más tarde se trasladaron hacia el norte, a las órdenes de *Lord Cornwallis*, a quien el general Clinton había dejado el mando. En agosto de 1780, Cornwallis ganó otra victoria en la *batalla de Camden*, South Carolina.

Pero en North Carolina, Cornwallis sufrió varios reveses. El 15 de marzo de 1781, en la *batalla de Guilford Courthouse*, Cornwallis venció a los norteamericanos bajo el *general Nathanael Greene*. Pero perdió gran cantidad de soldados, por lo que estaba seguro de que no mantendría el control de las Carolinas.

Por esto, Cornwallis se dirigió a Yorktown, Virginia, en la bahía de Chesapeake. Esperaba que la armada británica que había en dicha bahía sacara a sus tropas del sur.

Mientras tanto, tropas francesas bajo las órdenes del *general de Rochambeau* habían arribado a New England. Uniendo sus fuerzas a las de Washington, se trasladaron a Virginia, donde asediaron Yorktown. Una escuadra francesa a las órdenes del *conde de Grasse* también arribó al mismo lugar y expulsó a los británicos de la bahía de Chesapeake. Cornwallis se rindió el 19 de octubre de 1781, lo que dio por resultado el final de las operaciones militares.

LA PAZ DE PARÍS

La derrota de Yorktown y el descontento general británico con la guerra convencieron al gobierno británico a reconocer la independencia de los Estados Unidos. Los comerciantes ingleses, que habían tenido que interrumpir sus actividades comerciales en el período de la guerra, estaban deseosos de que se restableciera la paz.

La conferencia de paz tuvo lugar en París. Benjamin Franklin, John Adams y John Jay representaban a los Estados Unidos.

Las conversaciones duraron algún tiem-

Los ingleses se rinden en Yorktown.

po y el tratado no se firmó hasta el 3 de septiembre de 1783. Los términos de la *Paz de París* eran los siguientes:

—Gran Bretaña reconocía la independencia de los Estados Unidos.

—Los Estados Unidos obtenían todo el territorio al este del río Mississippi, entre el sur de Canadá y el norte de Florida.

—Gran Bretaña permitía que los Estados Unidos pescaran en las aguas canadienses de Terranova (Newfoundland).

—Se les permitía a los barcos británicos navegar por el río Mississippi.

—Los Estados Unidos no impedirían a los acreedores británicos recolectar sus deudas norteamericanas.

—Los Estados Unidos recomendarían a los estados que devolvieran las propiedades de los colonos leales capturadas durante la guerra.

EXPLORACION DE HECHOS Y OPINIONES

I. *Para mejorar tus conocimientos*

Define, describe o identifica cada uno de los términos siguientes. Señala cómo está conectado cada uno de ellos con la historia de la guerra revolucionaria.

1—Valley Forge
2—Declaración de Independencia
3—Colonos leales (Tories)
4—Batalla de Saratoga
5—George Washington
6—Lexington y Concord
7—John Paul Jones
8—Batalla de Yorktown
9—Segundo Congreso Continental
10—Paz de París

II. *Preguntas*

Contesta a las preguntas siguientes. Acompaña tus respuestas con ejemplos o información específica.

1—¿Qué acontecimientos militares llevaron a la Declaración de Independencia en 1776?

2—¿Qué papel jugó el segundo Congreso Continental antes de y durante la guerra?

3—¿Qué ventajas y desventajas tuvieron que enfrentar los británicos al comienzo de la guerra revolucionaria? ¿Y los norteamericanos?

4—¿Qué importancia tuvo la batalla de Saratoga en la guerra revolucionaria?

5—¿Qué consiguió la Paz de París?

III. *Conceptos*

Los términos siguientes representan conceptos, ideas amplias que han jugado un papel importante en la experiencia de Estados Unidos, especialmente en la historia de la guerra de Independencia. Con tus propias palabras, escribe una pequeña definición de cada uno de ellos.

1—campaña militar
2—derechos políticos
3—lealtad
4—reconocimiento diplomático
5—independencia
6—asedio
7—alianza militar
8—momento decisivo

IV. *Ideas para construir*

1—¿Por qué crees que los norteamericanos esperaron tanto tiempo para declararse independientes?

2—¿De qué modo se relaciona la Declaración de Independencia con los acontecimientos que llevaron a ella?

3—¿Por qué crees que los franceses decidieron aliarse con los norteamericanos? ¿Por qué tardaron tanto en decidirse?

4—¿Por qué era tan importante para los norteamericanos una victoria en el mar?

5—¿Crees que los términos del tratado de paz eran justos tanto para los británicos como para los norteamericanos? Explícalo.

6—¿Por qué crees que algunos norteamericanos siguieron fieles a Gran Bretaña?

V. Aplicación de ideas y formación de juicios

Contesta a las preguntas siguientes. Asegúrate de que sostienes tus ideas y opiniones con evidencia, a partir de tus lecturas o lo dicho en clase.

1—En 1777, Thomas Paine escribió lo siguiente: "En tiempos como éstos se ponen a prueba las almas de los hombres. El soldado y el patriota por interés rehusará servir a su país en esta crisis. Pero aquel que perdura merece el amor y la gratitud de todos, hombres y mujeres". ¿Qué crees tú que quería decir Paine? ¿Estás de acuerdo o en desacuerdo con él? ¿Por qué?

2—¿Crees que los diversos grupos minoritarios norteamericanos contemporáneos estarían de acuerdo en que las ideas promulgadas en la Declaración de Independencia se han puesto en práctica para todos los habitantes de los Estados Unidos de hoy? Explícalo.

3—¿Qué problemas enfrentados por las trece colonias se solucionaron con la independencia? ¿Qué nuevos problemas les causaría? Explícalo.

4—Las tropas británicas se encaminaron hacia Lexington para capturar provisiones de armas que tenían los colonos. ¿Crees que los norteamericanos, en su calidad de súbditos británicos, tenían el derecho de almacenar armas? ¿Por qué sí o por qué no?

Capítulo 6

UNA NUEVA NACION

SE CREA UNA UNIÓN FEDERAL

En 1787, un grupo de norteamericanos se reunieron en Philadelphia y redactaron la Constitución de los Estados Unidos. Era un plan para un nuevo gobierno para las trece colonias. Más adelante siguen las primeras palabras de la Constitución. Esta primera parte del documento, llamada preámbulo, nos habla del propósito de la constitución. Lee este preámbulo con atención.

Nosotros, el pueblo de los Estados Unidos, con el objeto de formar una Unión más perfecta, establecer la justicia, asegurar la tranquilidad interior, proveer para la defensa común, promover el bienestar general y asegurar la bendición de la libertad para nosotros y para nuestra posteridad, ordenamos y establecemos esta Constitución para los Estados Unidos de América.

De acuerdo con este preámbulo, ¿qué grupo estaba estableciendo esta Constitución? ¿Por qué podía ser importante?

El preámbulo manifiesta seis propósitos generales para establecer la Constitución. ¿Cuáles eran? ¿Qué crees que significa cada uno de ellos?

¿Cuál de estos propósitos crees que los estados hubieran llevado a cabo por sí solos? ¿Cuáles podrían ser llevados a cabo sólo por un gobierno nacional?

LOS ARTÍCULOS DE LA CONFEDERACIÓN

En 1776 nacieron los Estados Unidos de América. ¿Serían capaces los Estados Unidos de unirse en un solo país o intentarían convertirse en 13 naciones diferentes? Para mantenerse unidos necesitaban un gobierno nacional, es decir, un gobierno para todo el país.

La mayoría de los norteamericanos consideraban que el país necesitaba un gobierno nacional, pero muchos temían que un gobierno nacional tuviera mucho poder sobre los estados e intentara quitarles la libertad por la que habían luchado.

Los miembros del segundo Congreso Continental eran conscientes del recelo de la gente. Intentaban establecer el primer gobierno nacional por medio de una *constitución* que estaban redactando — una declaración que explicara las diferentes partes del gobierno y las obligaciones de cada una de ellas. El Congreso quería que el gobierno fuera una confederación o consorcio de los 13 estados. Llamaron al documento los *Artículos de la Confederación*. Se terminó en noviembre de 1777 y todos los estados la aceptaron. El 1º de marzo de 1781 se convirtió en la ley de la nación.

LA "LIGA DE AMISTAD"

El primer gobierno nacional escogió a

una comisión para redactar las leyes del país. Este grupo, llamado Congreso, estaba formado por representantes que habían sido elegidos por cada uno de los estados. Un estado podía enviar hasta siete representantes, pero sólo tenía un voto. El Congreso también tenía un presidente, pero éste no tenía ningún poder especial, era sólo el presidente de las reuniones.

El nuevo gobierno tenía muy poco poder. La asociación de los estados era sólo una "liga de amistad", cuyo principal objetivo era defender los estados y su libertad. Los estados mantenían todos los poderes y derechos que no se daban al gobierno de los Estados Unidos en los Artículos.

Entre los poderes dados al gobierno nacional estaban los siguientes:

—Enviar y recibir embajadores.

—Firmar tratados con otros países.

—Hacer la guerra.

—Mantener un ejército y una armada.

—Nombrar oficiales para el ejército y la armada.

—Resolver las querellas entre los estados.

—Emitir dinero y controlar su valor. (Los estados también tenían derecho a emitir dinero.)

—Regular pesos y medidas.

—Controlar las relaciones con los indios, incluyendo el comercio.

—Establecer correos.

Para ejercer estos poderes, el Congreso tenía que tomar decisiones. En materia de poca importancia actuaría si más de la mitad de los miembros aprobaban el asunto que discutieran. Pero si se trataba de asuntos de gran importancia la regla cambiaba. Actuaría sólo si 9 de los 13 estados estaban de acuerdo.

LOS LÍMITES DEL GOBIERNO

Los Artículos de la Confederación limitaban los poderes del gobierno de los Estados Unidos por una razón muy simple: los ciudadanos no querían que el gobierno le quitara poder a los estados. Querían asegurarse de que el gobierno no les quitara las libertades por las que habían luchado.

En consecuencia, algunos poderes importantes no se concedieron al gobierno nacional. Por ejemplo, el gobierno no podía recaudar impuestos. Lo único que podía hacer era pedir a los estados el dinero que necesitara, y solamente lo que le hacía falta en cada situación específica.

El gobierno tampoco tenía poder para controlar el comercio entre los diferentes estados. Cada estado podía imponer tasas a sus mercancías como quisiera. Además, el gobierno tampoco tenía ejército sino que, en caso necesario, tenía que pedir los soldados a los estados.

Finalmente, el gobierno no tenía un caudillo; es decir, el gobierno no tenía a nadie que asegurase el cumplimiento de la ley. No había poder ejecutivo, no había nadie que hiciera cumplir las pocas leyes que el Congreso había legislado.

PETICIONES DE CAMBIO

En la década de 1780, muchos ciudadanos sufrieron penalidades. Muchos granjeros no podían pagar los préstamos que habían obtenido. Además, pagaban unos impuestos muy altos, lo que causó un gran descontento y produjo protestas y motines. El peor de éstos fue la *Rebelión de Shays* en 1786-1787. Fue una revuelta armada contra el estado de Massachusetts dirigida por *Daniel Shays*, que había sido capitán durante la Revolución. Él y su banda de granjeros intentaban cerrar los tribunales que habían incautado propiedades de los granjeros que no habían po-

Seguidores de Daniel Shays toman posesión del palacio de justicia.

dido pagar sus deudas. Shays esperaba que con su acción se interrumpieran las incautaciones. Sin embargo, la milicia estatal, o ejército, sofocó la revuelta.

La acción de Shays sobresaltó a mucha gente. Temían que tal violencia se desencadenara en cualquier parte porque el gobierno de los Estados Unidos era demasiado débil para solucionar estos problemas. Cuando la rebelión de Shays estalló, muchos ciudadanos pidieron al Congreso que acabara con ella, pero éste les dijo que no tenía suficientes hombres ni dinero para hacerlo.

Viendo la debilidad de los Artículos y la amenaza de posibles levantamientos, los norteamericanos comenzaron a solicitar un gobierno nacional más fuerte. George

Washington estaba de acuerdo con estas peticiones ya que él también temía por el futuro del país.

FINALMENTE SE TOMA UNA INICIATIVA

Los líderes de la nación comenzaron a actuar con respecto a las peticiones del pueblo. Convocaron una reunión o convención para el mes de septiembre de 1786, en Annapolis, Maryland. El propósito de la *Convención de Annapolis* era reunir a los representantes de cada estado para hablar acerca de los problemas comerciales. Todos los estados fueron invitados, pero sólo cinco enviaron representantes.

Uno de los representantes de New York era un joven abogado llamado *Alexander Hamilton*. Él, como Washington, creía que el gobierno tenía que ser más fuerte y por eso sugirió que se fortalecieran los Artículos de la Confederación.

Los representantes discutieron las ideas de Hamilton y redactaron un informe que enviaron al Congreso nacional. Este informe puntualizaba los errores de los Artículos y pedía al Congreso que convocara a todos los estados para intentar cambiar el plan de gobierno. El Congreso accedió a esta petición y en febrero de 1787 envió invitaciones para una reunión en Philadelphia, en mayo de 1787, con los representantes de los estados. Dicha reunión dio lugar a uno de los acontecimientos fundamentales en la historia del país —la redacción de la Constitución de los Estados Unidos—.

LOS PADRES DE LA PATRIA (THE FOUNDING FATHERS)

Los representantes que se reunieron en Philadelphia en 1787 tenían un propósito: mejorar los Artículos de la Confederación. Pero lo que hicieron fue escribir una nueva constitución, por lo que la reunión de Philadelphia se llamó la *Convención Constitucional* y a los representantes se les llamó los *Padres de la Patria*. Ellos fundaron el gobierno de los Estados Unidos.

Cincuenta y cinco hombres asistieron a la convención. La mayoría eran abogados o dirigentes de negocios. Algunos pertenecían al Congreso nacional y otros habían sido soldados en la Revolución. Y ocho de ellos habían firmado la Declaración de Independencia. Formaban uno de los grupos más dotados que jamás se habían reunido.

PRIMEROS PASOS

Uno de los primeros actos de los delegados fue la elección de un presidente que dirigiera la convención. Querían que fuera una persona respetada por todos, por

George Washington, héroe de la Revolución norteamericana, llegó a ser presidente de la Convención Constitucional y presidente de los Estados Unidos.

Independence Hall (Salón de la Independencia) Philadelphia.

lo que eligieron al héroe de la guerra de Independencia: *George Washington*, de Virginia.

Los Padres de la Patria también decidieron que sus reuniones fueran secretas. Creían que de este modo las conversaciones serían más libres y también mantendrían apartados a los grupos que pudieran presionar a los delegados. Así, establecieron un puesto de vigilancia en las puertas del Salón de la Independencia, donde la convención se reunía, para no permitir la entrada ni a la prensa ni al público.

IDEAS COMUNES

Redactar una constitución era una ta-rea difícil pero los delegados lograron ponerse de acuerdo, en general, con respecto a los asuntos más importantes. Esto hacía su tarea más fácil.

Uno de los principales puntos en que los delegados estaban de acuerdo era que la verdadera fuente del poder estaba en el pueblo. Esta idea fue llamada *soberanía popular*, o el derecho del pueblo para gobernar.

Pero los Padres de la Patria también creían que el pueblo no podía gobernar por sí solo. Tendrían que elegir a los gobernantes. Esto significaba que el nuevo gobierno sería una *democracia representativa*. Para esta forma de gobierno se eligen representantes del pueblo. Dicho pueblo puede elegir a sus representantes directamente o elegir a delegados que los representen. A esta forma de gobierno se le llama también *república*.

Ya que los Padres de la Patria creían que el gobierno debería ser vigoroso, le concedieron importantes poderes, como por ejemplo:

—Legislar para todo el país.

—Recaudar impuestos para sufragar los gastos del gobierno.

—Controlar el comercio entre los estados y con los países extranjeros. (Esto no significaba el comercio dentro de un estado.)

—Dirigir los asuntos extranjeros.

—Emitir dinero. (Los estados ya no podían emitir su propio dinero.)

—Establecer y mantener un ejército y una armada.

—Declarar la guerra.

Esto significaba mucho poder. Algunos americanos opinaban que el gobierno sería demasiado fuerte, por tanto los delegados dividieron los poderes del gobierno. Lo dividieron en tres partes o ramas. Cada rama tendría una parte del poder. De este modo, el gobierno como un todo no sería demasiado fuerte.

Cada rama del gobierno tenía ciertos poderes. El poder legislativo —Congreso— crearía las leyes del país. El poder ejecutivo —encabezado por el presidente— haría cumplir las leyes. El poder judicial, formado por un grupo de cortes o tribunales, explicaría y aplicaría las leyes. A esto se llamó *separación de poderes*.

Los Padres de la Patria querían asegurar que ninguna rama llegara a ser muy poderosa, por lo que le dieron a cada una el control de las otras dos. Esto se llamó sistema de *verificación y equilibrio ("checks and balances")*. Por ejemplo, el presidente podía vetar o rechazar un proyecto presentado por el Congreso. El Congreso, por otro lado, puede levantar ese veto si las dos terceras partes de sus miembros votan a favor del proyecto otra vez.

REPRESENTACIÓN EN EL CONGRESO

Los Padres de la Patria no se ponían de acuerdo en varias cuestiones. La más importante era la forma en que se organizaría el Congreso. Discutían acerca de los representantes que cada estado podría enviar al Congreso. ¿Los estados más grandes deberían tener más representantes —y más votos— que los estados pequeños? ¿O cada estado debería tener el mismo número de votos? No se ponían de acuerdo.

Los miembros de Virginia ofrecieron un plan para solucionar este problema. El *Plan de Virginia*, como fue llamado, planteaba que el Congreso debería tener dos cámaras o ramas. El número de miembros de ambas cámaras dependería de la población del estado. Los estados que tenían más habitantes deberían tener más representantes. Una cámara sería elegida por el pueblo. La otra sería elegida por las legislaturas estatales. Los estados con mayor población naturalmente apoyaban este plan ya que suponía para ellos una mayor representación en el Congreso.

Sin embargo, los pequeños estados apo-

Benjamín Franklin

yaban el plan sugerido por William Patterson, de New Jersey, un estado pequeño. En su plan, o el *Plan de New Jersey*, como fue llamado, el Congreso tendría sólo una cámara. El número de miembros de esta cámara no estaría basado en la población, sino que todos los estados serían iguales y sólo tendrían un voto.

Hubo muchas discusiones en torno a estos planes pero ninguno se aprobó. Finalmente, Benjamin Franklin estableció un acuerdo o convenio, que se llamó el "Gran Compromiso" (Great Compromise). En este plan, el Congreso tendría dos cámaras. Los miembros de una, la Cámara de Representantes, serían elegidos según la población. Esto satisfizo a los grandes estados. Los miembros de la otra cámara, el Senado, estarían basados en los mismos estados. Cada uno tendría el mismo número de miembros: dos. Esto agradó a los pequeños estados. El pueblo elegiría a los miembros de la Cámara de Representantes. Las legislaturas estatales elegirían los del Senado. Para legislar, la aprobación de ambas cámaras sería necesaria. La mayoría de los delegados estaba de acuerdo con el plan de Franklin y éste fue aceptado.

CÓMO CONTAR LA POBLACIÓN DEL ESTADO

Otro asunto causó muchas discusiones en la convención. Muchos norteamericanos poseían esclavos negros. La mayoría de los esclavos trabajaban en grandes granjas, llamadas plantaciones, en el sur de los Estados Unidos. Algunos ciudadanos querían acabar con la esclavitud, pero la mayoría de la gente de la época la aceptaba. En consecuencia, los delegados de la convención no intentaban liberar a los esclavos.

Esto suponía otro problema. El número de representantes que cada estado enviaba a la Cámara de Representantes estaba basado en su población, e igualmente la cantidad de dinero que habría que pagar en caso de que el gobierno impusiera impuestos directos a los estados. ¿Se conta-rían los esclavos como parte de la población del estado?

El norte y el sur estaban en desacuerdo en el modo de contar la población. Los estados del sur querían que los esclavos se contaran como parte de la población para elegir un determinado número de representantes, pero no querían que fueran contados al igual que los hombres blancos si el gobierno imponía tasas directas sobre los estados. Los estados del norte querían justamente lo contrario. Querían que los esclavos negros contaran para las tasas pero no para la representación.

Los delegados finalmente llegaron a un acuerdo. Se le llamó *"Acuerdo de los tres quintos"*. Cinco esclavos negros serían contados como tres hombres blancos. Este número sería añadido al número de hombres libres que formaban la población

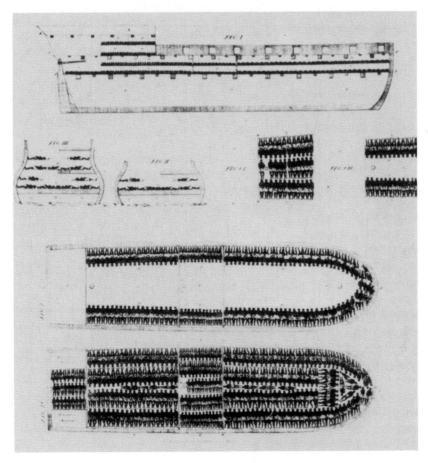

Este dibujo muestra la forma en que se traía a los esclavos africanos al Nuevo Mundo.

71

del estado. Se usaría para determinar tanto los impuestos como la representación en el Congreso.

EXPORTACIÓN Y COMERCIO DE ESCLAVOS

Otros dos asuntos provocaron desacuerdos entre los Padres de la Patria. En primer lugar, los habitantes del sur no querían que el gobierno controlara el *comercio* ya que temían que el gobierno impusiera *tarifas* (aranceles o impuestos comerciales) sobre las exportaciones o las importaciones. A los sureños les preocupaban las tarifas sobre el arroz y el tabaco. Su economía dependía de la venta de estos dos artículos a Europa. Tales tarifas les perjudicarían.

Los sureños también estaban preocupados por el comercio de esclavos. Algunos de los Padres de la Patria querían que la esclavitud terminara. Sin embargo, los sureños dependían de los esclavos para cultivar sus plantaciones. Si el comercio de esclavos terminaba, su economía sufriría.

Una vez más se llegó a un acuerdo. El Congreso tendría poder para controlar el comercio pero no se permitirían tarifas sobre exportaciones. Además, el comercio de esclavos podría seguir por lo menos 20 años más.

LA UNIÓN FEDERAL

Los Padres de la Patria intentaron redactar una Constitución que estableciera un gobierno con fuerza suficiente para que fortaleciera los débiles Artículos de la Confederación. Lograron esto de diferentes formas.

En primer lugar, cambiaron el vínculo que unía a los estados. Los Estados Unidos ya no eran una ambigua "liga de amistad" sino una *unión federal*. Los poderes estaban compartidos más equitativamente. Los estados daban al gobierno federal o central sólo ciertos poderes. Eran los poderes que éste necesitaba para resolver los problemas nacionales, los que

afectaban a todo el país. Los estados mantenían los poderes necesarios para afrontar los problemas locales.

En la página 69, fíjate en los poderes que la Constitución otorgaba al gobierno federal. Se llamaban poderes delegados porque habían sido claramente dados al Congreso por la Constitución. Bajo la Constitución, el gobierno tenía mucho más poder que bajo los Artículos, ya que ahora el gobierno federal podía hacer frente a los problemas nacionales.

Además de los poderes delegados, la Constitución dio al gobierno el derecho a decretar otras leyes que fueran "necesarias y apropiadas" para poder ejercer sus poderes. Esta cláusula se llamó *"cláusula elástica"*. Esta cláusula permitió al gobierno extender sus poderes para darle más fuerza en sus funciones.

Los poderes que el gobierno obtenía a partir de la "cláusula elástica" tienen un nombre especial: *poderes implícitos*, es decir, que existían pero que no se establecían directamente. El gobierno, por ejemplo, ahora ayuda a reglamentar las tarifas (precios) aéreas. La Constitución, por supuesto, no dice nada en torno a las líneas aéreas. Este poder está implícito por el control del Congreso sobre el comercio interestatal.

LA SUPREMACÍA NACIONAL

Los Padres de la Patria suprimieron los puntos débiles de los Artículos. Incluyeron la nueva idea de la supremacía nacional. Esto significaba que las necesidades del país entero eran más importantes que las de los estados en particular. En los Artículos, los estados se consideraban más importantes que la totalidad del país. Pero esto cambió en la unión federal. Todos tendrían que obedecer las leyes federales y los tratados, y las leyes federales tendrían supremacía sobre las leyes estatales, en caso de que unas y otras no concordaran. Además, los Padres de la Patria hicieron de la Constitución la "ley suprema de la nación". Ni los estados ni el gobierno federal podrían aprobar leyes que no estuvieran de acuerdo con la Constitución.

EL PRESIDENTE DE LOS ESTADOS UNIDOS

Otra reforma introducida en la Constitución fue la creación de un dirigente o jefe ejecutivo poderoso que desempeñara las funciones de presidente de los Estados Unidos. Con los Artículos no había poder ejecutivo. Éste fue uno de los motivos por los cuales el gobierno no podía funcionar. Los Padres de la Patria se dieron cuenta del problema y lo solucionaron con la creación del cargo de presidente.

De acuerdo con la Constitución, el presidente es una figura poderosa. Es el jefe del gobierno y tiene amplios poderes para hacer cumplir las leyes. Es también comandante en jefe de todas las fuerzas armadas y dirige las relaciones exteriores de la nación.

Sin embargo, el poder del presidente está también limitado ya que las otras ramas del poder pueden "verificar" sus acciones. El Senado, por ejemplo, debe aprobar los nombramientos que él haga en las cortes federales y asimismo puede rechazar cualquier tratado que el presidente haya firmado.

Los redactores de la Constitución consideraban que el pueblo debería participar sólo indirectamente en la elección del presidente. De ese modo, no somos nosotros realmente los que elegimos al presidente. El pueblo elige a un grupo de personas, llamado Colegio Electoral, el cual elige al presidente. De hecho, al principio los electores no eran elegidos la mayoría de las veces por el pueblo sino por las legislaturas estatales. Los Padres de la Patria consideraban que los electores servirían para que el pueblo no escogiera a un mal presidente. Creían que la opinión de los electores sería más adecuada porque se dejarían llevar menos por las emociones.

Hoy, el trabajo de los electores es menos importante, ya que los electores de cada estado generalmente eligen el mismo candidato que el pueblo elige. Pero en 1787, el pueblo creía que el Colegio Electoral era el mejor modo de elegir al presidente.

PROCEDIMIENTO DE ENMIENDAS

Los Padres de la Patria querían que la Constitución perdurara. Por esta razón idearon una manera para enmendar o cambiar todo lo que fuera necesario para mejorarla. Este procedimiento permite introducir mejoras en el gobierno y afrontar nuevos problemas. Esto significa un gran adelanto con respecto a los Artículos de la Confederación, los cuales eran casi imposibles de cambiar. Bajo los Artículos, todos los estados tenían que ponerse de acuerdo para introducir algún cambio; y este acuerdo raramente se producía.

Sin embargo, la Constitución estableció un plan de trabajo más práctico. Un cambio podría ser sugerido si dos terceras partes del Congreso y tres cuartos de los estados lo aprobaban. Con este plan se podía cambiar cualquier disposición mucho más rápidamente. Gracias a esto, la Constitución sigue vigente hoy en día. A pesar de todo, sólo se han agregado 26 enmiendas en el transcurso de los años. Esto indica lo cuidadosamente que fue redactada la Constitución.

LA CARTA DE DERECHOS ("BILL OF RIGHTS")

Durante cierto tiempo, el pueblo había pedido protección de los derechos básicos. Como resultado de ello se añadieron diez enmiendas a la Constitución. Comúnmente se les llama la Carta de Derechos. Incluyen:

—Libertad de religión.

—Libertad de expresión.

—Libertad de prensa.

—Libertad de asociación.

73

—Derecho a solicitar del gobierno reparación de agravios.

—Derecho contra registros y detenciones arbitrarias.

—Derecho a no ser juzgado dos veces por el mismo delito.

—Derecho a un juicio rápido y por jurado.

—Derecho a procedimientos legales honestos.

—Derecho a no dar testimonio contra uno mismo.

A FAVOR Y EN CONTRA

La Constitución terminó de redactarse en septiembre de 1787. A algunos de los Padres de la Patria, sin embargo, no les gustaba mucho. Por tanto, rehusaron firmarla o abandonaron la convención. El resultado fue que sólo 39 de los 55 delegados la firmaron.

Ya estaba hecho el trabajo de redacción de la Constitución. Pero la labor para que se ratificara o aprobara estaba justamente empezando. Si 9 de los 13 estados ratificaban la Constitución podría ponerse en vigor. Los estados convocaron convenciones estatales especiales para aprobar o rechazar la Constitución.

La lucha para ratificar la Constitución llevó casi un año. Los que la apoyaban fueron llamados *federalistas*. Sus líderes eran Alexander Hamilton, James Madison, Benjamin Franklin y George Washington. Muchos federalistas eran hombres de negocios que deseaban un gobierno nacional poderoso, que pudiera solucionar los problemas del comercio y del dinero.

Los que se oponían a la Constitución fueron llamados *antifederalistas*. Creían que la Constitución daba al gobierno federal mucho poder y temían que éste le arrebatara la libertad al pueblo. Indicaban ellos que la Constitución no tenía carta de derechos, es decir, no tenía una lista de los derechos que el gobierno no le podía quitar al pueblo.

En general, los antifederalistas eran

Los padres de la patria firman la Constitución de los Estados Unidos, la ley suprema de la nación.

gente menos rica. Muchos eran pequeños granjeros. Los líderes de este grupo eran Patrick Henry, Richard Henry Lee, Samuel Adams y John Hancock.

LA LUCHA PARA RATIFICAR LA CONSTITUCIÓN

En algunos estados la ratificación fue fácil. En otros, los votos fueron muy discutidos, pero los federalistas ganaron. New Hampshire fue el noveno estado en aprobar la Constitución en junio de 1788, lo que significaba que el nuevo gobierno podría ser establecido. Pero cuatro estados, entre los que se encontraban los estados claves de Virginia y New York, no habían aprobado todavía la Constitución. Sin ellos el gobierno difícilmente podría sobrevivir.

En Virginia se sostuvo un agudo debate centrado en la falta de la lista de derechos. *Patrick Henry* dirigía a los que se oponían a la Constitución.

Finalmente, la convención de Virginia ratificó la Constitución, pero pedía que se añadiera la lista de derechos.

En New York, el debate fue también ardiente, pero los federalistas tenían un poderoso líder: Alexander Hamilton. Hamilton y otros escribieron artículos en los periódicos donde explicaban las ventajas de la Constitución. Estos artículos ayudaron a ganar el debate en New York y en julio de 1788, por tanto, New York ratificaba la Constitución.

Sin embargo, dos estados todavía tenían que convencerse: North Carolina y Rhode Island. North Carolina finalmente formó parte de la Unión, en noviembre de 1789, pero Rhode Island no lo hizo sino hasta mayo de 1790. Hacía más de un año que el gobierno había sido constituido.

La Constitución de los Estados Unidos estableció la estructura del nuevo gobierno. Dio al país una base para construir en el futuro. Sólo el tiempo mostraría el camino que esta acción habría de tomar. (El texto completo de la Constitución de los Estados Unidos de América aparece en las páginas 358-372.)

EXPLORACION DE HECHOS Y OPINIONES

I. Para mejorar tus conocimientos

Define, describe o identifica cada uno de los términos siguientes. Señala cómo está conectado cada uno de ellos con la redacción de la Constitución.

1—Artículos de la Confederación
2—La rebelión de Shays
3—Convención Constitucional
4—Gran Compromiso
5—Acuerdo de los tres quintos
6—Plan de Virginia
7—Convención de Annapolis
8—Federalistas
9—Antifederalistas
10—Cláusula elástica

II. Preguntas

Contesta a las preguntas siguientes.

Acompaña tus respuestas con ejemplos o información específica.

1—¿Qué acontecimientos llevaron a la decisión de revisar los Artículos de la Confederación?
2—¿Cómo se las arreglaron los Padres de la Patria para que los delegados de la Convención Constitucional se pusieran de acuerdo?
3—¿Qué objeciones hacían los antifederalistas a la nueva Constitución?
4—¿Por qué fueron los federalistas los que al final consiguieron que los estados ratificaran la Constitución?
5—¿Cuáles eran las mayores diferencias entre los Artículos de la Confederación y los de la Constitución?

III. Conceptos

Los términos que siguen representan conceptos, ideas amplias que han jugado un papel importante en la experiencia norteamericana, especialmente con respecto a la redacción de la Constitución. Con tus propias palabras, escribe una pequeña definición de cada una de ellas.

1—ratificación
2—sistema de verificación y equilibrio
3—separación de poderes
4—compromiso
5—democracia representativa
6—tarifas
7—soberanía popular
8—poderes delegados

IV. Ideas organizadas

Siguen un número de ideas "organizadas". Cada una perfila hechos y conceptos tratados en este capítulo para llegar a una generalización. A partir de tus lecturas y lo dicho en clase, da ejemplos específicos que aprueben o desaprueben estas ideas.

1—Cuando los grupos más poderosos de una nación apoyan al gobierno, hay mayores posibilidades de que el gobierno sea eficaz.

2—El gobierno democrático está basado en la idea de que el ciudadano individual tiene ciertos derechos que no les pueden ser arrebatados por el gobierno.

3—Proveer una forma para cambiar un gobierno garantiza la larga duración de este gobierno.

4—En un gobierno democrático, las diferencias en asuntos de política son solucionadas usualmente por medio de arreglos o convenios.

5—Los gobiernos varían de acuerdo con la cantidad de poder que poseen y la cantidad de poder que reservan para el pueblo.

¿Qué otras ideas se pueden desarrollar a partir del material de este capítulo?

V. Ideas para construir

1—¿Cuáles eran los propósitos de los Artículos de la Confederación? ¿Cómo crees que resultó el gobierno bajo los Artículos en vista de estos propósitos?

2—¿Qué poderes importantes no tenía el gobierno bajo los Artículos? ¿Qué problemas crees tú surgieron debido a estas limitaciones?

3—¿Por qué crees que la rebelión de Shays preocupó a muchos norteamericanos?

4—¿Por qué crees que los delegados a la Convención de Annapolis aceptaron los puntos de vista de Hamilton?

5—¿Por qué los Padres de la Patria decidieron no mejorar los Artículos de la Confederación?

6—Compara los poderes del gobierno federal bajo la Constitución con los del gobierno nacional bajo los Artículos de la Confederación. ¿En qué se parecían? ¿En qué forma era el nuevo gobierno más poderoso?

7—¿Por qué crees que los Padres de la Patria estaban dispuestos a realizar tantos arreglos?

8—Revisa los argumentos de William Paterson a favor del plan de New Jersey. Si tú hubieras sido delegado de un pequeño estado como Rhode Island o Delaware, por ejemplo, ¿cómo hubieras respondido?

9—¿Qué era el Gran Compromiso? ¿De qué forma era un arreglo entre los planes de Virginia y New Jersey?

10—¿Por qué era tan importante que Virginia y New York aprobaran la Constitución?

11—¿Por qué las discusiones para ratificar la Constitución fueron tan largas y arduas?

12—¿Qué es la "cláusula elástica"? ¿Qué poderes tiene hoy el gobierno de los Estados Unidos gracias a dicha cláusula?

13—¿De qué forma debilitaba la Constitución los poderes retenidos por los estados?

14—Muchas personas han considerado que el Presidente debe ser elegido por un voto directo del pueblo y no por un Colegio Electoral. ¿Estás de acuerdo o en desacuerdo con esto? Explícalo.

15—Lee los derechos que se garantizan en la Carta de Derechos. ¿Crees que algunos derechos son más importantes que otros? Explícalo.

Capítulo 7
LA ERA FEDERALISTA

¿QUÉ FUE LA ERA FEDERALISTA?

A mediados de 1788, nueve estados habían aprobado la Constitución y el nuevo gobierno pudo establecerse. Una buena parte de la labor la habían hecho los federalistas— los que apoyaban la Constitución. Los empleos importantes del gobierno estuvieron en manos de los federalistas desde 1789 hasta 1801, por lo que a este período, o era, se le llamó la Era federalista. Durante estos años, George Washington y John Adams fueron presidentes.

LAS ELECCIONES DE 1789

Las primeras elecciones de acuerdo con la Constitución fueron a principios de 1789. Un poco más tarde, el primer Congreso de los Estados Unidos se reunió en New York, que era entonces la capital del país. Los federalistas ocupaban la mayoría de los escaños en el nuevo Congreso.

Unas cuantas semanas después de la elección del Congreso, los electores votaron para presidente y vicepresidente. Eligieron como presidente a *George Washington*, lo cual no sorprendió a nadie. El otro candidato para la presidencia era *John Adams*, de Massachusetts, que fue elegido vicepresidente. Tanto Washington como Adams apoyaban fervorosamente la Constitución. Así, los federalistas controlaban las dos ramas, la legislativa y la ejecutiva.

George Washington

Washington hizo su juramento oficial como presidente el 30 de abril de 1789. Comenzaba así el primer período presidencial de Washington. El gobierno estaba formado y podía empezar a funcionar.

DEPARTAMENTOS EJECUTIVOS

La Constitución dio la estructura del nuevo gobierno. El Congreso empezó inmediatamente su tarea.

Uno de los primeros actos del gobierno fue establecer los departamentos ejecutivos. Éstos ayudarían al presidente a realizar mejor su labor dándole información y consejos en caso necesario.

En 1789, el Congreso estableció cuatro departamentos ejecutivos. Cada uno de ellos estaba bajo las órdenes de un funcionario, llamado normalmente Secretario. Estas nuevas divisiones eran:

—El Departamento de Justicia, bajo el Procurador General.

—El Departamento de Estado, bajo el Secretario de Estado.

—El Departamento de Guerra, bajo el Secretario de Guerra.

—El Departamento de Hacienda Pública, bajo el Secretario de Hacienda.

El presidente Washington eligió cuidadosamente a los que iban a dirigir esos departamentos. Buscaba hombres que habían apoyado la Constitución, ya que pensaba que tales individuos trabajarían arduamente para conseguir un gobierno poderoso. Washington eligió a las siguientes personalidades para los diferentes departamentos:

Nombre	Estado	Departamento
Alexander Hamilton	New York	Hacienda Pública
General Henry Knox	Massachusetts	Guerra
Edmund Randolph	Virginia	Justicia
Thomas Jefferson	Virginia	Estado

En 1789, el Congreso también estableció la oficina de *Administrador General de Correos*. Pero Correos no fue un departamento ejecutivo hasta 1795. Washington presidía las reuniones en el Gabinete con todos sus secretarios.

LA LEY JUDICIAL DE 1789

El Congreso también decretó una *Ley Judicial* en 1789 estableciendo un sistema de cortes o tribunales federales.

George Washington presta el juramento que lo convierte en el primer presidente de los Estados Unidos.

Los cimientos de este sistema eran las *cortes distritoriales* federales. Había 13, una por cada estado. El siguiente nivel superior lo formaban tres tribunales federales de *apelación*. A estas cortes también se les llamaba cortes de circuito. Podían volver a oír y a revisar casos que ya habían sido vistos en cortes anteriores.

La corte superior, la *Corte Suprema* de Estados Unidos, estaba encabezada por un magistrado presidente y cinco magistrados asociados. La Corte Suprema sería la que tomaría la decisión final en los casos en los que se apelara a ella. Washington nombró a *John Jay* de New York como primer magistrado presidente.

La Ley Judicial también otorgaba a las cortes federales un poder especial. Podrían revisar las leyes estatales para constatar que no contradecían a la Constitución.

El Congreso también tenía que encontrar el modo de pagar los gastos gubernamentales, por tanto decretó una *Ley de tarifas* que gravaba las mercancías importadas.

LA RESPONSABILIDAD DE LAS DEUDAS ESTATALES Y NACIONALES

Uno de los logros más importantes de los federalistas se consiguió durante el primer período presidencial de Washington. Fue la aprobación del *Programa de Hamilton*. El Secretario de Hacienda Pública, Alexander Hamilton, quería estar seguro de que el gobierno tenía bastante dinero y de que lo manejaba bien. También quería asegurar para el gobierno el apoyo de los hombres de negocios y de los adinerados. Por tanto estableció un plan para alcanzar estos objetivos.

El plan de Hamilton tenía cinco puntos principales. Primero, el gobierno federal debía pagar el dinero que adeudaba a los individuos y a los otros países. Estas deudas eran préstamos que el Congreso había obtenido para pagar los gastos de la guerra de Independencia. Había vendido bonos prometiendo devolver

Alexander Hamilton, secretario de hacienda durante la administración de Washington.

el dinero a los que los compraron. Bajo los Artículos de la Confederación, gran parte del dinero no había sido devuelto. Hamilton opinaba que estos bonos debían ser cambiados por otros nuevos. Esto mostraría a la gente que el gobierno quería pagar sus deudas, lo que supondría un buen crédito para el país. Las personas y los países a los que se debía dinero confiarían en que se le pagarían sus deudas.

La segunda parte del plan de Hamilton era que el gobierno federal asumiera las deudas de los estados. Muchos norteamericanos se oponían vehementemente a sus sugerencias. Algunos estados, sobre todo los del sur, habían pagado ya sus deudas, pero varios estados del norte todavía no lo habían hecho. Los sureños pensaban que la única manera de que el gobierno obtuviera dinero sería aumentando los impuestos. Pero los estados del sur no querían pagar más impuestos sólo para pagar las deudas de otros estados.

Finalmente, Hamilton pidió ayuda al Secretario de Estado, *Thomas Jefferson*. Jefferson, un ciudadano de Virginia, sugirió que Hamilton podría ayudar al sur para que el Congreso adoptara una ley que estableciera allí la capital de la nación. Los sureños deseaban esto y estaban ansiosos por que el plan de Hamilton diera resultado. Hamilton aceptó este arreglo y ambos proyectos fueron aprobados por el Congreso. El resultado fue que Washington D.C. se convirtió en la capital permanente del país, y el gobierno federal asumió las deudas de los estados.

IMPUESTOS Y UNA REBELIÓN

Hamilton también creó un plan para recaudar más dinero para el gobierno. La tercera parte de su plan consistía en poner tarifas altas sobre las importaciones. Esto aumentaría el precio de las mercancías extranjeras y abarataría los productos nacionales. Sin embargo, este plan no fue aceptado. El Congreso opinó que altas tarifas sobre los productos importados los encarecerían demasiado y reducirían el comercio con otros países, el cual era muy necesario.

La cuarta parte de su plan fue sugerir que el Congreso decretara un nuevo impuesto de consumo sobre los productos producidos *dentro* del país. Como esto supondría dinero para el gobierno, el Congreso lo aceptó y decretó el impuesto sobre los licores en 1791. Se le llamó el *Impuesto del whisky.*

Los granjeros, sin embargo, no estaban de acuerdo con este impuesto. Utilizaban el grano que les sobraba para fabricar licor y con su venta aumentaban sus rentas anuales. Si ahora tenían que pagar impuestos por el licor, sus rentas descenderían.

En 1794, los granjeros de Pennsylvania mostraron su enojo negándose a pagar el impuesto del whisky. Atacaron a los empleados de recaudación de ese impuesto. A este altercado se le llamó la *Rebelión del whisky.*

En vista de que el gobierno de Pennsylvania no hizo nada para detener a los granjeros, Hamilton persuadió al presidente Washington para que actuara. Ambos opinaban que el gobierno tenía que mostrar a los granjeros que las leyes fe-

Ciertos granjeros que se oponían a un impuesto sobre los licores, "embrearon y emplumaron" a los que estaban de acuerdo con el impuesto.

derales tenían que ser cumplidas. Washington personalmente dirigió un ejército a Pennsylvania y fácilmente sofocó la rebelión. Así se demostró que el nuevo gobierno usaría la fuerza, si fuera necesario, para que se cumplieran las leyes federales.

UN BANCO NACIONAL

La última parte del plan de Hamilton era crear un sistema de banca y moneda para todo el país. Para hacer esto, pensó que el Congreso tenía que crear un banco nacional. Pero surgió una interrogante: ¿tenía poder el gobierno federal para crear tal banco? Ya que esto no estaba entre los poderes que se le concedieron al gobierno en la Constitución, el banco podía ser ilegal.

Pero Hamilton arguyó que la "cláusula elástica" de la Constitución daba al Congreso el derecho a decretar todo lo que fuera necesario para mejorar el gobierno. Hamilton opinaba que un banco nacional sería positivo ya que permitiría al gobierno controlar el dinero de la nación.

Muchos ciudadanos, incluso Thomas Jefferson, no estaban de acuerdo con Hamilton. Tras arduas discusiones, los legisladores aceptaron el plan de Hamilton y establecieron el *Banco de los Estados Unidos*.

EL FUTURO ECONÓMICO DE NORTEAMÉRICA: JEFFERSON CONTRA HAMILTON

Durante los primeros años del siglo diecinueve había un gran desacuerdo en torno al futuro de la economía norteamericana. Algunos norteamericanos, particularmente *Thomas Jefferson* y sus seguidores, desaprobaban algunos de los cambios que se habían hecho. Jefferson favorecía una economía agrícola especialmente antes de llegar a la presidencia. Para él, la sociedad ideal consistiría en una mayoría de granjeros que cultivaran sus propias tierras y abastecieran sus propias necesidades. También habría artesanos y mecánicos en las pequeñas ciudades y pueblos que proveerían los conocimientos especializados que eran necesarios en ciertos casos.

Jefferson no estaba de acuerdo con un comercio limitado, ni tampoco con que hubiera muchas relaciones económicas y políticas con Europa. Sus seguidores estaban realmente convencidos de que el mejor sistema económico para Estados Unidos era uno basado en la agricultura a escala de pequeñas granjas donde cada cual trabajara su propia tierra.

Por otro lado, *Alexander Hamilton* y sus seguidores estaban a favor de la expansión de la manufactura con la idea de que las clases comerciales y gubernamentales trabajaran juntas. Favorecían la expansión comercial y el crecimiento de las ciudades. Hamilton enumeraba los siguientes términos como beneficiosos para la economía:

—La división del trabajo.

—Mayor uso de maquinaria más avanzada.

—Empleo adicional para clases de la comunidad que normalmente no estaban ocupadas en negocios.

—Mayores oportunidades de acción para la gran diversidad de capacidad, talento e inclinación que distingue a un individuo de otro.

—Fomentar la empresa en sus más variados campos.

—Crear una demanda más fija y regular de los productos agrícolas excedentes.

EL PARTIDO DEMÓCRATA-REPUBLICANO

En su mayor parte, los planes de Hamilton ayudaron a construir el poderío económico del país. Sin embargo, muchos americanos se oponían a esos planes. Temían que éstos le otorgaran demasiado poder al gobierno. También creían que

Los norteamericanos brindan a la salud del "ciudadano" Edmond Genêt. ¿Qué respuesta dio el presidente Washington a la misión de Genêt?

favorecían de un modo especial a los dirigentes de negocios, en vez de a los granjeros. Como consecuencia hubo un buen número de fricciones entre los federalistas seguidores de Hamilton y sus oponentes. Se organizó otro partido político llamado los Demócratas-Republicanos, o Republicanos. Estaba dirigido por dos ciudadanos de Virginia, Thomas Jefferson y James Madison. (No es el mismo partido que el Partido Republicano de hoy en día.) Un segundo sistema político estaba empezando a desarrollarse.

LA REVOLUCIÓN FRANCESA

En 1792, Washington y Adams fueron reelegidos como presidente y vicepresidente. Durante su segundo período tuvieron que enfrentar graves problemas extranjeros, causados en primer lugar por la Revolución francesa. Esta revolución comenzó en 1789, cuando el pueblo francés destronó a su rey e intentó establecer una democracia.

Muchos norteamericanos, incluso Jefferson, se alegraron de la Revolución francesa. Jefferson y los republicanos opinaban que el pueblo francés estaba luchando por conseguir las libertades que los norteamericanos habían alcanzado. También creían que había que ayudar al pueblo francés igual que él había ayudado al pueblo norteamericano.

Pero la Revolución francesa se desorganizó pronto. El populacho se apoderó del poder y se desencadenó mucha violencia. Las naciones europeas que se oponían a la democracia intentaban derrotar esta revolución. Así, la guerra se esparció por toda Europa; Gran Bretaña y Francia eran los mayores oponentes.

Los acontecimientos de Francia sorprendieron a muchos norteamericanos, particularmente a los federalistas. Temían que el desorden se extendiera a los Estados Unidos. También temían que el país se viera envuelto en la guerra de Francia contra Gran Bretaña.

En 1792, el gobierno francés envió un embajador, el *"ciudadano" Edmod Genêt*, a los Estados Unidos. Parte de su misión era conseguir barcos para atacar la armada británica.

Washington vio el peligro. Genêt intentaría arrastrar a los Estados Unidos a la guerra. Por tanto, el Presidente firmó la *Proclamación de neutralidad*, por orden de la cual los Estados Unidos no podrían ayudar a ninguna de las partes de la contienda. Los Estados Unidos se quedarían al margen del conflicto europeo.

Washington también pidió al gobierno francés que retirara a Genêt, pero ya un nuevo gobierno estaba en el poder y Genêt perdió su posición de embajador, aunque finalmente, se estableció en los Estados Unidos.

EL TRATADO DE JAY

Al principio, los franceses estuvieron de acuerdo con la neutralidad norteamericana en la guerra, pero no los ingleses. Éstos no permitían a los comerciantes norteamericanos comerciar en sus colonias. También instaron a los indios norteamericanos a que atacaran a los colonos de la frontera. Los ingleses no quisieron tampoco abandonar su comercio de pieles en la región de los Grandes Lagos, como lo habían prometido en 1783. Lo peor de todo fue que detuvieron a los barcos norteamericanos y obligaron a los marineros a servir en la armada británica. Estas acciones enojaron a muchos norteamericanos. Hubo quienes atacaron y golpearon a los marineros ingleses. Otros pedían que se declarara la guerra.

Para evitar la guerra, Washington envió a *John Jay* a Londres en el año 1794. Jay quería solucionar los problemas pacíficamente. Pero los Estados Unidos no tenían suficiente poder para forzar a Gran Bretaña a que aceptara sus peticiones, de modo que tuvo que aceptar menos de lo que deseaba. Lo que Jay obtuvo se llamó el *Tratado de Jay*. En éste, los británicos aceptaban abandonar sus puestos comerciales de los Grandes Lagos. También estaban de acuerdo en abrir las puertas de la India y las Antillas a los comerciantes norteamericanos. Pero esto fue todo. Los ingleses no aceptaron dejar de secuestrar marineros norteamericanos o dejar de instar a los indios norteamericanos para que atacaran a los colonos.

Cuando se dieron a conocer los términos de dicho tratado, los norteamericanos se enojaron bastante. Se sintieron traicionados. Jefferson y los republicanos protestaron duramente. El Senado aprobó el Tratado de Jay ya que la única otra alternativa posible era la guerra.

EL TRATADO DE PINCKNEY

Washington tenía más posibilidad de éxito tratando con España. Después de que el tratado de Jay se firmó, España empezó a preocuparse por sus posesiones en Norteamérica. Los Estados Unidos e Inglaterra habían llegado a un acuerdo. Las tierras españolas de Norteamérica tenían ahora muchas posibilidades de ser atacadas.

Thomas Pinckney, embajador en España, le sacó provecho a la situación. En 1795, obtuvo un tratado con España. En este tratado, España prometía permitir a los norteamericanos el uso del río Mississippi y del puerto de New Orleans. Además, los dos países acordaron que el paralelo 31 fuera la frontera de la colonia española de Florida. El *Tratado de Pinckney* fue muy favorable para los Estados Unidos y el Senado lo aprobó inmediatamente.

EL DISCURSO DE DESPEDIDA DE WASHINGTON

El presidente Washington decidió no presentarse por tercera vez a la elección presidencial de 1796. En su *discurso de despedida* lo anunció públicamente al pueblo norteamericano. En su discurso pedía a los ciudadanos que fueran amistosos con todos los países pero que evitaran problemas políticos con ellos.

LA ELECCIÓN DE 1796

Washington esperaba que las diferencias entre los federalistas y los republicanos no dividieran la nación una vez que él abandonara la presidencia. Pero una amarga lucha se desencadenó en la elección de 1796. Los federalistas y los republicanos presentaron candidatos. John Adams, federalista, fue elegido presidente por muy pocos votos electorales más que su oponente, el republicano Thomas Jefferson, que fue elegido vicepresidente. Bajo la Constitución, la persona que obtenía mayor número de votos después del presidente era elegido vicepresidente. Este procedimiento se cambió con la enmienda número 12, en 1804. Los electores votan ahora conjuntamente por un presidente y un vicepresidente.

EL ASUNTO XYZ (1797)

John Adams, el nuevo presidente, tuvo que enfrentarse a serios problemas. El más difícil de todos era el problema de Francia. El gobierno francés estaba enojado porque los Estados Unidos no le habían ayudado en su guerra contra Gran Bretaña. El resultado fue la orden del gobierno francés de secuestrar barcos norteamericanos así como sus cargamentos.

Para detener esto, el presidente Adams envió a tres norteamericanos a Francia para que encontraran soluciones pacíficas al problema. Se reunieron con tres representantes del gobierno francés. Estos representantes nunca se identificaron con sus nombres, y por eso se les conoció simplemente como X, Y y Z. Los franceses intentaron aprovecharse de los norteamericanos. Querían un soborno substancial a cambio de un acuerdo.

Cuando el *asunto XYZ* se dio a conocer, los norteamericanos se encolerizaron. Muchos pidieron la guerra y el Congreso se preparó para un enfrentamiento. Aunque formalmente la guerra no se llegó a declarar, Francia y los Estados Unidos se enfrentaron en varias batallas navales desde 1797 a 1800.

Finalmente, los dos países hicieron las paces. *Napoleón Bonaparte*, que ostenta-

John Adams

ba el poder francés, llegó a un acuerdo con los Estados Unidos. Francia dejaría de atacar a los barcos norteamericanos y exoneraría a los Estados Unidos del tratado de 1778.

LAS LEYES DE EXTRANJEROS Y DE SEDICIÓN

Los republicanos se oponían a la guerra con Francia. Criticaban al Presidente Adams en los periódicos y en discursos. Los federalistas intentaban parar estos ataques haciendo aprobar nuevas leyes en el Congreso. Puesto que muchos de los recientes inmigrantes a los Estados Unidos apoyaban al partido demócrata-republicano, los federalistas promulgaron una serie de leyes contra los recién llegados. *Las Leyes de Extranjeros,* por ejemplo, daban poder al presidente para expulsar del país a cualquier extranjero —inmigrante que todavía no fuera ciudadano— que creyera peligroso. Otra ley extendía el número de años que tenía que vivir un extranjero en los Estados Unidos para poder hacerse ciudadano.

Además, los federalistas decretaron la *Ley de Sedición.* La sedición o traición se definía muy ampliamente. Cualquier persona que se opusiera o criticara al gobierno, al presidente o al Congreso podría ser encarcelada. Con estas medidas, los federalistas esperaban poder parar los ataques de los republicanos, especialmente los ataques desde los periódicos que ellos controlaban.

LAS RESOLUCIONES DE KENTUCKY Y VIRGINIA

Sin embargo, el plan de los federalistas pronto trajo problemas. Las Leyes de sedición y de extranjeros provocaron una tormenta de protestas en todo el país. La más importante de estas protestas fueron los artículos escritos por Thomas Jefferson y James Madison. Se llamaron las *Resoluciones de Kentucky y de Virginia*. Ambos hombres consideraban que dichas leyes violaban la Constitución. También expresaban que todos los estados tenían el derecho de anular o rehusar a obedecer cualquier ley federal que creyeran inconstitucional. Muchos norteamericanos apoyaban estos argumentos.

LA ELECCIÓN DE 1800

La lucha en torno a las Leyes de extranjeros y de la sedición alcanzó su cumbre en 1800. La elección de ese año demostraba que los federalistas habían cometido un error fatal. Thomas Jefferson, el candidato republicano, derrotó a John Adams y se convirtió en el nuevo presidente. Los republicanos también ganaron la mayoría de los escaños de las dos cámaras del Congreso.

Sin embargo, la elección de 1800 fue más que una derrota para los federalistas, ya que perdieron el control del gobierno y nunca más lo volvieron a conseguir. El período conocido como la Era federal llegaba a su fin.

Mientras los federalistas estuvieron en el poder, hicieron una contribución enorme a la democracia americana. El nuevo gobierno era como un niño que daba sus primeros pasos y fácilmente podría haber tropezado. Pero el liderazgo federalista ayudó, durante este período crítico, a que esto no ocurriera. Los federalistas triunfaron al establecer una base firme sobre la cual los líderes de gobiernos posteriores pudieran trabajar.

EXPLORACION DE HECHOS Y OPINIONES

I. Para mejorar tus conocimientos

Define, describe o identifica cada uno de los términos siguientes. Señala cómo está conectado cada uno de ellos con la de Estados Unidos, especialmente en la era federalista. Con tus propias palabras, escribe una pequeña definición de cada uno de ellos.

1—Gabinete
2—Rebelión del whisky
3—Banco de los Estados Unidos
4—Partido Demócrata-Republicano
5—Tratado de Jay
6—Tratado de Pinckney
7—Asunto XYZ
8—Leyes de Extranjeros y de Sedición
9—Las Resoluciones de Kentucky y Virginia

II. Preguntas

Contesta a las preguntas siguientes. Acompaña tus respuestas con ejemplos o información específica.

1—¿Qué llevó al desarrollo de los partidos políticos en Estados Unidos?

2—¿En qué contribuyeron los federalistas en el gobierno norteamericano?

3—¿Por qué decretaron los federalistas las Leyes de Extranjeros y de Sedición? ¿Por qué el pueblo pensó que estas Leyes eran anticonstitucionales?

4—¿Qué acontecimientos bajo la administración de John Adams causaron la caída del Partido federalista?

III. Conceptos

Los términos siguientes representan conceptos, ideas amplias que han jugado un importante papel en la experiencia norteamericana especialmente en la era federalista. Con tus propias palabras, escribe una pequeña definición de cada uno de ellos.

1—derechos   6—extranjero
2—deudas   7—sedición
3—tarifa   8—impuesto sobre
4—neutralidad   el consumo
5—tratado

IV. Ideas organizadas

Siguen un número de "ideas organizadas". Cada una perfila hechos y conceptos discutidos en este capítulo para llegar a una generalización. A partir de tus lecturas y lo dicho en clase, da ejemplos específicos que sostengan o desaprueben estas ideas.

1—Una nueva nación a menudo tiene problemas para ganar el respeto de otras naciones.

2—Un programa económico sólido es necesario para que un gobierno sobreviva.

3—En una democracia, un grupo o partido político no permanecerá en el poder si ignora los deseos de la mayoría.

4—Es posible para un país permanecer neutral en su política con el extranjero.

¿Qué otras ideas se pueden desarrollar a partir del material de este capítulo?

V. Ideas para construir

1—Cada uno de los cuatro miembros del gabinete de Washington tenía que enfrentarse a serios problemas si el nuevo gobierno iba a sobrevivir. ¿Cuál crees que sería el mayor problema que tendría que enfrentar cada miembro del gabinete?

2—Según tu opinión, ¿cuáles eran las dos principales diferencias entre los federalistas y los demócrata-republicanos? ¿A qué partido hubieras apoyado? ¿Por qué?

3—¿Crees que la resolución de Washington de mantenerse neutral fue una buena decisión? Explícalo.

4—¿Por qué tuvo Pinckney más éxito en su tratado que Jay?

5—¿Estás de acuerdo con Alexander Hamilton en que el nuevo gobierno federal debería de pagar las deudas de los estados? ¿Por qué sí o por qué no?

6—Compara la Rebelión del whisky con la Rebelión de Shays. ¿Qué tienen en común? ¿En qué se diferencian?

7—Muchos norteamericanos consideraron que el presidente John Adams no negoció seriamente con el gobierno francés después del Asunto XYZ. ¿Estás de acuerdo? ¿Por qué sí o por qué no?

8—¿Crees que las Leyes de Sedición y de Extranjeros eran anticonstitucionales? Justifica tu respuesta.

9—¿Crees, al igual que las resoluciones de Kentucky y Virginia, que un estado puede anular cualquier ley que considere anticonstitucional? ¿Cómo sería el gobierno de los Estados Unidos hoy si cada estado tuviera ese poder?

VI. Aplicación de ideas y formación de juicios

Contesta a las preguntas siguientes. Asegúrate de que sostienes tus ideas y opiniones con tus lecturas y discusiones de clase.

1—De acuerdo con un historiador: "Los acontecimientos de mediados de la década de 1790 parecen demostrar que la independencia realmente ha sido establecida y los Estados Unidos se han convertido finalmente en una auténtica nación". ¿Qué crees que significa esto? ¿Estás de acuerdo con esta opinión? Explícalo.

2—Compara estas dos citas:

"Las turbas de las grandes ciudades añaden tanto apoyo al gobierno puro como el dolor al vigor del cuerpo humano".

"No soy yo de los que temen al pueblo. Dependemos de él, y no de los ricos, para alcanzar una libertad duradera".

¿Cuál de estos dos sentimientos crees que fue expresado por Thomas Jefferson, líder de los demócrata-republicanos? ¿Cuál por Alexander Hamilton, líder federalista? Da razones que sostengan tu respuesta.

Capítulo 8

LOS COMIENZOS DE LA REPUBLICA

LA "REVOLUCIÓN DE 1800"

La elección de 1800 puso a Thomas Jefferson en la presidencia y a los demócrata-republicanos en control del Congreso. Jefferson llamó a esto "La Revolución de 1800". Para él, su partido se diferenciaba enormemente de los federalistas, a los que había derrotado. Los federalistas tenían el apoyo de los más ricos, los comerciantes. Muchas de estas personas tenían muy poca confianza en la sabiduría y bondad del pueblo. Favorecían un gobierno federal fuerte para ayudar al crecimiento de los negocios y el control del pueblo.

Por otro lado, los demócrata-republicanos estaban apoyados por los granjeros americanos que temían un gobierno poderoso que les arrebatara sus libertades. Jefferson, en particular, creía firmemente en la soberanía popular. También apoyaba los derechos de los que estaban en desacuerdo con la mayoría.

La campaña de 1800 fue muy amarga. La elección acabó en empate entre Jefferson y Aaron Burr y tuvo que ser decidida por la Cámara de Representantes. Pero ahora que era presidente, Jefferson quería aliviar el sentimiento de malestar que la elección había causado. Quería que los federalistas y los republicanos trabajaran juntos. En su primer discurso dijo:

"Restauremos la armonía y el amor entre todos. Sin ellos, la libertad y la vida no tienen sentido. Cada diferencia de opinión no es una diferencia de principios. Todos nosotros somos republicanos. Todos nosotros somos federalistas".

Si la elección de Jefferson fue una revolución, como él dijo, fue una revolución leve y pacífica. Un nuevo partido había llegado al poder de un modo democrático: por votación y sin sangre.

JEFFERSON COMO PRESIDENTE: EL FRENTE CIVIL

Thomas Jefferson fue presidente durante dos períodos, desde 1801 a 1809. Pensaba él que el gobierno debía mantenerse de una forma sencilla, por lo que renunció a muchas ceremonias formales. También cortó los gastos del gobierno, reduciendo los impuestos. Eliminó el im-

Thomas Jefferson

puesto del whisky tan impopular entre los granjeros.

También intentó proteger los derechos de los norteamericanos. Hizo todos los esfuerzos posibles para que el Congreso no renovara las impopulares Leyes de Extranjeros y de Sedición. También liberó a todas las personas que habían sido encarceladas bajo la Ley de Sedición.

Jefferson quería allanar las diferencias entre los federalistas y su partido. No intentó cambiar los fundamentos básicos que el anterior gobierno había establecido. Lo que hizo fue dar empleo a personas que pensaban como él. Aunque muchos federalistas perdieron su trabajo, Jefferson ayudó a calmar a muchos de sus oponentes políticos que temían que destruiría todo lo que ellos habían logrado.

LA COMPRA DE LOUISIANA

Jefferson a veces actuó como si fuera federalista. En 1803, *Napoleón Bonaparte*, emperador de Francia, ofreció venderle a los Estados Unidos todo el territorio que Francia poseía al oeste del río Mississippi. El precio era extraordinario: 15 millones de dólares por un área que aumentaría a casi el doble el tamaño del país. Si los Estados Unidos lo compraban, los norteamericanos tendrían gran cantidad de tierra a donde extenderse.

Louisiana, como recordarás, ocupaba toda la tierra desde el río Mississippi a las Montañas Rocosas. También incluía el puerto de New Orleans, cerca de la desembocadura del río Mississippi. Además, los Estados Unidos ya no tendrían que preocuparse más porque las tropas francesas cerraran sus fronteras.

En 1763, Francia cedió Louisiana a España como pago por la ayuda que ésta le prestó en la guerra francoindiana. Louisiana perteneció a España hasta 1800. Ese año, Napoleón Bonaparte, el dictador de Francia, forzó a los españoles a que le devolvieran ese territorio. Napoleón pretendía convertir a Louisiana en el centro de un inmenso imperio francés en el Hemisferio Occidental. Pero los proble-

Los colonos del inmenso territorio de Louisiana tenían que llevar todas sus posesiones consigo.

mas en Santo Domingo y Europa le hicieron abandonar la idea.

Jefferson esperaba que Napoleón estuviera dispuesto a venderle, como mínimo, New Orleans. Esta ciudad era muy importante debido a que controlaba el comercio del río Mississippi. Cuando Napoleón ofreció vender toda Louisiana, Jefferson, aunque sabía que esto era una ganga para el país, titubeó. Creía que debía limitar el gobierno a los únicos poderes que se enumeraban en la Constitución. Y la Constitución no decía nada con respecto a la compra de tierras. Jefferson decidió al fin que en este caso el poder del gobierno debía extenderse. El presidente instó al Congreso para que aceptara el tratado de la compra de Louisiana.

Como el debate en torno a la compra continuaba, los representantes de Jefferson en Francia ofrecieron comprar New Orleans. Sorprendentemente, Napoleón ofreció vender a los Estados Unidos toda Louisiana y no sólo New Orleans. Quince millones de dólares era el precio. El tratado que confirmaba la venta fue firmado el 30 de abril de 1803. Louisiana ahora formaba parte de los Estados Unidos.

Como resultado de este tratado, Estados Unidos adquirió unas 885,000 millas cuadradas de nuevo territorio. Esto casi doblaba el tamaño del país.

LEWIS Y CLARK RECLAMAN OREGON

El presidente Jefferson también estaba interesado en el lejano oeste, la región más allá de las Montañas Rocosas. Durante mucho tiempo pensó en mandar una expedición a la zona. El propósito de dicha expedición sería encontrar una ruta terrestre que condujera al Pacífico para fortalecer los reclamos de los Estados Unidos en el territorio de Oregon y obtener información en torno a la región y sus habitantes. Una vez comprada Louisiana, sería oportuno enviar la expedición inmediatamente.

El Presidente Jefferson pidió a *Meriwether Lewis*, su secretario privado, y a *William Clark*, combatiente contra los in-

(Izquierda) Lewis ve por primera vez las montañas Rocosas. La guía de Lewis y Clark fue una mujer india llamada Sacajawea (derecha).

dios y explorador, dirigir la expedición. Se dirigieron hacia el oeste desde St. Louis, Missouri, en mayo de 1804. Siguieron el río Missouri a través de Louisiana hasta el territorio de Oregon. Allí cruzaron las Montañas Rocosas, siguieron el río Columbia hasta su desembocadura en el Océano Pacífico. Una vez que llegaron al Pacífico, regresaron. Llegaron de nuevo a St. Louis el 23 de septiembre de 1806.

La *expedición de Lewis y Clark*, como se llamó este viaje al Océano Pacífico, cumplió todos los objetivos del Presidente Jefferson. Por esta razón, fue un acontecimiento importante en la historia de la expansión de los Estados Unidos hacia el oeste.

POBLADOS POR TODAS PARTES

Después de la expedición de Lewis y Clark, muchos colonos se trasladaron a los valles de los ríos del interior. Como resultado de ello, los indios que vivían allí tuvieron que irse más hacia el oeste. Su marcha abrió más tierras a los cazadores y a los granjeros. La tierra llegó a ser muy barata (un terreno de 160 acres podía ser comprado al bajo precio de cincuenta centavos por acre). La tierra barata atrajo a más colonos, naturalmente, y el ciclo continuó.

Como resultado de la rápida expansión, la población que vivía al oeste de los Montes Apalaches se dobló entre 1810 y 1820. Una vez más se dobló entre 1820 y 1830. Esto dio nuevos estados a la Unión: *Louisiana* se convirtió en estado en 1812; *Indiana* en 1816; *Mississippi* en 1817; *Illinois* en 1818; *Alabama* en 1819; y *Missouri* en 1821.

Los Estados Unidos también adquirieron tierra en el sureste: *Florida*. En 1810, los Estados Unidos reclamaban la parte oeste de Florida. En 1819, se firmó un tratado con España por el que los Estados Unidos adquirían toda Florida por la suma de cinco millones de dólares.

JEFFERSON EN LA PRESIDENCIA: RELACIONES EXTERIORES

Durante los primeros años presidenciales de Jefferson, hubo paz en Europa. Pero la guerra entre Francia y Gran Bretaña estalló de nuevo en 1804. A partir

¿Por qué capturaban los ingleses a barcos y marineros norteamericanos?

de este momento, Jefferson tuvo que pasar gran parte de su tiempo intentando mantenerse al margen del conflicto.

No era una tarea fácil. Inglaterra tenía el control del mar y Francia poseía el ejército más poderoso de Europa. Ninguno podía derrotar al otro rápida o fácilmente. Cada uno intentaba ganar debilitando las fuentes de abastecimiento del otro, es decir, destruyendo su comercio.

En 1806 y 1807, los británicos manifestaron que capturarían todos los barcos de las naciones neutrales que comerciaran con Francia y sus colonias. Como respuesta, el Emperador Napoleón advirtió que los franceses capturarían los barcos que comerciaran con Gran Bretaña y sus colonias. Estos conflictos influyeron en los comerciantes norteamericanos. No podían llevar a cabo sus negocios sin el riesgo de un secuestro. Por tanto, tenían que mantener el comercio o perder una gran cantidad de dinero. El resultado fue que muchos barcos y marineros norteamericanos fueron capturados, la mayoría por los británicos que dominaban los mares.

Esta situación impulsó a muchos norteamericanos a pedir que se declarara la guerra a Gran Bretaña. Pero Jefferson esperaba resolver los problemas pacíficamente. Pensaba que lo podría conseguir presionando la economía de Gran Bretaña. Los británicos necesitaban su comercio con los Estados Unidos. Por tanto, si los americanos dejaban de comprar las mercancías inglesas, los británicos respetarían más los derechos norteamericanos.

El Congreso aceptó poner a prueba el plan de Jefferson. En 1806 se decretó la *Ley del boicot de importación*, la cual expresaba que los comerciantes norteamericanos no podían importar ciertas mercancías británicas. Pero el plan no dio resultado y las tensiones entre los dos países aumentaron. Poco faltó para que estallara la guerra en 1807 cuando un barco de guerra inglés atacó a uno norteamericano, el *Chesapeake*. Murieron tres marine-

ros norteamericanos en el enfrentamiento y capturaron a cuatro hombres bajo la excusa de que eran desertores de la armada inglesa; también causaron daños en el barco norteamericano.

El *asunto Chesapeake* causó grandes protestas en todos los Estados Unidos. Sin embargo, Jefferson se resistía a declarar la guerra; seguía creyendo que presionando al comercio británico obtendría resultados positivos y pacíficos. Como los británicos necesitaban mercancías norteamericanas para continuar sus luchas con los franceses, si cesaban de mandarle tales mercancías acabarían por respetar los derechos norteamericanos.

En 1807 se decretó en el Congreso la *Ley del embargo* que ordenaba parar el comercio con el extranjero. Esta ley prohibía que cualquier barco norteamericano navegara a todo puerto extranjero.

Una vez más, el plan de Jefferson fracasó. El comercio norteamericano se interrumpió pero no el británico. Finalmente, Jefferson comprendió el fracaso de su plan y pidió al Congreso que acabara con el embargo.

JAMES MADISON COMO PRESIDENTE

Jefferson no presentó su candidatura para un tercer período presidencial. Pero sí ayudó a elegir al candidato demócrata-republicano James Madison, de Virginia, que fue elegido *presidente* en 1808.

Madison fue el cuarto presidente. También presidió dos períodos, desde 1809 a 1817; durante estos años se tuvo que enfrentar a serios problemas. El más difícil de todos fue el continuo enfrentamiento con Gran Bretaña. A cambio de la Ley del embargo, el Congreso decretó otra nueva, en 1809, la que abría otra vez el comercio con todas las naciones, excepto Gran Bretaña y Francia. Pero esta nueva ley tampoco tuvo efecto. Los británicos seguían capturando barcos y marineros norteamericanos. El fracaso de esta ley en parte se debió a que muchos importadores

James Madison, cuarto presidente de los Estados Unidos.

norteamericanos pasaban sus barcos de contrabando a Francia e Inglaterra.

Esta nueva ley se eliminó en 1810.

LOS "HALCONES DE LA GUERRA"

Ni ingleses ni franceses estaban dispuestos a ceder a las peticiones norteamericanas. Pero eran los ingleses los que estaban causando la mayoría de los problemas. Ellos estaban capturando los barcos norteamericanos y el gobierno no hacía nada para detenerlos. Estaba claro que muchos norteamericanos querían declararle la guerra a Inglaterra. Los que más pedían esta guerra eran un grupo de jóvenes que habían sido elegidos para la Cámara de Representantes en 1810. A estos hombres se les conoció como los *"halcones de la guerra"*. Entre sus líderes estaban *Henry Clay*, de Kentucky, y *John C. Calhoun*, de South Carolina.

Los halcones de la guerra eran del sur y del oeste, las zonas agrícolas más importantes. Como resultado de los intentos del gobierno para solucionar los problemas con Gran Bretaña, Europa estaba comprando menos productos agrícolas de América. Los "halcones de la guerra" culpaban a Inglaterra por este problema.

También ellos querían luchar por otras razones: Sus electores tenían "hambre de tierras". Querían extenderse hacia Canadá y Florida. Y también querían que se acabaran los ataques de ciertas tribus indias. Creían que los problemas con los indios se resolverían si Estados Unidos

poseyera Canadá y Florida. Los Estados Unidos querían también el control del comercio de pieles y de otras fuentes de riqueza.

Por tanto, la "fiebre de la guerra", impulsada por los "halcones de la guerra", se extendió a muchas partes del país. Finalmente, el Presidente Madison tuvo que oír las peticiones y pedir al Congreso que se declarara la guerra a Gran Bretaña. El Congreso aceptó y comenzó la *guerra de 1812.*

LA GUERRA DE 1812

Los Estados Unidos no estaban preparados para esta guerra. Las tropas norteamericanas no eran muy poderosas y carecían de líderes. Además, la guerra no era apoyada por toda la población. Los comerciantes y los importadores del noreste se oponían a la guerra ya que temían que destrozara todo el comercio.

También los británicos estaban en pobres condiciones para el enfrentamiento. Ellos estaban ya en guerra con Napoleón y no tenían suficientes tropas ni abastecimientos para derrotar a los norteamericanos. El resultado fue que la guerra terminó igualada, sin vencedores ni vencidos.

La debilidad de ambos bandos se reflejó en los enfrentamientos. Al principio, el ejército norteamericano no fue muy efectivo. Pretendía apoderarse de Canadá pero fracasó. En 1814, los británicos capturaron Washington D.C. y la incendiaron. Más tarde atacaron Baltimore pero finalmente fueron expulsados. Éste fue el enfrentamiento que inspiró a *Francis Scott Key* a escribir *"The Star Spangled Banner"*. La armada tuvo más éxito que el ejército, consiguiendo un número de victorias al principio de la guerra.

Cuando se vio claramente que ninguno de los dos países podría ganar la guerra, ambos desearon ponerle fin. Finalmente se restauró la paz en 1814 con la firma del *Tratado de Gante*.

Se libró una batalla más después de la firma del tratado, ya que a principios de 1815 las noticias de la paz todavía no ha-

Las victorias navales norteamericanas jugaron un papel importantísimo en la guerra de 1812.

bían llegado a *New Orleans*. Los británicos intentaban apoderarse de New Orleans pero fueron expulsados con considerables pérdidas por el *general Andrew Jackson*. Era la mayor victoria norteamericana de la guerra pero no tuvo efecto, ya que el tratado de paz se había firmado.

El Tratado de Gante terminó los enfrentamientos pero no resolvió los problemas que habían provocado la guerra. Éstos se resolvieron más tarde en diferentes acuerdos entre Estados Unidos y Gran Bretaña.

EL FINAL DEL PARTIDO FEDERALISTA

Algunas partes del país se oponían enfáticamente a la guerra, especialmente en New England, donde los ciudadanos consideraban que estaba perjudicando su vida comercial. Los federalistas, cuya mayor fuerza estaba en *New England*, la llamaron *"la guerra del Sr. Madison"*, y no querían saber de ella.

La mayor oposición de los federalistas tuvo lugar en la reunión o *Convención de Hartford* que se celebró en mayo de 1814. Allí, los federalistas atacaron la guerra. También propusieron una serie de enmiendas a la Constitución que limitarían enormemente los poderes del Congreso y del presidente.

A muchos ciudadanos, estas acciones les parecieron desleales. Una vez terminada la guerra, criticaron a los federalistas severamente. Como resultado de esto, los federalistas perdieron las elecciones de 1816 por un amplio margen. Este fracaso puso fin a los federalistas como fuerza política de la nación. Nunca más presentaron un candidato a la presidencia y pronto desapareció por completo el partido.

LA "ERA DE LOS BUENOS SENTIMIENTOS"

Los años que siguieron a la guerra estuvieron marcados por un sentimiento de nacionalismo: un sentimiento de intimidad y orgullo nacional. La fuerte lealtad que los norteamericanos habían sentido hacia los otros estados estaba siendo reemplazada por una lealtad a la nación entera.

La caída del partido federal contribuyó a este espíritu de nacionalismo. El orgullo nacional ayudó a los norteamericanos a unirse en el partido Demócrata-Republicano, el que había sobrevivido y que tomó entonces como suyas muchas de las ideas que se habían considerado "federalistas". Este partido reconstruyó el ejército y la armada y dispuso planes para construir carreteras y canales. También decretaron tarifas más altas y el establecimiento de un segundo banco nacional. Estas medidas fomentaron el desarrollo de las manufacturas y gustaron a los dirigentes de negocios y a los comerciantes que habían apoyado antes a los federalistas. La verdad era que muchas de estas ideas habían sido tomadas prestadas de los federalistas. Lo que hicieron los demócrata-republicanos fue darle un aspecto más democrático. Trataron de servir al mayor número de personas.

SE DESARROLLA UNA ECONOMÍA MERCANTIL

A medida que se establecían más granjas y la población crecía, iban surgiendo pueblos en lugares convenientes. Frecuentemente se formaban donde había cruces de caminos o a lo largo de los ríos y arroyos. Muchos de los que iban a vivir a esos pueblos eran artesanos, artífices, comerciantes y profesionales. Trabajaban en labores especializadas. Los granjeros de las cercanías llevaban alimentos a los pueblos y allí los vendían y a la vez compraban productos manufacturados que los comerciantes les vendían. Los comerciantes también compraban los productos agrícolas para luego volverlos a vender a otras personas de otros pueblos o áreas.

Con el tiempo, los granjeros dedicaron menos trabajo para abastecer sus necesidades y consagraron más tiempo para producir alimentos que vendían a otros, es decir, para "el mercado". Una *economía mercantil* regional y nacional estaba empezando a desarrollarse, a medida que las facilidades de transporte aumentaban.

"AUGE" Y "FRACASO"

Durante los años que siguieron a la guerra de 1812, la economía mercantil de los Estados Unidos creció mucho. Las mercancías europeas inundaban los mercados norteamericanos y en Europa la demanda de productos norteamericanos aumentaba, particularmente algodón y alimentos. A su vez, los colonos, en tropel, se extendían hacia las tierras del oeste. El país experimentaba un espectacular "auge" en los negocios y los industriales trataban de suplir la demanda de más y más mercancías.

Sin embargo, estos buenos tiempos no duraron mucho.

De todos modos, la tendencia general de la economía era hacia arriba. La nación estaba creciendo en muchos aspectos. Gran cantidad de inmigrantes europeos aumentaba la población y el crecimiento natural de las familias permanecía elevado. Nuevas ciudades se establecieron en el valle del Mississippi y las viejas ciudades del este aumentaron de tamaño y población. Los comerciantes de Estados Unidos navegaban por todo el mundo y extendieron sus rutas comerciales hasta las ciudades litorales de China.

CANALES — RÍOS FABRICADOS

A la vez que apareció el buque de vapor, se introdujo otra mejora en los transportes: el *canal*. Un canal es un camino de agua hecho por el hombre; usualmente, se construye para conectar dos zonas acuáticas naturales, como por ejemplo, dos ríos. Los canales se han utilizado desde los tiempos más antiguos pero no fueron importantes en los Estados Unidos sino hasta después de la guerra de 1812.

Uno de los canales más importantes fue el *Canal del Erie*, construido entre los años 1817 y 1825. Corría a través del valle Mohawk, en el estado de New York, conectando Albany en el río Hudson con Buffalo en el lago Erie, unas trescientas cincuenta millas al oeste. El

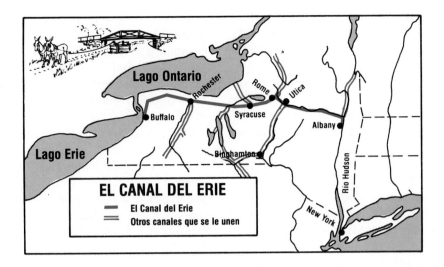

EL CANAL DEL ERIE
- El Canal del Erie
- Otros canales que se le unen

proyecto fue organizado y pagado por el estado de New York. Esta vía acuática proporcionaba transporte barato desde la parte occidental del estado de New York y la región de los Grandes Lagos hasta la ciudad de New York, en la desembocadura del río Hudson.

Este canal permitía que gran cantidad de materias primas y mercancías manufacturadas llegaran a la ciudad de New York, que se convirtió en el puerto más importante de la nación. Desde allí, algunas de esas mercancías se embarcaban a Europa. El canal también proporcionaba una ruta conveniente para los viajeros y los inmigrantes que iban hacia el oeste.

SE CONSTRUYEN OTROS CANALES

El gran éxito del Canal del Erie impulsó la construcción de canales por todo el país. Pennsylvania construyó un sistema que unía Philadelphia con Pittsburgh. Se construyeron canales hacia el oeste, desde Richmond, Virginia; desde Washington D.C.; y desde varios puntos de New England. En Indiana y Ohio, una red de canales conectaba el lago Erie con el río Ohio.

A mediados del siglo XIX, más de 3.000 millas de canales unían los estados del este con los del medio oeste y llega-

ban hasta el golfo de México al sur. Era posible viajar desde la ciudad de New York hasta New Orleans a través de canales.

Gradualmente, con el crecimiento de tránsito por los canales, la ciudad de New York reemplazó a New Orleans como la principal salida de las mercancías que se enviaban desde el oeste a Europa. Como consecuencia, la ciudad de New York creció rápidamente en riquezas y en población.

REGIONALISMO

Los demócrata-republicanos con James Monroe como presidente controlaban el gobierno federal entre los años 1817 y 1825. Ningún otro partido político se oponía a ellos. Ya que la escena política estuvo libre de altercados se llamó a este período la *"era de los buenos sentimientos"*.

La economía de los Estados Unidos comenzó a crecer rápidamente tras la guerra de 1812. La industria y la agricultura se extendieron. El comercio prosperó. Una nueva oleada de gente se encaminaba hacia el oeste donde se le ofrecía más tierra a la población. Esta expansión económica contribuyó al crecimiento del sentimiento nacionalista, o sea, el orgullo nacional.

Sin embargo, el nuevo crecimiento económico también creaba conflictos. El Noreste, el Sur y el Oeste prosperaban, pero cada uno por diferentes razones. En el norte, la economía estaba basada en las manufacturas. En esa región la agricultura perdió importancia a medida que fábricas, pueblos industriales y ciudades se hacían cada vez más comunes.

En los estados del oeste —entre los Montes Apalaches y el río Mississippi— la economía estaba basada en la agricultura. La mayoría de las granjas eran de tamaño pequeño o mediano y casi todas eran propiedades familiares. Cultivaban especialmente maíz y trigo que embarcaban a los estados del Noreste.

Los estados del Sur eran también estados agrícolas. Pero los años que siguieron a la guerra vieron un aumento muy rápido en la importancia de una cosecha: el algodón. Aunque no era la única cosecha que se producía en el Sur, sí era la más lucrativa. Los estados del Sur embarcaban tal cantidad de algodón a Europa que éste pronto se convirtió en la mayor exportación de los Estados Unidos. El poder político del sur estaba en manos de los propietarios de las plantaciones, en donde se cultivaba el algodón.

El sistema de plantación del Sur estaba basado en la esclavitud. El Congreso había prohibido el comercio de esclavos, pero en el Sur quedaban muchos esclavos que trabajaban duramente cultivando y recolectando el algodón. Los estados del Sur veían que su economía se arruinaría sin el comercio de esclavos.

Así, surgió el conflicto entre las tres zonas del país, debido a sus diferentes economías. Las leyes que eran satisfactorias para una zona no lo eran para las otras dos. Por ejemplo, los estados del Sur se oponían a cualquier reforma que implicara el debilitamiento o la abolición de la esclavitud. También se oponían a las tarifas que aumentaban el precio de las mercancías que compraban. Los estados del Norte, por el contrario, estaban de acuerdo con las altas tarifas y se opo-

nían a que se extendiera la esclavitud a otras áreas. La región del Oeste también se oponía a la extensión de la esclavitud, ya que no querían competir con las plantaciones o el trabajo de los esclavos. También querían que las tierras del Oeste se vendieran a bajos precios.

Bajo la superficie de esta "era de buenos sentimientos" yacía un grave problema: el regionalismo. Los habitantes de estas tres grandes zonas comenzaron a poner sus intereses por encima de los intereses de la nación. Esta lucha entre los diferentes sistemas económicos y formas de vida continuó durante 40 años. Al final desembocó en la Guerra Civil.

EL ACUERDO DE MISSOURI (MISSOURI COMPROMISE)

Uno de los primeros conflictos partidistas tuvo lugar en 1820. En este año, el territorio de Missouri pidió ser admitido como estado de la Unión. Pero había un problema. El Norte quería que Missouri fuera un estado "libre"; es decir, que no permitiera la esclavitud. El Sur veía esto como una amenaza ya que hasta ese momento había 11 estados "libres" y 11 estados "esclavistas" en el Senado. Si Missouri se convertía en un estado "libre", la balanza se inclinaría a favor de estos estados, lo que significaba que en el futuro el Norte podía ganar las votaciones.

Tras un largo debate, Henry Clay de Kentucky hizo una propuesta. El Congreso admitía dos estados, Missouri que sería un estado "esclavista" y Maine que sería un estado "libre". Además, el Congreso intentó solucionar la cuestión de los futuros estados que se formarían en los territorios de Louisiana. Dibujó una línea imaginaria a través del territorio. Cualquier estado al norte de esta línea sería "libre" y los que se formaran al sur de la línea serían "esclavistas".

Por una temporada, las disputas entre las diferentes partes del país se calmaron. Pero no se acabaron.

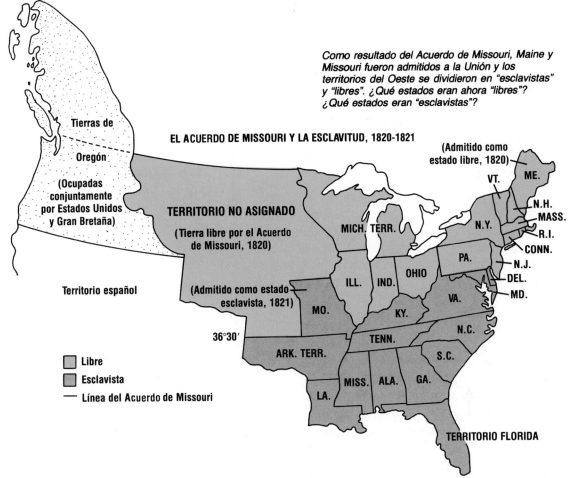

Como resultado del Acuerdo de Missouri, Maine y Missouri fueron admitidos a la Unión y los territorios del Oeste se dividieron en "esclavistas" y "libres". ¿Qué estados eran ahora "libres"? ¿Qué estados eran "esclavistas"?

EL ACUERDO DE MISSOURI Y LA ESCLAVITUD, 1820-1821

Tierras de Oregón (Ocupadas conjuntamente por Estados Unidos y Gran Bretaña)

TERRITORIO NO ASIGNADO (Tierra libre por el Acuerdo de Missouri, 1820)

(Admitido como estado esclavista, 1821)

Territorio español

36°30'

(Admitido como estado libre, 1820)

VT. ME. N.H. MASS. R.I. CONN. N.Y. N.J. DEL. MD. PA. MICH. TERR. OHIO ILL. IND. VA. MO. KY. N.C. TENN. ARK. TERR. S.C. MISS. ALA. GA. LA.

TERRITORIO FLORIDA

☐ Libre
■ Esclavista
— Línea del Acuerdo de Missouri

AISLACIONISMO

Cuando se formaron los Estados Unidos, el gobierno adoptó una política de *aislacionismo*. Esto significaba que haría todo lo posible para mantenerse alejado de las disputas, alianzas y guerras de las naciones europeas. Por supuesto que Norteamérica no podía incomunicarse completamente de otras naciones, pero trataría de resolver sus propios asuntos y no meterse en lo que no le concernía directamente.

Esta política fue expresada en una serie de documentos estatales. Entre ellos estaba la Proclamación de Neutralidad de Washington, en 1793; el primer discurso inaugural de Jefferson, en 1801; y el mensaje de guerra de Madison, en 1812.

Pero aún había algunos ciudadanos que deseaban que el aislacionismo fuera mayor. Por ejemplo, al principio de su historia los Estados Unidos se vieron envueltos en la guerra entre Francia y Gran Bretaña. El gobierno de los Estados Unidos deseaba ser neutral en esta guerra pero los hombres de negocios americanos querían comerciar con las dos naciones en conflicto, lo que trajo disputas en torno al derecho de los barcos norteamericanos en alta mar. El resultado fue la guerra naval, no declarada oficialmente, con Francia. Esta guerra duró varios años y fue seguida por la guerra de 1812 con Gran Bretaña.

Como los Estados Unidos extendían sus límites, los norteamericanos creían que era necesario continuar todo tipo de tratos con los países extranjeros. El país tenía disputas con Gran Bretaña, España, Francia y otros países, pero la mayor parte de ellas se resolvieron pacíficamente.

A pesar de los tratados con las naciones europeas, el pueblo norteamericano y sus líderes creían en los principios del aislacionismo. Querían permanecer en su propio "patio", un vasto "patio" que se extendía a través del continente. Querían utilizar su energía para su propio desarrollo. Querían tener buenas relaciones con todo el mundo, pero no querían que esto les acarreara problemas. Éste fue el tema más importante de las relaciones exteriores de Norteamérica hasta finales del siglo XIX.

LA DOCTRINA MONROE

Durante los siglos XVI y XVII, España construyó un gran imperio en el Nuevo Mundo. Al principio del siglo XIX este imperio se desintegró. Los pueblos de México, Centroamérica y Suramérica se independizaron de España y se establecieron una serie de repúblicas independientes.

Los Estados Unidos no jugaron ningún papel en estas revoluciones. Sin embargo, el gobierno norteamericano y el pueblo las aprobaban. Los norteamericanos preferían tener repúblicas independientes como vecinos. También había otras razones para que los norteamericanos desearan que sus vecinos fueran repúblicas independientes: tendrían más posibilidades de comerciar con ellas directamente. Siendo colonias españolas, el comercio de estas tierras se limitaba principalmente al comercio con la madre patria.

Pero muchos países europeos no estaban de acuerdo con estas revoluciones de las colonias españolas. Entre estos países se contaban Austria, Rusia, Prusia y Francia. Todos estos países estaban en ese momento gobernados por reyes. Parecía que estaban preparados para usar las fuerzas militares para derribar los nuevos gobiernos en Latinoamérica y devolver las colonias a España.

Esto preocupó a los Estados Unidos, ya que sus ciudadanos no sólo querían proteger su comercio sino también salvaguardar su seguridad. Si las naciones europeas enviaban fuerzas militares para derrocar a los gobiernos de Latinoamérica, algún día podían hacer lo mismo con los Estados Unidos.

*España creó el primer gran imperio europeo en las Américas. Esta es la catedral de Mérida, construida 22 años antes de la llegada del **Mayflower** a **Plymouth Rock**.*

Para tratar de estos problemas, el presidente James Monroe y su Secretario de Estado, John Quincy Adams, desarrollaron una nueva política. Ésta fue anunciada en un mensaje del presidente al Congreso en 1823. Tenía el apoyo de Gran Bretaña, que temía que los otros países europeos pudieran "congelar" el comercio y la influencia británica en Latinoamérica.

La famosa Doctrina Monroe tenía varias partes:

—Cualquier intento de intervención por parte de países europeos en el Hemisferio Occidental sería considerado como "acto de enemistad" por los Estados Unidos.

—El Hemisferio Occidental ya no estaba abierto a la colonización europea. Esto era en parte una amenaza a Rusia que, instalada en Alaska, parecía dispuesta a introducirse en Oregon.

—Sin embargo, los Estados Unidos no se entrometerían para nada en las colonias europeas existentes en el Hemisferio Occidental.

—Los Estados Unidos no intervendrían en los asuntos internos de las naciones europeas.

Una vez que la Doctrina Monroe fue conocida, las potencias europeas no intentaron devolver a España sus antiguas colonias. Probablemente retrocedieron por el miedo que le tenían a la flota inglesa. Además, Rusia también accedió a no extender sus límites más allá de Alaska.

Pero la importancia de la Doctrina Monroe sobrepasaba estos resultados inmediatos. El gobierno de un país joven había dicho a las potencias de la vieja Europa que no se metieran con el Hemisferio Occidental. La política de aislacionismo se presentaba otra vez, pero de un modo diferente. Los Estados Unidos se habían erigido como guardianes de las Américas. Era algo importante para el orgullo y el patriotismo norteamericano.

Los presidentes siguientes aceptaron las ideas básicas de la Doctrina Monroe y las utilizaron en muchas situaciones que no fueron previstas en 1823. La doctrina es todavía piedra angular de la política exterior norteamericana.

LAS NACIONES LATINOAMERICANAS Y LA DOCTRINA MONROE

¿Cómo se sintieron las naciones de Latinoamérica con la Doctrina Monroe? ¿Les gustó la idea de que los Estados Unidos estaban preparados para defenderlas?

No del todo. Los latinoamericanos se oponían al entrometimiento europeo, pero no les gustaba la idea de que Estados Unidos, sin que se lo hubiera pedido, tomara el papel de padre o de "hermano mayor". No deseaban ser tratados como pequeñuelos aunque habría beneficios posibles.

Las naciones de Latinoamérica se han quejado desde sus comienzos de que los Estados Unidos no las trata como iguales y que se aprovecha de ellas injustamente. En muchas ocasiones, esto ha producido resentimientos.

EXPLORACION DE HECHOS Y OPINIONES

I. Para mejorar tus conocimientos

Define, describe o identifica cada uno de los términos siguientes. Señala cómo está conectado cada uno de ellos con los comienzos de la república.

1—Demócrata-republicanos
2—Thomas Jefferson
3—La compra de Louisiana
4—Expedición de Lewis y Clark
5—Napoleón Bonaparte
6—Asunto Chesapeake
7—Ley del embargo
8—Halcones de la guerra
9—Era de los buenos sentimientos
10—Economía mercantil
11—Doctrina Monroe
12—Regionalismo

II. Preguntas

Contesta a las preguntas siguientes. Acompaña tus respuestas con ejemplos o información específica.

1—¿Cuáles eran las principales características de la Doctrina Monroe?

2—¿Qué sentían las naciones latinoamericanas en torno a la Doctrina Monroe?

3—¿Cuáles eran algunas de las razones que se daban a favor de la expansión territorial? ¿Cuáles eran las contrarias?

III. Conceptos

Los términos que siguen representan conceptos, ideas amplias que han jugado un papel importante en la experiencia de Estados Unidos, especialmente en los comienzos de la república. Con tus propias palabras, escribe una pequeña definición de cada una de ellas.

1—Patriotismo
2—Tierra barata
3—Expansión territorial
4—Estado esclavista
5—Estado libre
6—Aislacionismo

IV. Ideas para construir

1—Thomas Jefferson llamó a su elección una revolución. ¿Estás de acuerdo con él? ¿Por qué sí o por qué no?

2—¿Crees que una nación neutral debería comerciar libremente con las naciones en guerra? ¿Cómo contestarías a esta pregunta si fueras ciudadano de uno de los países en guerra?

3—Jefferson creía que limitar el poder del gobierno protegería más los derechos de los ciudadanos. ¿Qué acciones llevó a cabo Jefferson como presidente que demostraran sus creencias?

4—¿En qué forma trataron los Estados Unidos de mantenerse al margen de la guerra con Gran Bretaña a principios de la década de 1800?

5—En tu opinión, ¿deberían los Estados Unidos haber hecho más por evitar la guerra con Gran Bretaña?

6—Muchos ciudadanos de New England se oponían a la guerra con Gran Bretaña. Querían que esa parte del país saliera de la Unión. En tu opinión, ¿qué deben de hacer los ciudadanos si se oponen a una guerra en que está participando su país?

7—Imagina que vivías en 1803. ¿Hubieras creído que los Estados Unidos hicieron bien en comprar Louisiana?

¿Por qué si o por qué no?

8—¿Cómo crees que veían los indios que vivían al oeste de los Montes Apalaches el incremento de la población blanca en aquella zona? ¿Cuál supones que fue su reacción ante la venta de Louisiana?

9—¿Por qué crees que Francia y España estaban deseosas de vender tan baratas las tierras que ellos habían intentado desarrollar durante trescientos años?

10—En 1821, los Estados Unidos habían aumentado a 21 estados. ¿Qué efectos sociales, económicos y políticos crees tú que tuvo esto en el país?

11—¿Crees que las oportunidades económicas que se ofrecieron a los norteamericanos en los primeros años de la república afectaron sus valores y creencias generales? ¿Cómo?

12—¿Por qué crees que muchos norteamericanos estaban deseosos de hacer uso de los nuevos inventos?

13—¿Cómo benefició la Doctrina Monroe a Latinoamérica? ¿Cómo benefició a los Estados Unidos? En tu opinión, ¿a quién benefició más la doctrina Monroe, a Latinoamérica o a los Estados Unidos? Explica tu respuesta.

14—Como resultado de la Doctrina Monroe, los norteamericanos se erigieron como los guardianes de las Américas. ¿Qué significa ser guardián? ¿Crees que los Estados Unidos hubieran actuado como los guardianes de las Américas en el siglo XIX y principios del XX? ¿Por qué sí o por qué no?

15—¿Por qué creyeron los líderes de los primeros tiempos de Norteamérica que era prudente para los Estados Unidos seguir una política exterior de aislacionismo?

16—¿Crees que sería prudente para los

Estados Unidos de hoy seguir una política de aislacionismo? Explica tu respuesta.

V. *Ideas organizadas*

Siguen una serie de ideas organizadas. Cada una de ellas perfila hechos y conceptos estudiados en este capítulo y hace una generalización. A partir de tus lecturas y de lo dicho en clase, da ejemplos específicos que aprueben o desaprueben estas ideas.

1—Las naciones más poderosas deberían tener derecho a controlar a las naciones más débiles.

2—El mayor problema que un país afronta es el de la seguridad nacional.

3—Ninguna nación puede sobrevivir en el mundo de hoy si no tiene una política exterior de aislacionismo.

4—A medida que la tierra se desarrolla se crean demandas para facilitar los transportes y las comunicaciones.

103

Capítulo 9

LA ERA JACKSONIANA
1824-1840

LA ELECCIÓN DE 1824

Los conflictos regionalistas aparecieron de nuevo en la elección de 1824, dividiendo al partido Demócrata-Republicano en diferentes grupos rivales. El resultado fue que cuatro candidatos en vez de uno se presentaron como aspirantes a la presidencia. Cada uno estaba respaldado por una parte del país. Ninguno de los cuatro ganó una mayoría de votos electorales, con lo cual la elección tuvo que ir a la Cámara de Representantes. Uno de los candidatos, Henry Clay, dio su apoyo a *John Quincy Adams* y la Cámara eligió a Adams como presidente.

Los que estaban a favor de *Andrew Jackson*, de Tennessee, no estaban de acuerdo, ya que Jackson había obtenido el mayor número de votos electorales. Los seguidores de Jackson pensaban que a éste se le había negado la presidencia por los "pactos corruptos" entre Clay y Adams. Se convencieron de esto definitivamente cuando Adams nombró a Clay su Secretario de Estado.

JOHN QUINCY ADAMS EN LA PRESIDENCIA (1825-1829)

Adams, hijo del presidente John Adams, era un hombre capacitado y experimentado. Una vez en la presidencia estableció un programa federal para mejorar el país. Su programa incluía la construcción de carreteras y canales, tarifas más altas, ayuda a los estudios científicos, educa-

John Quincy Adams fue elegido presidente por la Cámara de Representantes.

ción para todo el país y un poderoso banco nacional. También sugería el acercamiento a Latinoamérica y fomentar el comercio con las Antillas británicas.

Sin embargo, Adams no pudo conseguir que su programa fuera aceptado por el Congreso. Los recelos entre las diferentes secciones hicieron fracasar su plan. Los estados del sur se oponían a su plan porque éste ayudaba más a los estados del norte. Además, los seguidores de Jackson hicieron todo lo posible para bloquear los esfuerzos de Adams. Como resultado, la presidencia de Adams estuvo llena de conflictos y sinsabores. Algunos llamaron a este período político la *"Era de los resentimientos"*.

EL PARTIDO REPUBLICANO SE DIVIDE EN DOS

Los conflictos del período de Adams produjeron la división del Partido Republicano. Los que estaban a favor de Jackson, de tarifas bajas y de un gobierno limitado, se llamaron ahora demócratas. Los miembros del otro partido se llamaron republicanos nacionales. Eran los que apoyaban a Adams y a un gobierno central activo.

Los dos nuevos partidos se enfrentaron en la elección de 1828. Se enfrentaron en una campaña dura y amarga. Adams era bastante impopular como para ser reelegido. Por otro lado, Jackson tenía más prestigio, por tanto él ganó las elecciones por un amplio margen.

ANDREW JACKSON Y EL "HOMBRE COMÚN"

Andrew Jackson fue el primer presidente que provenía de un estado del oeste. Era también el primer presidente que había nacido en una familia humilde. Su elección era un signo de los cambios que se estaban produciendo en la democracia norteamericana.

La mayoría de los Padres de la Patria no creían que "el hombre común" fuera capaz de tomar decisiones políticas ingeniosas. Algunos creían que sólo los hombres nacidos en las "mejores" familias podían dirigir el país. Otros opinaban que los más prósperos debían gobernar. Nadie creía que el derecho a votar se debía dar a cualquiera. En consecuencia, en los primeros años de la república la mayoría de los estados sólo permitían que votaran los hombres de cierta posición social y económica.

Sin embargo, muchos de los nuevos estados que se estaban formando en los territorios del oeste eliminaron estas restricciones. Concedían el derecho de votar a todos los ciudadanos varones. Esta idea se extendió a los viejos estados y gradualmente éstos acabaron con las restricciones en cuanto a las votaciones. Aunque todavía a muchos norteamericanos no se les permitía votar —la mayoría eran mujeres y esclavos negros— este cambio fue un gran paso adelante en la democracia. Se permitía por primera vez que los pobres y los trabajadores votaran.

Los gobiernos de los estados también realizaron otros cambios por los que se les daba más poder al "hombre común". Permitían al pueblo que votara para la elección de los puestos oficiales. Hasta entonces, estos puestos oficiales habían sido elegidos por el gobernador o la legislatura del estado. Esto incluía el Colegio Electoral. En las primeras elecciones presidenciales, las legislaturas estatales habían elegido a los electores. Sin embargo, en 1828 fueron elegidos directamente por votación popular en 22 de los 24 estados.

Los partidos políticos se democratizaron durante este período. En la década de 1830, los miembros de los partidos comenzaron a postular sus candidatos a la presidencia en convenciones. Anteriormente, lo común era que un pequeño grupo de congresistas eligiera a los candidatos.

Gradualmente, los norteamericanos comenzaron a creer que todos los hombres inteligentes, y no sólo los que habían nacido en familias ricas y habían sido bien educados, podrían desempeñar bien las funciones de presidente. Aunque Jackson era un hombre bien educado, tenía más apariencia de "hombre común" que aquéllos que habían servido antes que él. Tenía más atractivo para los grupos que ahora tenían capacidad de votar. En la elección de 1828, éstos votaron por sus electores y no por los que habían dado su palabra a Adams.

Esta caricatura criticaba al presidente Jackson por reemplazar a empleados del gobierno con gente de su propio partido político.

LAS IDEAS DE JACKSON ACERCA DEL GOBIERNO

Jackson fue un presidente fuerte que tomó firmes decisiones en muchas cuestiones. Creía que el gobierno debía reflejar los deseos del pueblo. Se creía él mismo paladín de todo el pueblo. Se sentía obligado a servirlo lo mejor que pudiera.

Jackson pensaba que el Congreso le ayudaría en su tarea. Pero el gobierno estaría limitado ya que no haría nada que la Constitución no le permitiera.

Jackson también creía que cualquier persona inteligente podía llevar a cabo cualquier trabajo gubernamental. Por tanto, Jackson echó a muchos de los hombres que ocupaban cargos oficiales bajo la presidencia de Adams y asignó es-

tos puestos a hombres que compartían sus puntos de vista. A esto se le llamó el *"sistema de preferidos"* (*Spoils System*).

Pero algunos norteamericanos no estaban de acuerdo con esta actitud y criticaron a Jackson por tomar estas medidas. Opinaban que las personas a las que Jackson había dado los puestos no estaban capacitadas para los trabajos y solamente se los daba porque eran sus seguidores.

ANULACIÓN

Jackson mantuvo firmemente el poder del gobierno nacional por encima de los gobiernos estatales. En el conflicto que se produjo sobre las tarifas entre los estados del norte y del sur tuvo que usar este poder central. La mayoría de los habitantes del sur no querían tarifas elevadas ya que pensaban que tales impuestos aumentarían los precios que tenían que pagar por las mercancías manufacturadas y limitarían la cantidad de algodón que los países europeos podían comprar. Por este motivo se indignaron bastante cuando el Congreso decretó la *Ley de la tarifa de 1828*. Esta ley establecía unas tarifas muy altas sobre las mercancías importadas. Los sureños la llamaron *"tarifa de abominaciones"* y protestaron contra ello enérgicamente.

EXPOSICIÓN Y PROTESTA

La *"Exposición y protesta"* de South Carolina fue la más fuerte de estas objeciones. Este documento, aprobado en ese estado en 1828, decía que la Constitución era un contrato entre estados independientes. Cada estado tenía el derecho a decidir si una ley del Congreso iba contra la Constitución. Si un estado creía que una ley del Congreso era anticonstitucional podía anular dicha ley, rehusando obedecerla. Este punto de vista de los poderes estatales se llamó la *"doctrina de la anulación"* o *"derechos de los estados"*. Era similar a las *"resoluciones"* de Virginia y Kentucky que Thomas Jefferson y James Madison habían redactado contra las Leyes de Extranjeros y de Sedición.

En las otras partes del país, muchos no estaban de acuerdo con South Carolina. *Daniel Webster*, un senador de Massachusetts, era uno de éstos. Se oponía a la doctrina de los derechos de los estados y planteó su propia *teoría nacional de unión*. Argüía que la Unión había sido creada por el pueblo y no por los estados; y como el Congreso era el portavoz del pueblo, ningún estado tenía derecho a declarar que una ley del Congreso no tenía validez. El estado que lo hiciera se estaba colocando por encima del pueblo, lo cual convertiría a la Unión en una "soga de arena". El Presidente Jackson estaba completamente de acuerdo con Webster en este asunto y se opuso vigorosamente a la anulación.

SE LOGRA UN ACUERDO

El conflicto entre los norteamericanos que apoyaban el derecho de los estados y los que no lo aceptaban llegó a su clímax en 1832, cuando el Congreso decretó una nueva ley de tarifas. En ésta se rebajaban los impuestos pero no lo suficiente como para satisfacer a South Carolina. Como resultado, este estado anuló la nueva ley y expresó que abandonaría la Unión si el gobierno lo obligaba a obedecer dicha ley.

Jackson reaccionó con toda dureza. Consiguió que el Congreso decretara la *Ley de la fuerza* que le daba poder para la utilización de las fuerzas armadas contra los que no obedecieran la nueva ley de impuestos. Esta dura medida atemorizó a South Carolina e hizo que revocara la anulación de la tarifa.

Para evitar más problemas, el Congreso anuló la Ley de la tarifa al año siguiente y acordó una nueva ley. Esta ley disponía un plan para bajar los impuestos gradualmente en los años siguientes. Esto satisfizo a South Carolina y a otros estados sureños. Las tensiones disminuyeron temporalmente.

Pero, desgraciadamente, esta nueva tarifa no solucionaba el verdadero problema. Las diferencias entre las distintas partes del país continuaban. La lucha en

Daniel Webster habla en contra de los "derechos de los estados".

107

torno a la tarifa únicamente había añadido un nuevo elemento: los derechos de los estados.

EL PÁNICO DE 1837

Graves problemas surgieron el último año del gobierno de Andrew Jackson, gran parte de ellos como consecuencia de su actitud en torno al sistema bancario. Durante su primer período presidencial había vetado una ley para renovar el Banco de los Estados Unidos. Luego tomó dinero del gobierno que estaba en el banco nacional y lo depositó en bancos estatales. A estos bancos se les llamó "bancos favoritos" porque Jackson los favorecía. Los "bancos favoritos" comenzaron a prestar este dinero imprudentemente. También emitieron grandes cantidades de papel moneda que no estaba respaldado por oro ni plata. Este dinero, como era natural, no tenía valor.

En 1836, Jackson empeoró la situación. Ordenó que la gente que comprara tierras del gobierno tenía que pagarlas con oro o plata. Cuando la gente fue a los bancos a cambiar su papel moneda por oro o plata, muchos bancos no pudieron abastecerlos y se vieron forzados a cerrar.

Las acciones de Jackson desembocaron en el Pánico de 1837, el peor colapso económico o depresión que el país había visto hasta entonces. Muchos negocios grandes y pequeños se vinieron abajo igual que los bancos estatales. Gran cantidad de ciudadanos se quedaron sin trabajo y las malas cosechas se sucedían.

Le tocó resolver estos problemas a Martin Van Buren, el presidente siguiente. Cuando Andrew Jackson decidió no volverse a presentar como candidato a la presidencia, en 1836, Van Buren, el vicepresidente de Jackson, se convirtió en el líder del partido demócrata. El nuevo presidente se enfrentó a los problemas que Jackson le había dejado, pero fue incapaz de resolverlos. El resultado fue la pérdida de confianza en el Partido Demócrata. El partido se enfrentó a un fracaso de grandes proporciones en la elección siguiente.

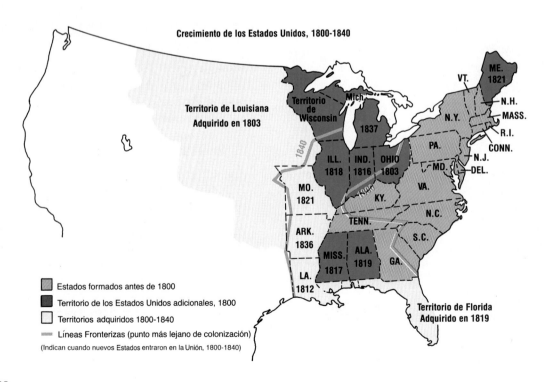

Crecimiento de los Estados Unidos, 1800-1840

Estados formados antes de 1800
Territorio de los Estados Unidos adicionales, 1800
Territorios adquiridos 1800-1840
Líneas Fronterizas (punto más lejano de colonización)
(Indican cuando nuevos Estados entraron en la Unión, 1800-1840)

LA ELECCIÓN DE 1840

Los recelos de los demócratas se convirtieron en realidad, ya que perdieron la elección de 1840 frente al *Partido "Whig"*. Este partido se formó en 1834 y era una coalición de grupos que sólo tenían una cosa en común: oponerse a Jackson y a su política. Postularon al general William Henry Harrison, un héroe militar, como su candidato a la presidencia, quien fácilmente derrotó a Van Buren.

Harrison ganó en parte porque atrajo a muchos de los que habían apoyado a Jackson. Harrison era como Jackson: un "hombre rústico", un "hombre del pueblo". Por otro lado, presentaron a Van Buren como un rico aristócrata a quien concernía muy poco la gente común y corriente del pueblo.

Con la derrota de Van Buren, la era de Jackson finalizó. Pero no fue el fin del "alza del hombre del pueblo". Los logros democráticos conseguidos en este período permanecerían como parte del sistema político del país.

EXPLORACION DE HECHOS Y OPINIONES

I. Para mejorar tus conocimientos

Define, describe o identifica cada uno de los términos siguientes. Señala cómo se conecta cada uno de ellos con el crecimiento del "hombre común".

1—Revolución de 1800
2—Asunto Chesapeake
3—Bancos "favoritos"
4—Convención de Hartford
5—Era de los buenos sentimientos
6—Acuerdo de Missouri
7—"Sistema de preferidos"
8—Tarifa de abominaciones
9—Exposición y protesta

II. Preguntas

Contesta a las preguntas siguientes. Acompaña tus respuestas con ejemplos o información específica.

1—¿De qué forma cambió la democracia norteamericana en los primeros 40 años del siglo XIX?

2—¿Cómo difería el partido Demócrata-Republicano de Jefferson de los federalistas?

3—¿Por qué finalizó la Era de los buenos sentimientos?

4—¿Por qué el Norte, el Oeste y el Sur diferían en asuntos económicos importantes, tales como las tarifas?

III. Conceptos

Los términos que siguen representan conceptos, ideas amplias que han jugado un papel importante en la experiencia norteamericana, especialmente en el alza del "hombre común". Escribe, con tus propias palabras, una definición de cada una de ellas.

1—embargo
2—revolución
3—regionalismo
4—nacionalismo
5—derechos de los estados
6—hombre común
7—plantación
8—anulación

IV. Ideas organizadas

Siguen una serie de "ideas organizadas". Cada una perfila hechos y conceptos tratados en este capítulo y hace una generalización. A partir de tus lecturas y lo dicho en clase, da ejemplos específicos que aprueben o desaprueben estas ideas.

1—Las naciones que intentan permanecer neutrales en época de guerra a menudo son víctimas de los dos bandos del conflicto.

2—Un gobierno mejora cuando más gente tiene la oportunidad de tomar parte en la elección de los líderes.

3—Una democracia sólo funciona bien si todos los grupos y secciones están de acuerdo en los asuntos de más importancia.

4—Los partidos políticos son una parte necesaria de la democracia.

5—Un gobierno puede cambiar aun si su Constitución permanece igual.

V. Ideas para construir

1—¿Crees, como Andrew Jackson, que no es conveniente que una persona permanezca en un puesto político muchos años? Explica tu respuesta.

2—¿Qué cambios políticos importantes acaecieron en la década de 1820 y contribuyeron a la elección de Jackson como presidente?

3—¿Por qué fueron tan importantes las tarifas en esta época?

4—¿Por qué crees que algunos historiadores consideran que el período de 1817-1825 no fue un período de "buenos sentimientos" sino el comienzo de amargo odio?

5—¿Por qué tuvo Martin Van Buren una época tan difícil en la presidencia?

6—¿Cómo mostró la elección de William Henry Harrison los cambios que se habían producido en la política americana?

VI. Aplicación de ideas y formación de juicios

Contesta a las preguntas siguientes. Asegúrate de que tus ideas y opiniones se sustentan con evidencia a partir de tus lecturas y lo dicho en clase.

1—Algunos historiadores han llamado a la guerra de 1812 "la segunda guerra de independencia norteamericana". ¿Qué crees que quieren expresar con esto? ¿Crees que es un nombre apropiado para esta guerra? Explica tu respuesta.

2—El 4 de julio de 1826, Thomas Jefferson moría en su casa de Monticello. Ese mismo día John Adams moría en Quincy, Massachusetts. Un poco antes de su muerte, Adams dijo: "Thomas Jefferson todavía sobrevive". ¿Qué crees que quería decir Adams con esas palabras?

3—Los primeros 40 años de la Constitución pueden ser vistos como una constante lucha entre las personas que pensaban que el país debía ser gobernado por los "mejores hombres" y los que creían que la nación podía ser dirigida por todo tipo de hombres, incluso el "hombre del pueblo". ¿A qué bando hubieras apoyado durante este período? ¿Por qué? ¿Crees que esta lucha se mantiene todavía hoy? Sustenta tu respuesta.

Capítulo 10

LA VIDA EN UNA DEMOCRACIA EN DESARROLLO

EDUCACIÓN

La independencia hizo a los norteamericanos más conscientes de la importancia de la educación. Aumentaba la demanda de escuelas e igualmente, el número de las que se abrían.

Esto se hizo especialmente patente a medida que más gente ganaba el derecho de votar. Los líderes de la nación eran conscientes de que el pueblo tenía que saber leer y escribir para que el voto fuera un voto responsable. Debían estar capacitados para comprender sus derechos y deberes así como las cuestiones políticas del momento.

El pueblo pedía sistemas de escuelas públicas bajo control estatal, pagadas con los impuestos de todos. Las autoridades públicas dirigirían estos sistemas escolares y establecerían normas que todas las escuelas deberían seguir.

La nueva escuela pública estaría abierta a todos, a ricos y pobres. Los estados también tendrían el poder de obligar a los padres a enviar a sus hijos a la escuela.

RELIGIÓN — NUEVAS IGLESIAS NORTEAMERICANAS

La mayoría de los primeros colonos habían traído con ellos sus formas religiosas del Viejo Mundo. Sin embargo, muchas iglesias nuevas se fundaron en Norteamérica. Entre éstas estaban: la Igle-

Poco después de que Brigham Young (izquierda) condujo a los mormones a Utah, éstos construyeron el tabernáculo que se ve en el dibujo.

sia Universalista, la Iglesia de Cristo, la Científica (Iglesia de la Ciencia Cristiana) y los Discípulos de Cristo. Muchos de los viejos grupos protestantes se dividieron en nuevos grupos religiosos en este país.

Una de las iglesias nuevas más grandes de Norteamérica fue la *Iglesia Mormona* o la *Iglesia de Jesucristo de los Santos del Último Día*. Su fundador, Joseph Smith, afirmaba ser profeta; creía que Dios le hacía "revelaciones".

La Iglesia mormona se estableció en 1830, cuando Smith publicó el *Libro de Mormón*. Decía que era una traducción de documentos antiguos que le habían sido mostrados por un ángel.

En el transcurso de pocos años, Smith tuvo miles de seguidores. Los mormones querían encontrar la "tierra prometida". Conducidos por Smith, primero se establecieron en el estado de New York, más tarde en Ohio, Missouri e Illinois.

En 1844, Smith fue asesinado en Illinois por una turba antimormona. Los mormones decidieron entonces trasladarse hacia el oeste. Su nuevo líder era un hombre llamado Brigham Young.

En 1847, Young dirigió a varios miles de mormones a lo largo de un duro viaje a Utah. En esa época, la región todavía no estaba colonizada. Los mormones eligieron como su nuevo hogar la zona cercana al Great Salt Lake. Aunque la tierra era un desierto, construyeron una próspera colonia y crearon granjas con sistemas de riegos. En 1850, unos 11.000 mormones vivían en la región de Salt Lake.

Los mormones creían que en Utah tendrían libertad para vivir como ellos deseaban. Pero en 1848, tras la guerra con México, Utah se convirtió en parte de los Estados Unidos. Los mormones entonces se vieron obligados a abandonar algunas de sus viejas costumbres.

Gradualmente fueron llegando muchos colonos, pero gracias a la labor inicial de los mormones el duro trabajo del comienzo de toda colonización estaba ya realizado. Una vasta e importante zona del oeste se había abierto.

LOS JUDÍOS Y LOS CATÓLICOS EN LOS ESTADOS UNIDOS

Hacia mediados de 1800 importantes corrientes nuevas se introdujeron en la vida religiosa americana. Por primera vez, gran número de católicos llegaron a los Estados Unidos. Un poco más tarde llegaron grandes oleadas de inmigración judía.

En la época colonial y durante el siglo XVIII había muy pocos católicos y judíos en América. La mayoría de los judíos vivían en New York y Rhode Island. Durante la guerra de independencia, Haym Salomon, un colono judío procedente de Polonia, dio importante ayuda financiera al ejército americano.

Los primeros católicos, igual que los peregrinos y los puritanos antes que ellos, venían huyendo de las persecuciones religiosas en Inglaterra. Llegaron especialmente a Maryland. Maryland era una colonia fundada en 1632 por George Calvert, Lord Baltimore. Calvert, un rico inglés convertido al catolicismo, planeó su colonia como un refugio para los ingleses católicos.

En 1649, Maryland dictaba la Ley de Tolerancia garantizando la libertad religiosa en la colonia. Esta ley no duró mucho ya que a los católicos les quitaron estos derechos más tarde, pero fue un paso histórico inicial hacia la libertad religiosa en América.

Después de 1850, entre los inmigrantes a los Estados Unidos había un número creciente de católicos. La mayoría de los irlandeses que llegaron a mediados del siglo XIX eran católicos. También lo eran muchos alemanes. El número de católicos iba creciendo conforme iban llegando inmigrantes del este y del sureste de Europa.

Esta "nueva inmigración" que llegaba casi a finales del siglo, incluía gran número de judíos. Los judíos, perseguidos en sus tierras de origen, llegaban en busca de libertad religiosa y de oportunidades económicas.

EL TEATRO NORTEAMERICANO

La primera obra de teatro en las colonias norteamericanas se presentó en Virginia, en 1665. Se llamó *Ye Bare and Ye Cubb* (*El oso y el osezno*). Los tres actores que representaron la obra fueron arrestados por desobedecer la ley.

Las leyes que prohibían las representaciones teatrales en la mayoría de las colonias eran comunes en el siglo XVII. Esto era debido a que los puritanos consideraban que el teatro, como la bebida, eran perniciosos. Sin embargo, a finales del siglo siguiente la mayoría de estas leyes habían sido revocadas. El teatro se convirtió pronto en una parte importante de la vida en las colonias.

A finales del siglo XVIII se construyeron muchos teatros en las ciudades del norte. Desde Inglaterra principalmente, grupos de actores venían a representar por todas las colonias.

Gradualmente, la influencia europea sobre el teatro norteamericano fue palideciendo. Cada vez se encontraban más temas del país en las obras. A mediados del siglo XIX había muchas versiones escénicas de la novela antiesclavista, como *Uncle Tom's Cabin* (*La cabaña del tío Tom*), las cuales contribuyeron enormemente a incrementar la oposición norteamericana a la esclavitud.

A menudo, bailarines, cantantes y malabaristas actuaban en los entreactos. Se presentaban como entretenimiento, lo que más tarde desembocó en el *"vaudeville"*. Las actuaciones de los trovadores también eran muy populares. En ellas, actores negros, o a menudo blancos maquillados de negros, hacían chistes y cantaban canciones. Ciertos críticos sociales dijeron más tarde que estas actuaciones daban la impresión injusta de que los negros eran "payasos".

Otras actuaciones muy exitosas eran las de circo y las del indómito Oeste en las que los vaqueros y los indios mostraban su habilidad a caballo. Había también "teatros de carpa" que iban de un pueblo a otro. En las ciudades a lo largo del río Mississippi, los "buques teatro" se convirtieron en atracciones muy populares. Consistía en un teatro viajero que actuaba en el barco mientras navegaba por el río.

THOREAU PROTESTA CONTRA EL "PROGRESO"

La mayoría de los norteamericanos vieron la nueva época mecanizada como progreso. Pero alguien que no lo veía así era Henry David Thoreau, poeta y ensayista, que veía que la nueva época "se estaba moviendo demasiado rápido". Creía que para vivir más y mejor, la gente debía estar en contacto con la naturaleza.

En 1845, a la edad de 28 años, *Thoreau* se fue a vivir solo a los bosques cercanos a Concord, Massachusetts. En las orillas de Walden Pond construyó su pequeña casa y cultivó su propio alimento. Vivió allí durante dos años.

Thoreau fue uno de los primeros norteamericanos que instaron a la desobediencia civil. Protestaba pacíficamente contra la acción del gobierno rehusando obedecer ciertas leyes.

El filósofo solitario Henry David Thoreau.

Por ejemplo, se opuso a la guerra contra México en la década de 1840. Como protesta, se negó a pagar sus impuestos estatales. Fue encarcelado por esto, pero pronto lo dejaron libre.

Más tarde, escribió el ensayo titulado *Civil Desobedience* (*Desobediencia civil*), que tuvo una gran resonancia. Uno de los hombres que siguió sus enseñanzas 100 años más tarde fue Mohandas Gandhi, que usó la desobediencia civil pacífica para ayudar a lograr la libertad de la India (que estaba bajo el poder inglés). Otro fue el Dr. Martin Luther King, Jr., el líder de los derechos civiles de los negros de la década de 1960.

EMERSON INSTA A UNA CULTURA "NORTEAMERICANA"

Thoreau fue uno de los miembros de un brillante grupo de pensadores y escritores de New England. Muy destacado dentro de éste fue Ralph Waldo Emerson. A través de sus escritos y de sus conferencias, Emerson fue, quizás, el líder cultural más influyente del siglo XIX. Él instó a que se desarrollara una auténtica cultura norteamericana.

NOVELISTAS DEL SIGLO XIX

A mediados del siglo XIX un auténtico estilo de novela y de cuento se estaba desarrollando. Nathaniel Hawthorne escribió muchas novelas relacionadas con el pensamiento puritano. Entre ellas están *The Scarlet Letter* (*La letra escarlata*) y *The House of Seven Gables* (*La casa de los siete gabletes*).

Herman Melville, que había sido marinero, escribió *Moby Dick* en 1851. Era la historia del viaje de la caza de la ballena, pero contenía profundos pensamientos en torno al hombre y al destino.

Edgar Allan Poe, además de ser importante poeta, contribuyó a un nuevo estilo de cuento. La poesía libre y universal de Walt Whitman fue una fuente de inspiración para las nuevas generaciones.

Mark Twain fue uno de los más grandes escritores humorísticos norteamericanos. Su verdadero nombre era Samuel Langhorne Clemens. Escribió historias en torno al río Mississippi ya que él había conducido buques de vapor que viajaban por este río. Escribió *Tom Sawyer, Huckleberry Finn, A Connecticut Yankee in King Arthur's Court* (*Un yanqui de Connecticut en la corte del rey Arturo*), y otras obras famosas.

DOROTHEA DIX: UNA REFORMADORA DE LOS PRIMEROS TIEMPOS

En 1841, una maestra de escuela de Massachusetts llamada Dorothea Dix, que tenía gran interés en saber la terapia que se les daba a las personas dementes, vi-

Emerson (derecha) instó a los norteamericanos a que rompieran con la tradición. Whitman (izquierda) lo hizo con la creación de una nueva clase de poesía original.

sitó una cárcel en East Cambridge, Massachusetts. Se sorprendió muchísimo por el tratamiento que se daba a los prisioneros, especialmente porque a criminales y a locos inocentes los encerraban juntos en las mismas celdas.

La señorita Dix decidió consagrar todo su tiempo a este problema. Visitó otros reformatorios, prisiones y casas de caridad. Encontró que los enfermos mentales eran tratados como criminales, aunque no fueran culpables de delito alguno.

Finalmente, en 1843, se presentó ante la legislatura estatal de Massachusetts para apelar por un mejor tratamiento de estas personas.

OTRAS REFORMAS: 1800-1850

Las actividades de Dorothea Dix tuvieron lugar en el "período de las primeras reformas" de Norteamérica, desde 1800 a 1850 aproximadamente. Otras reformas también se estaban llevando a cabo. Algunas de ellas concernían a las condiciones de las prisiones. Muchas "sociedades de prisiones" se estaban creando para presionar a favor de las reformas de las cárceles.

Un reformador llamado Thomas Mott Osborne estuvo encarcelado por voluntad propia en la prisión estatal de Auburn, New York. En el tiempo que estuvo allí observó las condiciones de la cárcel y las recomendaciones que hizo después fueron el comienzo de lo que se llamó "Sistema de Auburn": los prisioneros tenían celdas individuales y condiciones más humanas.

Algunas de las primeras asociaciones de trabajadores se organizaron para mejorar las condiciones de trabajo y para que éstos se pagaran bien. Entre los logros obtenidos se encontraban leyes que limitaban el día de trabajo a 10 horas en algunos de los estados.

Otros grupos trabajaban, en forma más general, a favor de nuevos tipos de sociedad. Establecieron comunidades o "comunas" de entre 800 y 1.500 personas. Trabajaban entre todos para producir los productos necesarios para toda la comunidad. Buscaban una vida sencilla de granjeros y artesanos. Una de las más conocidas fue la Asociación Agrícola Brook (Brook Farm Association).

Durante el primer período de reformas también hubo campañas contra el alcohol. Al principio, se instó a la gente a que fuera moderada en el uso del licor. Se llevó a cabo un programa conocido como el "movimiento de la temperancia".

Las "sociedades de temperancia" también trataban de que se legislara contra el alcohol. Maine fue el primer estado que decretó tal ley. Otros estados le siguieron, pero la mayoría de estas leyes no perduraron.

EL PRIMER MOVIMIENTO DE LOS DERECHOS DE LA MUJER

La primera campaña en favor de los derechos de la mujer en América comenzó cuando un grupo de mujeres se unió al movimiento antiesclavista. Allí las mujeres se dieron cuenta de que podrían hacer impacto en la vida pública pero también se dieron cuenta de que, realmente, no eran libres.

Las leyes, por ejemplo, permitían que un hombre tuviera completo control sobre la propiedad de su esposa. La mayoría de las universidades sólo admitían a hombres. Muchas costumbres sociales limitaban la libertad de la mujer. Se decía que el lugar de ésta era "el hogar".

Hasta 1890, las mujeres no podían votar. Después de esta fecha algunos estados les concedieron el derecho al voto. Pero tuvieron que pasar 30 años para que el derecho de la mujer al voto se escribiera en la Constitución.

En 1848 se celebró la primera convención norteamericana de los "derechos de la mujer" en Seneca Falls, New York.

Mucha gente se reía, al principio, de este movimiento de los derechos femeninos. A otros les sorprendía o les encolerizaba. A pesar de todo, las mujeres siguieron luchando por alcanzar sus objetivos. Uno de los principales objetivos era el *sufragio*, o derecho al voto.

Marcha de mujeres por el derecho al voto. ¿Era buena su causa?

Una de las líderes más conocidas en la lucha por los derechos de la mujer fue Susan B. Anthony. A principios de la década de 1850, organizó grupos de mujeres, escribió y dio conferencias por la causa del sufragio femenino. Llegó a reunirse con varios presidentes de la nación para asegurarse de que sus puntos de vista eran conocidos en los más altos círculos. Su cruzada duró más de 50 años.

Como resultado de tales esfuerzos, la situación legal de la mujer había mejorado al término del siglo XIX. La mayoría de los estados garantizaban a la mujer el derecho de controlar sus propiedades. Se fundaron varias universidades para mujeres. Muchas ingresaron en el campo profesional. El número de las que trabajaban fuera del hogar aumentó considerablemente.

Sin embargo, no fue sino hasta 1920 cuando se decretó la decimonovena enmienda a la Constitución de los Estados Unidos. Con esta enmienda se concedía a la mujer el derecho al voto en todos los estados.

TRANSPORTES

Durante la primera mitad del siglo XIX se produjeron dos grandes cambios en la economía de los Estados Unidos. Las facilidades de comunicación —carreteras, canales y ferrocarriles— se extendieron considerablemente, y el sistema de fábrica empezó a funcionar.

Estos acontecimientos influyeron de diferentes maneras en el crecimiento de la economía de la nación. Los norteamericanos de todo el país se unían en una vasta red de lazos económicos. El mercado nacional se ampliaba a medida que las mercancías se trasladaban de un área a otra más rápidamente y de forma más barata.

La nación se hacía cada vez más rica y a la vez, más unida. La producción y el comercio aumentaban y las diferentes partes del país dependían cada vez más unas de otras.

LOS CAMINOS DE PEAJE ("TURNPIKES")

El primer gran paso hacia el perfeccionamiento de los sistemas de transportes se dio al pavimentar los caminos que se construían. Estos caminos a veces eran construidos por los gobiernos locales, otras por corporaciones privadas. Ocasionalmente, el gobierno nacional construía algunos.

Muchos de estos caminos se llamaron

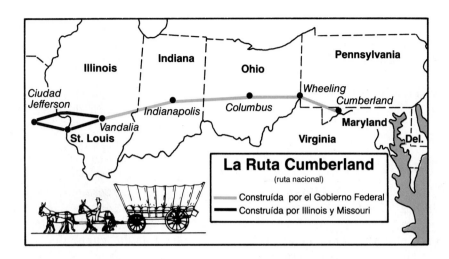

La Ruta Cumberland
(ruta nacional)

Illinois · Indiana · Ohio · Pennsylvania

Ciudad Jefferson · Indianapolis · Columbus · Wheeling · Cumberland

Vandalia · St. Louis · Maryland · Virginia · Del.

— Construída por el Gobierno Federal
— Construída por Illinois y Missouri

"turnpikes". El nombre era debido a que pesados palos llamados *"pikes"* (picas) se extendían atravesando el camino en las estaciones de peaje. Cuando el peaje se pagaba, las picas giraban *("turned")* para permitir a las carretas, a los carruajes y a los jinetes continuar su camino.

El primer paso de peaje importante se inauguró en 1794, entre Philadelphia y Lancaster, en Pennsylvania. En unos cuantos años, la mayoría de las ciudades de la zona del noreste de los Estados Unidos se conectaban con caminos de peaje. Muchas áreas que hasta entonces habían estado aisladas se encontraban ahora conectadas al resto del mercado nacional.

El mayor camino de peaje de este a oeste se llamó la carretera nacional. Comenzaba en Cumberland, Maryland, y corría hacia el oeste a Wheeling, West Virginia. Eventualmente se extendió a Columbus, Ohio y a Vandalia, Illinois. Desde su inauguración, esta carretera tuvo mucho tráfico.

EL BUQUE DE VAPOR

Otro paso importante en la revolución de los transportes llegó a principios del siglo XIX con la invención y el desarrollo del buque de vapor. Anteriormente, los transportes fluviales se limitaban a canoas y otras clases de barcas movidas por remos o varas. Los lanchones, por ejemplo, se utilizaban para transportar mercancías desde la región de los Apalaches bajando por los ríos Ohio y Mississippi a los mercados de New Orleans. Una vez que estos barcos llegaban a New Orleans, el único modo de volver a subir al norte era remar río arriba, contracorriente, lo que era duro, lento y costoso.

Sin embargo, el *buque de vapor* solucionó estos problemas. Ya en 1786, *John Fitch* había experimentado con una embarcación rudimentaria movida por vapor, en el río Delaware. Otros inventores decidieron perfeccionar este invento pionero. Uno de los inventores con más éxito fue *Robert Fulton*. En 1807, su barco de vapor, el *Clermont*, hizo un viaje de ida y vuelta de New York a Albany. Esto abrió una nueva era en el sistema de transportes. La superioridad del buque de vapor sobre otras embarcaciones fluviales fue apreciada rápidamente.

LA REVOLUCIÓN INDUSTRIAL, MOMENTO DECISIVO EN LA HISTORIA

El sistema doméstico en el que las mercancías se producían en las casas no era apropiado para la producción a gran escala que el mercado nacional e internacional requerían. Fue necesario el establecimiento del sistema de fábricas, en las cuales los trabajadores utilizarían máquinas accionadas mecánicamente y serían vigilados y controlados cuidadosamente. El crecimiento del *sistema de fábrica* en lugar de la manufactura a pequeña escala y casera se ha llamado la *Revolución industrial*.

LA INDUSTRIA TEXTIL

La primera industria de fábrica en los Estados Unidos fue la manufactura de tela de algodón. Comenzó en Pawtucket, Rhode Island, en 1791, bajo la dirección de *Samuel Slater*, un inmigrante recién llegado de Inglaterra, donde había trabajado en una fábrica textil. Sin planos, de memoria, Slater construyó un sistema completo de hilandería. Esta empresa alcanzó mucho éxito y pronto nuevas fábricas se establecieron en la zona de New England. La cantidad de arroyos y cascadas de dicha zona proveía energía abundante y barata y el clima húmedo también resultaba favorable ya que los hilos se rompían menos en el proceso de manufactura. La labor la realizaban unos cuantos artesanos europeos y la gente de la zona, a quienes se les enseñaba rápidamente.

Estas fábricas crecieron rápidamente durante la guerra de 1812 cuando se interrumpieron las importaciones de Inglaterra.

La primera gran empresa de manufactura textil en los Estados Unidos fue la *Boston Manufacturing Company*, localizada en Waltham, Massachusetts. Esta fábrica utilizaba al máximo el poder de la maquinaria y en ella se daban todos los procesos, desde la preparación del algodón en rama hasta estampado de las telas. Muchos de los trabajadores de esta fábrica eran mujeres y niñas. Vivían en casas de huéspedes o en dormitorios mantenidos por la compañía; generalmente trabajaban en la fábrica hasta que se casaban.

El éxito de la fábrica de Waltham produjo el establecimiento de muchas otras, siendo la de Lowell, Massachusetts, una de las más importantes. Allí, cientos de

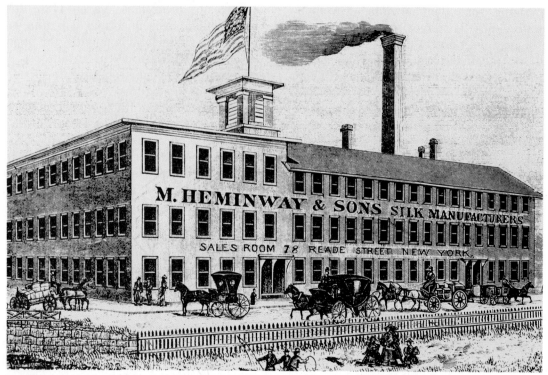

Una fábrica textil en Connecticut. A principios del siglo XIX, se establecieron fábricas como esta por todo el Noroeste.

mujeres jóvenes vivían en dormitorios de la empresa, trabajaban en las máquinas y a la vez continuaban sus proyectos culturales o educativos en su poco tiempo libre.

Para la década de 1840, el progreso de la industria hizo posible una producción de mercancías mucho mayor que antes. Como resultado de esta *producción masiva*, los productos podrían ser vendidos a precios más bajos. Muchas clases de artículos que hasta el momento estaban limitados a los ricos ahora se encontraban al alcance de todos.

LOS FACTORES QUE HICIERON POSIBLE LA REVOLUCIÓN INDUSTRIAL

Podemos distinguir varios factores que estimularon el desarrollo industrial y ayudaron a dirigirlo en ciertas direcciones:

- La población de la nación crecía rápidamente, resultado de la inmigración y del crecimiento natural. Cuantos más consumidores, mayor demanda de mercancías.

- Ya hemos descrito los grandes avances en los transportes y comunicaciones a principios del siglo XIX. Esto ayudó a crear un mercado *nacional* (más amplio que un mercado local) para los productos de las fábricas. También, el ferrocarril y otras industrias eran mercado para estos productos tales como rieles de hierro y vagones.

- Hubo notables avances en los procesos de fabricación, conllevando ello una mayor eficiencia y aumento de la producción. Esto era una realidad, por ejemplo, en la industria del hierro, clave en el desarrollo industrial. En la década de 1840 se estaba utilizando el sistema de *división del trabajo*: cada obrero u obrera realizaba un único trabajo en el que se había especializado. La unión del trabajo de cada uno daba como resultado el producto final. *Eli Whitney*, famoso por el invento de la desmotadora de algodón, fue pionero en la creación de *piezas uniformes*. En su fábrica de pistolas, en Connecticut, las diferentes partes de metal de una pistola se fundían a partir de modelos y podían ser *intercambiadas* para usarse en cualquier modelo. Esto hacía posible fabricar unidades completas de un modo más rápido y barato y también hacía posible que los precios de reparación fueran más bajos. Esta cualidad de que ciertos instrumentos podían ser

Trabajadores ensamblando pistolas en una fábrica como la de Eli Whitney en Connecticut. En ésta se demostró por primera vez que las piezas uniformes podían intercambiarse.

119

intercambiables fue la mayor contribución norteamericana a la Revolución industrial.

- En la década de 1840, la energía del vapor se utilizaba mucho en las fábricas de Norteamérica. Las fábricas ya no tenían que construirse cerca de cascadas o arroyos, como en los primeros tiempos de la industria textil en New England.

- Había abundancia de trabajadores para las industrias de manufactura. Los norteamericanos nativos y los inmigrantes se preparaban con facilidad para los trabajos especializados.

- Los Estados Unidos producían grandes cantidades de materias primas que se necesitaban para las industrias de manufactura, tales como algodón, madera y mineral de hierro. Había también grandes cantidades de carbón para el combustible de las máquinas de vapor.

- El gobierno favorecía a la industria y la impulsaba con todo tipo de tarifas proteccionistas, subsidios y otras medidas.

EXPLORACION DE HECHOS Y OPINIONES

I. *Para mejorar tus conocimientos*

Define, describe o identifica cada uno de los términos siguientes. Muestra cómo está conectado cada uno de ellos con el desarrollo de los Estados Unidos en la primera parte del siglo XIX.

1—caminos de peaje
2—Carretera nacional
3—Robert Fulton
4—Canales
5—Dorothea Dix
6—Thoreau
7—Samuel Slater
8—Revolución industrial
9—Revolución del transporte

II. *Preguntas*

Contesta a las preguntas siguientes. Acompaña tus respuestas con ejemplos o información específica.

1—¿Por qué fue la construcción de caminos y carreteras de peaje una ventaja para el desarrollo económico de los Estados Unidos?

2—¿Por qué se necesitaba el buque de vapor?

3—¿Por qué comenzaron los norteamericanos a solicitar escuelas públicas a principios de 1800?

4—¿Por qué fue un concepto importante para la industria el que ciertos instrumentos podían ser intercambiables?

5—¿Por qué fueron menos favorables las condiciones para los obreros inexpertos que para los especializados?

III. *Conceptos*

Los términos que siguen representan conceptos, ideas amplias que han jugado un papel importante en la experiencia de los Estados Unidos. Con tus propias palabras escribe una pequeña definición de cada una de ellas.

1—sistema de fábrica
2—persecución
3—piezas uniformes
4—Escuelas gratis mantenidas con impuestos
5—división del trabajo
6—producción masiva
7—reforma

IV. *Ideas organizadas*

Siguen cuatro "ideas organizadas". Cada una perfila hechos y conceptos estudiados en este capítulo para formar una generalización que se podría aplicar a muchos períodos históricos. Basándote en tus lecturas y lo dicho en clase, da ejemplos específicos que aprueben o desaprueben estas ideas.

1—El avance en los transportes es el factor clave en el crecimiento industrial de una nación.

2—Los grupos escolares y religiosos tratan de transmitir, generación tras generación, su herencia cultural, para que los jóvenes tengan las mismas creencias que sus padres.

3—Un país puede industrializarse a pesar de las condiciones existentes en ese país.

4—El principio de libertad religiosa permite el desarrollo de diversos grupos religiosos.

V. Ideas para construir

1—Aunque en Norteamérica no había una "iglesia oficial", ¿por qué crees que los prejuicios religiosos traídos de Europa no desaparecieron por completo?

2—¿Crees que la separación de la iglesia y del estado es necesaria en una democracia? ¿Por qué sí o por qué no?

3—¿Estás de acuerdo con la desobediencia civil? ¿Por qué? ¿Crees que hay situaciones en las que podrías cambiar de opinión?

4—Si Thoreau viviera en la Norteamérica de hoy, ¿en qué causas se hubiera comprometido? ¿Por qué?

5—¿Afecta hoy a la economía americana la construcción de carreteras en la medida en que la afectó a principios del siglo XIX? Explícalo.

6—¿Por qué se reconoció tan rápidamente la superioridad del buque de vapor sobre las otras embarcaciones fluviales?

7—¿Qué avances en las comunicaciones ha habido desde 1900? ¿Cómo crees que han afectado a la forma de vida norteamericana?

8—¿Por qué crees que muchos de los visitantes a las fábricas de New England a principios del siglo XIX se sorprendían de lo que veían allí? Explícalo.

9—¿Cómo crees que podían comparar las mujeres y las niñas de la fábrica de Lowell su trabajo allí con su vida en la granja?

10—¿Crees que los resultados de las dos revoluciones estudiadas en este capítulo han sido positivos o negativos? Explícalo.

VI. Aplicación de ideas y formación de juicios

Contesta a las preguntas siguientes. Asegúrate de sostener tus ideas a partir de tus lecturas o lo dicho en clase.

1—Explica la importancia del avance de los transportes en el desarrollo de la economía norteamericana. Asegúrate de incluir carreteras, vías fluviales y ferrocarriles. ¿Qué efectos negativos tuvieron estos avances en el campo?

2—El sistema de fábricas cambió la forma de vida de muchas familias norteamericanas. ¿Qué beneficios ofrecía? ¿Qué perjuicios?

3—En años recientes, parece que mucha gente ha vuelto a prácticas religiosas y educativas tradicionales. ¿Por qué crees que ha ocurrido esto? ¿Crees que se debe fomentar esta corriente? ¿Qué cambios, si fueran necesarios, propondrías para mejorar tu escuela o tu religión? ¿Por qué?

4—¿Qué crees que juega el papel más importante en el desarrollo de los valores personales, la actitud y la moral, las escuelas públicas, la familia o la religión? ¿Por qué? ¿Cómo dividirías las responsabilidades entre ellas?

Capítulo 11

LA EXPANSION
DE LOS ESTADOS UNIDOS

CRECIMIENTO TERRITORIAL

Estudia el mapa de esta página cuidadosamente. Contiene información en torno al crecimiento territorial de los Estados Unidos.

¿Qué metodos, acuerdos o arreglos usaron los Estados Unidos para adquirir territorios entre 1783 y 1853?

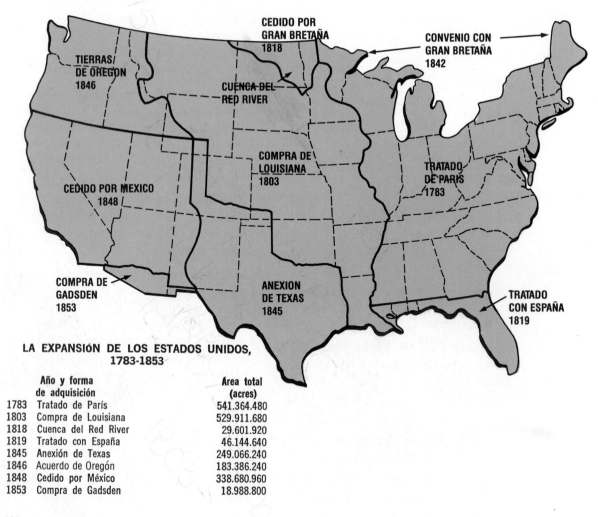

LA EXPANSIÓN DE LOS ESTADOS UNIDOS,
1783-1853

Año y forma de adquisición		Area total (acres)
1783	Tratado de París	541.364.480
1803	Compra de Louisiana	529.911.680
1818	Cuenca del Red River	29.601.920
1819	Tratado con España	46.144.640
1845	Anexión de Texas	249.066.240
1846	Acuerdo de Oregón	183.386.240
1848	Cedido por México	338.680.960
1853	Compra de Gadsden	18.988.800

TEXAS SE INDEPENDIZA
Y SE CONVIERTE EN ESTADO

La sed de tierras de los norteamericanos no se aplacó con la adquisición de Louisiana y Florida. Al suroeste se extendía Texas. Texas era parte de México, pero muchos norteamericanos se habían establecido en esa zona por invitación de los mexicanos. El gobierno mexicano quería construir una zona de separación entre los Estados Unidos, por un lado, y los indios del suroeste, por otro.

Entre 1820 y 1830, unos 20.000 norteamericanos se trasladaron a Texas. Pero no les estaba permitido tener un gobierno propio. Como consecuencia, las relaciones entre los colonos angloamericanos y las autoridades mexicanas llegaron a ser gravemente tensas. Les costaba trabajo recordar que no eran ciudadanos mexicanos.

Uno de los puntos conflictivos fue la esclavitud. El gobierno mexicano había prohibido la esclavitud en Texas, pero muchos colonos angloamericanos llevaron sus esclavos con ellos. Cuando el gobierno mexicano envió tropas a Texas para acabar con esta práctica de usar esclavos, el escenario quedó preparado para una revuelta.

El conflicto llegó en 1836. Hoy se le llama la *Guerra por la independencia de Texas*. Una de las primeras batallas de la guerra se sostuvo en San Antonio, Texas. Los angloamericanos se habían refugiado en *El Álamo*, una misión convertida en fortaleza en el siglo XVIII. Las tropas mexicanas, al mando del *general Santa Ana*, cercaron el edificio y lo atacaron. Sin embargo, los colonos, que eran muy pocos, resistieron aunque tuvieron gran

Tropas mexicanas cercan el Alamo en 1836. La bandera de la "estrella solitaria" de Texas ondea en el fuerte.

123

número de bajas. Después de un pequeño enfrentamiento los mexicanos capturaron la misión. Cerca de doscientos colonos murieron defendiéndola. Entre los fallecidos se encontraba *Davy Crockett,* el famoso combatiente contra los indios y explorador.

La resistencia heroica de los defensores del Álamo inflamó el espíritu guerrero de los texanos. Su grito de guerra fue "Recordar el Álamo" ("Remember the Alamo"). Seis semanas más tarde los texanos se vengaban. El general *Sam Houston* derrotó a los mexicanos en la *batalla de San Jacinto* (21 de abril de 1836). El general Santa Ana fue hecho prisionero. Como resultado, el gobierno mexicano se vio forzado a conceder la independencia a Texas.

Texas se convirtió en una república independiente: *The Lone Star Republic* (la *"República de la estrella solitaria"*) y lo fue durante casi diez años. Sam Houston fue el primer presidente de la república.

Sin embargo, muchos ciudadanos de esta república querían ser admitidos en la Unión. Dificultades económicas e intrigas extranjeras fortalecían este deseo. Por tanto, la república de Texas solicitó ser admitida en la Unión.

Muchos ciudadanos simpatizaban con los texanos y estaban de acuerdo en que fueran admitidos en la Unión. Sin embargo, otros se oponían porque la esclavitud se permitía en Texas. Las naciones extranjeras también se oponían. El debate en torno a la admisión duró mucho tiempo. El Congreso rechazó la propuesta dos veces, pero finalmente Texas fue admitida en la Unión en 1845.

CAMINOS HACIA EL OESTE

Hacia mediados del siglo XIX, los colonos se trasladaban cada vez más al oeste. Como resultado de ello, la frontera iba quedando más y más lejos, más cerca de las costas del Pacífico.

Los colonos viajaban al oeste por dos rutas principales: el *camino de Santa Fe* y el *camino de Oregon.* Ambos empezaban en Independence, Missouri, donde los cazadores, comerciantes y exploradores podían comprar sus víveres antes de encaminarse hacia el oeste.

El camino de Santa Fe recorría casi 800 millas hacia el suroeste a lo largo del río Arkansas hasta Santa Fe, New Mexico. El camino de Oregon recorría unas 2.000 millas hacia el noroeste hasta el río Columbia, que ahora separa los estados de Oregon y Washington. Las carretas viajaban por estos caminos agrupadas en caravanas. Esto suponía mayor seguridad para los exploradores que se enfrentaban a los indios y a otros peligros en sus viajes. El viaje duraba normalmente diez semanas o más. Las caravanas viajaban, en su mayor parte, por tierras deshabitadas. Sin embargo, ocasionalmente se detenían en tiendas generales que había a lo largo del camino, en donde se abastecían de víveres y descansaban.

LOS ESTADOS UNIDOS ADQUIEREN OREGON

En 1844, *James K. Polk* fue elegido presidente tras una campaña en que pedía la ocupación de Oregon y la anexión de Texas. Justo antes de su inauguración, el problema de Texas se solucionó. Obtener Oregon se convirtió en su principal objetivo.

Oregon era una vasta región en el noroeste. Se extendía al oeste de las Montañas Rocosas hasta el Océano Pacífico y lindaba al norte con Alaska (que pertenecía a Rusia) y al sur con California (que era de México). Incluía el actual estado de Washington, el de Oregon y también parte de Canadá. Oregon había sido reclamado por los Estados Unidos y por Inglaterra desde 1818. En la década de 1840, ya había muchos colonos norteamericanos trasladados a esa región. Esto encolerizó a los británicos, que también estaban molestos porque los colonos norte-

Las caravanas de carretas con frecuencia se desviaban cientos de millas para seguir los estrechos pasos entre los picos de las montañas Rocosas.

americanos estaban instando al gobierno de los Estados Unidos a que tomara posesión de esos territorios.

Al comienzo de su período presidencial, Polk hizo una propuesta para terminar la disputa por Oregon. Sugirió que el territorio se dividiera entre Gran Bretaña y Estados Unidos a lo largo del paralelo cuarenta y nueve. Esta era la línea fronteriza entre el Canadá británico y los Estados Unidos, al este de las Montañas Rocosas.

Al principio, Gran Bretaña rechazó esta propuesta. Como respuesta, Polk adoptó una posición más rígida: insinuó que los Estados Unidos irían a la guerra si los británicos intentaban colonizar la zona "estadounidense" de Oregon.

Debido a esta firme postura, los británicos aceptaron la propuesta de Polk. Por tanto, la frontera entre el Canadá británico y el estado norteamericano de Oregon fue el paralelo cuarenta y nueve. Con este tratado la frontera noroeste de los Estados Unidos se completó.

LOS ESTADOS UNIDOS ADQUIEREN CALIFORNIA Y NEW MEXICO

Tras la disputa por la colonización de Oregon, el deseo norteamericano de tierras en el oeste no se vio satisfecho. Había muchas razones para ello, pero una frase lo expresa muy bien; dicha frase, que llegó a ser muy popular en la época, era: *"destino manifiesto"*. Significaba que los norteamericanos creían que estaban destinados a empujar las fronteras de la nación hasta los auténticos límites de Norteamérica. Cualquiera que intentara detener el cumplimiento de este "destino" fracasaría. Esto era "manifiesto" o claro debido a la naturaleza ambiciosa y agresiva del pueblo norteamericano y también debido a que ellos tuvieron éxito anteriormente en la adquisición de tierras.

Los norteamericanos también creían que el gobierno federal era responsable del cumplimiento de este destino. Los políticos y otros funcionarios del gobierno estaban, por supuesto, de acuerdo con este sentimiento popular.

Una de las zonas del oeste que los norteamericanos querían era *California*. En esa época México la gobernaba. Pero había muchos norteamericanos viviendo allí.

Los norteamericanos también querían *New Mexico*, una vasta región del suroeste. Incluía los actuales estados de Arizona, Nevada y Utah, así como ciertas partes de New Mexico, Colorado y Wyoming. New Mexico, al igual que California, era propiedad mexicana.

Parecía, sin embargo, que había muy pocas posibilidades de que los Estados Unidos pudieran comprar estos territorios mexicanos, ya que México se resentía todavía de la pérdida de Texas. En consecuencia, la relación entre los dos países estaba lejos de ser amistosa.

Finalmente, la situación terminó en guerra. Las tropas norteamericanas ocuparon partes del suroeste. Las tropas mexicanas se dispusieron a detener a los norteamericanos. Los soldados norteamericanos se trasladaron al río Nueces, en el sur de Texas. Las tropas mexicanas

abrieron fuego sobre las norteamericanas, con lo que comenzó la *Guerra mexicana* (abril, 1846).

Muchos norteamericanos apoyaban la guerra, pero no todos. Entre los que no estaban de acuerdo con ella se encontraban *Abraham Lincoln y Henry David Thoreau*. Pensaban que los Estados Unidos estaban equivocados.

Las fuerzas norteamericanas ganaron varias batallas claves en el suroeste y rápidamente alcanzaron la victoria. Se trasladaron al norte a controlar California. Finalmente, los soldados norteamericanos a las órdenes del *general Winfield Scott* invadieron México y ocuparon la capital. Los mexicanos pidieron la paz, por lo que hubo un armisticio. Los norteamericanos habían vencido fácilmente a sus débiles y divididos vecinos.

Por los términos del *Tratado de Guadalupe Hidalgo* (1848), que puso fin a la guerra, los Estados Unidos recibían los territorios de California y New Mexico. También se fijó la frontera sur de

El general Winfield Scott a la cabeza del ejército norteamericano en la plaza principal de la Ciudad de México.

Texas en el Río Grande (Río Bravo). A su vez, los Estados Unidos acordaban pagarle a México 15 millones de dólares por esos territorios. Con este tratado, y la adquisición de Texas, el territorio de los Estados Unidos aumentaba en 1.200.000 millas cuadradas.

LA COMPRA DE GADSDEN

Unos cuantos años después de la Guerra mexicana, más tierras mexicanas se añadieron a los Estados Unidos. Pero estas nuevas adhesiones fueron resultado de compra y no de guerra. En 1853, el gobierno mexicano vendió a los Estados Unidos, por la suma de diez millones de dólares, una pequeña franja de tierra al sur de lo que hoy es Arizona y New Mexico. A esta zona se le llamó la *Compra de Gadsden* en honor de James Gadsden, el embajador de los Estados Unidos en México que hizo los arreglos para la compra. La adquisición de esta pequeña franja de tierra, unas 30.000 millas cuadradas, completó los límites continentales de los Estados Unidos.

LA DILIGENCIA Y EL "PONY EXPRESS"

Como resultado de la Guerra mexicana. y de la Compra de Gadsden, nuevos territorios se abrían a la colonización. California, en particular, atrajo a muchos colonos ya que su clima era espléndido. Las oportunidades económicas que ofrecían sus recursos naturales eran también excelentes. Además, se descubrió oro en 1848, lo que atrajo a mucha más gente a la zona. Una vez que California se convirtió en estado (1850) la oleada de colonos fue enorme.

Sin embargo, la colonización de California y de otras partes del oeste acarreó problemas. Había ahora una auténtica necesidad de que las comunicaciones entre este y oeste avanzaran, especialmente los transportes. California estaba muy lejos. Se tardaba mucho tiempo en

La época de las diligencias fue breve. Los ferrocarriles reemplazaron a las diligencias en la década de 1860.

Obreros chinos abren el paso para tirar los rieles del Central Pacific.

llegar por caravana. Más largo aún era ir por mar. Había que hacer algo para acortar el viaje.

Una de las primeras mejoras llegó en 1850. Se estableció una línea regular de *diligencia (stage coach)*. Transportaba viajeros, correo y mercancías ligeras entre el este y el oeste. El viaje a California duraba unos 25 días.

Un poco más tarde se establecía el *"pony express"* para transportar el correo a través del continente de un modo más rápido. Una serie de hombres montados a caballo cruzaban las llanuras y los montes entre California y St. Joseph, Missouri. Cada jinete viajaba unas 75 ó 100 millas. Cambiaba los caballos en puestos especiales que había a lo largo del camino, más o menos cada diez o quince millas. Para principios de la década de 1860, el "pony express" era el método más rápido para llevar mensajes a través del continente.

EL FERROCARRIL TRANSCONTINENTAL

El paso más importante en los transportes entre el este y el oeste se dio a finales de la década de 1860. Se construyó el primer *ferrocarril transcontinental* a través del país. El resultado fue la unión del este y del oeste con lazos de acero.

El 1º de julio de 1862, el Congreso decretó una ley por la que autorizaba a dos compañías para construir el ferrocarril transcontinental. La compañía *Union Pacific* construiría el ferrocarril hacia el oeste desde Omaha, Nebraska. La compañía *Central Pacific* construiría un ferrocarril hacia el este, desde Sacramento, California. Los dos ferrocarriles se encontrarían a mitad de camino entre Omaha y Sacramento. Cuando esto ocurriera la nación se uniría por el primer ferrocarril transcontinental.

Los trabajos para la construcción comenzaron en 1863. Se prolongaron durante toda la Guerra Civil y el principio de la Era de reconstrucción.

Las dos líneas que se construyeron se unieron finalmente en Promontory, Utah, el 10 de mayo de 1869.

DE COSTA A COSTA

A mediados del siglo XIX, los Estados Unidos se habían extendido a través del continente norteamericano. Gran Bretaña había sido expulsada de la costa este por la fuerza y de Oregon por persuasión. Francia y España habían sido expulsadas de sus territorios a cambio de dinero. Y México había sido expulsado de New Mexico, Texas y California por una combinación de fuerza y dinero. Todas estas tierras son ahora parte de Estados Unidos.

EXPLORACION DE HECHOS Y OPINIONES

I. Para mejorar tus conocimientos

Define, describe o identifica cada uno de los términos siguientes. Señala cómo está conectado cada uno de ellos con la historia de la expansión de los Estados Unidos.

1—territorio de Oregon
2—ferrocarril transcontinental
3—Thomas Jefferson
4—Compra de Gadsden
5—Guerra por la independencia de Texas
6—Guerra mexicana
7—Compra de Louisiana
8—Caminos de Santa Fe y Oregon
9—James K. Polk

II. Preguntas

Contesta a las preguntas siguientes. Acompaña tus respuestas con ejemplos o información específica.

1—¿Cuáles fueron algunas de las razones dadas en favor de la expansión territorial? ¿Cuáles fueron algunos de los argumentos en contra?

2—¿Cómo y por qué se trasladaron los exploradores al oeste de los Montes Apalaches?

3—¿Cuál fue la historia de Texas desde 1820 a 1848? Durante este tiempo, ¿cómo influyó dicho período en la historia de los Estados Unidos?

4—¿Qué nuevos avances en los transportes ayudaron a los norteamericanos a colonizar la zona entre el río Mississippi y California?

5—Utilizando la información de este capítulo, elabora una lista cronológica del "Crecimiento territorial de los Estados Unidos entre 1783 y 1853". Encabeza así tu lista: "Territorio adquirido", "De quién", "Cómo fue adquirido".

III. Conceptos

Los términos que siguen representan conceptos, ideas amplias que han jugado un papel importante en la experiencia del país, especialmente en la historia de la expansión de los Estados Unidos. Con tus propias palabras escribe una pequeña definición de cada una de ellas.

1—destino manifiesto
2—anexión
3—zona de separación
4—admisión a la Unión
5—expansión territorial
6—tierra barata
7—frontera
8—reclamo de tierra

IV. Ideas para construir

1—¿Por qué crees que fracasos militares temporales, tales como los del Álamo, son a veces más famosos que las victorias que conducen a ganar la guerra?

2—¿En qué se diferenció la admisión de Texas a la Unión de la admisión de otras tierras del oeste?

3—¿Cómo crees que eran los colonizadores que se trasladaban al oeste por medio de las caravanas? ¿Qué cualidades crees que tenían que tener para que sus viajes terminaran con éxito? ¿Qué rasgos personales no habrían sido deseables? Explícalo.

4—¿Qué crees que pensaban los británicos, los mexicanos y los indios del destino manifiesto?

5—¿Fue porque las tropas mexicanas abrieron fuego primero por lo que comenzó la Guerra mexicana? Explícalo.

6—¿Crees que el Tratado de Guadalupe Hidalgo fue justo? ¿Por qué sí o por qué no?

7—Una vez que los Estados Unidos conquistaron la ciudad de México, ¿por qué no se apropiaron de todo México?

8—¿Cómo crees que la terminación del ferrocarril transcontinental afectó el curso de la historia de los Estados Unidos?

V. Ideas organizadas

Siguen cuatro "ideas organizadas". Cada una perfila hechos y conceptos estudiados en este capítulo para formar unas ideas generales que podrían ser aplicadas a muchos períodos históricos. Basándote en tus lecturas y lo dicho en clase, da información específica que apruebe o desapruebe esas ideas.

1—Cuanta más expansión territorial se produce más demanda hay para mejorar la comunicación y el transporte.

2—Cuando se descubren grandes extensiones de tierra fértil dentro de un país, generalmente se produce una baja en los precios de la tierra.

3—La tierra puede ser reclamada por una nación a través de exploraciones, ocupaciones, compras o guerras.

4—Las naciones a veces creen que tienen que cumplir cierto destino o misión en el mundo.

¿Qué otras ideas se pueden desarrollar a partir del material de este capítulo?

VI. Aplicación de ideas y formación de juicios

Contesta a las preguntas siguientes. Asegúrate de sostener tus ideas y opiniones con evidencia a partir de tus lecturas y lo dicho en la clase.

1—Considerando la historia del expansionismo norteamericano desde principios de la década de 1600 hasta mediados de la de 1850, ¿qué conclusiones puedes sacar sobre el "carácter norteamericano"? Explícalo.

2—Sin la expansión territorial, los Estados Unidos serían hoy un angosto país litoral. Si hubiera sido así, ¿qué problemas enfrentaría ahora?

3—Un escritor humorístico americano del siglo XIX escribió acerca de la Guerra mexicana: "En nueve de cada diez casos, cuesta más robar un huerto que comprar las manzanas". ¿Crees que es precisa esta observación? Explícalo.

4—¿Qué factores geográficos influyeron en la expansión territorial norteamericana desde 1803 a 1835? Explícalo refiriéndote a cada una de las grandes adquisiciones.

Capítulo 12

UNA NACION DIVIDIDA

LOS INTERESES ESPECIALES DEL NORTE

En la década de 1850, el conflicto separatista alcanzó su punto culminante. La lucha entre el Noreste, el Sur y el Noroeste, poco a poco se convirtió en un conflicto del Norte contra el Sur.

El que hubiera cada vez una mayor división entre el Norte y el Sur era debido, en gran parte, a las diferentes necesidades e intereses económicos de ambas zonas. Al comienzo de la década de 1830 la industria y el comercio crecían regularmente en el Norte. Estas industrias dependían de la labor de trabajadores libres y no de esclavos. Los empresarios del Norte favorecían una política de tarifas altas sobre las importaciones para reducir la competencia extranjera. También querían que el gobierno utilizara el dinero de los impuestos para construir nuevas carreteras, canales y ferrocarriles. Estas medidas ayudarían a las industrias del Norte a obtener sus materiales de un modo más sencillo y barato. Los estados del Oeste también apoyaban las mejoras en el transporte porque esto también ayudaría a los granjeros, igual que a los empresarios, a transportar sus mercancías a los mercados y así tener más ganancias.

LOS INTERESES ESPECIALES DEL SUR

Los estados del Sur, por otro lado, eran agrícolas. Algunas de las granjas eran grandes plantaciones que normalmente cultivaban en grandes cantidades un solo producto para el mercado: arroz, azúcar, tabaco o algodón. La mayor parte de las cosechas se vendía a países extranjeros. Por tanto, para proteger este tipo de economía, los estados del Sur favorecían tarifas bajas, ya que opinaban que las altas harían subir el precio de los productos que ellos tenían que comprar. Además, los países europeos a menudo aumentaban sus tarifas cuando lo hacían los Estados Unidos. Esto perjudicaba el comercio del algodón sureño. Además, los sureños no querían que el gobierno gastara dinero ni en caminos ni en canales ni en ferrocarriles ya que la mayoría de estos proyectos se llevarían a cabo en los estados del Norte y del Oeste. Los estados del Sur tendrían que contribuir a estos proyectos con su dinero pero no obtendrían ningún beneficio.

"EL REY ALGODÓN" Y SUS EFECTOS

Después de 1815, un gran cambio se produjo en la agricultura sureña. Los propietarios de las plantaciones comenzaron a utilizar cada vez más tierra para cultivar un solo producto: el algodón. En 1835, el algodón había reemplazado al arroz y al tabaco como la principal cosecha del Sur. En 1860, se cultivaba tanto algodón que se utilizaba más tierra para

En tierras sureñas, los esclavos constituían la mayoría de la mano de obra en las plantaciones de algodón.

este cultivo que para todos los otros cultivos juntos. Era por esto que se le llamaba el "rey algodón".

El aumento de la producción de algodón tuvo un gran efecto en la economía del sur. El sistema de plantación estaba basado en la labor de los esclavos. Si se utilizaba más tierra para el cultivo del algodón se necesitarían más esclavos para plantarlo y recolectarlo.

En la época de la revolución, muchos sureños llegaron a temer que la esclavitud se iba a acabar. Muchos lo deseaban pero la expansión del cultivo del algodón tuvo el efecto contrario. En 1820, había unos 1.4 millones de esclavos; en 1860, casi se triplicaba este número. Como la ley había prohibido el comercio de esclavos en 1808, la mayoría de los esclavos que trabajaban en las plantaciones eran descendientes de negros que habían sido esclavos. Pero hubo otros que entraron en los Estados Unidos a pesar de la ley que lo prohibía.

El crecimiento de la esclavitud afectó el modo en que la gente blanca del Sur veía su forma de vida. Llegaron a creer que su vida no podría existir sin las plantaciones y sin el trabajo de los esclavos. Consideraban que no podía existir una cosa sin la otra.

Así, la esclavitud llegó a ser un requisito en la vida de todos los estados del Sur. Y aún más, se convirtió en un interés especial que los sureños querían proteger.

EL MOVIMIENTO ABOLICIONISTA

En la década de 1830 surgió una fuerte oposición a la esclavitud. El llamado *movimiento abolicionista* quería abolir, o eliminar, la esclavitud en los Estados Unidos.

Antes de 1830, este movimiento era minoritario, frágil e impopular. Pero comenzó a fortalecerse cuando la gente se dio cuenta de que la esclavitud no se acabaría por sí sola. Cada vez más, los habitantes de los estados del Norte comenzaron a solidarizarse con el movimiento abolicionista. A pesar de eso, muchos norteños no se oponían a la esclavitud y algunos atacaban a los abolicionistas por ser "perturbadores" del orden público.

Frederick Douglass y Sojourner Truth, quienes habían sido esclavos, se convirtieron en líderes del movimiento abolicionista.

Los abolicionistas se debilitaban porque no estaban de acuerdo entre ellos mismos. Algunos opinaban que la esclavitud debía ser eliminada inmediatamente, otros, que gradualmente. Las personas que sólo querían que la esclavitud no se extendiera a los nuevos estados del Oeste se acercaban a los puntos de vista de la mayoría de los norteños.

El movimiento abolicionista estaba dirigido por blancos y negros. Un blanco, William Lloyd Garrison, se esforzó mucho para que la esclavitud se aboliera de inmediato, y para este fin editó un periódico llamado "The Liberator" ("El libertador"). Frederick Douglass y Sojourner Truth, que habían sido esclavos, ganaron muchos partidarios para la causa del abolicionismo con sus apasionados discursos en contra de la maligna esclavitud.

LA REACCIÓN DE LOS ESTADOS DEL SUR

El crecimiento del sentimiento abolicionista incrementó la tensión entre el Norte y el Sur. Los sureños vieron al movimiento de abolición como la causa de las revueltas de esclavos que tuvieron lugar en las décadas de 1820 y 1830. El resultado fue que muchos lugares del Sur decretaron leyes para detener la expansión de las ideas antiesclavistas. Prohibieron los discursos, libros, panfletos y periódicos abolicionistas; y aprobaron nuevas leyes esclavistas más rígidas. En el Congreso, los representantes del Sur se las arreglaron para que no se leyeran peticiones que clamaban por que se acabara con la esclavitud.

Los ciudadanos del Sur comenzaron a creer que la mayoría de la gente del Norte favorecía la abolición, aunque éste no era el caso. Algunos temían que el Norte intentara destruir al Sur.

EN TORNO A LA EXTENSIÓN DE LA ESCLAVITUD

El movimiento abolicionista hizo que los blancos sureños estuvieran a la defensiva. Estaban decididos a mantener su forma de vida. Opinaban que la mejor manera de hacerlo era manteniendo su poder en el Congreso.

Este plan, sin embargo, tuvo dificultades. La Guerra mexicana de 1848 aportó a los Estados Unidos vastos territorios en el lejano Oeste. Muchas de estas tierras pronto se convertirían en estados de la Unión, de lo cual el Sur era muy consciente. Por tanto, querían que la esclavitud se permitiera en las nuevas tierras, que los estados que se formaran en un futuro fueran "esclavistas" y no "libres", lo que supondría mayoría de votos de estados "esclavistas" en el Senado.

El Norte, por supuesto, estaba en contra de esto. También quería ampliar y proteger su poder en el Congreso, por lo que quería que los nuevos estados que se formaran en el Oeste fueran "libres".

EL ACUERDO DE 1850

Antes de que la guerra con México finalizara en 1848, el Congreso intentó so-

Henry Clay presenta su plan en el Senado de los Estados Unidos en 1850.

lucionar el problema de la extensión de la esclavitud, pero fracasó. El problema se convirtió en el centro de atención de la elección de 1848, pero tampoco se solucionó. En 1850, California, una de las nuevas tierras del Lejano Oeste, solicitó a la Unión su adhesión como estado "libre". El Congreso se vio forzado a enfrentar el problema de la extensión de la esclavitud.

Henry Clay propuso un plan que esperaba pudiera solucionar el problema de una vez por todas. Su plan se llamó el Acuerdo de 1850 y estaba formado por varios proyectos distintos. Algunos de sus proyectos favorecían a los estados del Norte y otros a los del Sur. Por esta razón, ambas zonas apoyaron el plan y se aceptó en el Congreso. El Acuerdo incluía los siguientes puntos:

• California formaría parte de la Unión como un estado "libre".

• El resto de la tierra ganada a México se dividiría en dos territorios: Utah y New Mexico. Los habitantes de estas dos zonas decidirían si permitirían la esclavitud o no en su región.

• El comercio de esclavos (compra y venta de esclavos) se prohibía en la capital del país pero no la esclavitud como institución.

• Una ley más dura se aceptó en el Congreso en torno a los esclavos fugitivos. Mandaba que el gobierno ayudara a los estados del Sur a capturar a los esclavos que huyeran al Norte.

SIGUE EL PROBLEMA DE LA EXTENSIÓN DE LA ESCLAVITUD

El plan de Clay no fue tan efectivo como se esperaba. Unos años más tarde el problema seguía latente.

Stephen A. Douglas, autor de la ley Kansas-Nebraska de 1854.

El Sur había estado buscando nuevas tierras a donde extender sus plantaciones de algodón. El cultivo de algodón consumía la tierra y muchas plantaciones, particularmente las localizadas en la costa este, tenían tierra muy gastada. Algunas de las tierras un poco al norte de las adquiridas en la Compra de Louisiana parecía que tenían el clima y la tierra apropiada para el cultivo del algodón. Pero el Acuerdo de Missouri de 1820 prohibía la esclavitud en esta zona. Había que eliminar este arreglo para que el Sur lograra su objetivo.

Pero el Sur no tuvo suerte. *Stephen A. Douglas*, un senador de Illinois, quería ayudar a su zona, el Medio Oeste, a obtener poder político. Un modo de conseguirlo era formar estados en las tierras que quedaban de la Compra de Louisiana. El primer paso sería organizar esta zona en territorios para que se colonizaran y con el tiempo se convirtieran en estados del Medio Oeste. Así, el poder del Medio Oeste sería mayor. Douglas también quería que se construyera un ferrocarril desde Chicago, en su estado de Illinois, a la costa oeste, ya que así la colonización en las tierras al oeste del río Mississippi sería más fácil. Así, de la parte "libre" de la Compra de Louisiana, Douglas propuso formar dos nuevos territorios en el Medio Oeste, *Kansas* y *Nebraska*.

Pero para que su plan se aprobara, Douglas necesitaba el apoyo de los repre-

sentantes del Sur en el Congreso. Por tanto añadió una cláusula por la que se eliminaba la prohibición de la esclavitud en la zona "libre" de los territorios de la Compra de Louisiana. En vez de la prohibición, los habitantes decidirían si permitían o no la esclavitud. Los estados del Sur apoyaron este plan y la Ley Kansas-Nebraska se aprobó en el Congreso en el año 1854.

Muchos ciudadanos del Norte se enfurecieron por esta nueva ley. El algodón probablemente no se daría bien en Nebraska pero sí en Kansas. Las fuerzas a favor y en contra de la esclavitud luchaban por el control del gobierno en los nuevos territorios. Los propietarios de esclavos de Missouri y el Sur atravesaban la frontera para entablar la lucha y lo mismo hacían los abolicionistas desde New England. Pronto se produjo una guerra civil en la "ensangrentada Kansas".

SE FORMA EL PARTIDO REPUBLICANO

La elección de 1856 tuvo lugar cuando el enfrentamiento en Kansas estaba en su apogeo. El demócrata *James Buchanam* ganó por un margen muy pequeño a su principal oponente, *John C. Frémont*.

Frémont era miembro de un nuevo partido político: el Partido Republicano. Aunque tenía el nombre similar al del partido Demócrata-Republicano de Thomas Jefferson, tenían muy poco en común. El Partido Republicano se formó en 1854 como una respuesta a la Ley Kansas-Nebraska. Tanto los *whigs* como los demócratas tenían miembros a favor y en contra de la esclavitud y por eso ningún partido podía adoptar una posición firme con respecto a este problema. No estando de acuerdo con esto, las fuerzas antiesclavistas de ambos partidos y abolicionistas que no pertenecían a ninguna organización política se unieron para formar el nuevo partido. Los republicanos prometieron detener la extensión de la

Este dibujo tomado del libro Uncle's Tom Cabin (La Cabaña del tío Tom) muestra el desmembramiento de una familia de esclavos cuando sus miembros eran vendidos a nuevos amos. La novela abrió los ojos de muchos norteños a la perversidad de la esclavitud.

esclavitud. Sin embargo, el nuevo partido no buscaba la abolición de la esclavitud en los estados donde ya existía.

EL CASO DE DRED SCOTT

Poco después de la elección de 1856, la Corte Suprema anunció uno de sus fallos más famosos: el *Caso de Dred Scott*. Scott era un esclavo a quien su amo llevó de Missouri, un estado "esclavista", a Illinois, un estado "libre", y Minnesota, un territorio "libre". En Minnessota, Scott se casó y su mujer tuvo un hijo. Más tarde fue llevado de nuevo a Missouri. Scott demandó a su amo pidiendo su libertad y la de su familia, arguyendo que él era libre porque había vivido en un territorio libre.

El caso de Scott se llevó a las cortes federales y llegó a la Corte Suprema. La corte decidió en contra de Scott. Dijo que sólo podría ser libre si su amo lo liberaba porque él era "propiedad"; no podía considerarse libre por haber vivido en territorio "libre". Además, ya que un esclavo no era ciudadano él no tenía derecho a apelar a la corte federal.

La corte también añadió que la Transacción de Missouri había sido inconstitucional desde el principio. El Congreso no tenía poder para limitar las propiedades de los individuos. No podía prohibirles que llevaran esclavos (su "propiedad") a cualquier parte del país a donde quisieran ir. Esto significaba que el Congreso no podía prohibir la esclavitud en los territorios, ni tampoco las legislaturas de los territorios ni sus habitantes.

LA REBELIÓN DE JOHN BROWN

El caso de Dred Scott provocó una lluvia de protestas en el Norte ya que parecía que ahora la esclavitud podía extenderse a todos los estados. Muchos abolicionistas se convencieron de que había que hacer algo.

John Brown fue una de estas personas. Brown ya era conocido por haber matado a varios esclavistas en la "ensangrentada Kansas". En octubre de 1859 dirigió una incursión a Harper's Ferry, Virginia, donde el gobierno tenía un almacenamiento de armas. Brown quería apoderarse de estas armas y entregárselas a los esclavos para que se levantaran. Pero la incursión fracasó y Brown fue capturado. Más tarde, fue juzgado culpable por traición en la corte estatal de Virginia y fue ahorcado.

LA UNIÓN SE DESHACE Y COMIENZA LA GUERRA

La elección de 1860 fue crucial. Stephen A. Douglas era el principal candidato de los demócratas. Sin embargo, los estados del Sur no lo querían porque no apoyaba la esclavitud. En la convención de su partido, los demócratas se dividieron en dos: los demócratas del Norte escogieron a Douglas como su candidato, pero los del Sur eligieron al sureño John C. Breckinridge. Con dos demócratas compitiendo, el partido tenía pocas posibilidades de ganar.

Los republicanos, por otro lado, estaban unidos a favor de su candidato: *Abraham Lincoln*, de Illinois. El pueblo conocía a Lincoln porque sostuvo una serie de debates con Douglas en 1858. En estos debates, Lincoln se mostró como un pensador claro y persuasivo orador. Se oponía a la esclavitud, pero no creía que se pudiera acabar con ella en donde ya estaba implantada. Lo que él creía que era factible era el que no se extendiera más.

Antes de la elección, los estados del Sur anunciaron que se separarían de la Unión si Lincoln ganaba. Cuando Lincoln ganó, South Carolina abandonó la Unión.

Pronto, seis estados más siguieron el ejemplo: Mississippi, Florida, Alabama, Georgia, Louisiana y Texas. Al principio de 1861 estos siete estados se unieron en una nueva "nación" sureña: *The Confederate States of America* (los *Estados Confederados de América*). Más tarde, se les unieron otros cuatro estados del sur: Virginia, Arkansas, North Carolina y Tennessee.

Nadie sabía cómo enfrentaría Lincoln esta situación tan crítica. En su primer discurso presidencial dijo que trataría de mantener la Unión por medios pacíficos. Argüía que ningún estado tenía derecho a abandonar la Unión y que, los Estados Confederados de América no existían legalmente. Por tanto trataría a los estados del Sur como si aún fueran parte de los Estados Unidos.

Los esfuerzos de Lincoln para solucionar el problema por medios pacíficos fracasaron. La guerra entre el Norte y el Sur era inevitable. Ésta comenzó el 12 de abril de 1861 cuando las fuerzas confederadas atacaron *Fort Sumter*, un fuerte de los Estados Unidos en el puerto de Charleston, South Carolina. Dos días más tarde, el Presidente Lincoln pedía 75.000 voluntarios para sofocar la "sublevación" o revuelta. La Guerra Civil había comenzado.

EXPLORACION DE HECHOS Y OPINIONES

I. *Para mejorar tus conocimientos*

Define, describe e identifica cada uno de los términos siguientes. Muestra cómo está conectado cada uno de ellos con la Guerra Civil.

1—Guerra mexicana
2—Acuerdo de 1850
3—Ley Kansas-Nebraska
4—El caso de Dred Scott
5—El Partido Republicano
6—La ensangrentada Kansas
7—Estados Confederados de América
8—Fort Sumter

II. *Preguntas*

Contesta a las preguntas siguientes. Acompaña tus respuestas con ejemplos o información específica.

1—¿Cuáles fueron las causas de que hubiera diferentes intereses en el Norte y el Sur en el período anterior a la Guerra Civil?

2—¿Cuáles eran los diferentes puntos de vista en torno a la esclavitud en los diferentes territorios?

3—¿Quiénes eran los abolicionistas y cuáles sus creencias? ¿Por qué se oponían a ellos algunas personas?

4—¿Cuáles fueron los resultados inmediatos de la Guerra Civil?

III. Conceptos

Los términos que siguen representan conceptos, ideas amplias que han jugado un papel importante en la experiencia de Estados Unidos, especialmente en la Guerra Civil. Con tus propias palabras escribe una pequeña definición de cada una de ellas.

1—El "rey algodón"
2—abolicionista
3—derechos de propiedad
4—sublevación
5—secesión

IV. Ideas para construir

1—Muchos estados del Norte se oponían a la esclavitud, pero no estaban de acuerdo en cómo hacerlo. Algunos sólo querían que no se extendiera más la esclavitud, otros, que se erradicara definitivamente, y otros que fuera desapareciendo gradualmente. ¿Qué punto de vista hubieras apoyado tú? Explícalo.

2—Los abolicionistas eran llamados a menudo "perturbadores" que sólo servían para aumentar las tensiones entre el Norte y el Sur. ¿Estás de acuerdo con esto? ¿Por qué sí o por qué no?

3—¿Por qué temían a los abolicionistas los estados del Sur?

4—Repasa las cuatro partes del Acuerdo de 1850. ¿Qué obtiene y a qué renuncia cada una de las partes?

5—¿Consiguieron algo los esclavos con el Acuerdo de 1850? Explícalo.

6—¿Cómo fue que la Guerra mexicana volvió a abrir la hendidura entre el Norte y el Sur? ¿Cómo aumentó también con la Ley Kansas-Nebraska?

7—¿Por qué los partidos *whig* y demócrata intentaban esquivar las cuestiones en torno a la esclavitud en la década de 1850?

8—¿Cómo afectó la decisión del Caso Scott al conflicto entre el Norte y el Sur?

9—¿Hubieras votado por Abraham Lincoln en 1860 sabiendo que muchos estados del Sur abandonarían la Unión si Lincoln ganaba? ¿Por qué sí o por qué no?

10—Lincoln decidió mantener tropas federales en Fort Sumter después de la secesión de South Carolina de la Unión. ¿Por qué hizo esto Lincoln? ¿Era la guerra casi imposible de evitar?

V. Ideas organizadas

Siguen un número de ideas "organizadas". Cada idea perfila hechos y conceptos estudiados en cada una de las partes de este capítulo y hace una generalización. A partir de tus lecturas y lo dicho en clase, da ejemplos específicos que prueben o desaprueben estas ideas.

1—Cuando las regiones de un país tienen diferencias geográficas, a menudo el desarrollo social, económico y político también es diferente.

2—Los industriales generalmente favorecen las altas tarifas para disminuir la competencia de las compañías extranjeras. Los granjeros, por otro lado, generalmente se oponen, ya que esto aumenta el precio de las mercancías que tienen que comprar.

3—La protección de la forma de vida de una minoría a menudo depende de la cantidad de poder que este grupo minoritario tenga en el gobierno nacional.

¿Qué otras ideas se pueden desarrollar a partir del material de este capítulo?

Capítulo 13

LA GUERRA CIVIL

LA UNIÓN EN LA GUERRA

Al comienzo de la Guerra Civil, el Norte, o *Unión*, estaba en mejores condiciones para el enfrentamiento que el Sur, o la *Confederación*, ya que tenía mayor población y su ejército y su armada eran más numerosos y estaban mejor organizados. También tenían más industria. Mientras el Norte podía abastecerse a sí mismo de los artículos manufacturados durante el período de guerra, el Sur tenía que recurrir a países extranjeros para abastecer sus necesidades.

El Norte también tenía ventaja en cuanto al liderazgo de su gobierno. Lincoln era flexible y comprensivo y oía consejos y aceptaba las críticas. Se convirtió en un líder muy capaz y popular. A lo largo de toda la guerra, Lincoln persistió en su principal propósito: mantener al Sur en la Unión.

Abraham Lincoln

Jefferson Davis, presidente de los Estados Confederados de América.

LA CONFEDERACIÓN EN LA GUERRA

La Confederación estaba peor organizada que la Unión. El énfasis de los sureños en los derechos de los estados debilitaba al gobierno central. La oposición de uno o dos de los estados separados a menudo impedía al gobierno confederado hacer un mejor uso de su ejército y sus recursos.

A pesar de estas desventajas, el Sur tenía algo a su favor. Quizás lo más importante era que el Sur sólo tenía que defenderse a sí mismo para ganar la guerra, ya que no pretendía conquistar el Norte. Por el contrario, el Norte tenía que vencer al Sur decisivamente para alcanzar su objetivo.

El Sur también tenía mejores caudillos militares al principio de la guerra, como,

Dos soldados confederados (izquierda) y un sargento del ejército de la Unión muestran sus respectivos uniformes.

por ejemplo, el general Robert E. Lee. Los sureños también eran más diestros en el manejo de las armas y los caballos que los norteños que vivían en ciudades y trabajaban en fábricas.

ESTRATEGIAS PARA LA VICTORIA

Al comienzo de la guerra, ambos contrincantes esperaban una victoria inmediata. Pero pronto se vio que la lucha no terminaría pronto. En consecuencia, cada contrincante hizo planes a largo plazo para ganar la guerra. Es decir, cada uno estableció su estrategia.

La estrategia del Norte contenía tres objetivos principales. En primer lugar, bloquearía la costa del Sur, lo que impediría que pudieran abastecerse de mercancías extranjeras. Segundo, atacar Virginia y capturar Richmond, la capital de la Confederación. Y en tercer lugar, tratarían de dividir al Sur atacando Tennes-

see y el sur del valle del Mississippi. De este modo, el Sur no tendría la capacidad de luchar como nación.

La estrategia básica del Sur consistía en defenderse. También querían frustrar al Norte atacando Washington D.C. o ganando algunas batallas en Maryland y Pennsylvania. Creían que el Norte abandonaría la guerra si no la ganaba inmediatamente.

LA GUERRA EN EL ESTE

El primer gran enfrentamiento de la Guerra Civil tuvo lugar en *Bull Run*, Virginia, el 21 de julio de 1861. En este lugar, las inexpertas tropas del Sur detuvieron el avance de las igualmente inexpertas tropas del Norte. La Unión hizo varios intentos por capturar Richmond, pero todos fracasaron, por lo que el Sur tomó la ofensiva, y en 1862, un ejército sureño al mando del general Robert E.

La batalla de Gettysburg durante la Guerra Civil.

Lee invadió el Norte. Pero las tropas de Lee fueron atacadas duramente en *Antietam Creek*, en Maryland, y se vieron forzadas a regresar a Virginia.

Siguieron varias batallas sangrientas pero ninguna fue decisiva. En julio de 1863, Lee intentó invadir el Norte de nuevo. Se dirigió a Pennsylvania pero fue derrotado en la batalla de *Gettysburg*. Esta victoria de la Unión fue decisiva en la guerra. El Sur nunca más intentó invadir al Norte.

LA GUERRA EN EL OESTE

En el frente del Oeste, el Norte tenía menos problemas. Hacia finales de 1862 las fuerzas de la Unión habían capturado el oeste de Tennessee y áreas de Arkansas y Mississippi. Además, la armada había tomado New Orleans. La mayor victoria ocurrió en julio de 1863 cuando el *general Ulysses S. Grant* tomó *Vicksburg*, Mississippi, un importante fuerte en el río Mississippi. Ahora la totalidad del río estaba en manos de la Unión. El Sur había sido dividido en dos. Arkansas, Louisiana y Texas habían sido separados de los estados sureños del este del Mississippi.

LA GUERRA EN EL MAR

Al comienzo de la guerra, el Norte bloqueó la costa del Sur, desde Virginia a Texas. El cerco fue cada vez mayor conforme la guerra avanzaba. El Sur no podía vender su algodón a los países extranjeros ni tampoco podía comprar las mercancías manufacturadas que necesitaba.

Como el Sur no tenía muchos barcos ni astilleros, compró secretamente algunos cruceros a Gran Bretaña. El *Alabama* fue uno de ellos. Estos cruceros perjudicaron al comercio del Norte pero no había tantos cruceros como para terminar con el bloqueo.

Quizás el aspecto más importante de esta guerra en el mar fue el uso de acorazados por primera vez.

Éstos eran barcos que estaban revestidos con una plancha de hierro o de acero para protegerlos de los cañonazos. El enfrentamiento más famoso con tal tipo de barcos ocurrió en marzo de 1862 cuando el acorazado unionista *Monitor* no permitió que el acorazado confederado *Merrimac* traspasara el bloqueo de Virginia. El uso de este nuevo tipo de barcos fue una de las causas de que se abandonaran los de madera.

LA PROCLAMA DE EMANCIPACIÓN

El presidente Lincoln se oponía a la esclavitud y quería acabar con ella. Pero opinaba que la Unión necesitaba una victoria militar antes de actuar para emancipar o liberar a los esclavos. La victoria de Antietam le dio lo que necesitaba. En consecuencia, decretó la *Proclama de Emancipación*. Con este documento mandaba que a partir de enero de 1863, todos los esclavos de los estados confederados serían "libres para siempre".

Esta proclama fue recibida con gran alegría por muchas personas en el Norte. También la apoyaron en países extranjeros en los cuales la esclavitud no era popular, especialmente en Gran Bretaña y Francia. Además, esto influyó para que muchos negros del Norte se alistaran en el ejército de la Unión para luchar por la libertad de los esclavos del Sur.

Sin embargo, la Proclama de Emancipación no tuvo mucha fuerza en la época en que se decretó, ya que Lincoln no podía liberar a los esclavos hasta que el Norte ganara definitivamente la guerra. Pero esta proclama mostraba, al menos, que el Norte estaba decidido a terminar con la esclavitud.

EL EMPUJE FINAL HACIA LA VICTORIA

Con el Sur dividido en dos, la estrategia de la Unión era presionar hacia el este a través de la zona baja del sur. Esto dividiría de nuevo al Sur y lo debilitaría.

El plan de la Unión tuvo éxito. El ge-

El general Grant (arriba) dirigió el ejército de la Unión en su victoria sobre el general Lee.

neral Grant capturó Chatanooga y el resto de Tenneessee a finales de 1863. Entonces, el *general William T. Sherman* comenzó la larga marcha por la parte alta de Georgia hacia el mar y capturó Atlanta y Savannah antes de dirigirse al norte hacia las Carolinas. Cuando llegó a Goldsboro, North Carolina, en marzo de 1865 había acabado con la mayor resistencia en las zonas baja e intermedia del Sur.

Mientras tanto, Grant se trasladó a Richmond. Esperaba que el ejército confederado, a las órdenes del general Lee, se muriera de hambre o se rindiera. Después de una serie de batallas sangrientas, Lee tuvo que rendirse a Grant en el tribunal de *Appomattox*, Virginia, el 9 de abril de 1865.

LA TRAGEDIA FINAL

La Guerra Civil terminó. Ganó la Unión. Pero un trágico acontecimiento ocurrió antes de que la era de la guerra terminara. La noche del 14 de abril de 1865, el Presidente Lincoln y su esposa estaban viendo una representación en el Teatro Ford de Washington. Durante la representación, un sureño trastornado llamado *John Wilkes Booth* entró en el palco del Presidente y le disparó por la espalda. El Presidente murió a la mañana siguiente.

EL IMPACTO DE LA GUERRA CIVIL

La victoria de la Unión en la Guerra Civil puso fin a la esclavitud. También causó el renacimiento del nacionalismo y la derrota final del asunto de los derechos de los estados.

La guerra misma hizo que aumentara la demanda de productos manufacturados y agrícolas. Se desarrollaron nuevas maquinarias. Los republicanos hicieron bastante para fortalecer la industria en el Norte y la agricultura en el oeste. Sin la representación del Sur en el Congreso, tenían muy poca oposición. Se decretaron altas tarifas, el comienzo de la construcción de un ferrocarril transcontinental y nuevas leyes bancarias. También se aprobó la ley de "*Homestead*", por la que se ofrecía tierra gratis en el oeste a los granjeros que quisieran colonizarla. Todas estas medidas fueron la base de la expansión económica después de la guerra.

Sin embargo, lo más importante que se consiguió con la victoria del Norte fue que se mantuvo la Unión. Norteamérica podía ahora seguir hacia adelante, cambiada pero no destruida por una guerra civil.

EXPLORACION DE HECHOS Y OPINIONES

I. Para mejorar tus conocimientos

Define, describe o identifica cada uno de los términos siguientes. Muestra cómo está conectado cada uno de ellos con la Guerra Civil.

1—Derechos de los estados
2—La industria estaba en el Norte
3—El Sur tenía mejores líderes militares
4—Bloqueo
5—Ley de "Homestead"
6—Estados Confederados de América
7—Proclama de Emancipación

II. Preguntas

Contesta a las preguntas siguientes. Acompaña tus respuestas con ejemplos o información específica.

1—¿Qué factores explican la victoria del Norte sobre el Sur en la Guerra Civil?

2—¿Cuáles fueron los resultados inmediatos de la Guerra Civil?

III. Conceptos

Los términos que siguen representan conceptos, ideas amplias que han jugado un papel importante en la experiencia de Estados Unidos, especialmente en la Guerra Civil. Con tus propias palabras, escribe una pequeña definición de cada una de ellas.

1—estrategia
2—bloqueo
3—renacimiento del nacionalismo
4—aumento de la inmigración
5—cambios tecnológicos
6—aumento de la población

IV. Ideas organizadas

Siguen un número de "ideas organizadas". Cada una perfila hechos y conceptos estudiados en este capítulo y hace una generalización. Apoyándote en tus lecturas y lo dicho en clase, da ejemplos específicos que aprueben o desaprueben estas ideas.

1—Las victorias militares a menudo determinan soluciones a problemas políticos que existían antes de que el conflicto comenzara.

2—La guerra moderna no sólo afecta a los militares sino también a los civiles.

V. Ideas para construir

1—¿Cuál dijo Lincoln que era el principal objetivo de la guerra? ¿Estás de acuerdo con Lincoln en que salvar la Unión era más importante que la liberación de los esclavos?

2—¿Cuáles eran los tres objetivos principales de la estrategia del Norte? ¿Y los de la estrategia del Sur?

3—¿Qué ventajas tenía cada uno de los contrincantes? En tu opinión, ¿quién tenía las mayores ventajas?

4—La Proclama de Emancipación no liberó a ningún esclavo en el Sur. ¿Por qué, entonces, la decretó Lincoln?

VI. Aplicación de ideas y formación de juicios

Contesta a las preguntas siguientes.

Asegúrate de sostener tus ideas y opiniones a partir de tus lecturas y lo dicho en la clase.

1—Los autores de este texto han llamado al conflicto militar de 1860-1865 la "Guerra Civil". Otros historiadores lo han llamado la "Guerra entre los Estados", la "Guerra de los hermanos", la "Guerra por la Independencia del Sur", la "Guerra para salvar la Unión", y la "Guerra de Lincoln". Basándote en tus conocimientos, ¿cuál crees que es el mejor título? ¿Por qué? ¿Crees que sería mejor otro título? Si es así, ¿cuál y por qué?

2—En su discurso inaugural, el 18 de febrero de 1861, el Presidente Jefferson Davis de los Estados Confederados de América decía: "Todo lo que pedimos es que nos dejen tranquilos". Suponiendo que el Presidente Lincoln y el Congreso de los Estados Unidos hubieran accedido a la petición de Davis, ¿qué efectos hubiera causado esto en el curso de la historia de los Estados Unidos? Sostén tus opiniones.

Capítulo 14

SE CURAN
LAS HERIDAS
DE LA GUERRA

PRIMEROS PASOS

En los años que siguieron a la Guerra Civil había un problema especial: cómo reconstruir la Unión. Este período de la historia americana se llamó la *Era de la Reconstrucción*.

En diciembre de 1863, el presidente Lincoln dio los primeros pasos hacia la reconstrucción de la Unión. La Guerra Civil aún seguía pero ya era claro que el Norte iba a ganar. Lincoln opinaba que ya había llegado el momento de que todo el país trabajara unido. Creía que esto se conseguiría pronto y sin amarguras. Para él, los estados del Sur nunca habían abandonado la Unión sino que sólo se habían rebelado contra ella y por lo tanto no se les debía tratar como a un país derrotado.

Así, Lincoln quería facilitarles a los sureños la vuelta a la normalidad. Los perdonaría —excepto a los que ocuparon altos cargos militares y a los funcionarios del gobierno— si prestaban juramento de lealtad a la Unión. Una vez que hicieran esto, Lincoln les prometía que les devolvería sus derechos. Si el 10 por ciento de las personas que habían votado en un estado del Sur en 1860 prestaba el juramento de lealtad, entonces se podría formar un nuevo gobierno estatal. Pero estos nuevos gobiernos estatales tendrían que aceptar el fin de la esclavitud. Dicho plan se conoció como "el plan del 10 por ciento".

Hacia finales de 1864, tres estados, Tennessee, Arkansas y Louisiana, habían cumplido con el plan de Lincoln. Virginia pronto les siguió y Lincoln de inmediato aceptó a estos nuevos cuatro estados dentro de la Unión.

LOS REPUBLICANOS RADICALES EN EL CONGRESO

El Congreso, sin embargo, no estaba de acuerdo con los puntos de vista de Lincoln. En esta época, el Congreso estaba bajo la influencia de un grupo llamado los *republicanos radicales*. Este grupo era un ala del partido republicano cuyos miembros opinaban que Lincoln estaba siendo demasiado benévolo con el Sur. Creían que el Sur había abandonado la Unión en 1860-61 y que los sureños fueron los causantes de la costosa y sangrienta Guerra Civil y por tanto ahora debían ser castigados por estos "crímenes". El Norte no debía ser bondadoso con ellos ya que consideraban que el Sur era un "territorio conquistado".

Muchos radicales también temían que el programa de Lincoln no proveyera de bastante protección a los esclavos liberados. Querían que los negros tuvieran los mismos derechos, al voto y demás. El plan de Lincoln, decían, ponía en manos del gobierno de los estados del Sur al mismo tipo de personas que habían gobernado antes de la guerra. Los radicales no confiaban en que éstos tratarían a sus antiguos esclavos honestamente.

Además, los radicales opinaban que era el Congreso y no el presidente el que tenía que encargarse de la reconstrucción de la Unión.

El Congreso se negó a aprobar los nuevos gobiernos estatales que Lincoln había aceptado. Tampoco aceptó nuevos miembros del Congreso que representaran a esos estados.

El Congreso aprobó también la *Ley Wade-Davis*. Esta ley perfilaba el plan del Congreso para establecer nuevos gobiernos estatales en el Sur; sólo podrían establecerse éstos después de que una mayoría de la gente que había votado en esos estados en 1860 hubiera prestado juramento de lealtad pasada y futura a la Unión. Ésta era una medida mucho más dura que la que Lincoln había tomado. Finalmente Lincoln vetó la ley ya que sabía que esos términos no podrían cumplirse.

ANDREW JOHNSON EN LA PRESIDENCIA

Tras el asesinato de Lincoln, *Andrew Johnson* se encargó de la presidencia. Johnson era un hombre de origen humilde, proveniente de Tennessee. Aunque demócrata, había sido elegido vicepresidente con Lincoln en 1864.

Johnson siguió el plan de Lincoln y sólo le introdujo pequeños cambios. También él ofrecía perdón a los ciudadanos de los estados del Sur excepto a los que habían ocupado altos cargos militares, a los funcionarios del gobierno confederado y a los que tenían propiedades de $20.000 o más. Los sureños que querían perdón tenían que solicitárselo a él personalmente; pero Johnson prometió ser generosamente clemente.

Johnson también admitió los cuatro nuevos gobiernos estatales aprobados por Lincoln. Dijo a los gobernadores de los otros estados sureños que convocaran convenciones especiales para tratar tres puntos antes de que sus constituciones estatales pudieran ser aprobadas:

- eliminar las leyes por las que se habían separado de la Unión;

- acabar con la esclavitud;

- anular todas las deudas que tuvieran con el gobierno estatal confederado.

Hecho esto, los estados del sur podrían volver a formar parte de la Unión.

Pronto, todos los estados hicieron lo que Johnson había pedido. Además se aprobó la *decimotercera enmienda* a la Constitución de los Estados Unidos por la que se proscribía la esclavitud en los Estados Unidos.

Johnson estaba contento con lo que se había conseguido. Anunció que la Unión había sido restaurada y pidió al Congreso que admitiera a los representantes del Sur.

Andrew Johnson se convirtió en presidente después del asesinato de Lincoln.

EL CONGRESO REHUSA SEGUIR A JOHNSON

Cuando el Congreso se reunió a finales de 1865, rehusó hacer lo que el presidente Johnson le había pedido. El Congreso seguía bajo la influencia de los republicanos radicales. Estos políticos opinaban que no debían permitir que el Sur volviera a la Unión y al Congreso de acuerdo con los objetivos de Johnson.

La razón para esta posición, en parte, era política. Antes de la guerra, el Sur había sido sólidamente demócrata, por tanto había razones para pensar que seguiría siendo lo mismo en el futuro. Si a los blancos del Sur se les permitía votar, podían unirse a los demócratas del Norte, por lo que podrían recuperar si no toda, la mayor parte de la fuerza que tenían en el Congreso antes de la guerra. Y si controlaban el Congreso estarían en posición de rechazar los programas de ayuda a las empresas que se habían puesto en efecto durante la guerra, que incluían altas tarifas, nuevas leyes bancarias, ayuda a los ferrocarriles y otras medidas que los empresarios del Norte favorecían. Los republicanos radicales no querían que esto sucediera. Así, ellos pedían cambios importantes a largo plazo antes de permitir que los estados del Sur volvieran a la Unión.

CÓDIGOS NEGROS

Los radicales también estaban preocupados por los "libertos": los 4 millones de esclavos liberados. Los nuevos gobiernos estatales del Sur estaban introduciendo *códigos negros* en sus constituciones estatales. Estas leyes variaban de un estado a otro, pero todas tenían un mismo propósito: mantener el control de

los blancos sobre los que habían sido esclavos.

Los códigos negros establecían controles sobre lo que los negros podían hacer. Aunque los negros podían tener propiedades, hacer contratos, casarse e ir a la escuela, los códigos les negaban otros derechos. Por ejemplo, los negros no podían votar, no podían servir de jurados ni portar armas. En algunos estados sólo podían trabajar en labores agrícolas o en servicios domésticos. En muchos estados necesitaban un pase para viajar.

Algunos de estos códigos intentaban mantener a los negros apartados de los blancos. Una ley en Mississippi decretaba:

> Es ilegal que cualquier empleado del ferrocarril en este estado deje entrar a cualquier persona negra en los vagones de los blancos. Esta ley no se aplicará a las sirvientas negras que viajen con sus amas.

Quizás la parte más cruel de los códigos negros eran las leyes de la holgazanería. Los negros sin trabajo que se encontraran "vagabundeando" podían ser arrestados. Si eran condenados, podían

Los "códigos negros" no permitían que los libertos votaran o que obtuvieran buenos empleos.

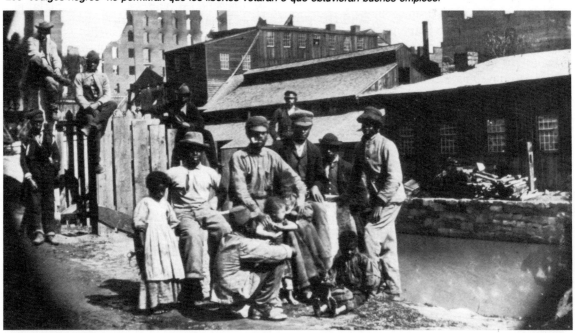

obligarlos a trabajar encadenados o podían ser forzados a trabajar en las labores de las granjas por cierto período en el que no recibirían sueldo alguno.

Ni los planes de Lincoln ni los de Johnson pedían a los estados del Sur que les concedieran sus derechos civiles a los negros. Johnson opinaba que esta cuestión debería ser resuelta por los estados.

LOS RADICALES EXIGEN LOS DERECHOS CIVILES PARA LOS NEGROS

Para los radicales, los códigos negros eran otra forma de esclavitud y por tanto se negaban a permitirlos. Querían que los estados del Sur concedieran a los negros el derecho de ciudadanía y el derecho a votar, ya que éste sería el auténtico camino para proteger los intereses de los negros del Sur.

También era el mejor camino para proteger el poder y los intereses del Partido Republicano, ya que los republicanos, decían los radicales, habían ganado la guerra y liberado a los esclavos. Los negros en el Sur probablemente mostrarían su gratitud votando por los republicanos, en el caso de que pudieran votar. Había muchas zonas en el Sur en las que había mayor población negra que blanca; por tanto, si los negros votaban, estas zonas serían republicanas y no demócratas, y aumentaría el poder del Partido Republicano en todo el país.

Así, cuando el Congreso se reunió de nuevo a finales de 1865, los radicales pedían que el Sur reconociera los derechos civiles de los negros para que dichos estados pudieran volver a formar parte de la Unión.

LA ENMIENDA DECIMOCUARTA

Cuando el Congreso se reunió a finales de 1865, rechazó a los nuevos estados del Sur y rehusó la entrada a los nuevos miembros de esos estados. Se formó un comité con los miembros de ambas cámaras del Congreso llamado el *Comité Conjunto de los 15*. Este grupo quería desarrollar un plan para permitir que los estados del Sur volvieran a formar parte de la Unión, bajo la dirección del Congreso.

A principios de 1866, el Comité Conjunto estuvo en el Sur y presidió vistas públicas. Más tarde elaboró un informe en el que se decía que los representantes de los estados del Sur no podían ingresar en el Congreso porque las condiciones de esos estados no eran aceptables.

El Comité Conjunto concluía que no se podía confiar en la lealtad de los estados confederados; también estableció que el Congreso debería de tomar medidas más fuertes para que los libertos fueran protegidos. Como resultado de todo esto, el Comité Conjunto recomendó una nueva enmienda constitucional — la *enmienda decimocuarta*. Esta ley contenía los siguientes puntos:

- Serían ciudadanos todas las personas nacidas o naturalizadas en el país, con la excepción de los indios americanos.

- Se daba a todos los ciudadanos total protección de sus derechos civiles e igual protección ante la ley.

- A los estados que negaran a los negros el derecho al voto se les reduciría el número de miembros en la Cámara.

- Se negaba a los que habían sido funcionarios confederados el derecho a ejercer cargos públicos.

Esta enmienda era muy similar a la *Ley de los Derechos Civiles*. Johnson había vetado esa ley ya que opinaba que los estados del Sur debían resolver por sí solos estos problemas en torno a los libertos. Pero el Congreso anuló el veto. Sin embargo, el Comité Conjunto creía que la enmienda decimocuarta sería más poderosa y eficaz que las leyes de los derechos civiles.

El Congreso rápidamente aprobó la enmienda y pidió a los estados que hicieran lo mismo. La mayoría de los estados del Norte lo habían hecho ya en el verano de

1868, pero sólo un estado del Sur, Tennessee, aceptó la enmienda. Como el Congreso había establecido que los estados del Sur tenían que aceptar esta enmienda antes de volver a la Unión, Tennessee fue el único estado del Sur que volvió a formar parte de ella.

LA OFICINA DE LOS LIBERTOS

El Congreso también tomó otra medida para ayudar a los que habían sido esclavos. Antes de que la guerra terminara, el gobierno había establecido una agencia, la *oficina de los libertos*, para ayudar a los negros. Esta oficina concedía comida, ropa y servicios médicos a los ex esclavos. También les ayudaba a encontrar albergue y trabajo. A principios de 1866, el Congreso amplió los poderes de la oficina de los libertos. Ahora se asegurarían de que los derechos civiles de los ciudadanos negros fueran respetados en el Sur.

El Congreso también podría recurrir a los tribunales militares de los Estados Unidos para juzgar a los acusados de negar los derechos de los negros. Johnson vetó esa ley pero el Congreso anuló el veto.

RECONSTRUCCIÓN MILITAR

La lucha en torno a quién sería el encargado de la Reconstrucción fue decidida en las elecciones para el Congreso en 1866. Los candidatos que apoyaban a los radicales fácilmente derrotaron a los que apoyaban al presidente Johnson. Los radicales tenían ahora el control del Congreso. Esto significaba que el Congreso, y no el presidente, se encargaría del programa de reconstrucción. El Congreso se puso a trabajar inmediatamente.

A principios de 1867, el Congreso aprobó una serie de *Leyes de Reconstrucción*. Estas leyes dividían al Sur (excepto Ten-

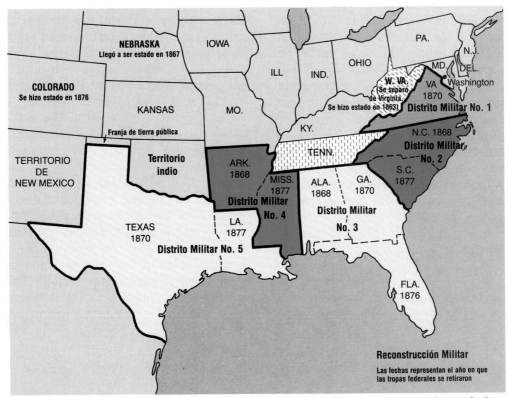

Las leyes de reconstrucción dividieron el Sur en cinco distritos militares. ¿Qué estados permanecieron más tiempo bajo el mando militar?

149

nessee) en cinco "distritos militares". Cada uno estaría bajo jurisdicción del ejército de los Estados Unidos. Los generales del ejército prepararían a los estados en sus distritos para volver a entrar en la Unión bajo las condiciones del Congreso.

El presidente Johnson se oponía a estas nuevas leyes, pero las hizo cumplir. Nombró generales para cada uno de los distritos y envió soldados al Sur, entre los que se contaban soldados negros. La reconstrucción tomó tres medidas:

La primera era que cada estado tenía que elaborar una lista de votantes. En cinco estados había más negros que blancos en estas listas. En otros, el número de negros más el número de blancos que simpatizaban con los radicales daba el control a los republicanos.

La segunda, se convocarían convenciones estatales a principios de 1868. Los miembros de estas convenciones serían elegidos por los que aparecían en las listas de votantes. Los negros participaron en cada una de estas reuniones. En South Carolina ellos tuvieron el control.

La última, las nuevas constituciones de los estados se perfilarían a partir de las convenciones. Cada una reconocía el derecho civil de los negros y prometía protegerlos. Cada una aprobaría también la Enmienda decimocuarta.

En junio de 1868, siete estados habían terminado su trabajo, por tanto se les permitió volver a formar parte de la Unión. Los nuevos representantes de estos siete estados tuvieron escaños en el Congreso.

LOS NUEVOS GOBIERNOS DE LOS ESTADOS DEL SUR

La reconstrucción militar dio lugar a cambios importantes en los gobiernos de los estados del Sur. Antes de la guerra, los gobiernos estatales habían sido controlados por blancos, dueños de plantaciones. Sin embargo, con la reconstrucción, muchos de esos individuos perdieron el derecho al voto por haber apoyado la

Confederación. El resultado fue que los gobiernos estatales cayeron en manos de un grupo de individuos distintos. Este grupo estaba formado por gente del Norte a quienes se llamó "carpetbaggers", por sureños a quienes se llamó "scalawags", y por negros.

Los "carpetbaggers" eran norteños que se fueron al Sur después de la guerra. Los sureños les dieron ese nombre por la clase de maleta con que llegaban: una maleta o bolsa ("bag") grande forrada con cierta clase de tela usada para alfombras ("carpets"). Muchos "carpetbaggers" fueron al Sur para establecer negocios o hacerse de dinero en otras formas. Algunos fueron porque realmente querían ayudar a los esclavos liberados. En muchos casos se daba una combinación de los dos motivos.

Los "scalawags" eran blancos sureños que se hicieron republicanos para ayudar a obtener los objetivos de la reconstrucción. En el Sur, la palabra "scalawag" significaba "inútil, inservible, haragán". Para algunos sureños, eso era lo que el grupo significaba: traidores inservibles. Pero muchos de los "scalawags" consideraban que estaban ocupados en una labor útil, como era la de ayudar a los estados del Sur a obtener readmisión en la Unión.

Los negros también tuvieron una amplia representación en los nuevos gobiernos estatales. Un buen número de ellos fue elegido para ocupar altos cargos estatales. Uno llegó a ser vicegobernador y, durante un tiempo, gobernador de Louisiana. Más de 20 negros representaron a sus estados en el Congreso. La mayoría de ellos sirvieron con gran honor para ayudar tanto a los negros como a los blancos en un período tan difícil. Desafortunadamente, más tarde, se estimó muy poco todo lo bueno que los negros habían hecho durante el período de la reconstrucción, pero sí se les echó la culpa de lo malo.

La mayoría del trabajo hecho por los nuevos gobiernos estatales ayudaba a toda la gente del Sur. Se protegían los

Durante la Reconstrucción, muchos negros fueron elegidos para el Congreso. Aquí se ve a John W. Menard dirigiéndose a la Cámara.

derechos civiles de los humildes, especialmente de los negros. Asimismo, se fundaron escuelas públicas y construyeron carreteras, puentes y otros proyectos. También proveyeron de varias formas de ayuda a los indigentes, aprobaron leyes de impuestos más equitativas y establecieron un sistema judicial más justo. Pero por otro lado, estos nuevos gobiernos, a menudo, estaban llenos de corrupción. Se malgastaba el dinero en proyectos injustificables. El soborno era común. El tesoro público estatal era saqueado para beneficios personales. Los puestos gubernamentales se vendían al mejor postor. Los impuestos subieron por las nubes y muchos utilizaron sus puestos para su beneficio personal. Sin embargo, tales prácticas eran muy comunes en muchas partes del país en esta época. Es difícil saber si esa situación era peor en el sur que en cualquier otro sitio.

LA IMPUGNACIÓN Y EL JUICIO DE JOHNSON

Mientras tanto, los radicales quisieron vengarse de Johnson con una serie de le-

yes para reducir los poderes del presidente. Le quitaron la jefatura del ejército y le impidieron nombrar magistrados de la Corte Suprema. Aprobaron también una ley por la cual el presidente no podía despedir de su cargo a ningún funcionario del gobierno sin la aprobación del Senado.

Todo eso enfureció a Johnson. Para poner a prueba tales leyes, destituyó al Secretario de Guerra, Edwin M. Stanton, sin la aprobación del Senado. Inmediatamente, los radicales acusaron a Johnson de desacato de la ley del Congreso y en marzo de 1868, la Cámara lo impugnó. Se le llevó a juicio en el Senado, pero los radicales no pudieron obtener el voto de dos tercios, lo que hacía mayoría para deponerlo. Johnson fue absuelto por un voto únicamente. Así, pudo permanecer en la presidencia, pero decidió no presentarse a las elecciones de 1868.

LA ELECCIÓN DE 1868

El fracaso en impugnar a Johnson fue una derrota para los radicales. Los ataques al presidente hicieron que el pueblo se volviera en contra de los republicanos.

Los radicales querían prevenir el fracaso en las elecciones de 1868.

En primer lugar, sabían que no podían ganar sin el apoyo de los negros. Fue por esta razón por la que los radicales llevaron la *enmienda* decimoquinta al Congreso que decía que el derecho al voto no podía ser negado por motivos de "raza, religión o condición previa de servidumbre". Esta enmienda fue aprobada por los estados en 1870. Fue el mayor paso tomado por los radicales para salvaguardar el derecho al voto de los negros.

En segundo lugar, los republicanos postularon a *Ulysses S. Grant* para presidente, esperando que este héroe de la guerra atrajera a los votantes y consiguieran todos los votos que necesitaban. Grant favorecía los puntos de vista de los radicales. Y ganó la elección pero por muy poco margen. Más de 500.000 negros votaron en estas elecciones y esos votos ayudaron a Grant.

LOS BLANCOS GANAN EL CONTROL DEL SUR

La mayoría de los blancos del Sur no estaba de acuerdo con la reconstrucción que se estaba haciendo en el Sur. Estaban especialmente molestos con la presencia de gente negra en el gobierno ya que creían que el Sur tenía que ser gobernado sólo por blancos. Se creían de raza superior. Eran los gobernantes naturales "del Sur". Estas ideas se llamaron la creencia en la "supremacía blanca".

Entre 1868 y 1877 los blancos del Sur hacían cualquier cosa para asegurar la supremacía blanca en la región. En otras palabras, querían asegurarse de que el gobierno estuviera en manos de los blancos, al igual que el sistema económico. Para ellos, el hombre blanco tenía que controlar todo lo que era importante en el Sur. Los blancos pobres se juntaron con lo que quedaba de la clase que era propietaria de plantaciones. El Partido Demócrata se convirtió en su estandarte y por medio de él, los que creían en la supremacía blanca empezaron a "reconquistar" el Sur.

Para conseguir de nuevo el control del gobierno los "blancos superiores" hicieron uso del miedo y la violencia. Sociedades de blancos tales como el *Ku Klux Klan* (*KKK*) surgieron por todas partes. Estos grupos intentaban atemorizar a los negros que votaban. A los que no conseguían atemorizar los golpeaban o mataban. A los blancos que querían ayudar a los negros también los atacaban.

En 1869, el Congreso respondió a esta oleada de violencia prohibiendo al Ku Klux Klan. Las *Leyes del Ku Klux Klan* consideraban un crimen cualquier intento de utilizar la fuerza para impedir que alguien votara. El presidente Grant hizo cumplir estrictamente esta ley durante un tiempo.

Sin embargo, los habitantes del Norte se estaban cansando de los problemas del Sur. Cada vez más le dejaban saber al Sur que debía resolver sus propios problemas. Y cuando decían "Sur" hablaban principalmente de la población blanca.

Este cambio de actitud en los ciudadanos del Norte era reflejo de un cambio de actitud del Congreso en torno al Sur. Un grupo llamado los *liberales republicanos* comenzó a obtener cierto poder. A los últimos cuatro estados del Sur (Mississippi, Texas, Virginia y Georgia) se les permitió la entrada a la Unión en 1870. En 1872 el Congreso puso fin a la Oficina de los libertos. También aprobó la *Ley de Amnistía* por la que se perdonaba a casi todos los que antes habían sido confederados y les devolvían sus derechos civiles.

Pronto los negros comenzaron a desaparecer de la política en el Sur. El Partido Demócrata volvió a ganar el control de los estados del Sur. En 1877, sólo South Carolina y Louisiana estaban todavía bajo el control de los "carpetbaggers". Cuando el nuevo presidente Rutheford B. Hayes se instaló en 1877 retiró todas las tropas federales del Sur. Como resultado, los "carpetbaggers" fueron reemplazados en el gobierno por los que favorecían a los "blancos superiores". El Partido Demócrata tenía control total de los estados del Sur.

CONTROL POLÍTICO DE LOS NEGROS EN EL SUR

Los blancos del Sur rápidamente se dispusieron a impedir que los negros votaran. Dictaron una serie de leyes que en principio se aplicaban a blancos y negros. Pero lo que se trataba era de impedir que las masas de negros votaran. Describimos algunas de las **reglas**:

—*"Cláusula del abuelo"*: Algunos estados del Sur decían que una persona no podía votar si su abuelo no podía hacerlo, y ya que la mayoría de los negros tenían abuelos esclavos ellos no podrían votar.

—*Las leyes de capitación* (*"poll tax"*): Estas leyes requerían el pago de unos impuestos especiales para registrarse en las listas electorales para poder votar. La mayoría de los negros eran pobres y no podían pagarlos. Este impuesto se abolió definitivamente con la enmienda vigesimocuarta en el año 1964.

—*Las pruebas de alfabetismo*: La gente que iba a votar tenía que probar que sabía leer y escribir, y ya que a los negros se les había privado de educación, muy pocos podían pasar esta prueba.

Estas pruebas eran tremendamente injustas ya que un negro podía estar capacitado para leer y escribir pero las pruebas que le hacían eran duras incluso para estudiantes universitarios. A un blanco de muy poca educación le daban la prueba más sencilla: leer y escribir su propio nombre.

El Sur había vuelto a recuperar sus viejas formas de tratar a los negros.

EXPLORACION DE HECHOS Y OPINIONES

I. Para mejorar tus conocimientos

Define, describe o identifica cada uno de los términos siguientes. Muestra cómo está conectado cada uno de ellos con el período de la reconstrucción.

1—Republicanos radicales
2—Oficina de los libertos
3—Enmienda decimotercera
4—Enmienda decimocuarta
5—Enmienda decimoquinta
6—Leyes de reconstrucción
7—Ku Klux Klan
8—Códigos negros
9—Plan del 10 por ciento
10—Comité Conjunto de los 15

II. Preguntas

Contesta a las preguntas siguientes. Acompaña tus respuestas con ejemplos o información específica.

1—¿Cuáles eran algunas de las semejanzas y algunas de las diferencias entre los planes del Congreso para la reconstrucción y los de los presidentes Lincoln y Johnson?

2—¿Qué actitud tomaron los republicanos radicales con respecto a los líderes de la Confederación? ¿Y con respecto a los libertos?

3—¿Qué condiciones tenían que tener los estados del Sur para volver a formar parte de la Unión?

4—¿Qué factores causaron la disputa entre el presidente Andrew Johnson y los republicanos radicales en el Congreso? ¿Cómo se resolvió?

5—Al final de la reconstrucción, ¿cuál era la situación de los negros en el Sur? ¿Qué y quién fue responsable de su situación?

III. Conceptos

Los términos que siguen representan conceptos, ideas amplias que han jugado un papel importante en la experiencia de Estados Unidos, especialmente en el período de la reconstrucción. Con tus propias palabras escribe una pequeña definición de cada una de ellas.

1—reconstrucción
2—impugnación
3—supremacía blanca
4—derechos civiles
5—"carpetbaggers"
6—"scalawags"
7—amnistía
8—clase de los blancos dueños de plantaciones

IV. Ideas para construir

1—¿En qué consistía el plan del 10 por ciento de Lincoln? ¿Estás de acuerdo con los críticos que decían que los sureños merecían un castigo mayor por los "crímenes" que cometieron? Explícalo.

2—¿Qué eran los *códigos negros*? Según tu opinión, ¿qué actitud se tenía que haber tomado para proteger los derechos de los libertos?

3—¿Cuál era la diferencia entre el plan de reconstrucción del Congreso y el del presidente Johnson? Según tu opinión, ¿qué plan era mejor? Explícalo.

4—¿Por qué los republicanos radicales tomaron una actitud más dura hacia el Sur que la que tomó Johnson?

5—¿Qué decía la enmienda decimocuarta? ¿Por qué fue aprobada?

6—Como resultado de las Leyes de reconstrucción, ¿qué pasos debían de seguir los antiguos estados confederados para volver a formar parte de la Unión?

7—Según tu opinión, ¿los republicanos radicales desarrollaron un buen plan para que los estados del Sur volvieran a la Unión? ¿Y para ayudar a los que habían sido esclavos?

8—¿Quiénes eran los *carpetbaggers*? ¿Los *scalawags*? ¿Por qué eran odiados por muchos sureños?

9—Durante la reconstrucción, muchos blancos del Sur argüían que los libertos no estaban preparados para las responsabilidades de votar y ocupar cargos públicos. ¿Estás tú de acuerdo con esto? Explícalo.

10—¿Crees que el Congreso debería tener el derecho de inculpar y destituir al presidente si sus miembros no están de acuerdo con sus acciones? Explícalo.

11—¿Cuál era el propósito del Ku Klux Klan? ¿Crees que un grupo de ciudadanos debe utilizar la violencia para conseguir sus objetivos? Explícalo.

12—Compara las actitudes de los republicanos radicales y los republicanos liberales con respecto a: a) los blancos del Sur y b) los derechos de los libertos. ¿A qué grupo hubieras apoyado? ¿Por qué?

V. Ideas organizadas

Siguen una serie de "ideas organizadas". Cada una de ellas perfila hechos y conceptos estudiados en este capítulo y hace una generalización. A partir de tus lecturas y lo dicho en clase, da ejemplos específicos que aprueben o desaprueben estas ideas.

1—Después de una guerra civil, una nación debe reconstruir tanto su sistema social y económico como sus ciudades y viviendas.

2—El contrincante que ha ganado la guerra debe decidir de qué modo tratar el territorio y los ciudadanos conquistados.

3—Los esclavos que no han recibido educación generalmente no están preparados para las demandas sociales, económicas y políticas que les causa su emancipación.

4—Con frecuencia, los partidos políticos hacen aquello que los lleva a ganar votos, no lo que los miembros consideran más recomendable.

5—Cuando la condición social de un grupo determinado cambia, normalmente se produce una tensión y un conflicto entre ese grupo y los otros grupos sociales.

¿Qué otras ideas se pueden desarrollar a partir del material de este capítulo?

Capítulo 15

NORTEAMERICA INDUSTRIAL

LOS EFECTOS DE LA GUERRA CIVIL

La *Guerra Civil* (1861-1865) estimuló el crecimiento de ciertas industrias. Creó una gran demanda de armas y otros tipos de material bélico. Todo esto fue un gran estímulo para la industria del hierro. Asimismo, uniformes, mantas, zapatos, material médico y otros artículos fueron producidos a una escala mayor que nunca. Algunas líneas de ferrocarriles se extendieron para transportar a las tropas y sus abastecimientos.

AUMENTO DE LA POBLACIÓN

Al terminar la guerra, la economía de los Estados Unidos tuvo un período de gran prosperidad. A esto contribuyó muchísimo el gran *aumento de población*. De 1870 a 1900, la población casi se dobló, con un crecimiento de 38,5 millones a 76 millones.

La *inmigración*, en su mayor parte de Europa, fue causa de una parte considerable del aumento. En ese período llegaron a las costas norteamericanas unos 12 millones de inmigrantes. Todos necesitaban trabajo y, por lo general, estaban dispuestos a desempeñar las labores más duras y ordinarias por salarios relativamente bajos. Por otro lado, muchos de ellos tenían conocimientos especializados que la industria norteamericana necesitaba urgentemente. Estos inmigrantes,

junto con los ciudadanos nacidos en el país, proporcionaron la mano de obra y el conocimiento especializado necesarios para las industrias en crecimiento. Y como ganaban sueldos y formaban familias, también se convirtieron en consumidores de los productos industriales y agrícolas del país.

RECURSOS NATURALES

El crecimiento de la economía norteamericana también se debió en parte a la abundancia de *recursos naturales* necesarios para la industria. Estas fuentes naturales incluían mineral de hierro, carbón, agua, madera, caliza, petróleo, zinc y plomo. De particular importancia eran los recursos energéticos: carbón, petróleo y fuerza hidráulica.

Las extensas y fértiles *tierras de cultivo* eran también una gran fuente de recursos para la industria. En primer lugar, porque producían muchas materias primas para la industria tales como algodón, lana, azúcar y tabaco. Y quizás lo más importante era que abastecían de alimentos a la población que no cesaba de crecer.

CAPITAL

Una importante base para esta expansión fue producida por el hombre. Este recurso era el *capital*, o dinero, que se necesitaba para pagar las nuevas instalaciones y las maquinarias. En esta época llegó una gran cantidad de dinero de inversionistas británicos y de otras partes de Europa. Sin embargo, la mayoría del capital provenía de los ahorros que los ciudadanos norteamericanos tenían en los bancos.

TECNOLOGÍA

La *tecnología* fue otro de los grandes factores en el crecimiento industrial de los Estados Unidos. Con este término nos referimos al uso de las máquinas y a los modos especiales de controlar estas máquinas, las materias primas y la labor para aumentar la producción. En un país con un alto desarrollo tecnológico, las máquinas se encargan de muchos tipos de trabajo y aumentan enormemente el volumen de mercancías producidas por los obreros individualmente.

En la segunda mitad del siglo XIX, en los Estados Unidos, incontables e impor-

tantes inventos ayudaron a mejorar la productividad de la industria y de la agricultura.

INFLUENCIA DEL GOBIERNO

El *gobierno* también apoyó de diferentes modos a los negocios y empresas. Por ejemplo, se adoptó un sistema de altas tarifas (impuestos sobre las importaciones). Estos impuestos protegían a la industria norteamericana de la competencia de las mercancías extranjeras de más bajo precio.

Por otra parte, el gobierno federal concedió más de 130.000.000 de acres de tierra para el ferrocarril. Esta ayuda facilitó a las compañías el construir ferrocarriles a través de vastas extensiones de praderas y montañas.

Un sistema bancario nacional proveyó de un suministro seguro de dinero y facilitó los créditos a los hombres de negocios.

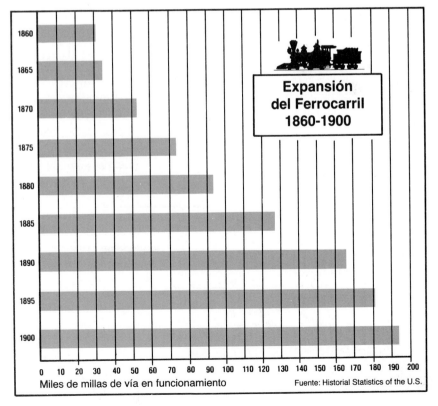

Expansión del Ferrocarril 1860-1900

Miles de millas de vía en funcionamiento

Fuente: Historial Statistics of the U.S.

Como se puede ver en esta gráfica, el crecimiento de los ferrocarriles fue extraordinario después de la Guerra Civil.

ACTITUDES PÚBLICAS HACIA LOS NEGOCIOS

Finalmente, el ambiente general del país era favorable para el crecimiento de los negocios. Los hombres de negocios eran muy respetados y a veces, hasta homenajeados. La tradición puritana apoyaba también estas empresas ya que los puritanos del siglo XVII habían creído firmemente en el valor moral del trabajo arduo. Y el trabajo arduo junto con la autodisciplina conducía al éxito, que se medía en parte por la riqueza. Esta actitud hacia el trabajo, el éxito individual y la prosperidad de la comunidad junto con la creencia en el progreso era apoyada por muchos norteamericanos a finales del siglo XIX.

EXPANSIÓN DE LOS FERROCARRILES

Los *ferrocarriles* fueron uno de los factores más importantes que contribuyeron al desarrollo de la industria norteamericana durante la última parte del siglo XIX. Cuantas más vías de comunicación se construían y se extendían hacia nuevas áreas, más se ampliaba el mercado nacional. Las materias primas podían ser transportadas con mayor facilidad a las fábricas y los productos manufacturados podían ser enviados a las zonas más distantes.

El primer sistema ferrovario transcontinental, que se extendía desde el Atlántico hasta el Pacífico, fue terminado en 1869. La compañía Union Pacific Railroad construyó una vía hacia el oeste, desde Nebraska a Utah, en donde se unía con el Central Pacific Railroad, la otra compañía que construyó una vía hacia el este, desde California. Entre 1860 y 1900 las vías férreas de los Estados Unidos aumentaron de 30.000 millas a 193.000 millas.

Varios inventos nuevos ayudaron a que los viajes por ferrocarril fueran más seguros, más baratos y más cómodos. Uno de los más importantes fue el *freno neumático o aerodinámico* inventado por *George Westinghouse* en 1868. Los trenes equipados con este sistema podían viajar con más protección ya que podían parar más rápida y de forma más segura. Los *vagones cama de George M. Pullman* facilitaban a los pasajeros los viajes de larga distancia. Los rieles y los puentes de acero, una medida uniforme para los rieles y los avances en los sistemas de señales de comunicación, también contribuyeron a la velocidad y a la seguridad de los viajes por ferrocarril.

ABUSOS DE PODER POR PARTE DE LOS FERROCARRILES

La construcción de la red de ferrocarril nacional llevó a la violación de muchas leyes y también a la corrupción política. Era frecuente que las compañías de ferrocarril recibieran ayuda del gobierno sólo después de sobornar a los le-

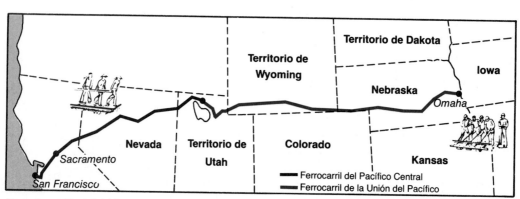

La parte occidental del ferrocarril transcontinental.

gisladores. Había escándalos dentro de las compañías más importantes como por ejemplo la Union Pacific. Gran parte de los subsidios federales concedidos para las construcciones se quedaban en manos privadas.

En los últimos años del siglo XIX, los abusos de poder por parte del ferrocarril llegaron a ser bastante comunes. El cobrar diferentes precios a los consumidores era común. Cuando diferentes ferrocarriles tenían que competir en el mismo territorio, uno de ellos bajaba los precios, pero cuando no existía competencia, los consumidores tenían que pagar precios altos. Los granjeros que tenían que depender de una sola vía férrea para transportar sus productos a los mercados se veían muy perjudicados por esta política que el ferrocarril les imponía. Pero no tenían otra opción ya que el ferrocarril tenía el *monopolio*.

Por otro lado, era frecuente que los ferrocarriles dieran *reembolsos* a los comerciantes mayoristas. Un reembolso era la devolución que se hacía al cliente de parte de los gastos del transporte. Y es más, ciertas compañías que se suponía eran rivales, muchas veces hacían tratos secretos y se dividían el negocio. A esto se le llamó *"pooling"*, y era una combinación de intereses. De ese modo, los precios se mantenían altos y otras líneas ferroviarias salían perjudicadas.

INTENTO DE REGULAR LOS FERROCARRILES

Las grandes empresas, en general, defendían el derecho de los ferrocarriles a dar reembolsos a ciertos comerciantes preferidos y a cobrar más a unos que a otros (*discriminación de precios*). Pero muchos granjeros, propietarios de pequeños negocios y pasajeros se quejaron de esa práctica injusta. Por lo tanto pidieron al gobierno que hiciera algo para remediar la situación.

El resultado fue que varios gobiernos estatales tomaron medidas para regular los ferrocarriles. Estos estados aprobaron leyes que establecían un precio máximo, prohibían a los ferrocarriles ofrecer reembolsos y cobrar a unos más que a otros por el mismo recorrido. En 1886, en el famoso caso *Wabash*, la Corte Suprema de los Estados Unidos decretó que un ferrocarril de Illinois tenía leyes anticonstitucionales. Las líneas en cuestión transportaban carga a través de límites estatales, por tanto estaban haciendo *comercio interestatal*. Esto significaba, de acuerdo con la Corte, que sus operaciones no podían ser reguladas por ningún estado en particular.

En efecto, esta decisión terminó con las regulaciones estatales de los ferrocarriles. El público pedía ahora que el gobierno federal (nacional) tomara medidas.

Finalmente, en 1887, el Congreso aprobó la *Ley de Comercio Interestatal*. Esta ley establecía una agencia llamada *Interstate Commerce Commission*, o *ICC* (*Comisión de Comercio Interestatal*). Pero los ferrocarriles lucharon contra la ICC en las cortes y al principio no la dejaron ser muy efectiva. Era evidente que se necesitaban más leyes para fortalecer los poderes de la ICC. Esto se consiguió con las *Leyes de Elkins* (1903), *Hepburn* (1906), *Mann-Elkins* (1910) y otras leyes posteriores. Dichas leyes tenían los siguientes efectos:

- Clarificaban y fortalecían las medidas de la ley de 1887 en la que se prohibían los reembolsos.

- Se concedía a la ICC la autoridad para aprobar o desaprobar el aumento de los precios. También, a veces, la ICC podía cambiar los precios establecidos.

- Autorizaban a la ICC a investigar todas las quejas que los comerciantes tuvieran en torno a los precios y al servicio de los ferrocarriles.

- Clasificaron los fletes y establecieron precios convenientes para las diferentes clases.

- Prohibieron que los ferrocarriles transportaran cualquier tipo de producto (excepto madera) en el que tuvieran interés financiero.

- Ordenaron un sistema uniforme de contabilidad para los ferrocarriles.

- Ampliaron la autoridad de la ICC sobre los vagones cama, las compañías de expresos, los oleoductos y las líneas telefónicas y telegráficas. Más tarde, la jurisdicción de la ICC se extendió a las compañías de camiones.

Más tarde, en el siglo XX, la regulación gubernamental en torno a los ferrocarriles cambió. Ahora la finalidad no era la de controlar los abusos sino la de ayudar a que los ferrocarriles operaran eficientemente. En esta época, los ferrocarriles sufrían pérdidas por la competencia de automóviles privados, autobuses, camiones y aviones.

HIERRO, ACERO Y ENERGÍA

El desarrollo de los ferrocarriles dependió enormemente del desarrollo de la industria del hierro y del acero. Igual sucedió con otras grandes industrias.

El *proceso Bessemer*, introducido hacia 1860, hizo posible el convertir el hierro en acero de un modo barato y eficiente. El acero es más útil para la mayor parte del uso industrial.

A medida que la demanda del hierro y del acero aumentó, también hubo un aumento de la producción de carbón ya que éste era necesario para alimentar los grandes hornos donde se fundía el acero.

Después de la Guerra Civil, el hierro y el acero se convirtieron en industria clave y base de la economía industrial norteamericana. Desde una producción de unas 80.000 toneladas de hierro en bruto (crudo) en 1860 se aumentó a unos 14.000.000 de toneladas en 1900. En total, unos once millones de toneladas eran de acero.

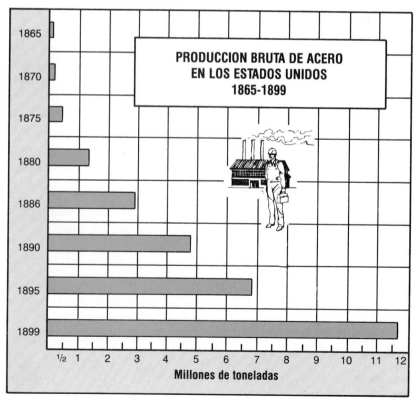

Fuente: Historical Statistics of the U.S.

Después de 1860, la producción de acero se extendió rápidamente, como lo muestra esta gráfica.

ANDREW CARNEGIE, INDUSTRIAL Y FILÁNTROPO

Uno de los principales dirigentes de la industria americana del hierro y del acero fue *Andrew Carnegie*. Llegó a Norteamérica como pobre inmigrante a la edad de 13 años, procedente de Escocia. Con un poco de preparación obtuvo un trabajo en una fábrica de algodón, más tarde estudió por su cuenta para ser telegrafista. Trabajó para el ferrocarril de Pennsylvania donde alcanzó un puesto directivo. Pero a los 30 años dejó el ferrocarril para dedicarse de lleno a sus inversiones en la manufactura de hierro. Comprendió las grandes posibilidades de la producción de acero y hacia 1870 había fundado la gigantesca "Carnegie Steel Company". Esta compañía no sólo controlaba las fábricas de acero sino también las materias primas para producir el acero, incluyendo los depósitos de carbón, hierro y caliza, así como los ferrocarriles y barcos que se necesitaban para el transporte. En 1900 la "Carnegie Steel Company" producía la mayor parte del acero de los Estados Unidos.

Carnegie se retiró de los negocios en el año 1901, a la edad de 65 años, después de haber vendido su compañía por una enorme suma a la recién fundada United States Steel Corporation. Durante el resto de su vida se dedicó a la filantropía, es decir, a utilizar su dinero para promover obras benéficas. Carnegie donó varios millones de dólares a varias causas como, por ejemplo, bibliotecas públicas, universidades, escuelas y fundaciones para la paz.

JOHN D. ROCKEFELLER, ORGANIZADOR DE LA INDUSTRIA DEL PETRÓLEO

En la década de 1870, la producción de petróleo se convirtió en una gran industria de los Estados Unidos. El primer pozo de petróleo fue perforado cerca de Titusville, en el oeste de Pennsylvania, en 1859. El petróleo, bajo la forma de keroseno, rápidamente reemplazó al aceite de ballena y a otros fluidos como combustible.

Un joven llamado *John D. Rockefeller* (nacido en 1839) vio las inmensas posibilidades que tenía esta industria. Era ambicioso y perspicaz, y sabía dirigir bien los negocios.

Rockefeller organizó la *Standard Oil Company*, que llegó a controlar la mayoría de las refinerías de petróleo de todos los Estados Unidos. Con el invento y la popularidad del automóvil un enorme mercado se abrió para el petróleo en forma de gasolina. La compañía de Rockefeller se convirtió en una de las mayores empresas de los Estados Unidos.

Rockefeller ha sido criticado por la forma en que llevaba sus negocios ya que era inhumano tratando con sus competidores y usaba métodos poco éticos y hasta ilegales para hacerlos quebrar y luego hacerse él con las propiedades. Pero no se puede negar que llevó orden y eficacia a la industria del petróleo e hizo todo lo que pudo por su desarrollo. Bajo su dirección, Standard Oil desarrolló nuevos servicios para el transporte y el almacenamiento de petróleo. Asimismo desarrolló nuevas formas de usarlo y nuevos métodos de mercadeo.

En 1882, Rockefeller y sus socios organizaron el primer *consorcio* (*"trust"*) de la industria americana. Bajo su disposición, las acciones de varias compañías dentro de la industria estaban controladas por un comité central de administradores. Los administradores dirigían las compañías como si fuera una sola empresa. Precios uniformes se establecieron para los productos y los dividendos se pagaban sobre el total de las ganancias, no sobre las ganancias de una sola compañía.

El consorcio tenía grandes ventajas para la gran empresa, especialmente porque acabó con la competencia e hizo posible alzar los precios. Pronto surgieron consorcios similares al del petróleo en

Pozos de petróleo, como este en Pennsylvania, empezaron a verse por las tierras de Norteamérica a finales del siglo XX.

otras industrias tales como el azúcar, el tabaco y el whiskey.

La crítica a la actitud de "poco me importa" que la Standard Oil y otras grandes compañías demostraron al público fue considerable. Por eso, en 1890, el Congreso aprobó la *Ley Antimonopolio de Sherman* (*Sherman Antitrust Act*), que declaraba ilegales a los consorcios.

Pero la Standard Oil y otras compañías se valieron de otros recursos para conseguir sus propósitos. Usaron *fusiones comerciales* ("*mergers*"). Las grandes empresas "compraban" a la competencia. O si no, establecían una *compañía tenedora* ("*holding company*") que poseía tantas acciones en otras compañías que las podía controlar a todas.

NUEVOS INVENTOS

A finales del siglo XIX, la industria y la sociedad norteamericana se transformaron con una serie de nuevos inventos.

Muchos de ellos utilizaban la *electricidad* como fuente energética.

Samuel F. B. Morse hizo la primera prueba práctica del *telégrafo*. Hacia 1861 había una línea que cruzaba desde el Atlántico al Pacífico. En 1866, la primera línea telegráfica que comunicaba Estados Unidos con Europa occidental cruzaba a través del Atlántico.

Otro gran desarrollo de las comunicaciones llegó en 1876 cuando *Alexander Graham Bell*, un científico inmigrante de Escocia, inventó el *teléfono*. No era como el telégrafo, que sólo transmitía mensajes codificados, sino que transmitía la voz humana. El teléfono se adoptó pronto en todo el país.

Otro gran descubrimiento fue el uso de la electricidad para la iluminación. En 1879, *Thomas Alva Edison* inventó la *bombilla*. Superó en mucho a los sistemas de iluminación que hasta entonces se habían utilizado en todo el mundo. Su

162

John D. Rockefeller

Samuel F. B. Morse

uso se extendió rápidamente. Edison, cuya educación formal fue tan sólo de unos meses, patentó su invento a los 22 años. Antes de su muerte, en 1931, tenía más de 1000 patentes a su nombre. También inventó o contribuyó al invento de diversos aparatos que hoy consideramos como el fonógrafo, el cine, la pila o batería, el dictáfono, el dínamo eléctrico y la locomotora eléctrica.

La Edison Electric Company estableció una planta en la ciudad de New York en 1882 para proveer de luz a la ciudad. Sin embargo, en poco tiempo, la operación y el control de la mayoría de nuevas industrias de electricidad estaban controladas por unas cuantas corporaciones grandes. Las pequeñas compañías se vieron forzadas a dejar el negocio.

En 1846, Elias Howe inventó la *máquina de coser*. Para la época de la Guerra Civil (1861) ya se usaba extensamente en las fábricas para hacer ropa y otros productos cosidos.

Nueva maquinaria ayudó enormemente a la productividad de las granjas norteamericanas. Ya destacamos el invento de las segadoras y otras maquinarias a principios del siglo XIX. Con el invento del *motor de gasolina*, los granjeros tenían una fuente de energía barata y práctica. Más tarde se usó éste en *tractores*, que sustituyeron pronto al caballo en la mayoría de las granjas.

Se inventaron también nuevos tipos de máquinas de oficinas: la *máquina de escribir* (1867), la *máquina de sumar* (1888) y la *registradora* (1897), por ejemplo. Todas estas máquinas facilitaban las funciones comerciales a mayor escala haciendo más eficaz el trabajo en las oficinas.

La preparación de alimentos también sufrió cambios. Los nuevos avances incluían las *latas de conserva, refrigeración artificial* y diversos métodos de *preparación* y *envase* de alimentos.

Thomas Alva Edison

Alexander Graham Bell

EXPLORACION DE HECHOS Y OPINIONES

I. Para mejorar tus conocimientos

Define, describe o identifica cada uno de los términos siguientes. Muestra cómo está conectado cada uno de ellos con el crecimiento de la industria norteamericana.

1—inmigración
2—aumento de la población
3—capital
4—tecnología
5—George Westinghouse
6—reembolso
7—George Pullman
8—Andrew Carnegie

II. Preguntas

Contesta a las preguntas siguientes. Acompaña tus respuestas con ejemplos o información específica.

1—¿Por qué la abundancia de recursos naturales jugó un papel primordial en el crecimiento industrial?

2—¿Por qué hubo peticiones para que el gobierno regulara los ferrocarriles?

3—¿Cómo regulaba el ferrocarril la Ley de Comercio Interestatal de 1887?

4—¿Qué efectos tuvo el "consorcio" en el crecimiento de la industria?

III. Conceptos

Los términos que siguen representan conceptos, ideas amplias que han jugado un papel importante en el desarrollo de la industria en Norteamérica. Con tus propias palabras escribe una pequeña definición de cada una de ellas.

1—consorcio
2—actitud de "poco me importa" con el público
3—compañías tenedoras
4—fusiones comerciales

IV. Ideas para construir

1—¿Cómo trató de controlar la organización comercial la Ley Antimonopolio de Sherman?

2—De los factores estudiados hasta ahora, ¿cuáles crees que fueron los más importantes en el desarrollo industrial? ¿Por qué? ¿Cuáles fueron los menos importantes? ¿Por qué?

3—¿Crees que la actitud pública hacia los hombres de negocios es hoy similar o diferente a la de finales del siglo XIX? ¿Por qué?

4—Si hubieras sido un comerciante que vivía en St. Louis a mediados del siglo XIX, ¿hubieras apoyado la construcción de vías férreas? ¿Por qué sí o por qué no? ¿Qué grupos de St. Louis crees que hubieran apoyado esta idea? ¿Qué grupos se hubieran opuesto a ella? ¿Por qué?

5—No sólo hay que decretar leyes para detener los abusos sino que también hay que hacerlas cumplir vigorosa e imparcialmente. ¿Qué problemas crees que las autoridades estatales locales y federales tuvieron que enfrentar para hacer cumplir las leyes de los ferrocarriles en la última parte del siglo XIX? ¿Cómo crees que superaron esos problemas?

V. Ideas organizadas

Siguen una serie de "ideas organizadas". Cada una perfila hechos y conceptos estudiados en este capítulo y hace una generalización. A partir de tus lecturas y lo dicho en clase, da ejemplos específicos que aprueben o desaprueben estas ideas.

1—La reforma es siempre necesaria en una sociedad que crece muy rápidamente.

2—El rápido crecimiento de la industria no se debe sólo a ella misma sino a muchos factores que intervienen en el mismo momento. Explica tu respuesta.

3—¿Hubiera sido posible el rápido crecimiento de la industria sin el aumento de la inmigración?

¿Qué otras ideas se pueden desarrollar a partir del material de este capítulo?

Capítulo 16

EL MOVIMIENTO LABORAL EN LOS ESTADOS UNIDOS

LA CLASE OBRERA

Con el nacimiento de la Revolución Industrial en los Estados Unidos, a principios del siglo XIX, tuvo lugar un importante cambio en la sociedad norteamericana. Surgió un nuevo grupo de gente: *la clase obrera.*

Antes de esa época, la mayoría de los trabajos los realizaban los granjeros, los artesanos, los propietarios de los pequeños negocios y los profesionales como médicos o abogados. Esta gente normalmente no trabajaba para otros, es decir, no dependían de un salario para su subsistencia. Generalmente, tenían que trabajar mucho, pero eran sus propios jefes. Por supuesto que entre esta clase no se contaba a los esclavos negros ni a los sirvientes. Pero éstos fueron grupos que, con el tiempo, formaron parte de la población.

Los trabajadores de la nueva era industrial eran diferentes. Trabajaban todo el día y dependían para vivir de un salario pagado por un patrón. Si perdían dicho trabajo, generalmente no tenían otros medios de subsistencia. La mayoría de ellos sabían que dependerían de un trabajo y un salario toda su vida (excepto las mujeres que se preparaban para casarse). Esta nueva clase era más parecida a la de los obreros europeos que a los granjeros y artesanos independientes de los primeros años de Norteamérica.

Niños trabajando en una fábrica de tabaco en 1873.

Una gran parte de esta nueva fuerza laboral consistía en mujeres y niños, empleados principalmente en las fábricas textiles de New England. Muchas de las mujeres provenían de las granjas. La mayoría planeaban trabajar sólo unos años antes de casarse. Aunque trabajaban muchas horas, sus salarios eran bajos y las condiciones de trabajo también eran duras y agotadoras.

ORGANIZACIÓN DE LOS PRIMEROS SINDICATOS

En la década de 1790, un grupo de trabajadores descontentos comenzaron a formar sindicatos. Un *sindicato* es una organización de trabajadores que se unen para negociar o establecer un convenio con un patrón. La idea básica para formar estos sindicatos es que un grupo de obreros tiene mayor poder que un solo individuo. Si un solo trabajador pide un aumento de sueldo o una reducción de las horas de trabajo y el patrón rechaza la petición, el trabajador no puede hacer nada, excepto abandonar el trabajo; así fácilmente puede ser reemplazado por otro. Pero si todos los trabajadores abandonan a la vez un trabajo, es posible que el patrón se vea muy perjudicado y por tanto trate de atender sus peticiones. Este paro organizado de trabajo se llama huelga. La huelga es la principal arma de los sindicatos.

Los sindicatos desean concertar *tratos colectivos* con los patrones. Esto significa que los obreros *actúan juntos como grupo* para establecer con el patrón los salarios, las horas y otras condiciones de trabajo.

Los sindicatos ganaron bastante fuerza en los Estados Unidos en las décadas de 1820 y 1830. Normalmente eran sindicatos de trabajadores especializados como carpinteros, impresores, zapateros y sastres. Los obreros que eran semiespecializados o no tenían ninguna especialización se encargaban de las máquinas y por esa época no tuvieron éxito en sindicalizarse.

Los sindicatos de varias ciudades, como New York y Philadelphia, se organizaron en toda la ciudad. En 1834, los representantes de algunos grupos organizaron un *Sindicato Nacional (National Trades Union)*. Sin embargo, la depresión de 1837 produjo un gran desempleo y el movimiento sindical estuvo en decadencia durante unos años.

LOS SINDICATOS Y LOS TRIBUNALES

Durante la primera mitad del siglo XIX, los sindicatos no sólo tenían que luchar con los patrones sino también con las leyes estatales y los tribunales. En estos años, era común que los tribunales decretaran que los sindicatos eran organizaciones ilegales. En 1805, por ejemplo, un grupo de zapateros de Philadelphia fue encarcelado por el "crimen" de reunirse para intentar obtener un aumento de sueldo. Las huelgas normalmente terminaban con el arresto de los líderes.

Poco a poco, los tribunales comenzaron a tomar una actitud más favorable o imparcial hacia los sindicatos. Uno de los momentos cumbre acaeció en Massachussetts, en 1842. El caso llamado *"Commonwealth versus Hunt"* trató con un sindicato llamado la Sociedad de los zapateros jornaleros. El tribunal de Massachussetts falló que los trabajadores tenían derecho a reunirse para intentar conseguir salarios más altos y otros beneficios. Para esto, los trabajadores podían negarse a trabajar como grupo, es decir, tenían derecho de huelga. Otros tribunales estatales pronto siguieron el mismo camino. (Los tribunales federales no estaban directamente envueltos en esa época.)

OBJETIVOS DE LOS PRIMEROS SINDICATOS

Los primeros sindicatos eran básicamente organizaciones de obreros especializados, muchos de los cuales esperaban independizarse algún día y convertirse en hombres de negocios o incluso en patronos. Las organizaciones tenían un número de objetivos.

En primer lugar, querían ganar más. También querían rebajar la jornada laboral de doce a diez horas. En esa época, era común que los obreros especializados trabajaran doce horas diarias y a veces más.

Los primeros sindicatos tuvieron algo de éxito en la reducción de la jornada laboral. El gobierno federal les ayudó en 1840 cuando estableció la jornada laboral en diez horas para todas las personas empleadas en trabajos públicos. En 1842, Massachusetts decretó una ley limitando a diez horas el trabajo de los niños menores de doce años. Pero el progreso era desigual y las leyes no se hacían cumplir. De todos modos, se calcula que a finales de 1850 el promedio de horas de trabajo de los obreros norteamericanos era como de 70 horas semanales.

Los primeros sindicatos también estaban interesados en reformas sociales que se aplicarían a toda la nación y no sólo a ciertas clases de trabajadores. Por ejemplo, los sindicatos pedían educación pública gratis. Querían acabar con el trabajo de los niños. También querían eliminar el sistema por el cual en algunos estados había que tener una cantidad determinada de posesiones para poder votar. Y se oponían a las leyes que permitían que se encarcelara a las personas que no podían pagar sus deudas.

CONDICIONES DIFÍCILES PARA LA MAYORÍA DE LOS TRABAJADORES

A medida que la industria norteamericana se extendía, la riqueza nacional crecía rápidamente, pero no significaba esto que los obreros como clase se beneficiaran de ello. En algunos aspectos, las condiciones empeoraron. Aunque hacia 1900 muchos obreros industriales trabajaban diez horas diarias, en muchas fábricas trabajaban mucho más. Incluso ya comenzado

A fines del siglo XIX, muchos obreros trabajaban y vivían en condiciones deplorables.

el siglo XX, muchos obreros del acero trabajaban doce horas diarias, y en algunos casos, siete días a la semana. Las condiciones de trabajo, a pesar de las máquinas, eran a veces más duras que cincuenta años atrás.

Aunque los obreros ganaban más, los salarios en general eran todavía bajos. Es difícil dar una idea aproximada del "salario promedio", en parte porque el poder adquisitivo del dólar es menor hoy que en 1900. En general, sin embargo, podemos decir que el obrero apenas podía adquirir lo necesario para vivir.

Además de los bajos salarios y de la cantidad de horas de trabajo, los obreros también tenían que padecer la inseguridad. En las fábricas siempre había la posibilidad de perder el trabajo especialmente en épocas de depresión económica que siempre producían enorme desempleo. La llegada de gran número de inmigrantes todos los años suponía una gran competencia por trabajos en fábricas, minas y otros empleos. Tampoco había seguro de desempleo para ayudar a los trabajadores hasta que encontraran un nuevo trabajo. Los trabajadores sin empleo sólo podían recurrir a la caridad para abastecer sus principales necesidades.

ACTITUD DE LAS EMPRESAS HACIA LOS OBREROS Y LOS SINDICATOS

En general, los hombres de negocios de esta época se oponían a los sindicatos. Creían que el derecho a establecer salarios y condiciones de trabajo sólo correspondía a los patronos. Si los obreros no querían aceptar las condiciones, podían buscar otro trabajo. Es decir, la mayoría de los patronos no aceptaban el convenio colectivo.

Tampoco querían que el gobierno interviniera en estos asuntos. Estaban a favor de lo que llamaban "una sociedad libre, abierta y competitiva" con muy poca o ninguna intervención gubernamental. Para esto se usa a veces el término francés *laissez-faire*. En otras palabras, el gobierno debe mantenerse apartado de los negocios privados.

En esta época, muchos empresarios opinaban que los salarios altos eran muy peligrosos ya que suponían menores beneficios para la empresa. También argüían que si los obreros ganaban "mucho" se volverían perezosos y malgastarían su dinero en beber y otros malos hábitos.

La relación entre los patronos y los empleados no era la misma en todas las empresas. En las pequeñas empresas, como no había muchos trabajadores, el patrón los conocía bien a todos. Los obreros trataban cara a cara con su patrón y a menudo éste los consideraba amigos personales. Pero la tendencia general de los negocios era convertirse en grandes empresas, organizadas como corporaciones. A menudo, los obreros no conocían a los propietarios de las corporaciones y trataban con un administrador o capataz. Los administradores, a su vez, tenían la responsabilidad de aumentar las ganancias de la empresa. El bienestar de los trabajadores no era lo más importante.

Las condiciones de vida de los trabajadores eran cada vez peores. Gran número de obreros y sus familias vivían en barrios en malas condiciones o en feos pueblos industriales. Algunas de las grandes corporaciones poseían pueblos enteros y los obreros pagaban una renta para vivir en las casas de la compañía y también compraban sus víveres en tiendas de la compañía. Uno de estos pueblos industriales era Pullman, Illinois, construido para los obreros de la Pullman Sleeping Car Company.

¿Es sorprendente que con tales condiciones muchos obreros norteamericanos formaran sindicatos para mejorar sus condiciones de vida y de trabajo?

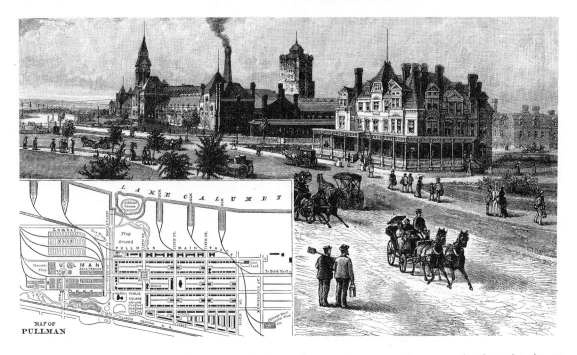

Plaza principal y plano de Pullman, Illinois. La plaza era grandiosa pero las casas que se proporcionaban a los obreros eran mucho más modestas.

LOS CABALLEROS DEL TRABAJO (KNIGHTS OF LABOR)

El primer sindicato nacional se organizó en la última mitad del siglo XIX y fue llamado los *"Caballeros del Trabajo"*. Comenzó como una sociedad secreta, fundada en 1869 por un grupo de obreros de Philadelphia que trabajaban en una fábrica de ropa. Estaban dirigidos por *Uriah Stephens*.

El objetivo de los Caballeros del Trabajo era que los obreros recibieran una parte adecuada de las ganancias que se obtenían con su trabajo. En otras palabras, salarios más altos. También querían una jornada laboral de ocho horas. Además, la organización trabajó para obtener muchas reformas sociales, incluyendo la abolición del trabajo de los niños, la propiedad pública de los ferrocarriles y otros servicios públicos tales como las compañías energéticas y la utilización del impuesto sobre la renta para la recaudación de dinero para el gobierno.

Bajo el liderazgo de *Terence V. Powderly*, los Caballeros del Trabajo se extendieron rápidamente. En 1881 dejó de ser una sociedad secreta y en 1886 tenía cerca de 700.000 miembros en diferentes industrias.

Sin embargo, a finales de la década de 1880, los Caballeros del Trabajo comenzaron a perder miembros y en unos cuantos años prácticamente dejó de existir. Era muy débil como organización, intentaba reunir en una asociación nacional muchos tipos diferentes de trabajadores incluyendo a trabajadores autónomos e incluso personas que no eran ni obreros. Sus objetivos eran vagos y mixtos y no estaba bien dirigida. Hizo poco para obtener mejores salarios y mejores condiciones para los obreros. También se tuvo que enfrentar a la competencia que le ofrecía una poderosa organización laboral, la *Federación Americana del Trabajo*.

LA FEDERACIÓN AMERICANA DEL TRABAJO (AMERICAN FEDERATION OF LABOR)

La *Federación Americana del Trabajo*, fundada en 1881 es hasta el presente la principal organización en el movimiento laboral de los Estados Unidos.

El líder fundador de la AFL (American

Federation of Labor) fue *Samuel Gompers,* un inmigrante inglés que trabajaba en una tabacalera. Se destacó en el Sindicato de Tabaqueros y creía en la necesidad de un fuerte movimiento laboral en los Estados Unidos. Vio las debilidades y falta de eficiencia de los Caballeros del Trabajo y se dispuso a organizar una asociación que estuviera más de acuerdo con la forma de vida norteamericana. Gompers fue elegido como el primer presidente de la AFL en 1881 y estuvo en la presidencia desde entonces (excepto un año) hasta su muerte, en 1924.

Gompers era un hombre astuto y práctico. Estaba interesado en que los miembros del sindicato obtuvieran salarios más altos y otras mejoras. Fundó la AFL sobre estas bases:

- La AFL se organizó como una federación de *gremios artesanos.* Éstos incluían sindicatos de *obreros especializados* como tabaqueros, impresores, carpinteros y moldeadores de hierro. No se trató de sindicalizar a obreros sin especialización. Estos objetivos eran, de este modo, muy diferentes de los de los Caballeros del Trabajo, que querían juntar a obreros de todo tipo en un solo "sindicato nacional".

- Cada uno de los sindicatos artesanos nacionales tenía control sobre sus propios asuntos.

- En caso necesario, los sindicatos estaban preparados para convocar una huelga. Prepararon *"fondos de huelga"* para ayudar a los obreros y sus familias en los períodos de huelga.

- Los sindicatos de la AFL se encargarían de negociar los pactos colectivos con los patronos. Los objetivos de los pactos colectivos eran claros y definidos: conseguir salarios altos y buenas condiciones de trabajo para los obreros sindicados. Esto se expresaba con el lema: "Más y más, aquí y ahora".

- La AFL aceptaba el sistema económico norteamericano basado en la empresa privada. Quería que el sistema siguiera funcionando pero que hubiera mejoras para los obreros.

- La AFL no contaba con el gobierno para ayudar a los trabajadores. No trató de obtener leyes para conseguir "reformas" que establecieran un salario mínimo. Los sindicatos opinaban que podrían obtener todas sus peticiones tratando directamente con los patronos.

- La AFL estaba dispuesta a trabajar con los dos partidos principales, Demócrata y Republicano. A los miembros de los sindicatos se les exhortaba a votar para "recompensar a los amigos del trabajo y castigar a los enemigos del trabajo".

Guiada por estas ideas, la AFL creció rápidamente: hacia 1900 tenía 550.000 miembros. Tuvo éxito porque consiguió beneficios prácticos para sus miembros. Sin embargo, no lograron mejorar las condiciones de la gran cantidad de obreros no especializados. En verdad, algunos de los sindicatos de la AFL eran estrictamente limitados a un pequeño número de trabajadores que ganaba salarios altos. Los críticos llamaron a esta práctica "aristocracia laboral" y "monopolio laboral".

A pesar de todo, bajo la AFL los obreros norteamericanos pudieron demostrar por primera vez que podían organizarse y dirigir eficazmente una organización a *escala nacional.* Las mejoras logradas para los miembros de los sindicatos de artesanos se "filtraron" y, hasta cierto punto, beneficiaron a los obreros que no formaban parte de sindicatos.

HUELGAS Y DISTURBIOS

A medida que los sindicatos intentaban organizar a los obreros y conseguir beneficios para ellos, encontraban a menudo una resistencia durísima por parte de los patronos, especialmente en las grandes corporaciones. Esto produjo amargas huelgas y violencia ocasional durante los últimos veinticinco años del siglo XIX.

En 1877, los obreros ferroviarios del *Baltimore and Ohio Railroad* hicieron un paro en protesta contra un corte de los salarios. Esta huelga pronto se extendió a los ferrocarriles de otras partes del país. Hubo disturbios en diversas ciudades y se perdieron muchas vidas en los enfrentamientos entre obreros y policías y tropas estatales. El presidente *Rutherford B. Hayes* envió tropas federales a restaurar el orden y la huelga fue disuelta.

En 1886, se convocó a una nueva huelga contra *McCormick Harvester Works* en Chicago. Una manifestación para apoyar a los huelguistas tuvo lugar en *Haymarket Square* en Chicago. Entre los organizadores de esta manifestación estaban los *anarquistas* (radicales extremistas). De repente, alguien lanzó una bomba y once personas murieron. Entre los muertos había siete policías. También hubo muchos heridos de gravedad. No se llegó a saber con certeza quién lanzó la bomba, pero, sin embargo, ocho personas

conocidas como anarquistas fueron culpadas de la acción terrorista. Cuatro de ellos fueron ahorcados. Esta tragedia causó gran amargura y fue un duro golpe para la causa laboral.

En 1892, los obreros de la fábrica *Carnegie Steel Company*, en *Homestead, Pennsylvania*, hicieron huelga contra un corte de salarios. Los trabajadores se amotinaron en la fábrica y libraron una batalla a tiros con la policía privada de la compañía. El gobernador de Pennsylvania mandó a las tropas estatales y pronto se disolvió la huelga. Esto puso fin por un tiempo a los esfuerzos para organizar un sindicato de obreros del acero.

En 1894 una huelga estalló en la *Pullman Sleeping Car Company*, en Pullman, Illinois. Algunos de los obreros de Pullman eran miembros de un nuevo sindicato americano, *American Railway Union*, dirigido por *Eugene P. Debs*, un famoso socialista. Cuando las compañías de ferrocarril intentaron trasladar los vagones Pullman, la huelga se extendió a 27 estados. Una corte federal decretó una orden o *requerimiento judicial* por la que

Disturbios del Haymarket en 1886.

se ordenaba a los trabajadores a no obstaculizar el correo de los Estados Unidos (transportado en su mayor parte por ferrocarril). El presidente *Grover Cleveland* envió tropas de los Estados Unidos para que se cumpliera el requerimiento y asegurarse de que el correo se transportaba. Cuando llegaron los soldados hubo brotes de violencia entre ellos y los huelguistas. Pero los huelguistas pronto fueron derrotados y la huelga fracasó. Algunos de los líderes de los sindicatos fueron arrestados por violar las leyes federales. Debs fue condenado a prisión por seis meses.

Habría que destacar que tanto en la huelga de Homestead como en la de Pullman se tuvo que usar el poder del gobierno para derrotar a los huelguistas. Para muchos obreros, esto era una injusticia. Decían que el gobierno siempre estaba del lado de los patronos, especialmente de las grandes compañías. Argüían que era injusto utilizar los tribunales, la policía y las fuerzas militares para destruir los esfuerzos de los obreros para organizarse y mejorar sus condiciones de vida.

LOS ALTIBAJOS DEL MOVIMIENTO LABORAL

Las amargas huelgas de finales del siglo XIX y los derramamientos de sangre que acarrearon perjudicaron mucho la causa del movimiento laboral. Muchos norteamericanos comenzaron a creer que sindicato significaba huelga, radicalismo, desorden y derramamiento de sangre.

A pesar de todo, la AFL continuó organizando obreros en las industrias y negociando tratos colectivos con los patrones. Gompers y los otros líderes de la AFL clarificaron que ellos se oponían a toda forma de radicalismo, incluyendo el anarquismo y el socialismo. No deseaban adueñarse de las empresas ni provocar ningún tipo de violencia.

EXPLORACION DE HECHOS Y OPINIONES

I. Para mejorar tus conocimientos

Define, describe o identifica cada uno de los términos siguientes. Muestra cómo está conectado cada uno de ellos con el crecimiento del movimiento laboral en Estados Unidos.

1—clase obrera
2—sindicato
3—trato colectivo
4—"jornada de 12 horas"
5—laissez-faire
6—Caballeros del Trabajo (Knights of Labor)
7—Anarquistas
8—Federación Americana del Trabajo (American Federation of Labor)

II. Preguntas

Contesta a las preguntas siguientes.

Acompaña tus respuestas con ejemplos o información específica.

1—¿Por qué los obreros en general eran tan pobres?

2—Durante los primeros años de intento de formar sindicatos de obreros, éstos fueron llamados "combinaciones ilegales". ¿Por qué?

3—¿Cuáles eran los objetivos de los primeros sindicatos?

4—La industria quería que el gobierno mantuviera una actitud de "laissez-faire". ¿Qué significa esto?

III. Conceptos

Los términos que siguen representan conceptos, ideas amplias que han jugado un papel importante en el desarrollo de la industria norteamericana. Con tus propias palabras, escribe una pequeña definición de cada una de ellas.

1—federación
de artesanos

2—"aristocracia
de trabajo"

3—reformas
laborales

IV. Ideas para construir

1—¿Qué condiciones ayudaron al éxito de la AFL?

2—¿Cómo se usó el poder del gobierno para derrotar a los huelguistas de Pullman? ¿Cómo chocaron los intereses públicos y privados en esta huelga? ¿Cuál fue su resultado?

3—¿Por qué crees que muchos inmigrantes venían a los Estados Unidos cuando las condiciones de vida y de trabajo eran a menudo bastante malas?

4—¿Por qué crees que los obreros no especializados no intentaron formar sindicatos a principios del siglo XIX? ¿Por qué los obreros especializados no intentaron ayudarles a formar sindicatos?

5—¿Por qué la situación del obrero declinó, en general, hacia fines del siglo XIX?

6—¿Crees que los Caballeros del Trabajo hubieran tenido más éxito si hubieran tenido menos objetivos u objetivos más concretos? ¿Por qué sí o por qué no?

7—¿Por qué crees que algunas personas de los Estados Unidos consideraban a los primeros sindicatos como "conspiraciones criminales"? ¿Crees que esta actitud hizo que muchos trabajadores no se unieran al sindicato? ¿Por qué?

8—¿Crees que los períodos de depresión económica perjudicaron a los primeros sindicatos?

V. Ideas organizadas

Siguen cuatro "ideas organizadas". Cada una perfila hechos y conceptos estudiados en este capítulo para formar una generalización que podría ser aplicada a muchos períodos históricos. Basándote en tus lecturas y lo dicho en clase, da ejemplos específicos que aprueben o desaprueben estas ideas.

1—Los sindicatos proporcionan a los obreros los mejores medios para mejorar los sueldos y las condiciones de trabajo.

2—Los patrones, en general, tratan bien a sus empleados para incrementar la productividad.

3—Las ideas y los grupos radicales a menudo ayudan a que haya cambios en la sociedad.

4—El trabajo y la administración de una empresa son enemigos naturales. Lo que es favorable para uno no lo es para el otro.

¿Qué otras "ideas organizadas" se pueden desarrollar a partir del material de este capítulo?

Capítulo 17

LA REFORMA INDUSTRIAL

CAMBIOS EN LOS ESTADOS UNIDOS

Entre la Guerra Civil y el final del siglo XIX los Estados Unidos sufrieron grandes cambios. En 1865 la mayoría de los norteamericanos eran granjeros y vivían en granjas o poblaciones pequeñas. Algunas áreas del país todavía no habían sido colonizadas por ciudadanos de los Estados Unidos. Además, la mayoría de los norteamericanos tenían un origen común: sus antecesores venían del norte y del oeste de Europa.

Sin embargo, a principios del siglo XX muchas cosas habían cambiado. La industria norteamericana se había extendido rápidamente. Aunque la agricultura también florecía, las nuevas maquinarias habían reducido la necesidad de trabajadores en las granjas. Ahora trabajaban más personas en fábricas que en granjas.

Este gran crecimiento industrial llevó a muchos norteamericanos que vivían en granjas a abandonarlas y buscar trabajo en las grandes ciudades, donde se unían a los millones de inmigrantes que llegaban de Europa. La mayoría de estos "nuevos inmigrantes" venían del sur y del este de Europa o de Asia.

Los norteamericanos tuvieron que ajustar su forma de vida a estos nuevos cambios. También tuvieron que buscar soluciones a los problemas que acarreaban todos estos cambios.

LOS GRANJEROS REACCIONAN

Los primeros que buscaron soluciones políticas para los problemas de la nueva Norteamérica industrial fueron los granjeros. En el período que siguió a la Guerra Civil los granjeros aumentaron muchísimo su producción. Como las ciudades crecían se necesitaban más alimentos para abastecer las necesidades de sus habitantes. Las demandas europeas de productos agrícolas norteamericanos, especialmente el trigo, aumentaban cada día más. Los granjeros, ayudados por las nuevas máquinas, ampliaron la producción para satisfacer las demandas. Los granjeros se iban convirtiendo en hombres de negocios. Antes, cultivaban una serie de productos, principalmente para su propio consumo; ahora, cultivaban un producto en especial y lo comercializaban.

Desgraciadamente para los granjeros, ellos hacían demasiado bien su trabajo. Cultivaban más productos de los que eran necesarios y el resultado era que cuanto más producían menos dinero recibían por cada unidad. Por ejemplo, de 1860 a 1900 la producción de trigo aumentó de unos 175 millones de fanegas a unos 600 millones de fanegas. Pero el precio que cada granjero recibía por la fanega bajó de más de dos dólares a sesenta y dos centavos. Los granjeros del maíz se enfrentaron al mismo problema. Cuanto más

175

Las familias de los granjeros muchas veces formaban sociedades donde se trataba de problemas comunes. Una organización de granjeros a nivel nacional llamada la **Granja** hizo presión para que se aprobaran leyes que regularan las tarifas de ferrocarril.

producían menos dinero ganaban por cada fanega.

Sin embargo, los productos que los granjeros necesitaban no bajaban de precio. Las nuevas máquinas eran muy caras y también lo era el transporte de los productos al mercado por ferrocarril. Muchos granjeros habían hecho préstamos para comprar nueva tierra o pagar sus gastos y ahora algunos no podían pagar sus préstamos y por tanto perdían sus granjas. Los granjeros culpaban a los bancos y a las compañías ferroviarias de la mayoría de sus problemas.

Para tratar de solucionar todo esto, los granjeros tuvieron que recurrir a la política. En la década de 1870 muchos se reunieron en una sociedad llamada la *Granja*. Además de servir como organización social, los grupos locales de la Granja protestaron contra la política de los ferrocarriles. En algunos estados del Medio Oeste, los granjeros presentaron candidatos para las legislaturas estatales y lograron que algunos estados decretaran

leyes regulando los precios y la política del ferrocarril. Con el tiempo, sus protestas tuvieron impacto en el Congreso. En 1887 el Congreso decretó la *Ley de Comercio Interestatal* que regulaba las medidas y los precios del ferrocarril. Sin embargo, la ley no fue muy efectiva durante muchos años.

Los últimos años de la década de 1880 fueron malísimos para los granjeros. Una sequía disminuyó las cosechas; además, los extranjeros productores de grano comenzaron a hacerle una fuerte competencia a los granjeros norteamericanos. Incapacitados para pagar sus préstamos muchos granjeros perdieron sus tierras. Una vez más, los granjeros, particularmente los de los estados de las Grandes Llanuras (Great Plains) se asociaron para tomar una acción política. Esta vez crearon varias "alianzas" de granjeros. En poco tiempo, estos grupos estuvieron capacitados para elegir a unos cuantos representantes del Congreso y ganar el control de varias legislaturas estatales.

SE ORGANIZA UN PARTIDO REFORMISTA

En 1891, los representantes de las alianzas de los granjeros se reunieron con otros grupos que estaban descontentos con las condiciones económicas. Todos juntos formaron el *Partido del Pueblo o Populista*. Al año siguiente, en una convención en Omaha, Nebraska, los miembros del partido nominaron para presidente a James B. Weaver, un general de la Guerra Civil.

El mensaje de los populistas era claro. Opinaban que los norteamericanos que trabajaban con sus manos (los "productores"), creaban las riquezas de Norteamérica. Pero los que controlaban el dinero (los banqueros y los directores de empresa), se llevaban todos los beneficios. El poder político y económico debía volver al pueblo.

Para dar a los productores más poder político, los populistas exigían:

• La elección de los senadores de los Estados Unidos por los votantes de los estados y no por las legislaturas estatales.

• Votación por papeleta secreta. Hasta ahora, los propios partidos políticos imprimían sus papeletas. Cada partido usaba un color diferente. Cualquiera podía saber cómo votaban los demás por el color de las papeletas que marcaban. Con el voto secreto, los "caciques" de los partidos no podían ya estar seguros de los votos que estaban "comprando" y las personas no podrían ser atemorizadas si no votaban por el candidato de un partido.

• La *iniciativa*. Éste es un paso por el cual un grupo de votantes puede proponer proyectos para que los consideren las legislaturas estatales.

• El *referéndum*. Es un paso por el cual la gente de un estado puede votar para aceptar o rechazar una ley decretada por la legislatura.

• La *revocación*. Los votantes están capacitados para celebrar una elección especial para decidir si un funcionario, como un juez, por ejemplo, debe abandonar o no su cargo antes de que finalice su período regular en el puesto.

• Acabar con el poder de los "caciques" políticos. Los populistas también sugerían reformas para incrementar el poder económico de todos los ciudadanos.

• Propiedad gubernamental del ferrocarril, el teléfono y el telégrafo. Los populistas consideraban que estos negocios eran de utilidad pública, es decir, servicios básicos para casi todo el mundo. Si el gobierno (y no los "codiciosos" comerciantes) fuera propietario de estos negocios, los precios y las condiciones serían más justas.

• Impuesto sobre la renta que fuera gradual. El gobierno federal no tenía impuestos sobre la renta en esta época. Los populistas querían que se estableciera, pero de acuerdo con el poder adquisitivo de los ciudadanos.

• Acuñación ilimitada de moneda de plata. Si se usaba más plata para acuñar moneda, habría más dinero en circulación. Los granjeros creían que así se elevarían los precios de los productos agrícolas y por tanto sería más fácil para ellos pagar sus deudas.

• Plan dependiente de hacienda. Un sistema por el cual los granjeros podrían recibir préstamos del gobierno federal.

• Sistema de caja postal de ahorros: los bancos rurales a menudo fracasaban en épocas difíciles para la agricultura; una caja postal de ahorros sería respaldada por el gobierno de los Estados Unidos.

Los populistas no ganaron las elecciones de 1892. Grover Cleveland, el candidato presidencial de los demócratas, derrotó al general Weaver y a Benjamin Harrison, el candidato republicano. De todos modos, los populistas hicieron al público consciente de la necesidad de reformas.

LA POLÉMICA DEL ORO Y LA PLATA

Una depresión (una baja en las actividades de los negocios) comenzó en 1893, poniendo la situación para la mayoría de los granjeros norteamericanos todavía peor. Otros grupos también la sufrieron. Muchas empresas quebraron y muchos obreros perdieron sus trabajos. Como resultado de esto, en la elección de 1896, los norteamericanos pedían grandes reformas, especialmente reformas económicas. La mayoría de los ciudadanos estaban convencidos de que no podían dejar que el mundo de los negocios "corriera por su cuenta". El gobierno federal, se pensaba, tenía que regular la economía de alguna manera para el bienestar del pueblo.

Muchos ciudadanos comenzaron a apoyar la demanda de los populistas para que se hiciera circular más dinero. Decían que la cantidad de dinero que circulaba era muy pequeña en relación con el número de personas que necesitaban comprar mercancías y servicios. Por tanto, la demanda de acuñación ilimitada de moneda de plata creció enormemente.

En la elección de 1896, el Partido Demócrata y el Republicano se batieron por esta cuestión. Los republicanos se oponían a la acuñación de moneda de plata, prometiendo que el oro sería la norma para el dinero. Postularon a William McKinley, de Ohio, para presidente. Por otro lado, los demócratas estaban de acuerdo con los populistas en la acuñación ilimitada de moneda de plata. Este partido postuló a William Jennings Bryan, que había estado en el Congreso representando a Nebraska.

Los dos partidos mayoritarios estaban en polos completamente opuestos. Los republicanos apoyaban al oro como norma para la moneda y otras medidas económicas que ayudarían a los negocios. Los demócratas, sin embargo, prometían ayudar a los granjeros y a la clase obrera. Además de la acuñación ilimitada de la moneda de plata incluyeron otras ideas populistas en su plataforma política.

Los republicanos recibieron muchísimo dinero de los banqueros e industriales para organizar una poderosa campaña. Acusaron a Bryan de llevar una política peligrosa, arguyendo que la plata o "moneda barata" arruinaría la economía. La mayoría de los norteamericanos no estaban dispuestos a aceptar todos los cambios que los demócratas y populistas planteaban. Los dirigentes de empresas y muchos trabajadores, especialmente en el Este, dieron a McKinley una victoria decisiva.

La elección de 1896 puso fin al partido populista. Muchos de sus programas y de sus seguidores fueron a formar parte de los dos partidos principales. A pesar de todo, los populistas habían introducido ideas importantes para mejorar la economía y fortalecer la democracia. Habían puesto la base para forjar movimientos reformistas posteriores, especialmente la idea de reforma. También plantaron firmemente una idea clave en el pensamiento de los norteamericanos: el gobierno federal debería jugar un papel más importante en la vida social y económica de la nación.

LOS GRANDES NEGOCIOS BAJO PRESIÓN

Para fines del siglo, mucha gente estaba alarmada por el crecimiento de los grandes negocios. Cada vez más las compañías se reunían para formar grandes empresas y a su vez estas empresas se asociaban en otras formando organizaciones gigantes llamadas *"consorcios"* (*"trusts"*).

Los arreglos comerciales a menudo se convertían en *monopolios*. Es decir, el control de toda una industria lo ejercía una sola compañía, o una corporación, o un consorcio. Por lo tanto, a las pequeñas empresas les era completamente imposible

Una caricatura antipopulista muestra cómo sería la Corte Suprema si los populistas llegaran al poder. ¿De qué maneras se burla el caricaturista de los populistas?

competir con los gigantes y se vieron forzadas a vender sus negocios a estas grandes organizaciones o si no, a ir a la quiebra. Al no tener los monopolios ninguna competencia, podían poner las mercancías al precio que quisieran.

A finales del siglo XIX, se hacían enormes transacciones industriales en diferentes partes de la economía, entre ellas los ferrocarriles, las refinerías de petróleo, la industria del hierro y del acero, los productos de carne, el whisky, la sal y los fósforos. En el tabaco y en la refinería del azúcar, una sola compañía controlaba el negocio.

El nombre popular de estas compañías gigantes era *"consorcio" ("trust")*. Se hablaba del "consorcio del petróleo", "consorcio del azúcar", "consorcio del tabaco", etc. Los consorcios de ahora no eran exactamente la clase de consorcio que era la Standard Oil en 1882. Entonces habían usado otros métodos, como las compañías tenedoras ("holding companies") y las fusiones comerciales ("mergers"). Pero si los métodos eran diferentes, los resultados eran los mismos. El objetivo era tener el control absoluto de toda una industria, regular los abastecimientos, establecer las normas para la calidad del servicio y, sobre todo, *controlar los precios*. Una empresa que puede hacer todo eso se considera un *monopolio*.

Aunque los consorcios fueron muy criticados, los que apoyaban a los grandes negocios los defendían.

Mucha gente consideraba que los consorcios no eran convenientes a los intereses públicos, ya que una vez que los gigantes industriales habían eliminado a la competencia, ofrecían a los consumidores productos de inferior calidad y elevaban los precios hasta niveles irrazonables.

A medida que los negocios norteamericanos crecían en tamaño, disminuía el número de empresas. La industria estaba en manos de unos pocos; la mayoría eran banqueros inversionistas. Ellos compraban acciones en las grandes compañías y formaban fusiones comerciales. Muchos bancos inversionistas, especialmente el dirigido por J. P. Morgan, usaron su poder financiero para controlar una buena parte de los mayores negocios del país. Llegó un momento en que los banqueros controlaban la industria del acero, los ferrocarriles, las compañías de seguros y los servicios públicos de toda la nación.

Los consorcios, especialmente "los consorcios monetarios", fueron el mayor objetivo de los reformistas progresivos. Se habían tomado ya algunas medidas para controlar las grandes empresas. En 1890, por ejemplo, el Congreso había aprobado la *Ley Antimonopolio de Sherman* (*Sherman Antitrust Act*), que hacía ilegal la eliminación de la competencia por parte de las grandes empresas. Pero la ley no explicaba claramente qué era lo que estaba prohibido y las grandes compañías podían eludir fácilmente esta ley.

En 1914, con la aprobación de la *Ley de Clayton*, se tomaron medidas para fortalecer las leyes antimonopolio. Sin embargo, hasta hoy, la nación ha seguido luchando con el problema de hacer uso de todas las ventajas que suponen los grandes negocios a la vez que trata de que éstos no aniquilen a la competencia y funcionen como monopolio.

CAMBIOS EN LA PROPIEDAD Y EN LA DIRECCIÓN DE LOS GRANDES NEGOCIOS

El crecimiento de los consorcios dio un gran auge al desarrollo de los negocios norteamericanos. A principios del siglo XX se produjeron cambios de importancia en la manera de dirigir las empresas. Años atrás, la mayoría de las grandes compañías habían sido fundadas por comerciantes independientes como Carnegie o Rockefeller, propietarios-fundadores que supervisaban directamente sus negocios. Con las nuevas fusiones comerciales la dirección de los negocios pasaba normalmente a manos de los banqueros. Gran parte de la economía del país estaba controlada, pues, por *banqueros inversionistas*, quienes reorganizaron las grandes empresas y vendieron acciones al público.

Aunque en realidad las grandes corporaciones se apropiaban de las acciones y no los individuos o las familias, el control seguía en manos de unas cuantas personas "de adentro". Ahora se contrataba a *gerentes* y se les pagaba un salario para dirigir las corporaciones, de modo que gerencia y propiedad eran dos cosas aparte. A diferencia de los arriesgados promotores originales, los nuevos gerentes eran personas prudentes en la forma en que dirigían los negocios.

Aún así, las nuevas industrias eran igualmente eficaces. Produjeron mercancías como jamás se había visto y la forma de vida de los norteamericanos comenzó a ser más agradable y fácil para la mayoría a principios del siglo XX. Pero el crecimiento de los grandes negocios creó nuevos problemas. Muchos sufrían por las prácticas de las grandes empresas. La nación comenzó a ver su medio ambiente contaminado y a ver cómo sus recursos naturales se utilizaban de una manera desmesurada.

POBREZA Y ARRABALES (BARRIOS POBRES)

Para los que poseían empresas prósperas, el final del siglo XIX fue un período afortunado. El 1% de las personas poseía el 50% de las riquezas. Muchos se convirtieron en millonarios y gastaron el dinero en lujos, en construir grandes mansiones y villas de recreo. Esta opulencia contrastaba enormemente con la forma de vida de los obreros que tenían que trabajar un promedio de 60 horas a la semana para obtener un salario bajo y sufrir las condiciones malsanas en las fábricas. Muchos de los nuevos inmigrantes vivían muy pobremente. No tenían oficios y no hablaban inglés y, por tanto, aceptaban cualquier trabajo y salario que pudieran obtener.

En la mayoría de las ciudades, la pobreza significaba vivir en arrabales. Vivían apiñados en edificios de vecindad (tenements) con muy poca luz y mala ventilación. La creciente aglomeración llevaba al crimen y a la enfermedad. La mayoría de los habitantes de las nuevas ciudades eran inmigrantes. En la ciudad de New York, por ejemplo, cuatro de cinco residentes habían nacido en un país extranjero o eran hijos de inmigrantes.

Muchos de los nuevos inmigrantes vivían apiñados en edificios de vecindad, como éste en la ciudad de New York. Hubo reformadores que trataron de hacer ver al resto de los norteamericanos estas condiciones de los arrabales.

CORRUPCIÓN POLÍTICA

Muchos de los dirigentes políticos eran incapaces de solucionar estos problemas.

Durante el período que siguió a la Guerra Civil poderosas organizaciones políticas tomaron el control de los gobiernos de las grandes ciudades norteamericanas. Estas organizaciones se conocían como *maquinarias políticas*.

A la cabeza de la maquinaria política estaba la poderosa y a menudo corrupta figura del *"jefe"* o *"cacique"* (*boss*). Estas organizaciones estaban formadas principalmente por inmigrantes de muy poca educación que llegaban a las grandes ciudades. El "jefe" exigía a los inmigrantes que votaran a su favor a cambio de una serie de favores, que podían ser: encontrarles trabajo, ayudarles cuando tuvieran problemas con funcionarios políticos, o mejorar el bienestar de sus familias en época difíciles. También utilizaban su posición de funcionario público para su propio beneficio, práctica deshonesta conocida como *"soborno"*. Estos individuos podían mantener el poder porque siempre conseguían los votos para los candidatos del partido, lo cual casi siempre hacían en forma ilegal.

La corrupción era común y muchos hombres de negocios daban dinero a los políticos para que decretaran leyes que les fueran favorables e hicieran la vista gorda en ciertas actividades criminales.

A finales del siglo XIX, muchos ciudadanos que no estaban de acuerdo con tanta corrupción exigían cambios. Comenzaron a surgir nuevos movimientos reformistas. Los funcionarios que prometieron trabajar para la reforma fueron elegidos en las ciudades y reemplazaron a las personas corruptas. En muchas ciudades la maquinaria política fue reemplazada por administraciones más honestas y eficientes. Se desarrollaron planes para la expansión de las ciudades en los que se prestaba más atención a los parques y zonas de recreo, mejores transportes, mejor abastecimiento de agua y mejoras en la vivienda. Los servicios sociales se extendieron y hasta hubo programas educativos para residentes de la comunidad. El resultado de todo esto fue una gran mejora en la vida de la ciudad.

EL MOVIMIENTO PROGRESISTA

En la última década del siglo XIX y las dos primeras del siglo XX surgió un nuevo movimiento reformista para combatir los problemas económicos, políticos y sociales. Se llamó el *movimiento progresista*. En parte, estaba inspirado en las ideas de los populistas. Parte de su programa —la elección directa de los senadores, un impuesto sobre la renta gradual, la iniciativa y el referéndum, el voto secreto, y finalizar con la corrupción política— ya había sido planteado por los populistas. Ambos querían que el poder no estuviera en manos de los "codiciosos" y los corruptos, sino en las del ciudadano medio norteamericano.

Sin embargo, había algunas diferencias entre los progresistas y los populistas. Los progresistas crecieron más en las ciudades que en las zonas rurales; sus seguidores eran obreros, hombres de negocios y oficinistas. Algunos de los planes de los populistas, como la acuñación de moneda de plata para ayudar a los granjeros, no estaban en el programa de los progresistas.

Y además, los progresistas no intentaron establecer su propio partido político sino hasta mucho más tarde; por el momento, trabajaban a través de los dos grandes partidos mayoritarios. El primer paso era el nivel local, en las ciudades y en los estados. Después de 1900, su atención se dirigió poco a poco al gobierno federal. En cada nivel, los progresistas buscaban un mayor control gubernamental sobre la vida social y económica. Por eso, frecuentemente se formaban comisiones de gobierno para vigilar y regular las industrias y los negocios. El propósito de estas acciones era proteger al ciudadano medio contra los abusos de las empresas.

Ida Tarbell escribió una serie de artículos criticando los métodos empleados por John D. Rockefeller para apoderarse del control de la industria petrolera.

Los escritores jugaron un papel muy importante en el movimiento progresista, utilizando la prensa para exponer las malas condiciones reinantes. Los progresistas creían que antes de que los ciudadanos exigieran ciertas reformas tenían que tomar conciencia de la necesidad de ello. Las revistas y periódicos comenzaron a publicar material en torno a la corrupción gubernamental en las ciudades, las malsanas y peligrosas casas de los barrios pobres, la peligrosa o deshonesta venta de alimentos y medicamentos, el enorme uso y abuso del poder por parte de los grandes negocios. El presidente Theodore Roosevelt llamó a los autores de estos artículos "muckrakers", una palabra muy expresiva que indica literalmente a las personas que rastrillan el estiércol para abono. En sentido figurado, quiere decir "personas que descubren o sacan al aire escándalos o corrupción de personajes públicos".

Uno de los más conocidos ataques de los "muckrakers" fue contra la Compañía Standard Oil. En una serie de artículos en la revista McClure, Ida Tarbell describía cómo la Standard Oil, por medio de la competencia y de acciones ilegales, se iba apoderando de todo el control del negocio de la refinería de petróleo de los Estados Unidos.

REFORMAS LOCALES Y ESTATALES

En cuestiones políticas, los reformistas progresistas se centraron en terminar con la corrupción en el gobierno y concederle más poder al pueblo. Lincoln Steffens, un periodista "muckraker", visitó varias ciudades norteamericanas y observó sus gobiernos. Luego escribió una serie de artículos sobre gobiernos municipales corruptos, que más tarde fueron publicados en forma de libro con el título *The Shame of the Cities* (*La vergüenza de las ciudades*).

A medida que la ciudadanía se enteraba de la corrupción existente, empezó a exigir cambios en los gobiernos locales. Atacaron a los "jefes" políticos que se habían mantenido en el poder haciendo favores a sus seguidores. En algunas ciudades intentaron hacer funcionar diferentes sistemas de gobierno. En un experimento llamado *"commission system"* (*sistema de comisión*), las legislaturas estatales o los votantes escogían a un grupo de expertos para que todos juntos en una comisión gobernaran a la ciudad. Muchas ciudades usaron el *"city manager plan"* (*plan de administrador de la ciudad*), por medio del cual los votantes elegían a los miembros del concejo. Los concejales, a su vez, nombraban a un experto como administrador para que dirigiera la ciudad e informara a los concejales. Ambos planes mejoraron mucho los gobiernos municipales.

EL MOVIMIENTO DE VIVIENDA COMUNITARIA

Las condiciones de vida de los indigentes pronto reclamó la atención de los reformistas. Fue en este tiempo cuando un movimiento de vivienda comunitaria comenzó a ser popular.

Las "settlement houses" eran centros educativos y recreativos comunitarios situados en los barrios pobres de las ciudades. Los primeros se construyeron en la década de 1880 —a finales— en New York, Boston y Chicago. Entre otras actividades, crearon guarderías para los hijos de madres trabajadoras. También ayudaban a buscar trabajo a los desempleados.

Una de las líderes más conocidas de este movimiento fue Jane Adams. Ella fue la que estableció la comunidad de Chicago llamada *Hull House*. Adams se preocupó especialmente por los niños de las familias pobres cuyas madres tenían que trabajar.

EL MERCADO DE LA CARNE Y LA NOVELA "THE JUNGLE"

Había muy poco control gubernamental sobre el crecimiento de las industrias. No existían las oficinas de protección al consumidor de hoy en día. En 1906, un joven novelista, Upton Sinclair, escribió una novela llamada *The Jungle* (*La Selva*) y consternó a toda la nación con sus descripciones de las condiciones de una fábrica de envasar carne, en Chicago.

Sinclair había escrito la novela para llamar la atención en torno a las inhumanas condiciones de trabajo de los obreros. Pero también fue punto de partida de un movimiento cuyo fin era obtener mejores leyes de sanidad.

Entre los muchos que leyeron el libro de Sinclair se encontraba el presidente Theodore Roosevelt, el cual nombró una comisión para investigar las condiciones sanitarias en la industria de la carne. La comisión elaboró un informe en el que se expresaba que las condiciones de la industria de la carne eran todavía peores de las que había descrito Sinclair.

Bajo presión pública el Congreso aprobó la Ley de la inspección de la carne y también la Ley de alimentos y medicamentos puros. Estas leyes hacían obligatoria la inspección federal y la aprobación por parte del gobierno de productos alimenticios y medicinas.

Los reformistas también ganaron el control de muchas legislaturas estatales, especialmente en el Medio y en el Lejano

Oeste. Tuvieron éxito en la regulación de los gobiernos estatales sobre los servicios públicos, los ferrocarriles y las grandes empresas. Organos legislativos estatales progresistas decretaron un buen número de leyes para ayudar a los obreros, entre ellas, la prohibición del trabajo de los niños. Otras eran en torno al "salario" y jornada" para las mujeres. Estas leyes establecían los salarios mínimos que se podían pagar a las mujeres y el mayor número de horas que se les podía hacer trabajar. También consiguieron que muchos estados decretaran leyes de compensación para los obreros (*workmen's compensation*), como la del seguro por accidente ocurrido en el trabajo.

Otra de las reformas importantes de esos años fue el *sufragio femenino*, o el derecho de la mujer al voto. Hacia 1890 unos cuantos estados habían concedido ya este derecho. Y en 1920 fue aprobada la enmienda decimonovena de la Constitución que garantizaba el sufragio femenino en todas las elecciones.

Otra vieja demanda de los populistas y progresistas —la elección directa de los senadores de los Estados Unidos— finalmente se convirtió en ley en 1913, con la enmienda decimoséptima.

THEODORE ROOSEVELT, PRESIDENTE

En 1901, un hombre enloquecido disparó y asesinó al presidente William McKinley. El vicepresidente Theodore Roosevelt, republicano, asumió la presidencia y fue presidente desde 1901 a 1909. Bajo su dirección, el progresismo, que ya era sólido en los gobiernos estatales y locales, se extendió por toda la nación.

Roosevelt, uno de los presidentes norteamericanos más populares, era de firmes opiniones. Hablaba claro y actuaba rápidamente en todo lo que creía que era justo. En relaciones exteriores también mantuvo una actitud firme, afirmando los derechos norteamericanos e intentando expandir el poder de este país. En asuntos nacionales,

Roosevelt se enfrentó a los problemas causados por el poderío de las grandes empresas y trató de disolverlas. Pero era conservador en muchas otras cosas y trató de mantener los viejos ideales norteamericanos.

Roosevelt llamó a su programa "Square Deal" ("trato justo").

Dejó bien claro que él no deseaba destruir las corporaciones por el hecho de ser grandes; sólo quería que sirvieran al "bienestar público". De todos modos, trabajó para reducir las prácticas deshonestas en los negocios. Actuando bajo la Ley antimonopolio de Sherman atacó a varios consorcios que consideraba perjudiciales. También estableció un Departamento federal del Comercio y del Trabajo con poder sobre los negocios interestatales. El nuevo departamento incluía una oficina de corporaciones para investigar las actividades de los negocios. Además, el Congreso, por sugerencia de Roosevelt, aprobó leyes más severas para regular los precios de los ferrocarriles.

Roosevelt también consiguió que el poder del gobierno se notara en los enfrentamientos entre los obreros y los patronos. En una grave huelga nacional del carbón actuó como mediador. Hizo que los obreros y los propietarios de las minas discutieran sus diferentes puntos de vista y llegaran a un acuerdo. Amenazó con que el gobierno se haría cargo de las minas para evitar la escasez del carbón.

Bajo la presidencia de Roosevelt, el Congreso aprobó la *Ley de los alimentos y los medicamentos puros*. Tal ley establecía que los productos medicinales tenían que mostrar su composición. Asimismo, prohibía la venta de ciertos alimentos considerados nocivos. Otra ley, la *Ley de la inspección de la carne*, regulaba la inspección, por parte del gobierno federal, de la higiene de las fábricas de envase de carne. Esta ley fue muy bien acogida ya que el público sabía de la falta de higiene de las industrias alimenticias tras la publicación de la novela *The Jungle*, de Upton Sinclair.

El presidente Theodore Roosevelt diciendo un discurso. La enérgica personalidad de Roosevelt lo convirtió en uno de los presidentes más populares de los Estados Unidos.

Otra gran reforma que ocupó a Roosevelt fue la *conservación*, o sea, la protección de los recursos naturales. Roosevelt era un hombre deportivo al que le gustaba la naturaleza y la vida al aire libre. Era muy consciente de que los recursos forestales y minerales del país se agotarían si el gobierno no adoptaba una postura firme para detener la devastación. Creía que el gobierno debía poner alto al abuso y él personalmente hizo mucho porque el público se educara al respecto.

Las medidas para la conservación tomadas bajo la presidencia de Roosevelt incluían el reservar grandes áreas de tierra para parques forestales nacionales. Las compañías madereras no podrían talar estos bosques o parques, porque eran para que todo el mundo los disfrutara. También se reservaron muchas tierras que contenían minerales valiosos y hermosos ríos, los cuales no podían estar en manos privadas.

LA ELECCIÓN DE 1912

Otro republicano, *William Howard Taft*, que había servido como Secretario de guerra durante el período presidencial de Roosevelt, fue el siguiente presidente en 1909. Taft era alto y robusto y mucha gente lo consideró "vago" e inútil. Pero, en realidad, durante su gobierno se aprobó una legislación progresiva. Y hasta hizo más que Roosevelt en lo relativo a las grandes empresas y monopolios.

Durante la administración de Taft hubo una división dentro del Partido Republicano. Los miembros conservadores, muy cercanos a los grandes negocios, se resistían a las reformas, mientras que el ala progresiva intentaba continuarlas. Aunque el presidente apoyaba las reformas en ciertos casos no estaba de acuerdo con todos los cambios que los progresistas deseaban. Pronto tuvo diferencias con los progresistas. Taft había tenido el respaldo de Roosevelt y ahora muchos opinaban que no le había hecho justicia.

Roosevelt comenzó a no estar de acuerdo con la política de su sucesor y empezó a atacarlo públicamente y en 1912 Roosevelt anunció que sería su oponente presidencial en la elección de 1912. Pero con el apoyo de los conservadores fue Taft, y no Roosevelt, el que salió nominado de nuevo como candidato por los republicanos. Los seguidores de Roosevelt, que abandonaron el partido, fundaron otro nuevo, el *Partido Progresista*, con Roosevelt como candidato.

El Partido Progresista apoyaba un firme uso del poder federal para promover el bienestar del pueblo. Sus miembros pedían protección para las mujeres trabajadoras y que se acabara con el trabajo de los niños. Reclamaban el sufragio femenino, la elección directa por los votantes de los senadores de los Estados Unidos y otras medidas como la iniciativa y el referéndum.

Mientras tanto, el Partido Demócrata había postulado a *Woodrow Wilson*, gobernador de New Jersey, para presidente. Durante la campaña, Roosevelt arguyó que las grandes empresas no debían ser destruidas sino reguladas. Wilson, por otro lado, pedía que se disolvieran las grandes compañías. Al programa de Wilson se le llamó "la nueva libertad" y al de Roosevelt, "el nuevo nacionalismo".

Wilson salió victorioso. Su victoria fue en gran parte debida a la división dentro del Partido Republicano. Recibió menos de la mitad de los votos de la nación pero ganó fácilmente en el Colegio Electoral. El presidente Taft quedó en tercer lugar y un cuarto candidato, Eugene Victor Debs, ganó el 6% de los votos como candidato del Partido Socialista.

LA CUMBRE DEL PROGRESISMO

Bajo el presidente Wilson, los progresistas alcanzaron sus mayores objetivos. Las nuevas leyes llevaron a la práctica las reformas que habían pedido durante años. Una de estas leyes fue la Tarifa de Underwood que rebajaba las tarifas.

Esperaban que con esta medida las empresas americanas bajaran a su vez los precios.

Otra importante ley fue la Ley de la Reserva Federal que establecía un sistema bancario federal para todos los bancos de la nación. Se regulaba la economía, controlando la cantidad de dinero en circulación, por medio de la Junta de Reserva Federal.

Al principio del período presidencial de Wilson, el Congreso aprobó una ley de impuesto sobre la renta por la que se establecían impuestos más altos para las rentas mayores y más reducidos para las pequeñas. Otras leyes anteriores de impuesto sobre la renta habían sido declaradas inconstitucionales por la Corte Suprema. Pero no sucedió lo mismo con ésta. La Enmienda decimosexta, que da al Congreso la autoridad para fijar impuestos sobre la renta, había sido ratificada justamente antes de la toma de posesión de Wilson.

En esta época, el Congreso también dio pasos importantes para regular los negocios. Estableció la Comisión Federal de Comercio para prevenir los métodos deshonestos de competencia. También aprobó la Ley antimonopolio de Clayton, que era más severa que la de Sherman, porque la nueva especificaba las cosas que los consorcios (trusts) podían hacer y las que no podían hacer. La ley también ayudaba a los sindicatos de trabajadores, asegurándoles el derecho de reunión y de huelga pacífica.

Wilson y el Congreso también realizaron otras reformas, como el sistema de préstamos gubernamentales para los granjeros y programas para la educación agrícola. Aprobaron una jornada laboral de ocho horas para los trabajadores del ferrocarril. Y dieron compensación de trabajo a los empleados federales. Aprobaron una ley que reducía el trabajo infantil, que más tarde la Corte Suprema declaró inconstitucional.

Ya que se aprobaron muchas reformas

El presidente Woodrow Wilson, a quien se ve aquí con uno de sus consejeros, hizo mucho por llevar a cabo gran parte de las reformas propuestas por los progresistas.

bajo la presidencia de Wilson, su período electoral se puede llamar "la cumbre" del progresismo. Sin embargo, también marcó el declive del movimiento. En 1917, el espíritu de la reforma había empezado a debilitarse. En abril de ese año, los Estados Unidos entraron en la Primera Guerra Mundial. Toda la nación se ocupó de la guerra y los asuntos extranjeros más que de las reformas. Sin embargo, años más tarde, nuevos norteamericanos reformistas continuaron la labor de los progresistas.

¿Qué consiguió el movimiento progresista? Muchos historiadores afirman que fue muy beneficioso ya que condujo a muchas reformas democráticas que dieron mayor poder al ciudadano medio. También controló muchas prácticas deshonestas de las grandes empresas.

Otros historiadores afirman que el período de las reformas progresistas no fue tan bueno como parecía ya que muchas de las comisiones que establecieron para regular los negocios eran muy débiles. E incluso, muchas de ellas llegaron a ser controladas más tarde por los mismos hombres de negocios a quienes había que regular.

Ya sea que el progresismo haya sido un éxito o no, el movimiento demostró un punto importante: que el gobierno norteamericano podía efectuar cambios para mejorar las necesidades de la industria nacional. Fijó un modelo que sigue en pie hoy día. Es decir, que forzó a todos los niveles del gobierno a participar más directamente en la vida económica y social de la nación.

EXPLORACION DE HECHOS Y OPINIONES

I. Para mejorar tus conocimientos

Define, describe o identifica cada uno de los términos siguientes. Muestra cómo está conectado cada uno de ellos con el movimiento progresista.

1—Grangers ("granjeros")
2—Partido Populista
3—Acuñación ilimitada de moneda de plata
4—Referéndum
5—Partido Progresista
6—Ley de los alimentos y medicamentos puros
7—Leyes antimonopolio de Sherman y de Clayton
8—Square Deal ("Trato justo")
9—Nueva libertad
10—La vergüenza de las ciudades

II. Preguntas

1—¿Qué problemas tenían los granjeros a finales del siglo XIX? ¿Cómo intentaron resolverlos?

2—¿Quiénes eran los "muckrakers"? ¿Cuáles eran sus objetivos y cómo intentaron conseguirlos?

3—¿Por qué fueron criticados los grandes negocios a principios del siglo XX?

4—¿Qué reformas políticas introdujeron los progresistas?

5—¿Qué tipos de reforma introdujeron los progresistas en la economía norteamericana?

III. Conceptos

Los términos que siguen representan conceptos, ideas amplias que han jugado un papel importante en la experiencia norteamericana, especialmente en el movimiento progresista. Con tus propias palabras, escribe una pequeña definición de cada una de ellas.

1—"trust" (consorcio)
2—corrupción
3—"muckraking"
4—sufragio femenino
5—"jefe" o "cacique" político
6—conservación
7—monopolio
8—progresismo

IV. Ideas para construir

1—¿De qué modo cambió la vida de los granjeros norteamericanos después de la Guerra Civil?

2—¿Por qué los granjeros tuvieron una mala época durante la década de 1880? ¿Qué crees que hubieran podido hacer para solucionar sus problemas?

3—¿Qué cambios pedían los populistas? ¿Crees que este programa era lo que los granjeros necesitaban? Explícalo.

4—Los populistas no pudieron ganar el control del gobierno federal. ¿Considerarías al partido como un fracaso. Explícalo.

5—¿Qué problemas tenían las ciudades norteamericanas en la década de 1890?

6—¿De qué modo cambiaron los negocios norteamericanos entre 1865 y 1900?

7—¿En qué se parecían los progresistas a los populistas?

8—Muchos políticos locales y estatales aceptaron sobornos de los dirigentes de los grandes negocios. ¿A quién crees que se debería castigar más, al que ofrece el soborno o al que lo acepta? ¿Por qué?

9—¿Qué reformas apoyaron los progresistas? ¿Crees que los cambios que sugerían podían solucionar los problemas norteamericanos de la época? ¿Por qué sí o por qué no?

10—¿Qué acciones importantes llevó a cabo Roosevelt como presidente?

11—Roosevelt advirtió sobre la destrucción de los recursos naturales. En tu opinión, ¿eran correctas sus predicciones en torno a la devastación de las fuentes naturales? Respalda tu respuesta.

12—El crecimiento de las grandes empresas causó graves problemas. ¿Crees que acarreó beneficios? Explícalo.

13—¿Cómo definirías la palabra "progreso"? ¿Hay hoy día asuntos que unos consideran como "progreso" y otros no? Explícalo.

14—Ayudar a los pobres de los arrabales era uno de los principales objetivos del movimiento progresista. ¿Por qué crees que este movimiento se puso a la cabeza de muchos otros?

15—¿Las Leyes de los alimentos y medicamentos puros de principios del siglo XX ganaron la batalla para la protección del consumidor? Explícalo.

16—¿En qué medidas eran similares el nuevo nacionalismo de Roosevelt y la nueva libertad de Wilson? ¿En qué se diferenciaban?

17—¿Qué importantes leyes se aprobaron bajo la presidencia de Wilson?

18—¿Cuál crees que fue la empresa más importante del movimiento progresista? ¿Y sus fracasos más importantes? Explica tus respuestas.

V. Ideas organizadas

Siguen una serie de "ideas organizadas". Cada una de ellas destaca hechos y conceptos estudiados en este capítulo y hace una generalización. A partir de tus lecturas o de lo dicho en clase da ejemplos específicos que aprueben o desaprueben estas ideas.

1—La corrupción gubernamental se da a menudo cuando los intereses especiales son los que llevan el control y no los representantes del pueblo en general.

2—La política es el mejor recurso para que el pueblo intente corregir las injusticias sociales, políticas y económicas que existen en su vida.

3—Se necesita cierto control del gobierno para prevenir que un grupo de una sociedad se aproveche de otro.

4—Los partidos políticos a menudo difieren en su manera de enfocar los asuntos económicos.

5—En una democracia, las injusticias políticas, sociales y económicas sólo pueden corregirse cuando la gente toma conciencia de ellas.

¿Qué otras ideas se pueden desarrollar a partir del material de este capítulo?

Capítulo 18

LOS ESTADOS UNIDOS EMERGEN COMO POTENCIA MUNDIAL

LOS ESTADOS UNIDOS MIRAN HACIA AFUERA

En el período que siguió a la Guerra Civil, Estados Unidos pasó de ser una nación agrícola a ser una de las potencias industriales del mundo. Éste es el acontecimiento más importante en la historia *interna* de los Estados Unidos.

Sin embargo, al mismo tiempo, los Estados Unidos miraban hacia el *exterior*, más allá de sus propios litorales. Un país poderoso y rico como Estados Unidos no podía evitar el jugar un papel importante en los asuntos internacionales, tenía que desarrollar una política exterior que le permitiera proteger sus intereses en sus relaciones con las otras naciones del mundo.

APLICACIONES DE LA DOCTRINA MONROE

En varias ocasiones, Estados Unidos

Maximiliano y su esposa Carlota llegan a México en 1864.

había tomado medidas fuertes para forzar a otras naciones a respetar la Doctrina Monroe. Uno de estos acontecimientos fue el *Caso Maximiliano*. Durante la Guerra Civil norteamericana, el emperador Luis Napoleón de Francia vio la posibilidad de construir un gran imperio francés en el Nuevo Mundo. Para ello envió un ejército a México, y al archiduque Maximiliano de Austria para que gobernara el país. Los Estados Unidos consideraron esto como una violación de la Doctrina Monroe pero ya que estaban enfrascados en una Guerra Civil no podían hacer otra cosa sino protestar. Pero tan pronto como la guerra terminó, los Estados Unidos declararon que estaban dispuestos a usar la fuerza para expulsar a los invasores franceses. Napoleón retiró a las fuerzas francesas y Maximiliano fue capturado y ejecutado por los mexicanos (1867). México se convertía de nuevo en un gobierno republicano independiente.

Otro incidente tuvo relación con Venezuela. Gran Bretaña tenía una colonia en Suramérica, Guayana británica, colindante con Venezuela. Surgió una disputa en torno a la frontera entre Venezuela y la Guayana británica. La zona era reclamada por ambos países ya que creían que tenía mucho oro. En 1895, la disputa empeoró y Gran Bretaña se dispuso a utilizar la fuerza. En este momento, el Presidente Cleveland intervino. El presidente y su Secretario de Estado, Richard Olney, consideraban que Inglaterra estaba tratando de imponer su voluntad a Venezuela y veían la situación como una violación de la Doctrina Monroe.

Al principio, Gran Bretaña se negó a pactar pero finalmente aceptó lo que una comisión especial decidiera. El fallo, en general, fue favorable a Gran Bretaña. La Doctrina Monroe había sido reconocida como la base de las relaciones internacionales en el Hemisferio Occidental.

Hacia finales del siglo XIX, los Estados Unidos empezaron a transformarse en una potencia mundial. El acontecimiento clave que produjo este cambio fue la guerra Hispano-Norteamericana en 1898.

Los acontecimientos que condujeron a la crisis de Cuba en 1898, comenzaron en 1894. En este año, los Estados Unidos estaban atravesando un período de dificultades económicas. Consecuentemente, trataban de mejorar su situación imponiendo un fuerte impuesto o tarifa al azúcar importado, lo que causó el colapso de la economía cubana ya que ésta estaba basada en la producción de azúcar para el mercado de los Estados Unidos.

La depresión que se produjo en Cuba impulsó a un levantamiento contra los gobernantes españoles. El objetivo era la independencia. Los españoles esperaban sofocar la rebelión y en 1895 enviaron un ejército a Cuba a las órdenes del *general Valeriano Weyler Nicolau*. Este general fue conocido como el "carnicero Weyler" ya que usó las más brutales tácticas para controlar la revuelta. Hizo prisioneros a ciudadanos y soldados cubanos por igual y los mantuvo en campos de concentración. Las condiciones de dichos campos eran tan malas que la mayoría murieron de hambre, enfermedades y maltrato.

Los rebeldes cubanos querían desesperadamente la ayuda de los Estados Unidos para conseguir su independencia. Para ganarse la simpatía norteamericana imprimieron propaganda en la que se describían los horrores de los campos de concentración del "carnicero Weyler". También organizaron unidades militares entre sus compatriotas radicados en los Estados Unidos.

A la lucha cubana se le dio bastante sensacionalismo en las páginas de dos periódicos de New York: *The World* y *The Journal*. Ambos urgían a una intervención de los Estados Unidos en el conflicto. Muchos norteamericanos llegaron a simpatizar con los cubanos a consecuencia de esa campaña.

Las relaciones entre los gobiernos de España y los Estados Unidos comenzaron

*¿Hundieron los españoles el **Maine** en el puerto de La Habana? El pueblo norteamericano así lo creyó.*

a ser tensas. Pero aún la mayoría de los ciudadanos norteamericanos no querían que su país interviniera en Cuba. Sin embargo, una serie de acontecimientos a principios de 1898 forzaron a los Estados Unidos a la intervención. El más importante de ellos fue el hundimiento del acorazado norteamericano *Maine*, en el puerto de La Habana (15 de febrero de 1898). Doscientas sesenta vidas norteamericanas se perdieron en la explosión. (El *Maine* había sido enviado a Cuba para proteger las vidas y las propiedades de los norteamericanos radicados allí.) La guerra con España era inevitable.

Sin embargo, los españoles intentaron evitar el conflicto. Negaron haber sido responsables del hundimiento del *Maine*. Estuvieron de acuerdo en que un tercer partido neutral decidiera quién era el culpable. Acordaron, además, suspender el odioso sistema de campos de concentración. Finalmente se declaró el armisticio en Cuba.

Pero este cambio en la actitud española llegó demasiado tarde. La opinión pública norteamericana, que era cada vez mayor, presionó al presidente McKinley para que actuara. El 11 de abril de 1898 éste envió un mensaje al Congreso para que permitiera la intervención en Cuba. El Congreso aprobó la solicitud del presidente el 19 de abril y además aprobó una resolución en la que se declaraba que "el pueblo de Cuba es y tiene el derecho a ser libre e independiente".

El 24 de abril, el gobierno español respondió a esto declarándole la guerra a los Estados Unidos. Al día siguiente, el Congreso declaró oficialmente la guerra con España y la *guerra Hispano-Norteamericana* comenzó.

LA GUERRA HISPANO-NORTEAMERICANA

Antes de que la guerra se declarara realmente, el subsecretario de la armada *Theodore Roosevelt* dio órdenes a los escuadrones navales del Pacífico. Las órdenes eran de que si se entablaba la guerra estos escuadrones atacarían la flota española en las *islas Filipinas*, una importante colonia española.

En la madrugada del 1º de mayo de 1898, el *comodoro George Dewey* siguió las órdenes de Roosevelt sorprendiendo y derrotando a la flota española en la *bahía de Manila*. Todos los barcos españoles fueron destruidos y trescientos ochenta y un marineros murieron.

Dewey no tenía bastantes hombres para seguir las operaciones en Filipinas pero a finales de julio llegaron tropas norteamericanas. Apoyados por las fuerzas

El almirante Dewey destruye la flota española en la Bahía de Manila.

filipinas atacaron *Manila*, la capital. Una revuelta contra los españoles estalló y se extendió rápidamente por todas las islas.

El principal campo de batalla de la guerra, de todos modos, fue Cuba. En junio de 1898 unos 17.000 soldados arribaron a la *bahía de Santiago*. Estas tropas tenían la orden de capturar el puerto de Santiago, donde estaba localizada una pequeña flota española.

Entre las fuerzas que había en Santiago se encontraba un regimiento voluntario de caballería, a las órdenes del *coronel Leonard Wood* y el *teniente coronel Theodore Roosevelt*, conocido como los *"Rough Riders"*. Roosevelt había dejado el Departamento de la armada al comienzo de la guerra para poder participar en el enfrentamiento. El 1º de julio, este regimiento de caballería (Rough Riders) a

las órdenes de Roosevelt, libró y ganó una sangrienta batalla en la *colina de San Juan*, mirador de la bahía de Santiago.

Tras esta victoria, la flota española de Santiago fue completamente rodeada. A un lado estaba el ejército norteamericano, al otro, la armada (que había bloqueado la bahía de Santiago). La flota española intentó traspasar el bloqueo pero en unas horas fue vencida. Dos semanas más tarde, las fuerzas militares en Santiago se rendían.

Un poco más tarde, las fuerzas norteamericanas llegaron a *Puerto Rico*, otra posesión española en el Caribe. Los españoles apenas ofrecieron resistencia y la isla fue tomada rápidamente. Con esto terminaron las operaciones militares de la guerra. El 12 de agosto de 1898, España aceptó la propuesta de armisticio.

Tropas norteamericanas toman por asalto los altos de San Juan el 1 de julio de 1898. Esta victoria dio lugar a la rendición española pocas semanas después.

Las noticias del armisticio no llegaron a Filipinas sino hasta el día siguiente, donde la batalla por Manila todavía seguía. Ese día los españoles entregaban la ciudad a las fuerzas norteamericanas y filipinas.

La paz se restauró oficialmente con el *Tratado de París* que se firmó el 10 de diciembre de 1898.

EL TRATADO DE PARÍS (1898)

El Tratado de París que daba fin a la guerra imponía las siguientes condiciones:

- España acordaba retirarse de Cuba.

- Las posesiones españolas de Puerto Rico y Guam (una isla en el Pacífico) se entregaban a los Estados Unidos.

- Las islas Filipinas, cerca de la costa asiática, se "vendían" a los Estados Unidos por 20 millones de dólares.

Muchos norteamericanos se oponían a este tratado ya que no querían que los Estados Unidos construyeran un imperio ultramarino, sobre todo cuando pocos años antes los norteamericanos habían criticado a Gran Bretaña y a Francia por anexionarse territorios lejos de los suyos.

Después de un largo debate, el Tratado de París fue aprobado por un mínimo margen en el Senado de los Estados Unidos. En 1900 hubo elecciones presidenciales. Los dos candidatos estaban en desacuerdo en torno a la anexión de territorios ultramarinos. El presidente William McKinley, el candidato republicano, favorecía la política de anexión y el candidato William Jennings Bryan, demócrata, estaba en contra. Como McKinley ganó fácilmente la elección parecía que la opinión pública norteamericana apoyaba "el nuevo imperio americano".

En 1898, los Estados Unidos también se anexionaron las *islas de Hawaii* en el Pacífico. En 1899 tomaron varias islas de Samoa (también en el Pacífico) por acuerdo con Gran Bretaña y Alemania.

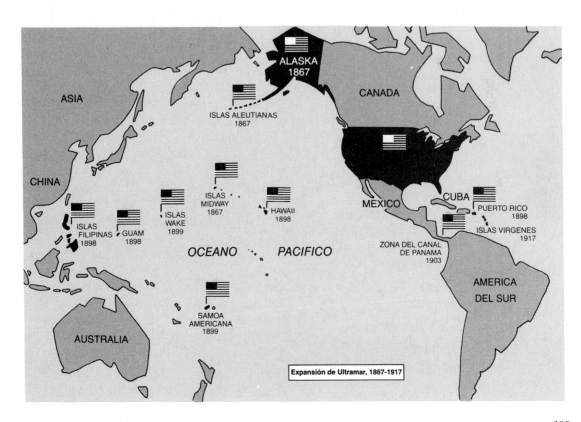

Expansión de Ultramar, 1867-1917

LA IMPORTANCIA DE LA GUERRA HISPANO-NORTEAMERICANA

Desde un punto de vista militar, la Guerra Hispano-Norteamericana no significó mucho. Sin embargo, para los historiadores, es uno de los momentos decisivos del desarrollo del país, ya que suponía un cambio en la política de aislacionismo que había guiado a los Estados Unidos desde que ganaron su independencia. Y también dio a los Estados Unidos un imperio colonial que le llevó a tener contacto con Latinoamérica y el lejano Oriente.

Los Estados Unidos eran ahora una potencia mundial con bases navales en el Pacífico y en el Caribe. El pueblo norteamericano había ganado más confianza en sí mismo y tenía un agudo sentido de su destino nacional.

RELACIONES CON CUBA

Justo antes de que la guerra comenzara, el Congreso de los Estados Unidos adoptó la *Resolución Teller* por la que quedaba claro que los Estados Unidos no tenían intención de anexionarse Cuba. El objetivo de los Estados Unidos era liberarla y dejar que se autogobernara.

Después de la guerra, Cuba llegó a ser un país independiente y estructuró una nueva constitución. Pero en 1901 los Estados Unidos insistieron en que Cuba incluyera la *Enmienda Platt* en su constitución. Bajo la Enmienda Platt, Cuba prometió lo siguiente:

- No hacer ningún tratado con ningún país extranjero que les quitara territorio o les limitara la independencia.

- Alquilar o vender ciertas zonas a los Estados Unidos para sus bases navales y estaciones carboneras.

- Permitir a los Estados Unidos que intervinieran en Cuba para preservar el orden y proteger la vida y la propiedad de los extranjeros.

Bajo estas condiciones, Cuba no era realmente un país independiente. Su situación era la de un país pequeño "guiado" y "protegido" por uno grande. Esto se conoce como *"protectorado"*.

La Enmienda Platt tuvo efecto hasta 1934, cuando los Estados Unidos voluntariamente la eliminaron. Era parte de la política gubernamental de Franklin Roosevelt para convertir a los Estados Unidos en el "buen vecino" de los países de Latinoamérica.

INTERVENCIÓN NORTEAMERICANA EN OTROS PAÍSES LATINOAMERICANOS

Durante este período, los Estados Unidos también intervinieron en otras zonas de Latinoamérica. Cuando la *República Dominicana*, por ejemplo, estuvo incapacitada para pagar sus deudas extranjeras en 1905, los Estados Unidos tomaron el control de las finanzas del país. Este control continuó hasta mediados de la década de 1930. La infantería de marina de los Estados Unidos también ocupó el país de 1905 a 1907 y de 1916 a 1924.

Igualmente, los banqueros de los Estados Unidos empezaron a controlar las finanzas de *Nicaragua,* en 1911. La infantería de marina llegó allí al año siguiente.

En 1915, *Haití* también fue ocupada por la infantería de marina. Además, el país fue obligado a firmar un acuerdo por el cual consentía la supervisión de los asuntos económicos y políticos por parte de los Estados Unidos. Estas agresivas medidas acrecentaron el sentimiento antinorteamericano entre los latinoamericanos.

Los fundamentos de esta política intervencionista en Latinoamérica habían sido implantados por el presidente Theodore Roosevelt, desde 1904. En su mensaje al Congreso dijo que los Estados Unidos tenían el derecho de ejercitar "el poder policial internacional" cuando las repúblicas latinoamericanas estuvieran incapacitadas para mantener el orden y cumplir sus obligaciones con los otros países.

Soldados de los Estados Unidos en las calles de Managua, Nicaragua, en 1931.

Era la expansión por parte de Roosevelt de la Doctrina Monroe, el *corolario de Roosevelt (Roosevelt's Corollary)*, llamada más comúnmente *"la política del garrote" (Big Stick Policy)*.

EL CANAL DE PANAMÁ

Uno de los más inmediatos e importantes resultados de la "política del garrote" de Roosevelt fue la construcción del *Canal de Panamá*. Durante siglos, América Central (la estrecha franja de tierra que conecta América del Norte con América del Sur) había sido considerada como lugar ideal para un canal que conectara el Atlántico y el Pacífico. Al principio del siglo XX, el gobierno de los Estados Unidos propuso la construcción de un canal a través de Nicaragua. Pero poderosos intereses comerciales influyeron en el Senado de los Estados Unidos para que considerara la ruta a través de Panamá. Panamá, sin embargo, pertenecía a la república de Colombia y los colombianos rehusaban la propuesta.

Por esta época, Theodore Roosevelt había llegado a la presidencia de los Esta-

dos Unidos. A él le interesaba la construcción del canal a través de Panamá, así que denunció a los colombianos por no aceptar la propuesta.

Roosevelt tomó medidas para que el canal se construyera. Con la asistencia de la armada de los Estados Unidos estalló una revolución en Panamá, en 1903. Panamá se declaró país independiente. Se firmó el *Tratado Hay-Bunau-Varilla* entre Panamá y los Estados Unidos por el que se garantizaba a los Estados Unidos una franja de diez millas de ancho a través del istmo de Panamá como zona del canal. Los Estados Unidos acordaron pagar a Panamá diez millones de dólares de inmediato y una renta anual de doscientos cincuenta mil dólares.

Se organizó enseguida una comisión encabezada por el *coronel George W. Goethals* para construir el canal. Los trabajos comenzaron en 1904 y las dificultades que se presentaron fueron tremendas, entre ellas estaban la malaria y la fiebre amarilla. El canal se abrió a la navegación el 15 de agosto de 1914.

Varios años después de la muerte del presidente Roosevelt, los Estados Unidos

Esta caricatura, con el título de "El policía del mundo", apareció alrededor de 1905. ¿Qué pensaba el caricaturista de la política de Theodore Roosevelt en el Caribe?

pagaron a Colombia 25 millones de dólares como compensación por las pérdidas que le causó la revolución en Panamá. A lo largo de los años, Panamá mostró su amargo descontento por las condiciones del contrato del canal. De acuerdo con la cláusula de alquiler, los Estados Unidos controlaban una importante faja del territorio panameño y controlaban el canal. Estas condiciones fueron criticadas por toda Latinoamérica. Pero no fue sino hasta 1977 que se aprobó un nuevo tratado entre Panamá y los Estados Unidos. Este tratado dio el control de la Zona del Canal a Panamá y, a partir del año 2000, propiedad única del canal.

RELACIONES CON MÉXICO

En los primeros años del siglo XX, los Estados Unidos tuvieron muchas dificultades con los países de Latinoamérica, incluso México, su vecino del sur. Debido a su tamaño, localización e importancia, México es de especial interés para los Estados Unidos. Por eso no ha podido tratar a México igual que a las pequeñas repúblicas de la zona del Caribe.

De 1876 a 1911, México estuvo gobernado por el dictador Porfirio Díaz, que simpatizaba con los inversionistas extranjeros. Muchos comerciantes norteamericanos tuvieron la oportunidad de hacer dinero en ranchos, ferrocarriles, petróleo y minerales.

En 1911, Díaz fue derrocado por una revolución a la que siguió un período de desorden. El presidente Wilson se negó a reconocer el gobierno que finalmente tomó el poder, pero no envió fuerzas militares como lo habían hecho otras veces los Estados Unidos en la zona del Caribe. Wilson dejó que el pueblo de México se las arreglara solo y declaró que los Estados Unidos seguirían el plan de "espera alerta".

Sin embargo, en 1914 varios marineros norteamericanos fueron arrestados en Tampico, México, y el presidente Wilson ordenó a fuerzas navales norteamericanas que ocuparan el puerto de Veracruz. Finalmente el *incidente de Tampico* se resolvió pacíficamente.

En 1916, un caudillo militar llamado Pancho Villa se negó a reconocer la autoridad del gobierno mexicano y asesinó

El general John Pershing al mando de las fuerzas expedicionarias norteamericanas en México en 1916.

a varios norteamericanos en el norte de México. Más tarde, atravesó la frontera y se introdujo en el estado de New Mexico. Wilson envió tropas encabezadas por el general John J. Pershing a México para que siguieran a Villa. Las tropas pasaron varios meses persiguiendo a Villa pero no consiguieron atraparlo.

Durante la Primera Guerra Mundial, México fue el centro de intrigas alemanas contra los Estados Unidos, lo que llevó a una ruptura o interrupción de las relaciones entre los Estados Unidos y México que duró hasta 1923.

En las décadas de 1920 y 1930 otras acciones de los mexicanos empeoraron las relaciones entre ambos países. El gobierno mexicano comenzó a nacionalizar las propiedades petrolíferas y minerales extranjeras e impuso nuevas rentas o impuestos a negocios norteamericanos. El gobierno mexicano también se apoderó de propiedades que pertenecían a la Iglesia Católica e impuso restricciones al clero católico. Muchas personas de los Estados

Unidos se resintieron por estas medidas.

A pesar de todo, las dos naciones vecinas pudieron solucionar muchos de sus problemas. México accedió a pagar a los norteamericanos por los bienes que se había apropiado; y ciertas medidas anticlericales se suavizaron.

En las décadas de 1960 y 1970, México y los Estados Unidos han tenido muchos problemas, tales como el tráfico ilegal de drogas y la entrada de trabajadores mexicanos indocumentados a los Estados Unidos. Pero las dos naciones han podido trabajar *juntas* para tratar de resolver las diferencias.

A finales de 1970 México descubrió y comenzó a explotar pozos de petróleo y gas natural. México se convirtió en uno de los primeros exportadores de energía del mundo. ¿Qué cantidad de petróleo y gas puede comprar los Estados Unidos? ¿Y bajo qué condiciones? Esta situación inició un nuevo capítulo en las relaciones entre México y los Estados Unidos.

RELACIONES CON EL LEJANO ORIENTE

Los Estados Unidos comenzaron su vida como nación a lo largo del Océano Atlántico. Pero el país siguió creciendo hasta más allá del Pacífico. Desde los últimos años del siglo XVIII, astutos comerciantes de New England y capitanes de barco mantenían relaciones comerciales con China y otros países del lejano Oriente. Muchos misioneros americanos también viajaban a esta parte del mundo. Además, los norteamericanos habían creado plantaciones de azúcar y piña en Hawaii.

Sin embargo, Japón permaneció cerrado casi por completo a las naciones occidentales hasta mediados del siglo XIX. Este país temía que los "extranjeros" perturbaran su independencia. Sin embargo, en 1853 y 1854, el comodoro Matthew Perry condujo una flota norteamericana al Japón. Su intención era la de obtener mejor tratamiento para los náufragos de su país y también establecer relaciones comerciales. Así ocurrió la "apertura" de Japón para los Estados Unidos y otros países europeos. Japón no sólo abrió sus puertas al exterior sino que comenzó un programa de modernización. En menos de cincuenta años se convirtió en una potencia militar e industrial.

CHINA Y "LA PUERTA ABIERTA"

Las relaciones norteamericanas con China fueron completamente diferentes a las que tuvo con Japón. Los Estados Unidos y otras naciones de Europa tenían derechos comerciales en China desde el siglo XIX. China era un gran imperio, con una historia gloriosa. Pero en esta época se hallaba debilitado y atrasado.

Los países europeos (y más tarde Japón) comenzaron a tratar a China como una colonia más que como una nación independiente. Se adueñaron de valiosas tierras y hasta llegaron a controlar algunas de las ciudades más importantes. Estacionaron tropas en suelo chino y barcos de guerra en sus aguas. Y los Estados Unidos comenzaron a temer que se cortaran sus relaciones comerciales con China.

En 1894-95 China entró en guerra con Japón y rápidamente fue derrotada. Parecía que China podría desintegrarse como nación. Para prevenir esto, el Secretario de Estado de los Estados Unidos, John Hay, invitó a otras naciones a aceptar la política de "la puerta abierta". Bajo esta política, China continuaría siendo un país independiente y los ciudadanos de todos los países tendrían las mismas oportunidades de negociar con ella.

En 1900 hubo un levantamiento en China. Los rebeldes intentaron expulsar a todos los extranjeros. La *Rebelión de los Bóxer* fue sofocada por fuerzas europeas, japonesas y norteamericanas. Estas fuerzas podían haberse aprovechado para apoderarse de toda o de casi toda China. Pero los Estados Unidos, apoyados por Gran Bretaña, mantuvieron los principios de la política de "puerta abierta". China, debilitada y dividida, quedó salvada como nación independiente.

La "puerta abierta" llegó a ser el fundamento de la política norteamericana en el lejano Oriente a principios del siglo XX. Uno de los propósitos de esta política era el de ayudar al comercio norteamericano en el lejano Oriente. Pero también ayudaba a China a protegerse de ciertas potencias europeas y de Japón.

LOS ESTADOS UNIDOS OBTIENEN POSESIONES EN EL PACÍFICO

En 1878, los Estados Unidos hicieron un tratado con el pueblo de las *islas Samoa* en el sur del Pacífico. Este tratado dio a los Estados Unidos el derecho a establecer una base naval en estas islas. En 1899, varias de las islas (*Samoa americana*) recayeron bajo el control directo de los Estados Unidos. Como Alaska, se convirtieron en posesiones norteamericanas.

Honolulu, capital de las islas Sandwich (Hawaii), hace unos 100 años.

Sin embargo, el botín del Pacífico era *Hawaii*. Este grupo de islas había sido visitado por balleneros, comerciantes y misioneros norteamericanos. Muchos de sus descendientes se habían convertido en ricos plantadores de azúcar. Habían establecido un próspero comercio de azúcar con Norteamérica. También influían mucho en el gobierno hawaiiano.

En 1893, la *Reina Liliuokalani*, la última soberana de las islas, intentó poner fin a la influencia norteamericana. Esto causó una revolución y la reina perdió su trono. Los norteamericanos de las islas fueron en gran parte responsables de esta revolución.

Al año siguiente se proclamó la república de Hawaii. La república quedaba completamente bajo el control de los nor-teamericanos. Así, uno de los primeros actos fue el de solicitar la unión con los Estados Unidos. Sin embargo, *Grover Cleveland*, el vigesimocuarto presidente de los Estados Unidos, no aceptó que se hiciera ningún tratado de anexión ya que había sido informado de que la mayoría de los nativos hawaiianos no apoyaban la república igual que no habían apoyado la revolución que destronó a la Reina Liliuokalani.

Pero el sucesor de Cleveland, *William McKinley*, sí estuvo de acuerdo en la anexión y ésta fue aprobada por resolución conjunta del Congreso en 1898. En 1900, Hawaii fue hecho territorio de los Estados Unidos, con Dole como primer gobernador.

EXPLORACION DE HECHOS Y OPINIONES

I. Para mejorar tus conocimientos

Define, decribe o identifica cada uno de los términos siguientes. Muestra cómo está conectado cada uno de ellos con la historia de la expansión norteamericana en ultramar.

1—William McKinley
2—Enmienda Platt
3—El acorazado Maine
4—Doctrina Monroe
5—La guerra Hispano-Norteamericana
6—Matthew C. Perry
7—Canal de Panamá
8—Anexión de Hawaii
9—Tratado de París (1898)
10—Corolario de Roosevelt

II. Preguntas

Contesta a las preguntas siguientes. Acompaña tus respuestas con ejemplos o información específica.

1—¿Qué grupo de ciudadanos dentro de los Estados Unidos favorecía la política de expansión ultramarina? ¿Qué grupos se oponían?

2—¿Cómo adquirieron los Estados Unidos Hawaii y la Zona del Canal de Panamá?

3—¿Cuál fue la importancia de la Doctrina Monroe con respecto a la expansión norteamericana en ultramar?

4—¿Cuáles fueron las causas y los resultados de la Guerra Hispano-Norteamericana?

5—¿Cuál fue la actitud básica y la política del gobierno norteamericano hacia Latinoamérica entre 1898 y 1917?

III. Conceptos

Los términos que siguen representan conceptos, ideas amplias que han jugado un papel importante en la experiencia de los Estados Unidos, especialmente en la historia de la expansión norteamericana en ultramar. Con tus propias palabras, escribe una pequeña definición de cada una de ellas.

1—intervención
2—potencia mundial
3—armisticio
4—ratificación
5—mercado internacional
6—imperialismo
7—arbitraje
8—imperio

IV. Ideas organizadas

Siguen cuatro "ideas organizadas". Cada una de ellas perfila hechos y conceptos estudiados en este capítulo para formar una generalización que podría aplicarse a muchos períodos históricos. Basándote en tus lecturas y lo dicho en clase, da ejemplos específicos que aprueben o desaprueben estas ideas.

1—Un gobierno justifica la expansión imperialista por razones económicas, políticas o sociales.

2—Los resultados de una guerra no son siempre los mismos que los objetivos descritos por los participantes al entrar en el conflicto.

3—La política gubernamental puede ser influida por la opinión pública a favor o en contra de un asunto.

4—Las fuerzas que intentan derrotar un gobierno por medio de una revolución a menudo solicitan ayuda económica y militar de otra nación.

¿Qué otras "ideas organizadas" se pueden desarrollar a partir del material de este capítulo?

V. Ideas para construir

1—¿Por qué estaban los Estados Unidos interesados en construir el Canal de Panamá?

2—Imagínate que eras un ciudadano de un país del Caribe a principios del siglo XX. ¿Cómo hubieras reaccionado al Corolario Roosevelt? Explica tu respuesta.

3—En tu opinión, ¿los Estados Unidos han sido amistosos con su vecino México? Explica tu respuesta.

4—¿Cómo benefició la Doctrina Monroe a Latinoamérica? ¿Cómo benefició a los Estados Unidos? En tu opinión, ¿quién se benefició más? Explica tu respuesta.

5—A partir de la Doctrina Monroe, los Estados Unidos se proclamaron como "guardianes" de las Américas. ¿Qué significa ser guardián? ¿Crees que los Estados Unidos debían haber actuado como guardianes de las Américas en el siglo XIX y principios del XX? ¿Por qué sí o por qué no?

6—¿De qué modo influyeron los Estados Unidos en los negocios del lejano Oriente en el siglo XIX?

7—¿Por qué los Estados Unidos favorecían la política de "puerta abierta" en China?

8—¿Qué razones dieron los Estados Unidos para declarar la guerra a España? ¿Qué otras causas había para declarar la guerra, además de las expuestas?

9—¿Por qué se considera la Guerra Hispano-Norteamericana un momento decisivo en la historia de los Estados Unidos?

10—¿Por qué muchos cubanos se oponían a la Enmienda Platt? ¿Crees que era necesario para los Estados Unidos que la constitución cubana añadiera esta enmienda? ¿Por qué sí o por qué no?

11—¿Cómo crees que respondieron los países latinoamericanos al Corolario Roosevelt? ¿Por qué?

12—¿De qué modo el Corolario Roosevelt era una ampliación de las ideas establecidas en la Doctrina Monroe? Explícalo.

13—¿Por qué crees que los Estados Unidos continuaron interviniendo en Latinoamérica a pesar de las críticas que ello suponía?

14—¿De qué forma la adquisición de Alaska fue similar a las primeras compras de tierras dentro de los Estados Unidos? ¿En qué se diferenciaba?

15—¿En qué se parecían los acontecimientos que condujeron a la anexión de Hawaii con los que llevaron a la adquisición de Texas? ¿En qué se diferenciaban?

16—Después de la guerra, ¿cómo contribuyeron los acontecimientos militares de la Guerra Hispano-Norteamericana a hacer más difícil un convenio de paz?

17—¿Por qué crees que los Estados Unidos estaban y todavía están tan interesados en los asuntos cubanos?

VI. Aplicación de ideas y formación de juicios

Contesta a las preguntas siguientes. Asegúrate de sostener tus ideas y opiniones con evidencia a partir de tus lecturas o lo dicho en clase.

1—Refiriéndose a la Guerra Hispano-Norteamericana, un observador escribió en 1898: "Ha sido una guerrita espléndida". Más tarde, un conocido historiador la llamó "un conflicto inútil". ¿Cuál de estas dos descripciones te parece más apropiada? ¿Por qué? ¿Es posible que las dos sean aptas? Explícalo.

2—¿Crees que los habitantes de los territorios que pasaron al control de los Estados Unidos entre 1898 y 1917 cambiaron a un "amo imperialista" por otro? Explícalo.

3—¿Crees que la creación de un "imperio norteamericano" era el resultado lógico de la historia de los Estados Unidos? Explícalo.

4—En tu opinión, ¿la posesión de territorios ultramarinos afectó de algún modo el carácter norteamericano? Si es así, ¿cómo? Y si no, ¿por qué no?

Capítulo 19

LA PRIMERA
GUERRA MUNDIAL

LA GUERRA ESTALLA EN EUROPA

A finales del siglo XIX, los Estados Unidos se habían convertido en una de las grandes potencias mundiales. El país no podía interesarse sólo por lo que ocurriera dentro de sus fronteras. Lo que estaba aconteciendo en otras partes, más tarde o más temprano, afectaría a todos los norteamericanos. Ver a los Estados Unidos en estos términos tan globales era nuevo para la mayoría de sus ciudadanos.

En los primeros años del siglo XX, los Estados Unidos trataron de comprender la situación política de Europa. Existían problemas desde hacía varios años. Las naciones europeas disputaban en torno a las colonias, el control de los mares y el comercio. A un lado estaban los *aliados*: Rusia, Inglaterra, Francia, y más tarde, Italia. Contra ellos estaban las *potencias centrales*: Alemania y Austria-Hungría, y más tarde, Turquía y Bulgaria.

Los norteamericanos se sorprendieron cuando estalló la guerra el 1º de agosto de 1914. La opinión pública norteamericana era muy diversa en torno a la actitud que debía tomar el gobierno de los Estados Unidos. La primera respuesta del presidente Woodrow Wilson fue proclamar la *neutralidad* norteamericana. En otras palabras, dijo que los Estados Unidos no participarían en la guerra. Como nación neutral, no entraría en el conflicto ni enviaría ayuda a ninguno de los contrincantes.

SE VIOLAN LOS DERECHOS NORTEAMERICANOS

Los Estados Unidos, neutral, esperaba que sus barcos pudieran navegar libremente. Los ciudadanos norteamericanos y sus propiedades no correrían ningún riesgo. Pero ambos bandos de la gran guerra comenzaron a detener a los barcos norteamericanos para inspeccionarlos y en algunos casos, incautar sus mercancías.

Tanto los aliados como las potencias centrales trataban de que los países neutrales no comerciaran con el enemigo. La poderosa armada británica bloqueó los puertos alemanes. Los barcos británicos también detenían e inspeccionaban los barcos neutrales que se dirigían a Alemania. No sólo incautaban las armas sino también los alimentos y otras mercancías.

Durante los primeros años de la guerra, el gobierno de los Estados Unidos protestó contra la política británica. Fue considerada una violación al derecho norteamericano de neutralidad. El comercio norteamericano se perjudicó mucho pero no hubo pérdida de vidas.

Pero las acciones alemanas fueron aún más serias. Para romper el bloqueo británico Alemania usó submarinos. Al principio sólo atacaban a los barcos mercantes aliados pero más tarde comenzaron a atacar cualquier barco que navegara por aguas consideradas por Alemania como "zona de guerra". Los barcos neutrales también fueron atacados. Los submarinos

*Una foto del **Lusitania** a fines de 1914, unos meses antes de ser torpedeado.*

alemanes atacaban por sorpresa, lo cual suponía tanto un peligro para las vidas como para las propiedades.

EL "LUSITANIA" ES HUNDIDO

En febrero de 1915, los alemanes anunciaron que se establecía una zona de guerra en torno a las islas británicas. Los barcos neutrales que entraran en esta zona serían atacados. El presidente Wilson declaró que responsabilizaría a Alemania de la pérdida de vidas o barcos norteamericanos, inclusive de la de pasajeros de barcos de cualquier nacionalidad, hasta de los contrincantes.

El 7 de mayo de 1915, el barco de pasajeros *Lusitania*, que no tenía armas, fue torpedeado por un submarino alemán y se hundió cerca de las costas de Irlanda. Se perdieron 1.198 vidas, entre ellas, 128 norteamericanos, incluyendo niños y mujeres.

El presidente Wilson envió una fuerte protesta a Alemania por el hundimiento del *Lusitania*. Pedía que los alemanes tomaran medidas para salvaguardar la vida de los civiles, incluso en zonas de guerra. Advertía que la pérdida de vidas norteamericanas en alta mar acarrearía graves consecuencias. Los alemanes contestaron diciendo que el *Lusitania* transportaba material de guerra a Inglaterra.

En 1916, un barco de pasajeros francés, el *Sussex*, fue torpedeado por un submarino alemán. Tres norteamericanos fueron heridos y el presidente Wilson amenazó con cortar las relaciones diplomáticas con Alemania. El gobierno alemán prometió no atacar los barcos mercantes sin previo aviso. También prometieron salvaguardar la vida de los pasajeros cuando un barco fuera atacado, a lo que se llamó la *Promesa del Sussex*.

MÁS CERCA DE LA GUERRA

El atentado contra la vida y propiedad norteamericanas encaminaba a los Estados Unidos hacia la guerra europea. Además, la compra de armamento por parte de Francia e Inglaterra era muy beneficiosa para las empresas norteamericanas. Sólo los Aliados obtenían por entonces armamento y créditos de los Estados Unidos. Esto influyó a que los Estados Unidos se inclinara hacia los Aliados.

Algunos norteamericanos querían que los Estados Unidos lucharan abiertamente del lado de los Aliados. Entre ellos se encontraba el presidente anterior, Theodore Roosevelt. Éste declaró que "el deber a la humanidad" y el "pundonor" exigían que los norteamericanos se unieran a los Aliados. Otros norteamericanos tenían la esperanza de que Estados Unidos ayudara a poner fin a la guerra. Querían que Inglaterra suavizara el bloqueo a Alemania y que Alemania interrumpiera su guerra submarina, ya que si ésta continuaba, estallaría un conflicto entre Alemania y Estados Unidos. Aún así, el presidente Wilson trataba de permanecer neutral.

El presidente Wilson temía que Alemania no cumpliera la Promesa del Sussex. Los Estados Unidos comenzaron a prepararse para la guerra. Aumentó las fuerzas del ejército y la guardia nacional y construyó nuevos barcos de guerra, submarinos y destructores. Además, el gobierno preparó un plan de defensa nacional.

A la vez, la política oficial de Wilson era hacer todo lo posible para mantener a los Estados Unidos fuera del conflicto. Se presentó por segunda vez a la elección presidencial de 1916 bajo la consigna de "Él nos mantuvo fuera de la guerra". La neutralidad de Wilson ayudó a reelegirlo por un margen mínimo sobre el candidato republicano Charles E. Hugues.

GUERRA SUBMARINA ILIMITADA

A comienzos de 1917, Alemania estaba siendo afectada por el bloqueo británico. Los ejércitos de tierra y de mar alemanes eran todavía fuertes pero no parecían preparados para una rápida victoria. El gobierno alemán anunció una nueva política de guerra submarina. Ahora, los submarinos destruirían a todos los barcos, dentro de la zona de guerra, ya fueran neutrales o no. Ni se avisaría ni se rescatarían pasajeros ni tripulación. Con esta política, los alemanes creían poder romper el bloqueo británico y detener los abastecimientos para los Aliados.

Los dirigentes alemanes sabían que esta política podría acarrear la entrada de los Estados Unidos en la guerra del lado de los Aliados. Pero también esperaban derrotar a los Aliados antes de que los Estados Unidos fueran una fuerza importante en la guerra. Era un riesgo que tenían que correr.

LA NOTA DE ZIMMERMANN

En esta época, la opinión pública estaba a favor de los Aliados. La propaganda, especialmente la británica, jugó un papel importante en configurar la opinión pública norteamericana. Pero la política del gobierno alemán ayudó mucho a que esta propaganda surtiera efecto.

El sentimiento norteamericano contra Alemania se fortaleció a principios de 1917 con la *Nota de Zimmermann*. Consistía ésta en una carta escrita por el ministro de relaciones exteriores de Alemania al presidente de México. Era un complot por parte de Alemania para comprometer a México en una guerra con los Estados Unidos. La carta fue encontrada y publicada justo cuando Alemania anunciaba su nueva política de guerra submarina. Los norteamericanos se convencían cada vez más de que tenían que entrar en guerra con Alemania.

El presidente Wilson rompió relaciones diplomáticas con Alemania y ordenó a los barcos mercantes norteamericanos que se armaran. Y el 2 de abril de 1917 pidió al Congreso que declarara la guerra a Alemania.

LOS ESTADOS UNIDOS EN LA GUERRA

Los Estados Unidos entraron en la

El presidente Woodrow Wilson.

guerra cuando los Aliados y sus enemigos estaban casi agotados.

En menos de un mes, los destructores y los barcos de guerra norteamericanos se dirigieron a Europa; pero pasó un año antes de que los soldados norteamericanos pudieran ser reclutados, entrenados y transportados a Europa.

Para embarcar las tropas a través del Atlántico, los Estados Unidos utilizaron un nuevo sistema, el *convoy*. Consistía en grupos de barcos, unos con tropas y otros con abastecimientos, que viajaban juntos, custodiados por barcos de guerra. El peligro de un ataque submarino estaba siempre presente. Pero los convoyes llevaban tropas y abastecimientos en cantidad cada vez creciente.

Bajo la dirección del presidente, el Congreso se dispuso a crear un fuerte poder militar para que llevara a la nación a la victoria. El Congreso aprobó las *Leyes del Servicio Selectivo* (*Selective Service Acts*), por las cuales se reclutaba a gran número de hombres. Casi 4 millones de hombres sirvieron en las fuerzas armadas. También se organizó la *Junta de la industria bélica* (*War Industries Board*) para controlar la producción de armamento y otras mercancías esenciales, bajo la dirección de Bernard Baruch.

El gobierno necesitaba también extender su control sobre la economía. Se necesitaban grandes cantidades de mercancías y combustible, para el pueblo, las fuerzas norteamericanas y los Aliados. El pueblo norteamericano fue alentado a trabajar al máximo y también a que ahorrara todos los alimentos y combustibles que pudiera. El presidente nombró a Herbert Hoover como director de la *Administración de Alimentos* y a Harry Garfield, de la *Administración de Combustible*. El gobierno tomó el control de los ferrocarriles durante el período de guerra.

Para aumentar la cantidad de dinero que se necesitaba para la guerra, el gobierno vendió al público *Bonos de la libertad y Sellos de ahorro de guerra*. Se les pidió a los bancos que compraran grandes cantidades de bonos gubernamentales. Los impuestos sobre la renta, las ganancias y los productos de lujo subieron. Durante la guerra, el gobierno de los Estados Unidos prestó más de 10 billones de dólares a los Aliados, además de los propios gastos que le ocasionó.

El presidente Wilson organizó el *Comité de Información Pública* dirigido por George Creel, que hizo intensa propaganda para persuadir al pueblo norteamericano de que realmente luchaba para "terminar con la guerra" y "preservar la democracia en el mundo".

Crecieron los sentimientos en contra de los que no estaban de acuerdo con la guerra. Los "superpatriotas" pedían que se apoyara la guerra incondicionalmente. Los que no la apoyaban a menudo eran considerados criminales. El Congreso aprobó dos leyes para éstos: la *Ley de Espionaje*, en 1917, por la que se actuaría contra cualquier acto de espionaje; y la *Ley de la Sedición*, en 1918, por la que no se permitía ningún acto de resistencia a los esfuerzos de la guerra. Ambas leyes se utilizaron para castigar y silenciar a los acusados de deslealtad. A menudo, los norteamericanos descendientes de alemanes eran tratados como sospechosos. La comida, la lengua y la música alemanas eran consideradas antipatrióticas.

LOS CATORCE PUNTOS

En enero de 1918, el presidente Wilson

Mujeres norteamericanas prestan juramento como miembros auxiliares de las fuerzas armadas en 1917.

estableció claramente los objetivos de guerra que tenían los Estados Unidos. En un discurso ante el Congreso expuso su programa al que se ha llamado los *Catorce Puntos*.

Los Catorce Puntos expresaban las esperanzas de Wilson por un mundo mejor después de la guerra. Los puntos claves eran los siguientes:

• Acuerdos abiertos entre los países, no tratados secretos

• Libertad en los mares

• Más comercio libre entre las naciones

• Reducción del armamento de todas las naciones

• Elección libre de gobierno para todos los pueblos

• Formación de una Liga de las Naciones.

La Liga de las Naciones sería una unión libre o combinación de todas las naciones del mundo. Su propósito era salvaguardar la paz y la seguridad de todas las naciones, que serían iguales fueran grandes o pequeñas.

Los Catorce Puntos tuvieron un gran efecto en el público de todo el mundo, no sólo en los contrincantes. Los Aliados no estaban de acuerdo con algunos de los puntos pero apenas protestaron porque necesitaban la ayuda de los Estados Unidos. Los dirigentes alemanes ridiculizaron los Catorce Puntos, pero hay razones para creer que los objetivos de Wilson impresionaron a muchos alemanes, tanto militares como civiles.

VICTORIA DE LOS ALIADOS

La Fuerza Expedicionaria Americana (American Expeditionary Force, o AEF), a las órdenes del general John J. Pershing, comenzó a llegar a Francia en junio de 1917. Para el otoño de 1918, más de dos millones de soldados habían llegado a Francia. A mediados de 1917 parecía que los Aliados podían ser derrotados. Rusia se había apartado de la guerra e Italia había sufrido grandes derrotas. Francia también estaba muy debilitada por la pérdida de muchos de sus soldados y los daños sufridos por Gran Bretaña debido a los ataques submarinos también eran enormes.

Pero pronto empezaron a cambiar las cosas y las fuerzas norteamericanas jugaron un papel decisivo en este cambio. Fuerzas navales de los Estados Unidos ayudaron con su sistema de convoy a los buques de guerra ingleses en su lucha contra los submarinos. En los primeros meses de 1918, el peligro submarino había pasado. Pero en el verano de 1918, los alemanes se dispusieron a tomar París jugándose el todo por el todo para ganar la guerra. Las tropas norteamericanas lo impidieron interviniendo en las batallas de Château-Thierry y del Bosque Belleau.

A esto siguió un fuerte contraataque aliado, a las órdenes de un militar francés, el mariscal Ferdinand Foch. Las tropas norteamericanas también tomaron parte en este enfrentamiento y ganaron victorias en las batallas de St. Mihiel y la Selva de Argonne. La defensa alemana, llamada "línea de Hindenburg", comenzó a resquebrajarse. El ejército alemán y el frente civil perdieron abiertamente todas las esperanzas de ganar la guerra. Se empezó a pedir la paz. A principios de noviembre de 1918, el Kaiser alemán abandonó su trono y huyó a Holanda.

El 11 de noviembre de 1918, una Alemania destrozada aceptaba los términos aliados de armisticio. Así terminó la guerra.

Cuando el armisticio fue anunciado, muchas personas en ambos lados apenas podían creerlo. Después de todo, el ejército alemán, aunque debilitado, no había sido completamente derrotado ya que todavía ocupaban territorios en Francia y en Bélgica. Incluso, Alemania no había sido invadida por los Aliados. Algunos alemanes no comprendían cómo su gobierno se había rendido. No se sentían derro-

Combatientes norteamericanos en la Selva de Argonne.

tados militarmente. Esta creencia de que Alemania no había sido derrotada sino traicionada habría de jugar un papel muy importante en la historia alemana de la posguerra.

En el lado aliado había una gran alegría por el fin de la muerte y el sufrimiento producidos por la guerra. Pero la gente consciente comprendió que el trabajo de construir una auténtica paz estaba todavía por hacer. Sin una paz verdadera y duradera, la guerra habría sido en vano.

LA PAZ DE PARÍS Y EL TRATADO DE VERSALLES

La Conferencia de Paz se reunió en Versalles, en las afueras de París, en enero de 1919. Se escribieron diferentes tratados de paz para Alemania y Austria y otros países derrotados. Estos tratados se agruparon en lo que se llamó la *Paz de París*.

Los dirigentes aliados que escribieron la Paz de París fueron: el presidente de los Estados Unidos, Woodrow Wilson; el premier de Francia, Georges Clemenceau; el primer ministro de Gran Bretaña, David Lloyd George; y el premier de Italia, Vittorio Orlando. A estas personalidades se les llamó *"los cuatro grandes"*.

A las Potencias Centrales derrotadas (Alemania, Austria y sus aliados) no se les permitió participar en la conferencia. Sólo se les llamó después de la conferencia, una vez que los tratados estaban escritos y se les dijo que firmaran. Rusia no estaba representada porque ya había firmado un tratado de paz con Alemania en marzo de 1918, después de que la Revolución de 1917 derrocara al zar.

Las conversaciones de paz fueron problemáticas desde el principio, ya que los dirigentes no estaban de acuerdo en los propósitos principales del tratado. Los Aliados europeos habían sufrido mucho a causa de la guerra y estaban dispuestos a vengarse de Alemania haciéndole pagar parte de los gastos ocasionados por la guerra. También tenían la intención de adueñarse de territorios al pie de sus fronteras y en otras partes del mundo.

Los "cuatro grandes" en la Conferencia de Paz en París — Lloyd George de Gran Bretaña, Orlando de Italia, Clemenceau de Francia y Wilson de los Estados Unidos.

EUROPA CENTRAL ANTES DE LA
PRIMERA GUERRA MUNDIAL

NACIONES NUEVAS EN EUROPA CENTRAL
DESPUES DE LA PRIMERA GUERRA MUNDIAL

El presidente Wilson, por otro lado, pensaba que la Conferencia era una gran oportunidad para llevar a cabo reformas que ayudaran a la generación de entonces y a las futuras. Su anhelo era escribir un tratado justo para todas las personas del mundo y que les ayudara a vivir con seguridad. Sobre todo, quería realizar su gran sueño: una *Liga de las Naciones* que protegiera al mundo de futuras guerras.

El Tratado de paz con Alemania, llamado *Tratado de Versalles*, se completó en mayo de 1919. Como era un tratado escrito por el bando que ganó la guerra, salvaguardaba sus intereses. Algunos de sus puntos eran los siguientes:

- Las fuerzas armadas alemanas tendrían que ser muy reducidas.

- Se responsabilizaba a los alemanes de haber iniciado la guerra.

- Alemania tendría que pagar grandes cantidades de dinero por daños y perjuicios, lo que se llamaba indemnización.

- Varios territorios alemanes se repartieron entre Francia, Polonia y otros países.

- Alemania fue desposeída de todas sus posesiones ultramarinas.

- El territorio a lo largo del río Rin, entre Francia y Alemania, sería ocupado por las tropas aliadas durante 15 años. Después se desmilitarizaría el área. El propósito era proteger a Francia.

El presidente Wilson tuvo que abandonar muchos de sus Catorce Puntos. Sin embargo, en cierto modo, obtuvo sus objetivos. En el Tratado de Versalles y en todos los otros tratados con las naciones derrotadas se preveía el establecimiento de la *Liga de las Naciones*.

Se hicieron tratados separados con Austria y Hungría. Con este tratado se disolvía el imperio austro-húngaro. Austria y Hungría se convertían en países diferentes. El resto del imperio se convertía en partes de Polonia y Yugoslavia. Checoslovaquia también se formó con tierras que habían sido del imperio austro-húngaro. Como se ha dicho, cada uno de los tratados contenía una cláusula para la formación de la Liga de las Naciones.

EL TRATADO Y LA LIGA SON RECHAZADOS

En los Estados Unidos, todos los tratados escritos tienen que ser *ratificados* por el Congreso, incluso el Tratado de Versalles. La aprobación tiene que ser por dos tercios del Senado de los Estados Unidos. El presidente Wilson sometió el tratado para su aprobación en julio de 1919.

Enseguida se presentó en el Senado una fuerte oposición al Tratado. La razón básica era que por el Tratado se iba a formar la Liga de las Naciones y esto supondría la ruptura de la política norteamericana de aislacionismo. Temían que si Estados Unidos era miembro de la Liga tendría que ir a la guerra para defender este tratado. El senador Henry Cabot Lodge, de Massachusetts, uno de los principales opositores del tratado, se expresó de este modo:

"Objeto de la manera más terminante a que los Estados Unidos acepten ser controlado directa o indirectamente, por una liga. Con tal liga, los Estados Unidos tendrían que intervenir en cualquier momento en los conflictos internos de otras naciones, por cualquier conflicto que sea".

El senador Lodge quería que se modificaran ciertos puntos del Tratado para salvaguardar a Estados Unidos bajo la Doctrina Monroe y la Constitución. Otros senadores estaban en contra de pertenecer a la Liga bajo toda condición.

El presidente Wilson quería que se aceptara el tratado tal como había sido escrito, sin ninguna modificación, o si no, que no se aceptara. En las dos votaciones del Senado (en noviembre de 1919 y en marzo de 1920) el tratado no obtuvo los dos tercios de votos necesarios.

En la elección presidencial de 1920, los demócratas pedían pertenecer a la Liga de las Naciones. La postura republicana no era muy clara, pero en principio se les suponía en contra de la Liga.

El candidato republicano, Warren G. Harding, salió elegido fácilmente.

En 1921, el senado ratificó los tratados de paz con Alemania, Austria y Hungría. La Liga de las Naciones no se mencionaba en estos acuerdos.

EXPLORACION DE HECHOS Y OPINIONES

I. Para mejorar tus conocimientos

Define, describe o identifica cada uno de los términos siguientes. Muestra cómo está conectado cada uno de ellos con la política norteamericana.

1—Los Aliados
2—Potencias Centrales
3—El Lusitania
4—La Promesa de Sussex
5—Nota de Zimmerman
6—Junta de la industria bélica
7—Comité de información pública
8—Los Catorce Puntos
9—La Liga de las Naciones
10—El Tratado de Versalles

II. Preguntas

Contesta a las preguntas siguientes. Acompaña tus respuestas con ejemplos o información específica.

1—¿Cómo reaccionó Wilson ante el hundimiento del Lusitania?

2—¿Por qué entraron los Estados Unidos en la Primera Guerra Mundial?

3—¿Cuáles fueron los resultados de la Primera Guerra Mundial?

4—¿Qué efecto tuvo la opinión pública en la entrada de los Estados Unidos en la Primera Guerra Mundial?

5—Vuelve a leer el mensaje de guerra de Wilson al Congreso, ¿Qué argumento crees que es el más convincente para actuar en la guerra contra Alemania? Explica tu respuesta.

6—¿Qué hicieron los Estados Unidos en 1917 para prepararse para la guerra?

7—¿Qué medidas tomaron los Estados Unidos contra los ciudadanos norteamericanos que se oponían a la entrada en la Primera Guerra Mundial?

8—Enumera y discute tres de los Catorce Puntos.

III. Conceptos

Los términos que siguen representan conceptos, ideas amplias que han jugado un papel importante en la experiencia norteamericana, especialmente en la historia de la Primera Guerra Mundial. Con tus propias palabras, escribe una pequeña definición de cada una de ellas.

1—neutralidad
2—guerra submarina ilimitada
3—armisticio
4—indemnizaciones
5—bloqueo
6—libertad en los mares
7—opinión pública
8—propaganda
9—convoy
10—relaciones diplomáticas

IV. Ideas organizadas

Siguen un número de "ideas organizadas". Cada una perfila hechos y conceptos estudiados en este capítulo y los generaliza. A partir de tus lecturas y lo dicho en clase, da ejemplos específicos que aprueben o desaprueben estas ideas.

1—Todas las naciones del mundo deben tener derecho a la libertad en los mares.

2—Un bloqueo es un acto de guerra.

3—Una organización mundial como la Liga de las Naciones tiene buenas posibilidades de prevenir la guerra.

4—La opinión pública puede influir para que una nación entre en guerra.

V. Ideas para construir

1—¿Por qué advirtió el presidente Wilson al Congreso que los Estados Unidos deberían permanecer neutrales al comienzo de la Primera Guerra Mundial?

2—¿Qué acontecimientos se produjeron en 1915 y 1916 que acercaron a los Estados Unidos a la guerra contra Alemania y sus aliados?

3—Wilson dijo también: "Se debe preservar la democracia en el mundo. La paz debe ser establecida sobre unos cimientos de libertad política". ¿Qué crees que Wilson quería decir con esto?

4—¿Crees que Wilson pudo haber dado otros pasos para evitar el ir a la guerra contra Alemania? Explica tu respuesta.

5—Wilson dijo: "Para luchar hay que ser cruel y despiadado..." ¿Qué crees que quería decir? ¿Estás de acuerdo con Wilson? Explica tu respuesta.

6—¿Qué sacrificios se le pidieron al pueblo norteamericano durante la guerra?

7—¿Cuáles de los Catorce Puntos crees que son todavía un problema para los asuntos de hoy en día? Explica tu respuesta.

8—¿Por qué deseaba Wilson fundar la Liga de las Naciones?

9—¿Crees que estaba justificado que las naciones europeas se "vengaran" de Alemania? Explica tu respuesta.

10—Algunos historiadores opinan que el Tratado de Versalles plantó las semillas de la Segunda Guerra Mundial. ¿Qué puntos del Tratado crees que pudieron llevar al futuro conflicto? ¿Por qué?

11—Imagina que vivías en Estados Unidos en 1919. ¿Hubieras apoyado al presidente Wilson en su empeño de que los Estados Unidos se unieran a la Liga de Naciones? Apoya tu decisión.

VI. Aplicación de ideas y formación de juicios

Contesta a las preguntas siguientes. Apoya tus opiniones a partir de tus lecturas o lo dicho en clase.

1—El presidente Wilson dijo a un periodista de *The New York World* que si los Estados Unidos entraban en la Primera Guerra Mundial "la conformidad sería la única virtud" y todo el que no estuviera de acuerdo sería castigado.
(a) Explica lo que Wilson quería decir.
(b) ¿Estás de acuerdo con él? Explica tus respuesta.

2—Algunos ciudadanos no querían que los Estados Unidos formaran parte de la Liga de las Naciones. ¿Por qué crees que se oponían? ¿Qué similitudes hay entre la Liga de las Naciones y las Naciones Unidas? ¿Y las diferencias?

3—Durante la Primera Guerra Mundial, los Estados Unidos establecieron un Comité de información pública, que llevaba la campaña de propaganda para convencer al pueblo norteamericano de que los Estados Unidos luchaban por una causa justa. ¿Crees que era necesario organizar este Comité en época de guerra? Explica tu respuesta.

Capítulo 20

LOS ESTADOS UNIDOS ENTRE DOS GUERRAS MUNDIALES

CAMBIOS DE ÁNIMO

Durante la Primera Guerra Mundial, la mayoría de los norteamericanos creían que luchaban no sólo para defender su país sino también para proteger a otras naciones de ataques injustificados. Los norteamericanos, en general, aceptaban que el objetivo de la guerra era "preservar la democracia en el mundo".

Sin embargo, al final de la guerra, se produjo un brusco cambio de actitud en el ánimo del pueblo estadounidense. La Primera Guerra Mundial había sido la más costosa de la historia, en lo que se refiere a pérdidas humanas, sufrimientos, destrucción de las propiedades y también en dinero. Los Estados Unidos habían sufrido menos que los Aliados europeos. Aún así, habían perdido más de 100.000 hombres en la guerra. ¿Qué habían ganado? ¿Había valido la pena?

Muchos norteamericanos opinaban que la guerra no había valido la pena. En verdad, había nuevos países y nuevas formas de gobierno en Europa. Los reyes y la clase noble habían desaparecido de países como Rusia, Alemania y Austria. Pero muchos ciudadanos norteamericanos no estaban interesados en tales asuntos. Sabían que todavía existían los mismos problemas y sufrimientos que antes. Y no parecía que un mundo mejor estuviera tampoco ahora más cerca que antes.

Ya que muchos norteamericanos estaban convencidos de que había sido un error entrar en la guerra, decían que en el futuro, los Estados Unidos deberían evitar participar en los "asuntos" europeos. En resumen, querían volver a la política de *aislacionismo* que los había guiado desde sus primeros días.

La elección del presidente republicano Warren G. Harding en 1920 parecía indicar que la actitud del pueblo norteamericano había cambiado. Los Estados Unidos no sólo quedaban fuera de la Liga de las Naciones sino que también rehusaron formar parte de la *Corte Internacional de Justicia*, que consistía en una Corte formada por magistrados de diferentes países. Sus poderes se limitaban a resolver las cuestiones de desacuerdo entre diferentes países. Muchos temían que si los Estados Unidos formaban parte de la Corte Internacional de Justicia no tardarían en formar parte de la Liga de las Naciones.

EL MOVIMIENTO DE DESARME

Pero los Estados Unidos eran ahora una gran potencia, probablemente la mayor del mundo. No podía actuar como si los problemas del resto del mundo no significaban nada para su gobierno. A pesar de la actitud de aislacionismo, los Estados Unidos se vieron en la necesidad de unirse al esfuerzo de otras naciones para conseguir ciertos objetivos. Uno de esos objetivos era el *movimiento de desarme*, basado en la idea de que todas las

Un desfile pacifista en una ciudad de los Estados Unidos a principios de la década de 1920.

naciones del mundo acordaran una reducción de sus fuerzas armadas. Esto, además de suponer un menor peligro de nuevas guerras, sería un ahorro económico: el dinero podría ser usado para propósitos pacíficos.

Se reunió en Washington una conferencia de desarme en 1921-22. Esta conferencia condujo al *Pacto de las cinco potencias.* Lo firmaron Estados Unidos, Gran Bretaña, Japón, Francia e Italia. Todas estas naciones acordaron poner límites al tamaño de sus fuerzas navales. Por ejemplo, en los siguientes diez años no podrían construir los más avanzados modelos de acorazados.

En un pacto de *las cuatro potencias,* los Estados Unidos, Gran Bretaña, Francia y Japón acordaron respetar los derechos y posesiones de cada uno de ellos en la zona marítima del Pacífico. En otro pacto, el de *las nueve potencias,* todas las naciones que lo firmaron acordaron respetar la política de "puerta abierta" en China y permitir a este país que dirigiera sus propios asuntos y guardara sus territorios.

En 1930, se reunió otra conferencia de desarme en Londres. Se firmaron tratados que, al leerlos, parecían muy buenos, pero en realidad eran sólo planes para aumentar el tamaño de cada una de las fuerzas navales, no para reducirlas. Tampoco se hizo nada para reducir las fuerzas de tierra. El movimiento de desarme de las décadas de 1920 y 1930 fue un fracaso y en pocos años nadie se acordaba de él.

EL PACTO KELLOGG-BRIAND

En 1928, los Estados Unidos acordaron con Francia el *Pacto Kellogg-Briand.* Este pacto expresaba la equivocación que es la guerra y que todos los conflictos debían resolverse por medios pacíficos. Este tratado lo firmaron entonces quince naciones y en el plazo de unos años, lo firmaron un total de 62 naciones.

Había buenas intenciones en este pacto. Estaba respaldado por el presidente Calvin Coolidge, lo cual demostraba un deseo de los Estados Unidos de prevenir futuras guerras. Pero no especificaba cómo se haría cumplir. Decía que la guerra era ilegal pero no ofrecía un sistema para castigar a las naciones "culpables" que no acataran el pacto. Así, esto fue otro fracaso del movimiento pacifista.

Herbert Hoover, que fue presidente entre 1929 y 1933, se esforzó por mejorar las relaciones con Latinoamérica. Bajo su presidencia, el departamento de estado eliminó el Corolario de Roosevelt de la Doctrina Monroe. También sacó a la infantería de marina norteamericana de Nicaragua.

LA POLÍTICA DEL BUEN VECINO

Estados Unidos es, sin duda, la potencia más fuerte del Hemisferio Occidental. Este país ha podido mantener buenas relaciones con su vecino del norte, Canadá. Pero, como ya hemos visto, ha tenido muchos problemas en sus relaciones con los países de Latinoamérica, situados al sur, la mayoría de ellos de habla española.

Los Estados Unidos no han sido siempre muy populares en Latinoamérica, ya que muchas veces se ha pensado que a los Estados Unidos les interesaba proteger sólo sus propios intereses sin que importen los intereses y el orgullo de los países hispanos más pequeños. Se han citado muchos ejemplos de injusticia: la política "del garrote" de Roosevelt, la Enmienda Platt en Cuba, los problemas estadounidenses con México, el control norteamericano del Canal de Panamá, y el control de muchos de los recursos naturales de Latinoamérica por varias compañías norteamericanas. Los latinoamericanos se han quejado mucho del "imperialismo yanqui" y de la "diplomacia del dólar".

Siguiendo los pasos de Hoover, el siguiente presidente, Franklin D. Roosevelt, intentó traer una nueva era de relaciones

Herbert Hoover

amistosas con Latinoamérica. Llamó a su política la *"política del buen vecino"* y hubo cambios en la actitud de los Estados Unidos. En la conferencia de Montevideo, en 1933, los Estados Unidos se reunieron con los países latinoamericanos para establecer que "ningún estado tenía derecho a interferir en los asuntos internos o externos de otro". Así Estados Unidos no intervendría ni permitiría que nadie de fuera del área norteamericana lo hiciera.

De acuerdo con esto, los Estados Unidos ordenaron que se retiraran sus propias tropas de Haití. En consecuencia, Haití y la República Dominicana volvieron a controlar sus propias finanzas. También revocaron la Enmienda Platt, que permitía a los Estados Unidos intervenir en Cuba. También se tomaron medidas para ayudar a los negocios latinoamericanos con préstamos privados y gubernamentales y con tratados comerciales.

El presidente Roosevelt continuó la Doctrina Monroe, como otros presidentes anteriores, pero ahora también la adoptaban todos los países del Hemisferio Occidental.

La política de Roosevelt no solucionó todos los problemas con Latinoamérica pero representaba un avance en las relaciones amistosas entre ambas zonas. Aunque los Estados Unidos seguían siendo el país más poderoso, no se comportaría como si tuviera derecho a controlar a las otras naciones o decirles lo que debían hacer. Y la mejoría en las relaciones se demostró unos años más tarde: cuando los Estados Unidos entraron en la Segunda Guerra Mundial, casi todas las naciones de Latinoamérica lo apoyaron.

RECONOCIMIENTO DE LA UNIÓN SOVIÉTICA

Roosevelt también se esforzó por mejorar las relaciones con Rusia. En 1917, como resultado de la Revolución Rusa, el gobierno comunista soviético llegó al poder. Al país se le llamó la *Unión de Repúblicas Socialistas Soviéticas* (*URSS*) o *Unión Soviética*. Al principio, los Estados Unidos se negaron a reconocer este gobierno. Por lo tanto, no tendrían relaciones diplomáticas, ni tratados comerciales con la Unión Soviética.

La política de no-reconocimiento duró hasta 1933. En este año, otras potencias como Gran Bretaña y Francia reconocieron a la Unión Soviética. La administración de Franklin Roosevelt consideró que no se hacía ningún bien ni a los Estados Unidos ni a otros países democráticos con no reconocer a la URSS y este mismo año, se entablaron relaciones diplomáticas entre las dos naciones. Había la esperanza de que esto sirviera al comercio estadounidense y de que ambas naciones pudieran trabajar en común en pro de la paz.

PROBLEMAS EN ASIA

En la década de 1930, la paz acordada a finales de la Primera Guerra Mundial seguía. En el Lejano Oriente, los japo-

Tropas japonesas entran en una ciudad que han tomado en Manchuria, alrededor de 1931.

219

neses estaban dispuestos a convertirse en un gran imperio y para ello utilizarían todo lo que fuera necesario, incluso la fuerza armada. Aprovechándose de la debilidad china, Japón se apoderó de la rica provincia al noreste de China, *Manchuria*, en 1931, y la llamó *Manchukuo*.

Esta acción de Japón violaba el Tratado de las Nueve Potencias de 1921 y el Pacto Kellogg-Briand de 1928. La Liga de las Naciones condenó de palabra la acción japonesa pero no hizo nada por detenerla. Los grandes poderes no cortaron siquiera sus relaciones comerciales con Japón.

En 1932, el Secretario de Estado Henry L. Stimson, advirtió a los japoneses que no se aprobaría ningún cambio territorial hecho por la fuerza. Esta advertencia se llamó la *Doctrina Stimson*, y no agradó a los japoneses, ni los detuvo. Y más tarde, en 1932, bombardearon el gran puerto chino de Shanghai, matando a miles de civiles. Criticado por esta acción, Japón se salió de la Liga.

En 1937, Japón invadió China y comenzó la guerra entre los dos países. Japón ocupó gran parte de la costa china. Las ciudades de Shanghai y Nanking fueron tomadas y los ciudadanos chinos fueron tratados con gran crueldad. Las simpatías norteamericanas estaban claramente del lado de China. Los Estados Unidos evitaban reconocer un estado de guerra en el Lejano Oriente. De este modo, podía enviarle armas a China y permanecer a la vez "neutral". Una vez más, la Liga de las Naciones condenó a Japón pero no hizo nada más.

En 1937, aviones japoneses hundieron la lancha cañonera norteamericana *Panay* en el río Yang Tse Kiang, en China. Aunque Japón se disculpó por esto y pagó los daños causados, el incidente aumentó la tensión entre los Estados Unidos y Japón.

EL MOVIMIENTO DE PROHIBICIÓN

Desde los primeros años había gente en Norteamérica que se oponía a la bebida de licores. A mediados del siglo XIX se habían aprobado leyes antialcohólicas pero fueron de corta duración.

A principios del siglo XX, el "movimiento de temperancia" creció enormemente. Las tabernas y salones donde se bebía alcohol habían hecho grandes negocios y el "movimiento de temperancia" consideraba estas tabernas como un peligro social. Citaban ejemplos de padres borrachos que golpeaban a sus hijos y mujeres.

El movimiento comenzó a ser conocido como "prohibición" (prohibición, por ley, de las bebidas alcohólicas). En cuanto se convirtió en partido político se llamó el Partido de la Prohibición Nacional.

En 1914, doce estados habían aprobado leyes prohibiendo el alcohol. Con la entrada de Estados Unidos en la Primera Guerra Mundial, se implantaron reglas en torno al abastecimiento de alimentos. Mucho grano y azúcar se utilizaba para hacer alcohol y muchos ciudadanos pensaban que esto era un error. Por otra parte, nuevos inventos como el automóvil indicaban el peligro de su manejo por borrachos.

En 1918, alrededor de la mitad de los norteamericanos vivían en zonas en las cuales el alcohol se había prohibido. En 1919, la Enmienda decimoctava de la Constitución fue aprobada. La ley de la prohibición se extendía a todo el territorio de la nación.

Sin embargo, durante la década de 1920 la Prohibición no fue tan efectiva como los reformistas pretendían. Un gran número de norteamericanos no la aceptaban ya que querían seguir bebiendo y desacataban la ley para hacerlo.

Pronto, miles de personas comenzaron a hacer licor, o a importarlo de contrabando y a venderlo ilegalmente ("bootlegging"). Estas personas sobornaban a los oficiales públicos para que no los acusaran ante la ley.

En las grandes ciudades, se organizaron pandillas que se enfrentaban por tener el control de los negocios de alcohol ilegal. En Chicago, el líder de una pandilla, Al Capone, controlaba no sólo los negocios del alcohol sino también a muchos funcionarios públicos.

En 1933, muchos ciudadanos comenzaron a pensar que la prohibición del alcohol estaba causando más problemas de los que resolvía. En este año, se aprobó la Enmienda vigesimoprimera por la que finalizaba la ley nacional de la prohibición. Los estados podrían continuar con sus leyes de prohibición, si así lo deseaban, y algunos las siguieron.

Éste también fue el período en que la lucha de la mujer norteamericana por sus derechos continuó. En 1920, se aprobó la Enmienda decimonovena de la Constitución por la que se daba a la mujer el derecho de voto en todos los estados de la Unión.

EXPLORACION DE HECHOS Y OPINIONES

I. Para mejorar tus conocimientos

Define, describe o identifica cada uno de los términos siguientes. Muestra cómo está conectado cada uno de ellos con el período entre las dos guerras.

1—aislacionismo
2—Corte Internacional de Justicia
3—Movimiento de desarme
4—Política del buen vecino
5—"Imperialismo yanqui"
6—Doctrina Stimson
7—Prohibición
8—Enmienda decimonovena

II. Preguntas

Contesta a las preguntas siguientes. Acompaña tus respuestas con ejemplos o información específica.

1—¿Cuáles fueron las razones por las que los Estados Unidos volvieron a adoptar la política de aislacionismo?

2—¿Por qué los Estados Unidos no querían pertenecer a la Corte Internacional de Justicia?

3—¿Cuál era el propósito de la conferencia de desarme que tuvo lugar en Washington en 1921-22?

4—¿Por qué fue un fracaso el Pacto Kellogg-Briand?

III. Conceptos

Los términos que siguen representan conceptos, ideas amplias que han jugado un papel importante en la experiencia norteamericana durante el período de entre guerras. Con tus propias palabras, escribe una pequeña definición de cada una de ellas.

1—"Movimiento de temperancia"
2—"Preservar la democracia en el mundo"
3—La "puerta abierta" para China
4—Castigo para los países al margen de la ley
5—Reconocimiento de la Unión Soviética

IV. Ideas organizadas

Siguen un número de "ideas organizadas". Cada una perfila hechos y conceptos estudiados en este capítulo y hace una generalización. A partir de tus lecturas y lo dicho en clase, da ejemplos específicos que aprueben o desaprueben estas ideas.

1—Muchos norteamericanos pensaban que la Primera Guerra Mundial no merecía la pena.

2—Después de la guerra, muchos norteamericanos pensaban que su país debía evitar "enredarse o mezclarse" en los conflictos europeos.

3—La elección de Warren G. Harding significó que Estados Unidos cambiaría su actitud en torno a la participación en la Liga de las Naciones.

4—La Enmienda decimonovena cambiaba el estado o la situación de la mujer en los Estados Unidos.

V. Ideas para construir

1—¿De qué modo los Estados Unidos intentaron mantener la paz en el mundo después de la Primera Guerra Mundial?

2—Según tu opinión, ¿cuál de los dos pactos que siguen ayudaba a construir un mundo más seguro donde vivir? a) La Conferencia de Washington; b) el Pacto Kellogg-Briand.

3—¿Qué se quería llevar a cabo con la Doctrina Stimson?

4—La Segunda Guerra Mundial realmente comenzó con la invasión de China por Japón. Habla sobre esto.

5—¿Cómo mejoró las relaciones entre Estados Unidos y Latinoamérica la "Política del buen vecino"?

6—¿Cómo trató los Estados Unidos con el poder japonés en Asia? ¿Crees que esta política era acertada? Explícalo.

7—¿Por qué le preocupaba a Estados Unidos lo que ocurría en Italia y Alemania en la década de 1930?

Capítulo 21

UN "NUEVO TRATO" PARA LOS ESTADOS UNIDOS

LA ECONOMÍA

Varios años de altibajos en los negocios siguieron al final de la Primera Guerra Mundial. En 1921-22, por ejemplo, la situación económica no fue muy próspera y el desempleo era muy alto. Pero en 1923, toda la economía de la nación sufrió un alza. La producción y la venta aumentaron muchísimo. El desempleo bajó y los salarios se elevaron. El número de millonarios también creció de 4.500 en 1914 a 11.000 en 1926. Los Estados Unidos eran tan prósperos que controlaban casi el 40% de todas las riquezas del mundo.

Pero muchos problemas yacían bajo esta superficie. Algunos de los grandes negocios, como el carbón y la industria textil, no habían ido muy bien en los años 20. Otras industrias tenían muy poca competencia. A unas cuantas compañías se les había permitido el control de todo el mercado. Tres compañías, por ejemplo, habían vendido el 90% de todos los automóviles y camiones en el país. Tal control permitía a estas compañías mantener los precios altos.

Además, muchos norteamericanos no participaron de los buenos tiempos de los años 20. De hecho, muchos de los gran-

Para mediados de la década de 1920, el automóvil había cambiado a los Estados Unidos. La línea de montaje de automóviles, creada por Henry Ford, redujo el costo de su producción. Millones de norteamericanos podían ahora comprar su propio auto.

jeros estaban peor que antes. Durante la guerra mundial y después de ella había habido mucha demanda de cosechas, pero en los años 20 esta demanda decreció. Los granjeros norteamericanos cultivaban más productos de los que podían vender y como resultado de ello, los precios de estos productos agrícolas bajaron.

No todos los obreros industriales se beneficiaron de la prosperidad de las empresas norteamericanas. La mayoría de las ganancias iba sólo a los dirigentes de las empresas. Muchos obreros también estaban desempleados. Los salarios de los trabajadores aumentaron pero no en proporción de la cantidad de mercancías que producían. A pesar de la subida de los salarios de los obreros, el poder adquisitivo de éstos seguía siendo igual de limitado.

También comenzó a disminuir el comercio norteamericano con otras naciones. Una de las razones era el alto impuesto que el Congreso había impuesto a las mercancías importadas, lo cual las hacía demasiado caras para la mayoría. La economía de los países europeos también era débil y muchos de los que habían pedido préstamos a Estados Unidos ahora no podían pagarlos; por lo tanto, las personas de esos países no podían comprar muchos productos norteamericanos.

Pero la mayoría de los norteamericanos no veían estos problemas o los ignoraban. Eran optimistas frente al futuro. Sentían que la nación seguiría prosperando. Los dirigentes de negocios estaban invirtiendo para extender sus compañías. Los trabajadores pedían dinero prestado para poder comprar productos. O si no, comenzaron a comprar a plazos. Además, muchas personas compraron *acciones* en corporaciones. Esto les hacía participar en la empresa y sacar algo de las ganancias. A veces, las acciones se compraban como las mercancías a crédito.

LA CRISIS ECONÓMICA DE 1929

Sin embargo, muchos norteamericanos no podían comprar todos los productos que estaban a la venta y muchos negocios se arruinaron. En el otoño de 1929, muchos empezaron a temer que se devaluaran sus acciones. Como no querían perder dinero intentaron vender estas acciones. Otros accionistas se atemorizaron entonces y también trataron de deshacerse de sus acciones.

La primera ola de pánico llegó el 4 de octubre de 1929. Ocurrió en la Bolsa de Valores (Stock Market) de New York donde se compran y venden las acciones. Millones de acciones se pusieron a la venta pero nadie las compraba; por tanto, los precios de las acciones bajaron rápidamente.

Como el valor de las acciones bajaba cada vez más, la gente intentaba venderlas al precio que fuera. Los dirigentes de los negocios y el gobierno intentaban convencer a los ciudadanos de que la economía era potente pero el pánico continuaba llegando a la Bolsa. Los precios cada vez bajaban más.

El "jueves negro", como se llamó a este 4 de octubre, marcó el comienzo de la *Gran Depresión* —depresión económica que duró hasta 1941—. El pánico cundió por todo el país a medida que las acciones bajaban. El público compraba lo menos posible. Muchas fábricas quebraron. Muchos trabajadores perdieron sus puestos de trabajo. Los prestamistas querían pagos inmediatos. Los que no podían pagar sus créditos, perdieron sus casas, sus granjas. Los precios de todos los productos bajaron ya que la gente no los podía comprar. Más fábricas y negocios quebraron.

La Gran Depresión afectó a todos los norteamericanos. Algunas familias no podían ni siquiera comprar los alimentos necesarios para subsistir. El gobierno tenía que salvar la economía.

Los precios de las acciones se desplomaron en octubre de 1929 y la gente se congregó consternada en Wall Street, frente al New York Stock Exchange (la Bolsa de Valores).

El problema era enorme y las soluciones no eran muy claras. Algunas de las medidas sugeridas surgieron del movimiento progresista. Otros métodos que se planteaban eran tradicionales. Algunos ciudadanos estaban a favor de nuevos métodos, hasta entonces desusados en los Estados Unidos.

HOOVER Y LA DEPRESIÓN

Al comienzo de la Gran Depresión en 1929, el presidente Hoover, republicano, llevaba un año en la presidencia. Era un hombre honesto y hábil. Se había dado a conocer por su trabajo durante la Primera Guerra Mundial y después de ella por facilitar comida a los pobres. Antes de ser elegido presidente fue Secretario de Comercio bajo los presidentes republicanos Warren Harding y Calvin Coolidge.

Hoover se oponía a que el gobierno tomara medidas drásticas para aliviar la depresión. Creía que lo que era necesario era restaurar la confianza en la vida económica y social del país. Los ciudadanos tenían que responsabilizarse de la situación. Se oponía a que el gobierno federal ayudara directamente a los desempleados y a sus familias, ya que mientras más facilidades daba el gobierno, menos hacían los individuos.

Así, se opuso a que el gobierno federal ayudara directamente a los desempleados y sus familias. Estos programas los puso en manos de las ciudades y los estados. Pero éstos, claro está, no tenían el dinero necesario para hacerle frente a sus necesidades.

A pesar de que Hoover creía que el gobierno federal debía delegar muchas responsabilidades a los estados y las ciudades, hizo más por el país que muchos presidentes anteriores. Bajo su presidencia el gobierno creó la *Corporación para la Reconstrucción de las Finanzas* (*Reconstruction Finance Corporation*) para dar créditos a los grandes negocios. Al-

Un espectáculo común en la década de 1930: los desempleados formando "filas de pan" para recibir pequeñas cantidades de alimentos suministrados por organizaciones de caridad. ¿Cómo te imaginas que se sentiría una persona en esa situación?

gunos propietarios y granjeros también recibieron ayuda. Asimismo, se emprendieron grandes proyectos como la construcción de la Presa Hoover en el río Colorado. Estos proyectos eran pagados por el gobierno federal y daban trabajo a muchos desempleados.

A pesar de todo, muchos votantes culparon a Hoover de la depresión. Su apariencia, a menudo, era sombría y parecía incapacitado para inspirar confianza al pueblo. En 1932, Hoover se volvió a presentar a la elección presidencial pero perdió ante el candidato demócrata Franklin D. Roosevelt, de New York.

COMIENZA EL "NUEVO TRATO" (THE NEW DEAL)

Durante la campaña electoral de 1932, Roosevelt prometió que el gobierno bajo su presidencia no gastaría más de lo que recaudara en impuestos. También exigía más ayuda gubernamental para la clase humilde. Asimismo, pretendía cambiar algunas prácticas deshonestas que se llevaban a cabo en algunos negocios. Dio a entender que muchos de sus métodos eran nuevos pero había que ponerlos en práctica. Expresó sus ideas así:

"El pueblo necesita, y si no me equivoco en lo que veo, exige, experimentos constantes. Es de sentido común tomar un método y probarlo. Si no funciona, se admite con franqueza y se prueba otro. Pero sobre todo, hay que intentar algo. Los millones de necesitados no se mantendrán en silencio para siempre mientras que lo que necesitan para satisfacer sus necesidades está a fácil alcance".

Quizá, lo que más motivó a sus votantes fue la confianza que Roosevelt les inspiraba. Cuando fue elegido como candi-

A pesar de que la poliomielitis le paralizó las piernas en 1921, Franklin D. Roosevelt fue elegido gobernador de Nueva York siete años después de su parálisis; y en 1932, presidente de los Estados Unidos.

dato demócrata prometió "un nuevo trato" pero aunque no explicó lo que quería decir con esto, muchos de sus oyentes se ilusionaron.

En uno de sus discursos dijo:

"¿Qué quieren los ciudadanos americanos? Para mí, dos cosas: Trabajo y todos los valores morales y espirituales que éste lleva consigo. Y con el trabajo, algo de seguridad — la seguridad para los mismos trabajadores y también para sus hijos y mujeres.

"Les prometo, me prometo a mí mismo, un nuevo trato con el pueblo americano. Esto es más que una campaña política, es un llamado a las armas. Denme su ayuda, no sólo para ganar votos, sino para ganar esta lucha y reconstruir América para su propio pueblo".

Entre el día de la elección, 8 de noviembre de 1932, y el día en que Roosevelt se hizo cargo de la presidencia, 4 de marzo de 1933, las condiciones económicas empeoraron. Se cerraron muchos bancos. Se habían quedado sin fondos. La gente, atemorizada, había sacado todo su dinero. Muchos estados cerraron los bancos temporalmente para evitar más quiebras. El número de personas que perdió su trabajo llegaba a una cuarta parte de la fuerza laboral.

La gente esperaba que Roosevelt solucionara estos problemas. En su discurso inaugural él trató, una vez más, de inspirar confianza a la nación. Dijo: "Lo único que tenemos que temer es el temor mismo, este terror sin nombre, irracional e injustificado que paraliza los esfuerzos necesarios para convertir la retirada en avance... Esta nación pide acción, acción inmediata".

El nuevo presidente actuó rápidamente para que el sistema bancario nacional no se derrumbara. Persuadió al Congreso, en sesión especial, de que había que tomar nuevas medidas y leyes. Para seguir su programa nombró a funcionarios competentes a quienes dirigía con energía y esperanza. También utilizó la radio para llegar a todos los hogares norteamericanos; tuvo un programa llamado "Charlas junto al hogar" (Fireside chats). Estas charlas convencían a las personas de que el presidente se ocupaba de los intereses de todo el pueblo. La nación respondió al nuevo trato con entusiasmo.

LEYES PARA ACABAR CON LA DEPRESIÓN

El objetivo de Roosevelt era que se reanudaran de nuevo los negocios. Para hacer esto quería dar dinero a los compradores. Si los trabajadores ganaban buenos sueldos podrían comprar más productos agrícolas e industriales. Cuanto más productos se vendieran mayor provecho tendrían los industriales y los granjeros. También se podría contratar a más trabajadores. Cuanto más dinero se ganara más dinero entraría en el mercado. Roosevelt creía que este círculo de compra y venta restauraría la situación económica y el sistema económico podría salvarse.

Bajo la presidencia de Roosevelt, el Congreso aprobó dos importantes leyes por las cuales el gobierno se comprometía a ayudar a las empresas y a la agricultura. Ambas leyes intentaban controlar la cantidad de mercancías que se producían, para mantener la estabilización de los precios. Si se cumplían estos objetivos, las ganancias crecerían y estimularían la producción.

La primera de estas leyes fue la *Ley Nacional de Recuperación Industrial* (*National Industrial Recovery Act*, o *NIRA*). También se estableció la Administración de Recuperación Nacional (National Recovery Administration, o NRA) para tratar con los negocios y la industria. Esta Administración pedía a las compañías dentro de una industria que trabajaran juntas para establecer un código de precios para cada uno de sus productos. Así no tendrían que competir bajando los precios. Si no había que bajar los precios, las ganancias serían mayores. Cada compañía podría ganar lo suficiente como para elevar los salarios de los trabajadores y reducir la jornada laboral. También se ofrecía algo a los trabajadores ya que se estableció un salario mínimo y un máximo de horas. A los obreros también se les garantizaba el derecho de sindicalizarse para intentar mejorar sus salarios y sus condiciones de trabajo.

La otra nueva ley fue la *Ley de Ajuste Agrícola* (*Agricultural Adjustment Act*, o *AAA*). Esta ley trataba de aumentar el precio de los productos agrícolas bajando la producción. El gobierno pagaba a los granjeros que quisieran plantar sólo unos pocos acres de una cosecha básica, como trigo o maíz. Así, los granjeros obtenían altos precios y pagos en efectivo del gobierno.

Tanto la NIRA como la AAA causaron controversias, especialmente la primera. Muchos pequeños comerciantes opinaban que favorecía a las grandes corporaciones. Y los líderes laborales también pensaban que no ayudaba lo suficiente a los sindicatos. En 1935, la Corte Suprema acabó declarando la ley NIRA inconstitucional. La Corte arguyó que esta ley regulaba el comercio dentro de los estados y la Constitución sólo daba al gobierno control sobre el comercio interestatal. La Corte también pensaba que esta ley daba demasiado poder al presidente y a la rama ejecutiva del gobierno.

La ley AAA también disgustó a muchos norteamericanos. Les parecía contradictorio el plantar pocas cosechas cuando había gente que pasaba hambre. Algunas cosechas y ciertos animales fueron destruidos para subir los precios. En 1936, la Corte Suprema también declaró esta ley inconstitucional.

Sin embargo, el Congreso rápidamente sustituyó esta última ley por otras. Continuaron dando *subsidios* a los granjeros, lo que ayudó a muchos de ellos, aunque los propietarios de muchos acres recibían más dinero que los que tenían terrenos más pequeños.

AYUDA A LOS DESEMPLEADOS

El Nuevo Trato también se interesaba por el grupo más afectado de la población: los desempleados y los que no tenían ni dinero ni comida. En 1933, el gobierno creó la *Administración Federal de Ayuda de Emergencia* (*Federal Emergency Relief Administration*), que otorgó 3 billones de dólares para los desempleados y los hambrientos a través de los gobiernos estatales y locales.

El paso siguiente fue el de crear más empleos. Bajo varios programas —como el de la *Administración del Trabajo Público*, la *Administración de los Progresos del Trabajo*, y la *Administración de los Trabajos Civiles* (*Public Works Administration, PWA; Works Progress Administration, WPA; Civil Works Administration, CWA*, respectivamente) el gobierno contrataba millones de personas para trabajos públicos. La gente comenzó a trabajar en proyectos prácticos como la construcción o la renovación de carreteras, escuelas, presas y hospitales. La WPA incluso facilitó trabajos en el mundo de las

Los programas del Nuevo Trato (New Deal) dieron empleo a millones de desempleados. Aquí se ve a un grupo de jóvenes trabajando en un campo de Oregon.

artes para escritores, artistas, actores y músicos.

Quizás el programa de trabajo más conocido del Nuevo Trato fue el *Cuerpo de Conservación Civil (Civilian Conservation Corps, o CCC)* que daba trabajo a jóvenes de áreas urbanas, de 18 a 25 años. Se necesitaban muchos trabajos de conservación —plantar árboles, destruir insectos, construir presas y ayudar a evitar los fuegos forestales. A estos jóvenes se les dio casa y lugares de recreo, se les daba también 30 dólares al mes, de los cuales se enviaban 20 para ayudar a sus familias.

Algunos norteamericanos se opusieron a estos proyectos de trabajos públicos ya que decían que el gobierno no podía permitirse esos lujos en trabajos innecesarios. Pero los que lograban trabajar pensaban de modo diferente.

La Autoridad del Valle del Tennessee (Tennessee Valley Authority, o TVA) fue el proyecto más impresionante de trabajos públicos. En 1933, el Congreso elaboró un plan para la región en torno al río Tennessee (que comprendía siete estados). Este plan incluía la construcción de presas en el río para proveer de energía eléctrica al Valle del Tennessee así como para controlar las inundaciones. El gobierno vendería la energía eléctrica a los habitantes de la región a precios controlados. Estos precios competirían con los de empresas privadas. TVA serviría de "modelo" a esas empresas. Si los precios de la empresa privada eran mucho más altos que los de TVA, la gente compraría su electricidad al gobierno.

Los beneficios para los habitantes de la región del Tennessee fueron incalculables.

UN NUEVO TRATO PARA LOS TRABAJADORES

Para ayudar a los que pudieron conseguir empleo, el Nuevo Trato fortaleció el poder de los sindicatos. La *National Industrial Recovery Act* garantizaba el derecho de los obreros al "pacto colectivo" con sus patronos. Al tener garantizado su derecho de sindicalizarse, los trabajadores podían elegir a sus representantes para tratar los salarios, las horas y los beneficios con los patronos.

En 1935, el Congreso aprobó la *Ley Wagner*, que fortalecía el derecho de los trabajadores a formar sus propios sindicatos. También se estableció el *Comité Nacional de Relaciones Laborales* (*National Labor Relations Board*, o *NLRB*) para atender las quejas y proteger los derechos de los obreros. La NLRB se encargaba de que las elecciones entre trabajadores para escoger a sus representantes fueran limpias.

El presidente Roosevelt propuso dos nuevas leyes para ayudar a los trabajadores norteamericanos y a sus familias. Una fue la *Ley de trato laboral justo*, o *Fair Labor Standards Act* (1938), que establecía el salario mínimo y el máximo de horas para los que trabajaban en in-

dustrias con comercio interestatal. Para la mayoría de los trabajadores de la industria, esto suponía que lo menos que podían pagarles era 40 centavos por hora y que no podían trabajar más de 40 horas a la semana sin cobrar paga extra. Tres cuartos de millón de trabajadores elevaron sus pagas al salario mínimo. Se abolió también el trabajo de los niños.

La otra ley que afectó a los trabajadores fue la *Ley de Seguridad Social*, o *Social Security Act* (1935). Según esta ley, el gobierno tenía que pagar a los desempleados, a los incapacitados y a los ancianos. Los fondos vendrían de los trabajadores y de los patronos. A los trabajadores se les impondría un pequeño impuesto sobre sus salarios y los patronos pagarían el resto. En muchos países de Europa occidental ya había programas de ayuda a los trabajadores. Este tipo de ayuda gubernamental era una de las demandas de los progresistas.

El sistema de Seguridad Social dio al gobierno mucha más responsabilidad con respecto al bienestar público de los ciudadanos. El gobierno se encargaba no

Frances Perkins, Secretaria de trabajo en el gobierno de Roosevelt, habla con unos mineros. Fue ella la primera mujer escogida para una posición en el gabinete.

sólo del bien común sino del bienestar de los individuos.

REFORMAS DEL NUEVO TRATO

El presidente Roosevelt también apoyó una legislación para reformar la economía. Esperaba que estas leyes evitaran otra depresión. Por eso se creó la *Corporación Federal de Seguros de Depósitos —Federal Deposit Insurance Corporation, o FDIC—* una agencia que asegura el dinero que se deposita en los bancos. Otras leyes fortalecieron el Sistema de Reserva Federal que se estableció bajo la presidencia de Wilson.

Una de las causas de la crisis económica había sido la mala administración de la compra y venta de acciones. Bajo la dirección de Roosevelt, el Congreso aprobó la *Ley de Valores y Cambios — Securities Exchange Act.* Esta ley estableció una Comisión, la *Securities Exchange Commission o SEC,* para regular la Bolsa. Leyes posteriores aumentaron el poder de esta comisión para dar más protección a los inversionistas.

ROOSEVELT ES REELEGIDO

En la campaña presidencial de 1936, el Nuevo Trato había ganado mucha popularidad. Incluso, la oposición republicana había apoyado parte de la política de Roosevelt. Pero el Partido Republicano se opuso al programa del Nuevo Trato, especialmente la interferencia gubernamental en el sistema económico. El candidato republicano era el gobernador Alfred M. Landon, de Kansas.

Roosevelt fue reelegido como candidato demócrata. Obtuvo una gran victoria, con el voto electoral de todos los estados excepto dos. En su discurso inaugural Roosevelt hizo hincapié en que los problemas de la nación no estaban aún resueltos e instó de nuevo a la nación a que prestara más atención a los problemas de los pobres. Dijo él:

"Veo en este país a diez millones de ciudadanos a quienes les es negada la ma-

yor parte de las necesidades para sobrevivir. Veo a un tercio de la nación mal alojada, mal vestida y mal nutrida".

Roosevelt pensaba que la Corte Suprema era un obstáculo para las leyes que el país necesitaba. Ya había declarado anticonstitucionales las leyes NIRA y AAA y temía que hiciera lo mismo con otros programas del Nuevo Trato. Por esto acusó a los miembros de la Corte de actuar como si todavía se viajara "en diligencia", es decir, muy a la antigua.

Para resolver el problema, Roosevelt trató de cambiar la Corte. Decía él que muchos de los magistrados, cuyo nombramiento es vitalicio, eran ya demasiado mayores para enfrentarse a las responsabilidades de la Corte. Sugirió así que por cada magistrado que pasara de los 70 años se añadiera un magistrado nuevo. En ese momento, seis de los nueve magistrados tenían más de 70 años, lo que hubiera permitido a Roosevelt agrandar la Corte inmediatamente con el nombramiento de seis nuevos miembros. Los nombramientos tendrían que ser aprobados por el Senado, pero el partido de Roosevelt tenía el control de éste. El Senado acordaría aprobar la propuesta del presidente.

Sin embargo, ni el Congreso ni muchos de los seguidores del presidente aceptaron el plan de Roosevelt de aumentar la Corte, ya que tal acción supondría que el presidente controlaría la Corte Suprema. Esto iría en detrimento del sistema de verificación y equilibrio ("checks and balances") de las tres ramas del gobierno. El poder ejecutivo, es decir, el presidente, se haría muchísimo más fuerte.

Aunque el Congreso no aceptó el plan de Roosevelt, el presidente sí tuvo la oportunidad de cambiar a los miembros de la Corte. En los nueve años siguientes que estuvo Roosevelt en la Casa Blanca, ocho miembros de la Corte renunciaron o murieron. Roosevelt pudo así nombrar a sus sucesores, la mayoría de los cuales eran simpatizantes del Nuevo Trato y, por lo tanto, capaces de considerar constitucionales las nuevas leyes. Por otro lado, los dirigentes del Nuevo Trato tenían ahora una mayor experiencia para redactar las leyes de una forma que evitara conflictos constitucionales.

EL FINAL DEL NUEVO TRATO

Como resultado de su intento de cambiar la Corte Suprema, la popularidad de Roosevelt decayó. Una nueva baja en la economía también le restó algunos seguidores. Igualmente, el Congreso se había transformado a partir de 1938. Ahora había menos demócratas del Nuevo Trato que en ningún otro momento. De hecho, varios candidatos que Roosevelt había apoyado fueron derrotados. La corriente iba cambiando en contra del Nuevo Trato.

En la misma época, el conflicto en Europa se acrecentaba. La guerra parecía inminente. Pronto el presidente y el Congreso se centraron en los problemas exteriores y los problemas domésticos quedaron en un segundo lugar. Aunque Roosevelt fue reelegido dos veces más —en 1940 y 1944— se puede decir que el Nuevo Trato terminó en 1938.

EL NUEVO TRATO, UNA EVALUACIÓN

¿Hasta qué punto tuvo éxito el Nuevo Trato? ¿Solucionó Franklin D. Roosevelt los problemas que tenían los Estados Unidos cuando él ocupó la presidencia en 1933? ¿Fueron sus programas demasiado progresistas? El pueblo ha debatido este asunto durante más de 50 años.

Muchos criticaron lo poco efectivo que había sido el programa de Roosevelt, ya que en 1939 todavía había 8.7 millones de desempleados en el país. Este número permaneció alto hasta que los Estados Unidos entraron en la Segunda Guerra Mundial. Fue la guerra la que finalmente acabó con la Gran Depresión, no el Nuevo Trato y sus programas.

Además, se decía que el Nuevo Trato había tenido muy poco relieve en el ter-cio de la nación que Roosevelt había llamado los "mal alojados, mal vestidos, mal nutridos". La mayoría de estas personas eran miembros de grupos minoritarios. Las familias negras de los barrios pobres de las ciudades del Norte y de las granjas del Sur, sufrieron mucho durante la Depresión. Un estudio realizado en la ciudad de New York demostró que una familia negra media vivía con una renta que era menor a la mitad de la renta de una familia blanca pobre. La pobreza de los negros norteamericanos era a menudo ignorada por los otros porque los negros *nunca* habían compartido totalmente la prosperidad de la nación.

Otros critican al Nuevo Trato por aumentar la deuda nacional y por establecer demasiadas agencias gubernamentales, creando complejidad y confusión. Para ellos, los nuevos problemas creados por el Nuevo Trato fueron mayores que los que resolvió.

Los defensores del Nuevo Trato apuntan que la renta nacional creció el 75% desde 1932 a 1939. También dicen que aunque todavía había muchos desempleados, la ley de Seguridad Social y los programas de ayuda del Nuevo Trato habían reducido en algo su sufrimiento. Dicen, además, que el programa de Roosevelt había puesto salvaguardas al sistema económico de la nación para evitar futuras depresiones.

A pesar de las diferencias de opinión, tanto los detractores como los defensores de Roosevelt están de acuerdo en que ayudó a restaurar la fe en la democracia norteamericana durante un período de enorme crisis. Los programas de Roosevelt incrementaron el control gubernamental sobre la industria, la agricultura y la vida norteamericana. También dieron mucho más poder al presidente y la rama ejecutiva del gobierno. Pero todos estos cambios fueron posibles gracias al proceso democrático y al apoyo del pueblo que eligió a Roosevelt cuatro veces.

EXPLORACION DE HECHOS Y OPINIONES

I. Para mejorar tus conocimientos

Define, describe o identifica cada uno de los términos siguientes. Muestra cómo está conectado cada uno de ellos con las décadas de 1920 y 1930.

1—"Jueves negro"
2—NRA
3—El Nuevo Trato
4—Ley de Ajuste Agrícola
5—Ley de Seguridad Social
6—Autoridad del Valle del Tennessee
7—Corporación para la Reconstrucción de las Finanzas (RFC)
8—Cuerpo de Conservación Civil
9—Ley Nacional de Relaciones Laborales
10—Corte Suprema de los Estados Unidos

II. Preguntas

Contesta a las preguntas siguientes. Acompaña tus respuestas con ejemplos e información específica.

1—¿Cuáles fueron las causas de la Gran Depresión?

2—¿En qué se diferenciaban la política de Herbert Hoover y de Franklin D. Roosevelt para acabar con la Depresión?

3—¿Qué medidas específicas tomó el gobierno federal en la década de 1930 para aliviar económicamente a diferentes partes de la población?

4—¿Cuál fue la importancia de la Autoridad del Valle del Tennesse y por qué tuvo mucha oposición?

5—¿Qué cambios se produjeron en la situación laboral en la década de 1930? ¿Qué papel jugó el gobierno federal en este cambio?

III. Conceptos

Los términos que siguen representan conceptos, ideas amplias que han jugado un papel importante en la experiencia norteamericana, especialmente en las décadas de 1920 y 1930. Con tus propias palabras, escribe una pequeña definición de cada una de ellas.

1—producción masiva
2—subsidios
3—depresión económica
4—pacto colectivo
5—seguros de depósitos bancarios
6—"charlas junto al hogar"
7—aumentar la Corte
8—salario mínimo

IV. Ideas organizadas

Siguen un número de ideas organizadas. Cada una perfila hechos y conceptos estudiados en este capítulo y hace una generalización. A partir de tus lecturas y lo dicho en clase, da ejemplos específicos que aprueben o desaprueben estas ideas.

1—El público no concuerda en cuánto control debe ejercer el gobierno en la economía para satisfacer los intereses de la ciudadanía.

2—Cambios económicos rápidos efectuados por el gobierno crean reacciones fuertes, tanto positivas como negativas.

3—Los trabajadores mejoran su posición al negociar con los patronos si lo hacen juntos, organizados, y no individualmente.

4—Los líderes nacionales influyen con frecuencia en la disposición del pueblo por medio de sus acciones y obras.

¿Qué otras ideas se pueden desarrollar a partir del material de este capítulo?

V. Ideas para construir

1—¿Por qué la economía norteamericana de las década de 1930 no era tan fuerte como muchos creían?

2—¿Por qué fue la Depresión una crisis para la mayoría de los norteamericanos?

3—¿Qué medidas tomó el presidente Herbert Hoover para acabar con el colapso económico? ¿Crees que podría haber hecho otras cosas? Explica.

4—Franklin Roosevelt dijo que para acabar con la depresión era mejor intentar nuevos caminos y fracasar que no hacer nada. ¿Estás de acuerdo? ¿Por qué sí o por qué no?

5—Roosevelt también dijo al pueblo norteamericano: "Lo único que tenemos que temer es el temor mismo". ¿Qué crees que quería decir él con esa frase?

6—¿Qué pasos inmediatos tomó Roosevelt contra la depresión? ¿Qué pasos a largo plazo?

7—¿Estás de acuerdo con las críticas que le hicieron a Roosevelt por "malgastar" dinero en trabajos públicos? Explícalo.

8—¿Qué leyes aprobó el Congreso en la década de 1930 para ayudar a los obreros? ¿Qué efectos crees tú que tuvieron estas leyes en los obreros?

9—¿Qué era la Autoridad del Valle del Tennessee? ¿Crees que el gobierno debía aprobar más proyectos como éste para competir con las empresas privadas? ¿Por qué sí o por qué no?

10—¿Crees que Franklin Roosevelt estaba equivocado al intentar cambiar los miembros de la Corte Suprema? Explícalo.

11—¿Por qué acabó el Nuevo Trato?

12—¿En qué problema hizo hincapié Roosevelt en su segundo discurso inaugural en 1936? ¿Crees que se ha resuelto este problema desde ese discurso?

13—Elige tres palabras que, según tu opinión, describan mejor el Nuevo Trato. Apoya tu opinión.

Capítulo 22

LA SEGUNDA GUERRA MUNDIAL

DICTADURAS EN EUROPA

Hacia mediados de la década de 1930, la paz iba desapareciendo en Europa. En gran parte era debido al ascenso de las *dictaduras*, esto es, a los gobiernos controlados por un solo hombre, que existían en varios países.

En 1922, encabezado por Benito Mussolini, el *Partido Fascista* ganó el control de Italia. Prometiendo hacer de Italia una gran potencia, Mussolini estableció una dictadura. Era el *Duce* (el líder) y sus decisiones no podían ser cuestionadas. Apeló a los sentimientos patrióticos del pueblo italiano pidiéndoles que antepusieran la "gloria" de su país a cualquier otra cosa. En 1935 envió tropas italianas a invadir Etiopía, en el este de África. Pronto Etiopía se convirtió en parte del imperio italiano.

En Alemania también apareció otra dictadura. El *Partido Nacional Socialista* o *Nazi* tomó el poder en 1933. Adolf Hitler, el *Fuehrer* o líder, derrotó a toda la oposición política y estableció un gobierno de tipo fascista. Bajo el fascismo, el gobierno se convierte en una dictadura que arrebata los derechos al pueblo y persigue cruelmente a grupos minoritarios. Un gobierno fascista cree, sobre todo, en el poder militar y a menudo intenta usar tal poder para hacer al país más grande y más rico.

En 1933, Alemania abandonó la Liga de las Naciones. Violando el Tratado de Versalles, el gobierno nazi comenzó a reorganizar las fuerzas armadas alemanas. En mayo de 1936, Hitler envió tropas alemanas a la región del Rin, violando de nuevo el Tratado de Versalles. Un poco más tarde, Alemania e Italia se unieron en una alianza llamada el eje Roma-Berlín. Se les llamó "potencias del eje". Japón se unió a ellas en 1940, formando "el eje Roma-Berlín-Tokio".

En el verano de 1936, una guerra civil estalló en España. A un lado, estaban los que apoyaban la nueva república, establecida en 1931 en reemplazo de la monarquía, y, al otro, los que se oponían a ella. Estos últimos decían que los *republicanos* estaban influidos por los comunistas e iban en contra de la Iglesia Católica. Dirigidos por el general Francisco Franco, los *sublevados* recibieron ayuda de la Alemania y la Italia fascistas. La Unión Soviética, que deseaba que se estableciera un régimen comunista en España, apoyaba a los republicanos.

INTENTO DE NEUTRALIDAD

En este período problemático, el pueblo y el gobierno norteamericanos continuaban la política aislacionista. Los Estados Unidos habían aceptado jugar un papel importante en los esfuerzos de desarme en la década de 1920. Ahora, sin embargo, parecía que aún las medidas para mantener la paz presentaban peligro de guerra. Pero la mayoría de los norteamericanos no estaban a favor de entrar en

Hitler y Mussolini durante una visita de Il Duce a Munich.

una guerra ya que había un sentimiento generalizado de que la Primera Guerra Mundial había sido un terrible error y había que hacer todo lo posible para evitar que el error se repitiera. Muchos norteamericanos estaban también muy molestos porque los países europeos no habían pagado a los Estados Unidos el dinero que éste les había prestado durante la guerra.

Como los problemas crecían en ultramar, los Estados Unidos decidieron mantenerse neutrales. En 1935, el Congreso aprobó la primera de varias *Leyes de Neutralidad*. Esta ley decía que los Estados Unidos prohibirían la venta de armas a cualquier país en guerra. Además, el presidente podía prohibir a los ciudadanos que viajaran en barcos de los países en guerra.

Cuando en 1935 Italia invadió Etiopía, los Estados Unidos actuaron bajo la ley de embargo. Pero Italia tenía su propia industria de armas y el embargo norteamericano apenas surtió efecto. Entonces, el presidente Franklin Roosevelt decidió usar otra táctica y pidió un "embargo moral" sobre la venta de materias primas a Italia, especialmente petróleo. A petición de la Liga de las Naciones otros países también presionaron de este modo a Italia. Pero todas estas medidas no impidieron que Italia conquistara a Etiopía.

La guerra civil española era otro tipo de problema. La Ley de Neutralidad se aplicaba para la guerra entre dos países y no para la guerra civil dentro de un país. Por tanto, el Congreso aprobó una ley especial de embargo sobre los materiales de guerra para ambos bandos en el conflicto español.

En 1937, se aprobó otra Ley de Neutralidad. Esta ley expresaba que una nación en guerra no podía comprar mercancías militares o *no militares*, a los Estados Unidos a no ser que las pagaran todas al contado y las transportaran inmediatamente en sus propios barcos. Esta política favorecía a las potencias navales como Gran Bretaña.

El presidente Roosevelt veía el peligro de una guerra mundial, por lo tanto pidió a todas las naciones que actuaran unidas para evitar que estallara un conflicto. Dijo que había que poner en *"cuarentena"* a los países bélicos. No explicó muy bien lo que quería decir con esto de "cuarentena", pero se entendió como una interrupción del comercio con las naciones agresoras.

La idea de Roosevelt no fue bien recibida. El pueblo opinaba que las Leyes de Neutralidad eran lo máximo que este país debía hacer. El pueblo norteamericano temía que si su gobierno tomaba demasiada iniciativa en el intento de evitar la guerra, finalmente se vería forzado a intervenir en ella si estallaba. Y además, una "cuarentena" sólo tendría efecto si estaba respaldada por *todos* los países; había pocas esperanzas en tal cooperación.

LA GUERRA LLEGA A EUROPA

En marzo de 1938, Alemania se anexionó a su vecino del sur, Austria. Después, Hitler se dirigió hacia el oeste y exigió una parte de Checoslovaquia. Los checos, dispuestos a luchar, pidieron ayuda a Inglaterra y Francia. Pero estos dos países querían evitar la guerra fuera como fuese. No ayudaron al país en peligro y comenzaron una serie de "conversaciones de paz" con Hitler. Al final de estas conversaciones (en Munich, Alemania, en septiembre de 1938) Inglaterra y Francia cedieron a las demandas de Hitler. Bajo el *Pacto de Munich*, un tercio de Checoslovaquia caía bajo las manos de los nazis. En marzo de 1939 fue tomado el resto del país.

Los dirigentes europeos esperaban evitar la guerra permitiendo a Hitler que hiciera lo que deseara. Pero esta política de *pacificación* no dio resultado.

Una banda militar encabeza las fuerzas alemanas al tomar posesión de una parte de Checoslovaquia llamada Sudentenland, en 1938.

En 1939, las dictaduras europeas se extendían. En marzo, el bando de sublevados a las órdenes del general Francisco Franco derrotaba a los republicanos dando por finalizada la guerra civil en España. Franco estableció una dictadura de tipo fascista. En abril, Italia invadió Albania.

En el verano de 1939, Hitler amenazó a otro país, Polonia. Sin embargo, esta vez Alemania tomó precauciones para atacar a Polonia ya que era vecina de la Unión Soviética y Hitler no estaba preparado para luchar con este país. El 23 de agosto de 1939, Alemania y la Unión Soviética firmaron un pacto acordando no entrar en guerra. El pacto dejaba libre a Alemania para invadir Polonia, y lo hizo el 1° de septiembre de 1939.

Los acontecimientos de la primavera y del verano de 1939 convencieron a Inglaterra y a Francia de que había que detener a Hitler. Si Polonia era atacada, dijeron las dos potencias occidentales, actuarían militarmente. Así que dos días después de que las tropas alemanas cruzaron la frontera polaca, Inglaterra y Francia declararon la guerra a Alemania. La Segunda Guerra Mundial había estallado.

LOS ESTADOS UNIDOS INTENTAN MANTENERSE APARTE

Los Estados Unidos estaban decididos a mantenerse apartados del conflicto. Se publicó una declaración de neutralidad. Pero el presidente Roosevelt y muchos norteamericanos no eran neutrales en sus sentimientos. Creían que los Estados Unidos debían prestar ayuda militar a las potencias aliadas —Inglaterra y Francia— en su lucha contra Alemania. "Aún a uno que es neutral", dijo Roosevelt, "no se le puede pedir que cierre la mente o la conciencia".

Roosevelt pidió al Congreso que anulara lo relativo al embargo de las Leyes de Neutralidad ya que esto representaba una ayuda para Alemania e impedía a Inglaterra y Francia el uso de su poder marítimo para obtener armas.

Se aprobó una nueva ley de neutralidad en noviembre de 1939 en la que se ponía fin al embargo de armas. Esta ley decía que Inglaterra y Francia podían comprar armas pero sólo si las pagaban al contado y las transportaban en sus propios barcos.

Mientras tanto, los alemanes obtuvieron una rápida victoria en Polonia. Su nuevo aliado, la Unión Soviética, también invadió Polonia y ésta quedó dividida entre estas dos naciones.

Poco sucedió durante los meses del siguiente invierno. Sin embargo, cuando llegó la primavera el ejército nazi se extendió por la Europa occidental. En abril de 1940, Hitler invadió Dinamarca y Noruega. En mayo, Holanda, Bélgica y Luxemburgo caían bajo los soldados nazis. Un poco más tarde, Italia se unía a Alemania para invadir Francia. Francia se rindió y firmó un armisticio con Alemania el 22 de junio de 1940.

Los nazis se dirigían ahora a Gran Bretaña por lo que comenzaron un gran ataque aéreo sobre este país en agosto de 1940. En los meses siguientes, mientras que Alemania bombardeaba Gran Bretaña noche y día, las menos numerosas fuerzas aéreas británicas luchaban valientemente y con éxito. Este enfrentamiento se conoció como la *Batalla de Inglaterra*.

Éstos fueron los días más tristes de la guerra para los países democráticos. La victoria de Alemania y sus aliados parecía segura. Los nazis implantarían un "Nuevo Orden" en Europa y todo el continente se reorganizaría bajo el liderazgo alemán. Alemania sería también el centro económico y las otras naciones europeas la abastecerían de materias primas y de mano de obra.

El tercer miembro del eje, Japón, estaba convencido de la victoria alemana y se preparaba para entrar en la guerra. Las potencias del eje esperaban una rápida victoria tanto en Europa como en el Lejano Oriente.

DE LA NEUTRALIDAD A LA GUERRA

A pesar del éxito del eje, el sentimiento de aislacionismo seguía en el pueblo norteamericano. A finales de 1939, una encuesta mostró que menos del 30% de los norteamericanos estaba a favor de que el país entrara en la guerra.

Sin embargo, un poco más tarde, la rápida victoria del ejército alemán y la caída de Francia sacudieron al pueblo norteamericano. El ánimo nacional comenzó a cambiar. El Congreso aprobó más dinero para defensa. Y por primera vez en la historia de los Estados Unidos se instituyó la conscripción en tiempo de paz para proveer de personal a las fuerzas armadas.

En septiembre de 1940, los Estados Unidos dieron un paso importante alejándose de su neutralidad oficial. Cincuenta destructores americanos se enviaron a Inglaterra a cambio de los cuales los Estados Unidos instalaron bases navales en Newfoundland (Terranova) y en las posesiones británicas del Caribe.

En la campaña para la elección presidencial de 1940, Roosevelt aseguró a los padres norteamericanos que "sus hijos no serán enviados a guerras extranjeras". Ganó la elección y fue el primer presidente que fue reelegido por tercera vez.

El otro paso para entrar en la guerra se dio en la primavera de 1941. En esta época, Inglaterra no tenía mucho dinero para comprar armamento de guerra. Además, aumentaba el ataque submarino alemán a barcos ingleses. Como la política de pago al contado no andaba tan bien como al principio, se propuso un programa de *"préstamo y arriendo"* (*lend-lease*) por medio del cual se autorizaría al presidente a vender, prestar o arrendar material bélico a "cualquier país cuya defensa el presidente juzgara necesaria para la defensa de los Estados Unidos".

Este programa fue muy debatido en el Congreso, pero finalmente se aprobó en marzo de 1941. Un poco después, las fuerzas navales y aéreas norteamericanas patrullaban el Océano Atlántico. Con base en Groenlandia e Islandia, su misión era proteger a los barcos aliados que llevaban material bélico norteamericano a Europa.

AL BORDE DE LA GUERRA

El 22 de junio de 1941, Hitler atacó por sorpresa a sus aliados soviéticos. Rusia se unió entonces a los Aliados. El programa de préstamo y arriendo norteamericano también se extendió a esta nueva potencia aliada. Estados Unidos se comprometía más en la guerra.

En agosto de 1941, Roosevelt se reunió con el Primer Ministro británico, Winston Churchill, en un barco de guerra en las costas de Terranova (Canadá). Los dos dirigentes firmaron el documento llamado la *Carta del Atlántico*, en la que se enumeraban una serie de objetivos que ambos países llevarían a cabo después de la guerra. Entre los objetivos figuraban los siguientes:

- El deseo de que no hubiera cambios territoriales que no estuvieran de acuerdo con la libre voluntad expresada por los pueblos a quienes éstos les conciernen.

- Después de la destrucción de la tiranía nazi, esperaban ver establecida una paz que permitiera a todas las naciones estar seguras dentro de sus fronteras.

En septiembre y octubre de 1941 unos buques de guerra estadounidenses fueron atacados en el Atlántico. El presidente Roosevelt reaccionó pidiendo un cambio en la cláusula de "pago al contado" de la Ley de Neutralidad de 1939. Pedía que se armaran los barcos mercantes norteamericanos y que se les permitiera transportar mercancías a los puertos de las naciones en guerra.

A principios de noviembre, el Congreso aprobó la propuesta del presidente. Ahora los barcos mercantes podían ir armados. Los Estados Unidos se estaban apartando del aislacionismo y la neutralidad.

El presidente Roosevelt y el primer ministro Churchill se reúnen en alta mar, en la cubierta de un acorazado, en agosto de 1941. En esta ocasión se firmó la Carta del Atlántico.

De hecho, en el Atlántico norte, ya participaba en una guerra naval no declarada con Alemania. Entraba en la gran lucha por el poder, a mediados del siglo XX.

UN "NUEVO ORDEN" EN ASIA

Durante un tiempo, el mayor peligro de guerra para los Estados Unidos parecía proceder de Europa. Sin embargo, cuando los norteamericanos entraron en el conflicto, el campo de batalla no fue Europa. La guerra empezó con un ataque aéreo inesperado de los japoneses a la base naval norteamericana de Pearl Harbor, en las islas Hawaii. El ataque comenzó la mañana del 7 de diciembre de 1941.

Desde 1937, Japón había estado en guerra con China. Los japoneses habían ocupado gran parte de las regiones de la costa china. Durante todo ese tiempo, Japón había estado comprando material de guerra a los Estados Unidos. La ley de neutralidad incluía una cláusula de embargo que no prohibía vender materias primas del país a Japón. Por tanto, los Estados Unidos les vendía petróleo, cobre y chatarra.

Pero el pueblo norteamericano simpatizaba con China desde hacía mucho tiempo. En 1939 los Estados Unidos comenzaron a reducir el comercio con Japón hasta que lo interrumpieron definitivamente en enero de 1940 cuando un tratado comercial con ese país, que existía desde 1911, fue revocado. Ante este corte de abastecimiento Japón buscó en otro sitio petróleo, caucho y minerales.

El éxito militar alemán en Europa en 1940 abría posibles fuentes de recursos. Con la caída de Francia y Holanda, las colonias de ambos en el sureste de Asia y en el Pacífico parecían completamente vulnerables. La Indochina francesa (hoy Vietnam, Camboya y Laos), las Indias orientales holandesas (hoy Indonesia) y las controladas por Gran Bretaña (Birmania, Malaya y Singapur) eran ricas en los materiales que desesperadamente necesitaba la maquinaria de guerra japonesa.

En julio de 1940, aconteció un cambio en el gobierno japonés. Nuevos dirigentes más agresivos apoyados por las fuerzas militares japonesas tomaron el control. Trataron de crear algo llamado "La esfera de coprosperidad de la Gran Asia Oriental" bajo control japonés. Las fuerzas japonesas se trasladaron al norte de Indochina en el otoño de 1940. Los Estados Unidos contestaron a esta acción interrumpiendo la venta de chatarra a Japón.

En septiembre de 1940, Japón se unió a las potencias del eje. Japón, Alemania e Italia prometieron defenderse si eran atacados por "una potencia no comprometida en la guerra europea o en el conflicto chino-japonés". Estas palabras iban claramente dirigidas contra los Estados Unidos. Ahora el pueblo norteamericano veía que Japón estaba del todo junto a las potencias fascistas y representaba un peligro para la democracia.

LOS ESTADOS UNIDOS INTENTAN NEGOCIAR

En sus intentos para evitar la guerra, el gobierno norteamericano y el japonés mantuvieron una serie de delicadas conversaciones a lo largo de 1941. Mientras tanto, los Estados Unidos se estaban preparando para la guerra.

En julio de 1941, Japón había invadido el sur de Indochina. Los Estados Unidos alertaron a sus tropas en el Pacífico. Se fortalecieron las bases norteamericanas en Asia y en el Pacífico. El presidente Roosevelt ordenó la "congelación" de bienes japoneses —dinero, créditos y propiedades— en los Estados Unidos. La "congelación" significaba que Japón no podría usar estos bienes para comprar mercancías norteamericanas. La misma orden presidencial daba al gobierno el control sobre todo el comercio entre Japón y los Estados Unidos. Entre otras cosas se cortó por completo la exportación de petróleo, algo muy importante para los japoneses, que dependían del petróleo de otros países.

En el otoño de 1941, estaba claro que los Estados Unidos y Japón estaban a punto de entrar en guerra. El presidente Roosevelt insistía en que Japón tenía que retirarse de China y de otras partes de Asia. Japón pedía que los Estados Unidos siguieran sus exportaciones de petróleo. También querían que los Estados Unidos convencieran a China a aceptar la paz con el Japón bajo los términos de éstos.

Sin petróleo y chatarra norteamericana, Japón se enfrentaba a una difícil elección. Por un lado podía extenderse más hacia Asia y el Pacífico y apoderarse de los pozos de petróleo en las Indias orientales holandesas pero esto entrañaría un peligro de guerra con Gran Bretaña y los Estados Unidos. La otra posibilidad era retirarse de China y del sureste asiático y tal vez así poder recibir petróleo de Estados Unidos. Pero la retirada de China e Indochina sería vergonzosa para Japón.

El primer ministro japonés Konoye pidió mantener una reunión con el presidente Roosevelt, pero Roosevelt no estaba dispuesto a reunirse con Konoye a menos que Japón "suspendiera sus actividades expansionistas" en Asia y el Pacífico.

El fracaso de Konoye en encontrar una solución pacífica fortaleció a los dirigentes militares japoneses. El 16 de octubre, Konoye fue forzado a dimitir. Lo reemplazó el general Hideki Tojo, bajo cuya dirección se estableció que a finales de noviembre finalizaría el plazo para entrar en la guerra. La estrategia del nuevo dirigente era la siguiente: si Estados Unidos no cambiaban su postura, Japón entraría en guerra.

El 20 de noviembre, Japón hizo su última oferta. Entre otras cosas pedía que Estados Unidos siguiera suministrándole petróleo, que terminara el embargo comercial al Japón y que se mantuvieran apartados del conflicto chino-japonés. El secretario de estado norteamericano, Cordell Hull, rechazó airadamente la propuesta japonesa.

El 26 de noviembre, los Estados Unidos propusieron la oferta norteamericana al embajador japonés Nomura. Le exigían a Japón que se retirara de China y que se uniera a los Estados Unidos y otros países para mantener la paz en el sureste asiático. Ninguno de los dos países cedió y el plazo para la guerra, impuesto por Japón, había pasado.

SEÑALES Y ADVERTENCIAS

El 26 de noviembre de 1941, seis portaaviones japoneses salieron hacia el este con órdenes de atacar Pearl Harbor si no se les indicaba lo contrario. El 1º de diciembre, el gobierno japonés confirmó la decisión de guerra. El ataque a Pearl Harbor se fijó para el 7 de diciembre.

Los Estados Unidos sabían que las fuerzas japonesas estaban preparándose para el ataque. El 24 de noviembre, los Estados Unidos enviaron el primer aviso a sus comandantes navales del Pacífico; el 27 de noviembre enviaron una "advertencia de guerra".

"EL DÍA DE LA INFAMIA"

El domingo 7 de diciembre de 1941, a las 7:55 de la mañana, hora hawaiana, los aviones japoneses comenzaron su ataque a Pearl Harbor. Destruyeron o hicieron blanco en 8 acorazados, varios buques más, 188 aviones e importantes edificios de la base. La flota norteamericana del Pacífico fue prácticamente eliminada. Estados Unidos tuvo alrededor de 3.400 bajas. Los japoneses perdieron menos de 100 hombres, 29 aviones y cinco submarinos "enanos". Unas pocas horas más tarde, Japón también atacó en las Filipinas y en el sureste asiático. El presidente Roosevelt reaccionó rápida y decisivamente. Habló ante el Congreso y también se dirigió al pueblo norteamericano:

"Ayer, 7 de diciembre de 1941 —día de la infamia—, los Estados Unidos de América fueron atacados repentina y deliberadamente por las fuerzas aéreas y navales del Imperio japonés".

En menos de 500 palabras, acusaba al Japón en forma directa e indudable de traición y agresión a sangre fría.

Concluyó en esta forma: "Pido al Congreso que declare un estado de guerra entre los Estados Unidos y el Imperio japonés ya que, a partir del cobarde ataque del domingo 7 de diciembre, ha existido un estado de guerra entre los Estados Unidos y el Imperio japonés".

El 8 de diciembre, ambas cámaras del Congreso se unieron para oír al presidente. Con un solo voto negativo, se declaró la guerra contra Japón.

Tres días más tarde, el 11 de diciembre de 1941, Alemania e Italia declararon la guerra a los Estados Unidos. Ese mismo día, el Congreso declaró la guerra a las potencias del eje. Los Estados Unidos estaban ahora completamente comprometidos en la Segunda Guerra Mundial tanto en el Pacífico como en Europa.

Muchos norteamericanos se sorprendieron de la capacidad de Japón para atacar por sorpresa a Pearl Harbor. Luego se supo que la sorpresa no fue el ataque sino el sitio en que tuvo lugar.

El presidente Roosevelt esperaba que Japón comenzara la pelea pero no creía que atacaría Pearl Harbor sino los territorios británicos u holandeses en el Pacífico. Sin embargo, los japoneses sorprendieron a todos. Decidieron intentar destruir la flota norteamericana atacando Pearl Harbor. La base naval en Hawaii fue, así, tomada por sorpresa.

PREPARATIVOS PARA LA GUERRA

Los Estados Unidos estaban mejor pre-

Esta foto muestra la explosión del **U.S.S. Shaw** durante el ataque japonés en Pearl Harbor, el 7 de diciembre de 1941.

parados para la Segunda Guerra Mundial que para la primera. Cuando sucedió el ataque a Pearl Harbor, ya había preparativos de defensa desde hacía varios meses. En 1940 se había establecido una estrategia militar.

Tras el ataque a Pearl Harbor los norteamericanos pusieron en marcha sus vastos recursos. La producción de aviones, tanques, acorazados, barcos mercantes, armas y municiones, trabajó al máximo. También trabajaron a todos ritmo en la producción de alimentos y ropa. Estos abastecedores no sólo tendrían que mantener a las tropas norteamericanas sino también ayudar a los Aliados.

MOVILIZACIÓN INTERNA

Ya desde antes del desastre de Pearl Harbor, los Estados Unidos comenzaron a activar su defensa bajo nuevas agencias. Después de la entrada de los Estados Unidos en la guerra, el número de estas agencias creció. La más importante fue la Oficina de movilización bélica, que dirigía el abastecimiento de materias primas a las más importantes industrias de guerra. La Oficina de administración de precios se encargó del sistema de racionamiento. Era un sistema para distribuir artículos de consumo tales como la gasolina, los zapatos, ciertos alimentos (azúcar, café, mantequilla y carne). Las fuerzas armadas necesitarían estos productos y por tanto los hogares norteamericanos tendrían que racionar sus compras. Había pocas cantidades de caucho, por lo que una nueva industria comenzó a fabricar caucho sintético.

Para aumentar la cantidad de dinero necesaria para los gastos de la guerra, el gobierno aumentó los impuestos sobre la renta. Por primera vez en la historia del país, los que ganaban sueldos bajos tuvieron que pagar impuestos sobre la renta. Pero los de entradas mayores tuvieron que pagar los más altos impuestos. Sin embargo, muy pocos consideraban que los impuestos eran injustos. También se impusieron impuestos más altos sobre los artículos de lujo, transporte, comunicaciones y deportes. Se vendieron bonos de guerra para recaudar más dinero para el conflicto. Todas esas medidas eran necesarias ya que el gobierno gastó 321 billones de dólares en la Segunda Guerra Mundial, diez veces más de lo que había gastado en la Primera Guerra Mundial. Se controlaron los sueldos y los precios para controlar la inflación, es decir, una gran alza de precios.

La producción de material bélico fue enorme. En unos cuantos meses, grandes fábricas que antes habían producido sólo artículos de consumo, comenzaron a fabricar material bélico. A principios de 1944, la producción bélica norteamericana era el doble de la de todas las potencias del Eje juntas.

Esta enorme producción pronto acabó con el desempleo, que había sido un gran problema desde la época de la Gran Depresión. Cuanto más se extendía la industria de la guerra, más trabajo había; por tanto, se necesitaban más trabajadores. Viejos y jóvenes, hombres y mujeres y muchos desempleados, encontraron trabajo en esta época.

Un gran número de personas se trasladaron de una parte del país a otra durante la guerra. Muchos se fueron del sur para encontrar trabajo en las fábricas de las ciudades del norte y del oeste. Un gran porcentaje eran negros, por lo que se crearon ciertos problemas de carácter racial en algunas ciudades. En Detroit hubo disturbios en el verano de 1943 y hubo 34 muertos. Con la creciente tensión racial, el presidente prohibió que en el gobierno, y en cualquier clase de negocio que tuviera contratos con el gobierno, hubiera discriminación de ninguna clase a causa del color, el grupo étnico, o la religión de una persona. El *Comité de*

Una foto de los "disturbios raciales" de 1943 en Detroit. Este joven negro ha sido golpeado por maleantes y está tratando de escapar.

prácticas laborales justas ("Fair Labor Practices Committee"), ya establecido antes de la guerra, se encargó de proteger los derechos de todos los individuos que pertenecían a minorías étnicas en lo referente a empleos.

COMPORTAMIENTO CON LOS JAPONESES-AMERICANOS

En contraste con la Primera Guerra Mundial, muy pocas personas se oponían a esta guerra. Los norteamericanos sospechaban menos de los alemanes-americanos. Los que no estaban de acuerdo con la guerra también tuvieron menos problemas. Sin embargo, los miembros de un grupo étnico sufrieron gran hostilidad y sospecha: los japoneses-americanos.

La mayoría de los inmigrantes japoneses se habían establecido en California y en otras partes de la costa oeste. Después del comienzo de la guerra con Japón, muchos norteamericanos temían que los japoneses invadieran la costa oeste y por tanto temían que los japoneses-americanos pudieran ayudar al enemigo.

Por tanto, en febrero de 1942, el presidente Roosevelt ordenó al ejército que retirara a todas las personas de ascendencia japonesa de la costa del Pacífico. Eran más o menos unas 117.000 personas. Dos tercios de ellos eran ciudadanos norteamericanos. Fueron forzados a abandonar sus casas y sus negocios y los enviaron a vivir en campos especiales lejos de la costa hasta que la guerra terminó. Muchos perdieron sus tierras y sus propiedades y nunca más las volvieron a recuperar. Viviendo bajo esa clase de vigilancia, se les negaron los derechos civiles.

El temor era completamente infundado. De hecho, muchos ciudadanos japoneses-americanos pelearon valientemente en las fuerzas armadas norteamericanas, especialmente en Italia. Estos campos especiales para los japoneses-americanos fueron la peor violación de los derechos civiles que tuvo lugar durante el período de la guerra.

FRENTE A LAS POTENCIAS DEL EJE

Los Estados Unidos se enfrentaban con una guerra tanto en el Pacífico como en Europa. Derrotar a Alemania parecía el objetivo más importante. Así, la estrategia era atacar a Alemania mientras se mantenía una guerra defensiva contra Japón. Cuando Alemania fuera derrotada, América se dirigiría por completo contra Japón.

Una vez que se declaró la guerra, los submarinos alemanes en el Atlántico organizaron una campaña contra los barcos norteamericanos, especialmente contra los petroleros. Muchos de estos barcos transportaban abastecimientos para Inglaterra y Rusia. Esto produjo una escasez de petróleo, pero pronto los barcos antisubmarinos de los Estados Unidos, las patrullas aéreas y tácticas para localizar los submarinos alemanes, comenzaron a surtir efecto.

Durante 1942, el frente de guerra alemán apenas había sido castigado. En el norte de África, el poderoso Cuerpo de África alemán empujaba hacia el este, desde Túnez, pasando por Libia, hasta Egipto. Amenazaba capturar el Canal de Suez, esencial para los barcos aliados. Los alemanes podían capturar el petróleo del Medio Oriente. A su vez, los alemanes se dirigían a la Unión Soviética y se encaminaban hacia los campos de petróleo de la región de los Montes Cáucasos. Las fuerzas del eje ocuparon la Europa oriental y los Balcanes.

Para detener la avanzada alemana, los Estados Unidos y Gran Bretaña atacaron al ejército alemán en África. Atacaron Marruecos y Argelia en noviembre de 1942. El enfrentamiento duró sólo unos días. El general norteamericano Dwight D. Eisenhower cerró el paso a los alemanes en el oeste. La octava armada británica, bajo el general Bernard L. Montgomery, empujó a los alemanes hacia el oeste, fuera de Egipto y a través de Trípoli. Atrapados entre las fuerzas norte-

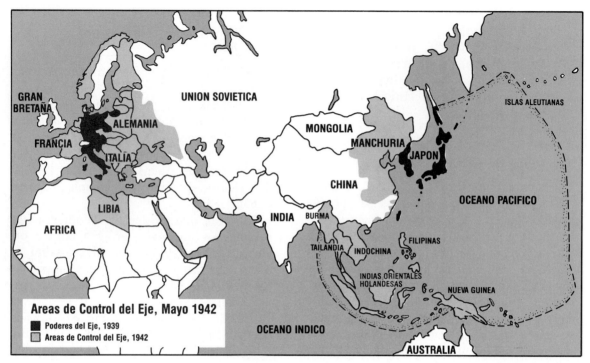

Areas de Control del Eje, Mayo 1942
■ Poderes del Eje, 1939
□ Areas de Control del Eje, 1942

americanas y las inglesas, las tropas del eje se rindieron el 12 de mayo de 1943. Esta victoria volvía a abrir el Mediterráneo a la navegación aliada.

LA GUERRA EN ITALIA

El siguiente golpe contra el eje tuvo lugar en 1943 cuando los aliados invadieron a Italia. Mientras los aliados avanzaban, el pueblo italiano derrocó a su dictador, Benito Mussolini. El nuevo gobierno italiano se rindió a los aliados. Pero las fuerzas alemanas en Italia siguieron la lucha a lo largo de toda la península italiana. El frente italiano padeció algunas de las batallas más sangrientas de la guerra.

Los alemanes tenían ahora un serio problema. Su marcha a la Unión Soviética había sido detenida en la ciudad de Stalingrado. A lo largo del año 1943, las tropas rusas hicieron retroceder al ejército alemán. Hacia finales del año, los alemanes habían retrocedido hasta la frontera polaca.

LA GUERRA TERMINA EN EUROPA

Forzada Alemania a luchar en dos fren-

tes, en el este (contra la Unión Soviética) y en el sur (en Italia), los aliados trataron de establecer otro frente. Los ingleses y los norteamericanos planearon atacar la Francia controlada por los alemanes. La invasión, llevada a cabo desde Inglaterra, tuvo lugar sobre las playas de Normandía frente al Canal de la Mancha. A las órdenes del general Eisenhower arribaron a las costas el *"día D"*, 6 de junio de 1944.

Durante el primer mes de la invasión, un ejército aliado de un millón de hombres desembarcó en Normandía. En julio, los aliados comenzaron a extenderse por tierras francesas. Un mes más tarde liberaron París del dominio alemán. Pronto los soldados aliados se trasladaron a Bélgica.

El ataque de las fuerzas alemanas se agudizó. Los ataques aéreos aliados sobre Alemania aumentaron. Las bombas destruyeron las fábricas alemanas, los ferrocarriles y las carreteras. A mediados de agosto de 1944, los ejércitos aliados invadieron Francia desde el sur y se trasladaron al valle del río Ródano. A la vez, el ejército soviético hacía retirar a los alemanes tras haber derrotado a un ejér-

(Izquierda): Fuerzas norteamericanas desembarcan en Normandía. (Derecha): Eisenhower habla con paracaidistas norteamericanos.

AVANCE DE LOS ALIADOS EN EUROPA 1943-1945

Area de Control del Eje, 1943

Avances Aliados

GRAN BRETAÑA

HOLANDA

Aliados toman tierra en Normandía

BELGICA

Colonia

Río Elba

• Berlin

Batalla del Bolsón

Paris •

Ejércitos rusos y americanos se encuentran en el Elba

Río Rin

CHECOSLOVAQUIA

OCEANO ATLANTICO

ALEMANIA

SUIZA

HUNGRIA

FRANCIA

PORTUGAL

ITALIA

YUGOSLAVIA

ESPAÑA

MAR MEDITERRANEO

AFRICA

cito alemán de 250.000 hombres en Stalingrado.

En diciembre, el ejército alemán atacó a lo largo del frente en el sur de Bélgica. Los Aliados fueron detenidos en la "Batalla del Bolsón" (Battle of the Bulge), pero pronto derrotaron a las fuerzas alemanas y siguieron hacia el este. El 6 de marzo de 1945 fue tomada la ciudad alemana de Colonia. En los siguientes días, las tropas norteamericanas cruzaron el Rin y ocuparon el centro de Alemania mientras los soldados británicos capturaban el norte de Alemania. Mientras tanto, las tropas rusas llegaron desde el este. Los norteamericanos iban cada vez más hacia el este, parándose en el río Elba para encontrarse con las tropas rusas. Adolfo Hitler se suicidó el 30 de abril. El 8 de mayo de 1945 se rindieron las últimas tropas alemanas y finalizó la guerra en Europa.

BATAAN Y CORREGIDOR

En el Pacífico, como en Europa, el enemigo estaba luchando desde los primeros meses del enfrentamiento. Unos meses después del ataque a Pearl Harbor, las fuerzas japonesas se dirigieron hacia el sureste asiático y hacia la región occidental del Pacífico. En mayo de 1942, habían ocupado Tailandia, Birmania, Singapur, las Indias orientales holandesas, las Filipinas, Hong Kong, Guam y la isla de Wake.

En Manila, Filipinas, los bombarderos japoneses destrozaron la mayor parte de los aviones norteamericanos en tierra el mismo día del ataque de Pearl Harbor. Dos días más tarde, la fuerza aérea japonesa dañó enormemente las bases norteamericanas navales cercanas. Las fuerzas japonesas invadieron las islas e hicieron retroceder a las fuerzas norteamericanas y filipinas bajo el general Douglas MacArthur hacia la península de Bataan, al oeste de la bahía de Manila. Cuando el general MacArthur tomó el mando del ejército aliado en Australia, el general Jonathan M. Wainwright lo reemplazó en

las Filipinas. Se mantuvo una lucha sangrienta en Bataan hasta el 9 de abril de 1942, cuando el general Wainwright dirigió sus demolidas tropas a la isla de Corregidor. Allí, el pequeño ejército norteamericano se mantuvo hasta que se vio forzado a rendirse el 6 de mayo de 1942.

SE TRATA DE IMPEDIR LA EXPANSIÓN JAPONESA

Los Estados Unidos esperaban que las tropas japonesas no controlaran todo el Pacífico. Australia y Nueva Guinea eran de gran importancia. Los japoneses invadieron la isla de Nueva Guinea y ocuparon la costa norte. Sin embargo, en la costa sur, un pequeño fuerte en Port Moresby resistió a los invasores. Este puesto, necesario para la protección de Australia, fue fortalecido gradualmente. En 1942, bajo el general MacArthur, las tropas norteamericanas y australianas comenzaron a expulsar a los japoneses de Nueva Guinea.

También se trató de controlar a los japoneses en el mar. En la batalla del Mar del Coral, los barcos norteamericanos derrotaron a las fuerzas japonesas que se dirigían a Port Moresby. En esta batalla, los Estados Unidos perdieron el portaaviones *Lexington*, pero quince barcos japoneses fueron hundidos.

Por primera vez en la historia se libró una batalla naval solamente con aviones procedentes de los portaaviones de ambas fuerzas.

Pocas semanas más tarde, los portaaviones de los Estados Unidos hicieron retroceder a la flota japonesa que se dirigía a la isla Midway. Con esto se eliminó la amenaza japonesa a las islas de Hawaii.

Todo avance japonés fue contrarrestado. Éste fue el momento decisivo en la guerra en el Pacífico.

LA OFENSIVA DEL PACÍFICO

En agosto de 1942, los Estados Unidos iniciaron la ofensiva. Los infantes de marina norteamericanos arribaron a las islas Salomón en donde los japoneses es-

Soldados de los Estados Unidos invaden la isla de Leyte, en las Filipinas, en octubre de 1944.

taban construyendo una pista aérea para las incursiones en Australia. Una violenta batalla tuvo lugar en una de las islas, Guadalcanal, y en los mares que la rodean. En febrero de 1943, los norteamericanos habían tomado Guadalcanal. Siguieron hacia el norte, isla por isla, por todo el Pacífico del Sur.

En el Pacífico central, las tropas norteamericanas capturaron las islas Gilbert y las islas Marshall. Pronto, las Marianas cayeron bajo el ataque. Por el norte, los norteamericanos recapturaron las islas Aleutianas occidentales que los japoneses habían ocupado anteriormente. Mientras tanto, en el sureste asiático, unas cuantas tropas norteamericanas se unieron a las fuerzas chinas e indias en el norte de Birmania. Se adentraron en el sur de China para enfrentarse allí a las tropas japonesas. Desde las bases de China, los bombarderos norteamericanos comenzaron los primeros ataques a las islas del archipiélago del Japón.

En junio de 1944, los norteamericanos capturaron las islas de Saipán, Tiniam y Guam, en el grupo de las Marianas, 1.350 millas al sur de Tokio. Estas islas se convirtieron en importantes bases aéreas para bombardear al Japón. En octubre, las fuerzas norteamericanas llegaron a Filipinas, donde en la batalla decisiva del Golfo de Leyte, casi destruyeron por completo el poder marítimo japonés.

Los infantes de marina norteamericanos arribaron a la pequeña isla volcánica de Iwo Jima en febrero de 1945. La isla está sólo a 750 millas de Tokio. La lucha por Iwo Jima fue la batalla más sangrienta a la que los infantes se habían enfrentado. Murieron más de 6.000. La batalla por Okinawa, que comenzó el 1º de abril de 1945, fue aún más desesperada. Unos 3.500 pilotos japoneses causaron da-

La temida "nube de hongo" que se formó sobre Nagasaki cuando estalló la segunda bomba atómica.

ños enormes a los barcos norteamericanos y británicos estrellando deliberadamente sus aviones contra ellos. El 18 de junio, cuando Okinawa fue tomada, alrededor de 50.000 soldados aliados habían muerto o habían sido heridos. Unos 110.000 japoneses murieron defendiendo Okinawa.

LA BOMBA ATÓMICA

Los planes norteamericanos para invadir las islas del archipiélago del Japón se hicieron con esta sangrienta lucha aún fresca en la memoria. Los Estados Unidos ya controlaban el espacio marítimo y aéreo que rodea las islas, pero consideraba que una invasión por tierra sería demasiado costosa.

El día 6 de agosto de 1945, poco antes del mediodía, la Casa Blanca hizo este anuncio:

Hace dieciséis horas, un avión americano lanzó una bomba en Hiroshima, una importante base del ejército japonés. Esta bomba tenía una potencia de más de 20.000 toneladas de dinamita. Era una bomba atómica.

Con esa declaración, el gobierno de los Estados Unidos reveló un secreto que había guardado con la mayor reserva durante casi seis años: la elaboración de un arma atómica. Ni siquiera el vicepresidente Harry S. Truman sabía del proyecto hasta que tomó posesión de la presidencia tras la muerte de Roosevelt en abril de 1945.

EINSTEIN ESCRIBE A ROOSEVELT

La historia de la bomba atómica comenzó en 1939, muy poco después de que la Segunda Guerra Mundial estallara en Europa. Al final del verano de este año, el presidente Roosevelt recibió una carta de Albert Einstein, el gran científico norteamericano nacido en Alemania. Einstein señalaba que los científicos de Estados Unidos y de Europa habían comenzado a investigar en torno a la energía atómica, fuente de enorme poder. Advertía él que el nuevo poder atómico se podía usar en la guerra y temía que Alemania lo utilizara.

EL PROYECTO MANHATTAN

El presidente comprendió la importancia de la información y consejo de Einstein y organizó un grupo especial para investigar la energía atómica.

A finales de 1942, los científicos americanos habían decidido que era posible hacer armas nucleares. Los Estados Unidos establecieron el "Proyecto Manhattan" bajo la dirección del ejército. El proyecto tenía un objetivo principal: construir una bomba atómica. La mayoría de las investigaciones se hicieron en Los Alamos, New Mexico. El laboratorio estaba dirigido por el Dr. J. Robert Oppenheimer, un notable físico norteamericano. Otros trabajos se llevaron a cabo en Oak Ridge, Tennessee, y en Hanford, Washington. El proyecto llegó a emplear más de 150.000 personas.

En el verano de 1945, el primer dispositivo atómico estaba preparado para ser probado. A tal experimento se le dio el nombre en clave "Trinidad". En las primeras horas del 16 de julio de 1945, en el desierto cercano a Alamogordo, New Mexico, los científicos hicieron estallar la bomba. La fuerza era mayor de la que habían esperado. Un resplandor "más brillante que mil soles" convirtió las tinieblas en luz; después, una gigante bola de fuego anaranjado-rojizo se proyectó hacia arriba y alcanzó una altura de ocho millas en pocos minutos. Finalmente, una violenta explosión resonó desde las distantes montañas.

Más tarde, los científicos observaron el área de la explosión; la torre de acero donde habían colocado el invento atómico había desaparecido. El inmenso calor producido convirtió la arena del desierto en cristal. Eliminó toda vida animal o vegetal a una milla de distancia. La bomba era claramente la más poderosa y terrible arma que el ser humano había inventado.

COMIENZA LA CONTROVERSIA

Antes del experimento Trinidad, ya algunos científicos que trabajaban en el Proyecto Manhattan se preguntaban si un invento tan mortal como la bomba atómica debería ser usado. Después de la prueba de la explosión, esas dudas aumentaron. Otros opinaban que utilizar la bomba contra Japón era el único camino de acabar con la guerra en el Pacífico.

La decisión estaba en manos del presidente Truman. El uso de la bomba probablemente acabaría con la vida de muchas personas, acarreando una gran destrucción. Por otro lado, los japoneses parecían dispuestos a luchar hasta el final. A finales de julio, el primer ministro japonés rechazó una demanda de rendición. La llamó "sin mérito para hacerla pública". Empezaba a dar la impresión de que los Estados Unidos, para terminar el conflicto, tendría que seguir adelante con los planes de invadir al Japón. Truman, al igual que otros, consideró que la bomba causaría menos víctimas a ambas partes que la invasión.

LA DECISIÓN DE TRUMAN: HIROSHIMA

A principios de agosto sólo había preparadas dos bombas atómicas. Los consejeros dijeron al presidente que cada una debía ser lanzada en un "objetivo doble". Esto quería decir un objetivo que fuera militar (como una base) y también civil (área industrial o muy comercial)

*El ministro de relaciones exteriores del Japón firma el documento de capitulación abordo del **U.S.S. Missouri** en septiembre de 1945. El general MacArthur está de pie a la derecha del escritorio, de espaldas a la cámara.*

donde hubiera muchas casas. Los oficiales decidieron lanzar las bombas justo una detrás de la otra. Esto haría pensar a los japoneses que los Estados Unidos tenían muchas armas nucleares y estaban preparados para usarlas.

Las dos bombas, apodadas "Little Boy" y "Fat Man", fueron transportadas a Tinian, una de las islas Marianas. "Little Boy" fue transportada a bordo del bombardero B 29 *Enola Gay*. A la 1:15 de la madrugada del 6 de agosto, el *Enola Gay* y dos aviones más se dirigieron a Hiroshima, un importante puerto industrial situado en Honshu, una de las principales islas del Japón. Durante la guerra también había sido un importante puesto militar.

Exactamente a las 8:15 de la mañana, se produjo una repentina explosión de luz, como un estallido de un gigante hongo luminoso. Se esparció por toda la ciudad. Instantáneamente, 60.000 personas perecieron. Algunos murieron de la explosión, otras se quemaron del calor pro-

ducido, que era de 6.000 grados. Aunque miles de personas sobrevivieron, fueron alcanzadas por la radiación y así condenadas a una lenta y dolorosa muerte.

Hiroshima había sido devastada por la primera bomba atómica. Un solo avión había lanzado una bomba que tenía una fuerza 2.000 veces superior a cualquier otra bomba lanzada antes.

JAPÓN SE RINDE

Al día siguiente, el gobierno japonés no sabía muy bien lo que había sucedido. Todos los sistemas de comunicación habían sufrido enormes daños. Los oficiales japoneses no podían saber hasta qué punto Hiroshima había sido destruida. Un breve comunicado de radio informó que los norteamericanos habían utilizado un arma de gran potencia pero no se sabía exactamente lo que era.

El presidente Truman pidió una vez más la rendición al Japón, pero su petición fue rechazada. El 8 de agosto, la Unión Soviética, siguiendo su declaración de guerra a Japón, invadió Manchuria. El 9 de agosto, los Estados Unidos lanzaron su otra bomba atómica sobre Nagasaki, base naval en Kyushu, otra de las islas japonesas.

Una vez más, los Estados Unidos pidieron a Japón la rendición incondicional. Esta vez, gracias a los esfuerzos del emperador japonés Hirohito, los japoneses aceptaron. El 10 de agosto acordaron los términos de la rendición. Lo único que pidieron fue conservar a su emperador como símbolo de la unidad japonesa. Los Estados Unidos aceptaron ahora esta propuesta que habían rechazado antes. El 14 de agosto, Japón se rindió. La rendición oficial fue firmada a bordo del acorazado *Missouri* el 2 de septiembre.

EXPLORACION DE HECHOS Y OPINIONES

I. *Para mejorar tus conocimientos*

Define, describe o identifica cada uno de los términos siguientes. Muestra cómo está conectado cada uno de ellos con las relaciones exteriores en el período entre las dos guerras mundiales.

1—Proyecto Manhattan
2—Pacto Kellogg-Briand
3—Manchuria
4—Adolf Hitler
5—Pacto de Munich
6—Contratos de préstamos y arriendos
7—Potencias del Eje
8—Carta del Atlántico

II. *Preguntas*

Contesta a las preguntas siguientes. Acompaña tus respuestas con ejemplos o información específica.

1—¿Qué acciones llevaron a cabo los Estados Unidos contra Japón antes de que comenzara la Segunda Guerra Mundial?

2—¿Por qué los Estados Unidos rechazaron la oferta de Japón del 20 de noviembre de 1941?

3—¿Qué efecto tuvo en la Segunda Guerra Mundial el ataque japonés a Pearl Harbor?

4—¿Cómo se prepararon los Estados Unidos para la Segunda Guerra Mundial?

5—¿Qué acción que violaba los términos del Tratado de Versalles llevó a cabo Alemania?

6—¿Cuáles fueron las causas de la Segunda Guerra Mundial en Europa?

III. *Conceptos*

Los términos que siguen representan conceptos, ideas amplias que han jugado un papel importante en la experiencia de Estados Unidos, especialmente en la Segunda Guerra Mundial. Con tus propias palabras, escribe una pequeña definición de cada una de ellas.

1—tarifa
2—dictadura
3—fascismo
4—embargo
5—cuarentena
6—pacificación
7—conscripción militar

IV. *Ideas organizadas*

Siguen una serie de "ideas organizadas". Cada una perfila hechos y conceptos estudiados en este capítulo y hace una generalización. A partir de tus lecturas y lo dicho en clase, da ejemplos específicos que aprueben o desaprueben estas ideas.

1—Los acuerdos internacionales de paz realmente no pueden prevenir la guerra.

2—Ninguna nación debería tener derecho a intervenir en los asuntos internos de otra nación.

3—Las dictaduras tienen campo fértil para desarrollarse en naciones que tienen graves problemas económicos y sociales.

4—La mejor manera de salvaguardar la seguridad de una nación es desarrollar una poderosa fuerza militar.

V. Ideas para construir

1—¿Qué razones pudieron haber tenido los japoneses para ir a la guerra contra los Estados Unidos?

2—¿Crees que los Estados Unidos hubieran podido evitar la guerra contra Japón? Explica tu respuesta.

3—Algunos norteamericanos opinaban que la Primera Guerra Mundial había sido un error. ¿Cómo afectó esto a la política exterior de Estados Unidos veinte años después de la guerra?

4—¿Crees que los Estados Unidos deberían haber entrado en la guerra cuando ésta comenzó en 1939? Explica tu respuesta.

5—¿Qué país era el que representaba mayor peligro para los Estados Unidos en la década de 1930, Japón o Alemania? Explica tu respuesta.

6—¿Qué acontecimientos condujeron a los Estados Unidos a cambiar su posición de neutralidad? ¿Qué medidas tomó el presidente Roosevelt para ayudar a Inglaterra?

7—¿Por qué crees que muchos norteamericanos se oponían a que se armaran los barcos mercantes norteamericanos en 1941?

8—¿Qué sacrificios tuvo que hacer el pueblo norteamericano durante la Segunda Guerra Mundial?

9—¿Crees que era necesario internar a los japoneses-americanos durante la Segunda Guerra Mundial en campos "especiales"?

10—¿Qué argumentos tuvo que sopesar el presidente Truman antes de tomar la decisión de lanzar la bomba atómica sobre Japón?

11—Si tú hubieras sido presidente en agosto de 1945, ¿hubieras usado la bomba atómica en Japón? Explica tu respuesta.

VI. Aplicación de ideas y formación de juicios

Contesta a las preguntas siguientes. Asegúrate de sostener tus opiniones a partir de tus lecturas o lo dicho en clase.

1—En su mensaje de guerra al Congreso, el presidente Roosevelt llamó al 7 de diciembre de 1941, el día de la infamia. ¿Qué crees que quería decir Roosevelt con esto? ¿Tenían indicios los Estados Unidos de un posible ataque a Pearl Harbor? ¿Por qué eligieron los japoneses Pearl Harbor, Hawaii, como su objetivo? ¿Crees que se podría haber prevenido la guerra con Japón? Explica tus respuestas.

2—Durante la Segunda Guerra Mundial, 117.000 japoneses-americanos fueron internados en campos especiales. ¿Por qué? ¿Qué derechos civiles les fueron denegados con tal acción?

Capítulo 23

LA BUSQUEDA DE UNA PAZ DURADERA

ALIANZA EN TIEMPO DE GUERRA

Los dirigentes de los Estados Unidos, Gran Bretaña y la Unión Soviética trabajaron unidos durante la guerra para obtener la victoria de los Aliados. A medida que se hacía retroceder a Alemania en todos los frentes, los líderes aliados trataban de encontrar un plan para una paz duradera después de la guerra. Pero las tres naciones no se ponían de acuerdo en el trato que debía darse a las potencias del Eje o cómo mantener la paz. Los Estados Unidos se encontraban a menudo entre Gran Bretaña y la Unión Soviética.

En enero de 1943, el presidente Roosevelt viajó a la ciudad de Casablanca, Marruecos, en el norte de África, para reunirse con el primer ministro británico Winston Churchill. Allí planificaron operaciones militares en el área del Mediterráneo. Roosevelt declaró en una conferencia de prensa que las potencias del Eje tendrían que aceptar "una rendición incondicional" a los Aliados.

Pero muchos de los consejeros de Roosevelt, entre ellos el secretario de estado, Cordell Hull, no estaban de acuerdo con esa declaración. Según ellos, el pedido de una "rendición incondicional" fortalecería la voluntad de pelear entre los del Eje. Sin otra alternativa que la rendición, los países del Eje continuarían luchando hasta mucho más tarde que si se negociara la paz.

Uno de los seguidores de Roosevelt explicó la decisión del presidente de este modo:

Lo que Roosevelt decía es que no habría paz por negociación (ninguna "componenda"), ningún acomodo con el nazismo y el fascismo, ninguna "cláusula de escape" proporcionada por otros Catorce Puntos que pudieran producir otro Hitler.

En octubre de 1943, el secretario de estado Hull se reunió con los ministros de relaciones exteriores británico y ruso en Moscú. Junto con China, los Aliados acordaron seguir trabajando unidos después de la guerra, para organizar y mantener "la paz y la seguridad". También querían establecer una nueva organización de naciones.

Una reunión de Roosevelt y Churchill con Joseph Stalin, el dirigente de la Unión Soviética, tuvo lugar en Teherán, Irán, en noviembre de 1943. Roosevelt y Churchill también se reunieron en El Cairo, Egipto, con el dirigente chino Chiang Kai-shek para hablar de un convenio de posguerra en el Lejano Oriente. Propusieron que Japón fuera despojado de su imperio y que se creara una Corea independiente.

En Teherán, Roosevelt y Churchill se encontraron con Stalin por primera vez. Los tres líderes acordaron un plan por el cual los Estados Unidos y Gran Bre-

Stalin, Roosevelt y Churchill se reúnen en Teherán, Irán, en diciembre de 1943.

taña invadirían Normandía (Francia) al año siguiente. La Unión Soviética prometió que entraría en la guerra contra Japón cuando acabara la lucha en Europa.

YALTA

A pesar de ciertas tensiones, la Unión Soviética, Gran Bretaña y los Estados Unidos continuaron sus esfuerzos por trabajar unidos.

La reunión más importante durante la guerra tuvo lugar en febrero de 1945. Churchill y Roosevelt (que estaba ya enfermo y con sólo unas semanas de vida) viajaron a Yalta, en la Unión Soviética, para reunirse con Stalin.

Los Estados Unidos preveían una larga y sangrienta guerra con Japón. Por tanto, Roosevelt una vez más instó a Rusia a que entrara en guerra en el Lejano Oriente. Rusia prometió entrar tres meses después de la rendición alemana. A cambio, Roosevelt y Churchill acordaron que la Unión Soviética podía quedarse con las islas Kuriles, al norte de Japón. Rusia también ganaría territorios que había perdido en la *guerra ruso-japonesa* a principios de siglo.

Los dirigentes de las grandes potencias también acordaron dividir Alemania en zonas de ocupación. El control de la capital alemana, Berlín, lo llevarían a cabo las tres naciones más Francia. Los rusos podrían llevarse equipo industrial y abastecimientos de Alemania. Era un pago parcial por las terribles pérdidas que les había hecho sufrir Alemania. También decidieron, en principio, el establecimiento de un gobierno democrático en Polonia después de la guerra. Pero los detalles de este acuerdo no se puntualizaron. Acordaron que Polonia recibiría tierra alemana en el oeste, lo que compensaría por tierra polaca que pasaría a la URSS. También acordaron que los países liberados de los alemanes tendrían gobiernos "representativos de todos los elementos democráticos", con "elecciones libres".

Stalin también acordó en Yalta ayudar a formar una organización mundial para la paz después de la guerra. Parte de esta reunión se dedicó a la forma que tendría tal organización.

Los "acuerdos" de Yalta se convirtieron más tarde en tema de mucha controversia. Muchos norteamericanos atacaron duramente estos acuerdos ya que creían que Roosevelt había hecho demasiadas concesiones a Rusia para que ésta hiciera la guerra a Japón y para que formara parte de la organización de paz en la posguerra. Indicaban que la Unión Soviética estableció su control sobre las naciones de Europa oriental en cuanto acabó la guerra. Los gobiernos democráticos que se concordaron en Yalta nunca se establecieron.

En su defensa, los que apoyaban a Roosevelt argüían que el presidente no había podido hacer otra cosa. El ejército ruso controlaba Europa oriental. Los Estados Unidos no podían evitar el control soviético a no ser que estuvieran preparados para ir a la guerra contra Rusia. Como dijo el intérprete de Roosevelt después de la conferencia: "Consideramos que no podíamos obtener nada mejor".

LA CONFERENCIA DE POSTDAM

La última reunión que tuvieron las grandes potencias durante la guerra fue en Postdam, Alemania, en julio de 1945. Truman, que había sustituido a Roosevelt en abril de ese año, era el portavoz de los Estados Unidos; Stalin, el de la Unión Soviética; Churchill, el de Gran Bretaña. Durante la reunión se produjo un cambio en el gobierno británico y un nuevo primer ministro, Clement Attlee, se unió a la reunión.

En la época de las conversaciones de Postdam, las relaciones entre los Estados

Cambios en las fronteras de Europa después de la Segunda Guerra Mundial

Unidos y Gran Bretaña por un lado, y la Unión Soviética por otro, eran más tensas que nunca. Stalin ya había mostrado que no estaba dispuesto a seguir los acuerdos de Yalta. Estaba claro que la Unión Soviética estaba dispuesta a jugar un papel importante en los asuntos de las naciones de la Europa oriental. Ya había interferido directamente en la reorganización del gobierno de Rumania. También estaba interviniendo para que un grupo prosoviético fuera reconocido como verdadero líder del nuevo gobierno polaco.

Japón fue el primer tema de Postdam. Los tres dirigentes acordaron evitar por todos los medios que Japón produjera materiales de guerra. Sería también ocupado por las tropas aliadas, en su mayor parte norteamericanas, hasta que su economía y su gobierno volvieran a la paz. Quedaba entendido que la Unión Soviética entraría pronto en guerra contra Japón.

Los problemas de Europa ocuparon el resto de la reunión. Lo más apremiante era lo que concernía al enemigo derrotado, Alemania. Acordaron que Alemania sería desarmada y sus fábricas bélicas desmanteladas. Trabajarían para fomentar la agricultura y la industria alemanas. Se le permitiría a la Unión Soviética tomar equipo industrial alemán como compensación.

En esta época se revelaron más horrores nazis. Las tropas aliadas abrieron los campos de concentración en los que millones de europeos, la mayoría judíos, habían sido asesinados. Más tarde se estimó que los nazis habían matado alrededor de seis millones de judíos durante la guerra.

Para prevenir otro resurgimiento del nazismo, los tres dirigentes acordaron colaborar para destruir la influencia nazi en Alemania. Cada uno de los gobiernos desarrollaría un gobierno democrático en la parte alemana que estuviera bajo su control. También plantearon el enjuiciamiento de los líderes nazis como criminales de guerra. El más famoso de estos juicios tuvo lugar en Nuremberg, Alemania, en 1946. Veintitrés oficiales nazis fueron juzgados por crímenes contra la humanidad; 18 de ellos fueron condenados; 12 fueron sentenciados a la horca.

No había muchas esperanzas de que los Aliados permanecieran unidos después de la guerra. La derrota final de Alemania y Japón no hizo más que ensanchar la brecha entre las potencias occidentales y la Unión Soviética. En poco tiempo, el conflicto entre Oriente y Occidente había crecido hasta el punto de llegar a una aterradora "guerra fría".

En la Segunda Guerra Mundial, murieron más de 25 millones de soldados y civiles. Más de 16 millones de norteamericanos sirvieron en las fuerzas armadas durante la guerra, de los cuales casi 300.000 murieron en combate. Con el final de la guerra, el viejo balance de poder entre las naciones del mundo había sido destruido. Dos superpotencias —los Estados Unidos y la Unión Soviética— se enfrentaban una a otra con recelo e ira crecientes.

LA ORGANIZACIÓN DE LAS NACIONES UNIDAS

La Segunda Guerra Mundial demostró a muchos norteamericanos que los Estados Unidos no podían mantenerse apartados de los problemas internacionales. El futuro de los Estados Unidos estaba muy unido al del resto del mundo. Aun antes de Pearl Harbor, el país se acercaba cada vez más a las naciones aliadas. Después de que se declaró la guerra contra Japón comenzaron a pensar en una organización que mantuviera la paz en el mundo. Esa organización era las Naciones Unidas.

El presidente Franklin D. Roosevelt vio la necesidad de que las naciones cooperaran unas con otras después de la guerra. Quería organizar un grupo de paz mientras que continuaba la guerra y mientras la colaboración entre las naciones aliadas era todavía buena. Si se esperaba hasta que acabara la guerra, esta alianza podría disolverse.

El presidente vio la necesidad de mantener a este nuevo grupo mundial alejado de los tratados de paz. Igualmente, Roosevelt consideró que los líderes de ambos partidos políticos en los Estados Unidos tuvieran su parte en la formación de la organización desde el principio. Su intención era asegurar que los Estados Unidos apoyara totalmente a la nueva organización de paz.

En 1943, a mitad de la guerra, el Congreso recomendó que los Estados Unidos estuviera al frente de la formación de una organización mundial con poder para solucionar las disputas entre las naciones. Incluso algunos miembros del Congreso que habían sido aislacionistas estuvieron de acuerdo con la idea.

La mencionada idea pronto fue aceptada en otros países. En agosto de 1944, los representantes de los Estados Unidos, Gran Bretaña, Rusia y más tarde China, se reunieron en Dumbarton Oaks, una hacienda en el Distrito de Columbia. Estudiaron una posible carta para las Naciones Unidas (ONU), la nueva organización. Estuvieron de acuerdo en las generalidades, pero dejaron algunos asuntos para más tarde, para que las decidieran los jefes de gobierno. Entre éstos estaba la forma de votar, la admisión de nuevos miembros, la situación de territorios aún no independizados, y el poder de la Corte Internacional de Justicia.

En la conferencia de San Francisco hubo más de 200 delegados de 50 naciones. Empezó la reunión cuando la guerra con Alemania estaba a punto de terminar.

Después de modificar ciertos aspectos de las decisiones de Dumbarton Oaks y Yalta, se tomaron importantes medidas; una fue la escritura de un preámbulo o introducción a la Carta de las Naciones Unidas que establecía los objetivos de la nueva organización.

Lo más importante fue que los delegados completaron el conjunto de la Carta de las Naciones Unidas. Ésta da un esquema de la estructura y el poder de la organización.

LAS NACIONES UNIDAS: ESTRUCTURA Y PODER

La Carta establecida en Dumbarton Oaks describe los seis cuerpos principales que configuran las Naciones Unidas. La *Asamblea General* se ocupa de los temas de interés mundial dentro de los límites de la Carta, excepto las disputas que están en manos del *Consejo de Seguridad*. También hace recomendaciones a las otras secciones de las Naciones Unidas. Ésta es la sección más grande y tiene hasta cinco representantes de cada nación miembro, aunque cada nación tiene un único voto. La Asamblea se reúne una vez al año pero se pueden convocar sesiones especiales cuando sea necesario.

El *Consejo de Seguridad* tiene poder para mantener la paz. Puede utilizar "fuerzas marítimas, terrestres o aéreas, según sea necesario, para mantener o restaurar la paz y la seguridad internacional". Las naciones miembros proporcionan las tropas, aviones, barcos, abastecimiento, a petición del Consejo. Éste tiene la facultad de pedir que los miembros hagan presión económica contra las naciones agresoras. El Consejo de Seguridad tiene 15 miembros. Los cinco grandes (Estados Unidos, Gran Bretaña, la Unión Soviética, Francia y China) son miembros permanentes. Los otros diez son elegidos por la Asamblea General y desempeñan funciones durante un período de dos años. Cada uno de los cinco grandes tiene poder de veto y puede impedir que el Consejo tome cualquier acción a la que uno de ellos se oponga.

Las cuatro unidades restantes tienen otras responsabilidades. El *Consejo de Fideicomiso* se encarga de que las personas de los territorios ocupados reciban trato humano y, con el tiempo, su autogobierno. La *Corte Internacional de Justicia* juzga los casos que le presentan países miembros y los que no lo son. Sirve de consejero legal a otras dependencias de la ONU.

La *Secretaría* lleva todos los asuntos diarios de la organización. El *Consejo*

Económico y Social coordina el trabajo de varias agencias de la ONU, como la Organización Mundial de la Salud (OMS).

APROBACIÓN DE LOS ESTADOS UNIDOS

La aprobación de la Carta por parte del Senado de los Estados Unidos era casi segura. Al presentarla, el presidente Truman recordó a los senadores la experiencia del pasado: "una generación ha fracasado dos veces en mantener la paz". En el debate que siguió al discurso de Truman, Tom Connally, de Texas, presidente del Comité de Relaciones Exteriores, se mostró en favor de la ONU:

Los que quieran formar parte de una liga mágica, que no requiere cuidado, que no requiere sacrificio, están condenados a la desilusión. Tiene que haber cooperación constante entre las naciones de la Tierra para apoyar tanto el espíritu como la letra de la Carta y los elevados propósitos que abriga.

Aunque parezca raro, muchos representantes de naciones extranjeras todavía tienen dudas en cuanto al voto del Senado hacia la Carta. Se acuerdan de 1919. Saben cómo se descuartizó a la Liga de las Naciones en este recinto. ¿No se pueden ver en las paredes de la Cámara las señas del conflicto encarnizado que llevó a la muerte a la Liga de las Naciones? Temen que esos mismos sentimientos no permitan a los Estados Unidos que ratifique esta Carta. Nuestra ratificación llevará la esperanza a los corazones de los pueblos del mundo.

Por eso confío en que el Senado ratificará esta Carta por un voto tan abrumador que lleve a todo el mundo la convicción de que los Estados Unidos espera asumir sus obligaciones con el propósito de mantenerlas, con el propósito de vivir de acuerdo con ellas, con el propósito de ayudar a una organización mundial para la paz con todo nuestro espíritu y nuestro corazón.

El 28 de julio de 1945, el Senado aprobó el tratado de la ONU.

A continuación hay una lista de las principales diferencias entre las Naciones Unidas y la antigua Liga de las Naciones.

Liga de las Naciones	Naciones Unidas
1. Para actuar en casos de agresión, el Consejo de la Liga necesitaba la aprobación de todos los miembros.	1. En casos de agresión, el Consejo de Seguridad de la ONU puede actuar. Pero nueve naciones tienen que estar de acuerdo, incluso todos los miembros permanentes del Consejo.
2. La Liga sólo podía actuar después de que los problemas surgieran.	2. La ONU puede actuar para **evitar** problemas.
3. La Liga podía actuar sólo contra naciones miembros.	3. La ONU puede actuar contra miembros y los que no son miembros.
4. La Liga no tenía fuerza militar.	4. La Carta de la ONU tiene disposiciones para una fuerza militar internacional.
5. La Liga no tenía un sistema separado, independiente, autorizado para tratar de eliminar las causas de la guerra.	5. El Consejo Económico y Social de la ONU está autorizado para tratar de eliminar las causas económicas y sociales de la guerra.
6. La Liga fue parte del Tratado de Versalles.	6. La ONU no fue parte de ningún tratado de paz.
7. Estados Unidos no se hizo miembro de la Liga.	7. Todas las grandes potencias mundiales se hicieron miembros de la ONU.

LAS NACIONES UNIDAS EN ACCIÓN

En enero de 1946, la Organización de las Naciones Unidas comienza a funcionar. Los asuntos de la vieja Liga fueron transmitidos a la nueva organización. Algunos querían que la sede permanente estuviera en Suiza, a la que asociaban con la Liga. Una Comisión de la ONU recomendó un lugar en los Estados Unidos y después de una invitación de este país, la Asamblea General votó establecer temporalmente las oficinas generales en la ciudad de New York. John D. Rockefeller Jr. ofreció ocho millones de dólares para la compra de un terreno de seis cuadras en la orilla del East River en Manhattan. Las Naciones Unidas aceptaron y establecieron allí sus oficinas generales en 1951.

La sede de las Naciones Unidas en la ciudad de New York.

Las discusiones entre las grandes potencias no se hicieron esperar. Discutían la admisión de los nuevos miembros, el aprovisionamiento militar permanente para el Consejo de Seguridad, y control de las armas atómicas. Los que más estaban en desacuerdo eran los Estados Unidos y la Unión Soviética. La Asamblea General trataba de reducir el armamento y el tamaño de los ejércitos en busca de la paz. Pero la rivalidad de las dos grandes potencias no hacía esto posible. La Unión Soviética a menudo usaba su veto en el Consejo de Seguridad para prevenir que se tomaran ciertas medidas. De todos modos, la ONU tomó importantes decisiones para el mantenimiento de la paz y se enfrentó a más de una crisis en distintos lugares del mundo.

Una de las controversias que parcialmente se resolvió gracias a los esfuerzos de la ONU fue la crisis de Irán. Un día después de que el Consejo de Seguridad

fuera organizado, en enero de 1946, Irán comunicó que la Unión Soviética estaba interviniendo en sus asuntos nacionales. Durante la Segunda Guerra Mundial, Irán había sido ocupada por tropas de la Unión Soviética, de Gran Bretaña y Estados Unidos para prevenir que las fuerzas alemanas la tomaran. Las tres naciones garantizaron la libertad de Irán y las tropas británicas y americanas se retiraron. Sin embargo, las fuerzas soviéticas se quedaron e incluso apoyaron una rebelión que estalló en el norte. La ONU discutió abiertamente la intervención soviética y el presidente Truman envió una nota de protesta al premier Stalin. La Unión Soviética retiró sus tropas porque la opinión mundial le era desfavorable.

El problema de Palestina en el Medio Oriente era más difícil. Los británicos aún gobernaban Palestina con el permiso de la Liga de las Naciones. Muchos judíos europeos, que desde tiempo atrás querían tener su patria en Palestina, se trasladaron a esta zona durante la guerra y después de ella. Pero los árabes que estaban allí los recibieron hostilmente. Enfrentándose a importantes problemas financieros, los ingleses plantearon el problema de Palestina a las Naciones Unidas en abril de 1947.

Las Naciones Unidas establecieron un plan para dividir Palestina entre los árabes y los judíos. Los judíos de Palestina apoyaban este plan pero los árabes se opusieron con vehemencia. Estados Unidos apoyaba la división. El 14 de mayo de 1948, los judíos en Palestina declararon su independencia. Esto condujo a una guerra en el Medio Oriente.

EXPLORACION DE HECHOS Y OPINIONES

I. Para mejorar tus conocimientos

Define, describe o identifica cada uno de los términos siguientes. Muestra cómo está conectado cada uno de ellos con los asuntos exteriores inmediatamente después de la Segunda Guerra Mundial.

1—Winston Churchill
2—Cordell Hull
3—Conferencia de Yalta
4—Conferencia de Postdam
5—Juicios de guerra de Nuremberg
6—Asamblea General de la ONU
7—Consejo de Seguridad de la ONU
8—Corte Internacional de Justicia
9—Palestina

II. Preguntas

Contesta a las preguntas siguientes. Acompaña tus respuestas con ejemplos o información específica.

1—¿Cuáles fueron los resultados de la Conferencia de Teherán?

2—¿Qué acordaron los Estados Unidos y la Unión Soviética en Yalta?

3—¿Cómo acordaron los Aliados tratar a Japón en la conferencia de Postdam?

4—¿Cuáles fueron los resultados de la Segunda Guerra Mundial?

5—¿Por qué propuso Roosevelt el establecimiento de la ONU?

6—¿Cuál era el propósito de cada una de las oficinas de la ONU?
a) Consejo de Seguridad
b) Asamblea General
c) Consejo de Fideicomiso
d) Corte Internacional de Justicia.

III. Conceptos

Los términos que siguen representan conceptos, ideas amplias que han jugado un papel importante en la experiencia de Estados Unidos, especialmente durante la Segunda Guerra Mundial. Con tus propias palabras escribe una pequeña definición de cada una.

1—nazismo
2—democracia
3—"cláusulas de escape"
4—rendición incondicional
5—división
6—paz negociada
7—campos de concentración

IV. Ideas organizadas

Siguen una serie de "ideas organizadas". Cada una perfila hechos y conceptos estudiados en este capítulos y hace una generalización. A partir de tus lecturas y lo dicho en clase da ejemplos específicos que aprueben o desaprueben estas ideas.

1—Los soldados deberían tener el derecho de matar a civiles.

2—Los prejuicios pueden conducir a una nación a la guerra.

3—No se puede negociar la paz con un dictador.

4—La democracia es la mejor forma de gobierno en el mundo.

5—Las naciones deben ser responsables de sus acciones.

V. *Ideas para construir*

1—¿Qué quería decir el presidente Roosevelt con "rendición incondicional"?

2—¿Crees que era una buena idea hacer que Alemania accediera a una "rendición incondicional"? Explica tu respuesta.

3—¿Por qué muchos norteamericanos atacaron los acuerdos de Estados Unidos en Yalta?

4—¿En qué estaban en desacuerdo al final de la Segunda Guerra Mundial los Estados Unidos y la Unión Soviética?

5—¿Por qué los Estados Unidos tenían ahora un mayor interés en pertenecer a la Organización de las Naciones Unidas y por qué no lo tuvieron con la Liga de las Naciones?

6—¿Qué rama de la ONU tiene más poder, la Asamblea General o el Consejo de Seguridad? Explica tu respuesta.

7—¿Por qué crees que Roosevelt pensaba que la ONU era más poderosa que la Liga?

8—¿Cuáles eran las diferencias más importantes entre la ONU y la Liga?

9—¿Por qué crees que los norteamericanos estaban más dispuestos a apoyar a la ONU en 1945 que a hacerse miembros de la Liga en 1919?

VI. *Aplicación de ideas y formación de juicios*

Contesta a las preguntas siguientes. Asegúrate de apoyar tus ideas y opiniones a partir de tus lecturas y lo dicho en clase.

1—Más de 6 millones de judíos fueron asesinados en los campos de concentración de Alemania durante la Segunda Guerra Mundial. Cuando se les preguntó a los soldados alemanes por qué lo habían hecho contestaron que "sólo seguían órdenes". ¿Cómo hubieras tratado tú a los alemanes que asesinaron a los judíos? ¿Los hubieras ejecutado, los hubieras encarcelado, o los hubieras dejado libres? Explica tu respuesta.

Capítulo 24

EL PRIMER PERIODO
DE LA GUERRA FRIA

TRUMAN EN LA CASA BLANCA

El 12 de abril de 1945, el presidente Roosevelt, que comenzaba su cuarto período presidencial, murió repentinamente. Inmediatamente, el vicepresidente, Harry S. Truman, ex senador de Missouri, se hizo cargo de la presidencia. Truman condujo a la nación a la victoria final de la Segunda Guerra Mundial, en agosto de 1945. Pero pronto surgieron nuevos problemas dentro del país y en el extranjero.

LA ALIANZA SE DEBILITA

La relación amistosa de las naciones aliadas se debilitó al final de la guerra. Surgieron desacuerdos y sospechas entre Estados Unidos y Gran Bretaña, por un lado, y la Unión Soviética por otro. Las alianzas en tiempo de guerra entre las democracias occidentales y el comunismo soviético se formaron por la necesidad de una fuerza masiva contra Alemania. Pero las dos grandes potencias tenían diferentes planes y esperanzas para el mundo do posguerra. Antes de que acabara la guerra en Europa ya habían surgido conflictos en torno a lo que convendría más al mundo.

En febrero de 1945, en la conferencia de Yalta, las grandes potencias no se pusieron de acuerdo en cómo tratar a Alemania al fin de la guerra. Tampoco se pusieron de acuerdo en torno al gobierno que debería tener Polonia. Después de la conferencia, la Unión Soviética comenzó a intervenir en Polonia para que establecieran un gobierno favorable al comunismo. Se hizo caso omiso a lo de las "elecciones libres y sin cadenas" que se había acordado en Yalta.

CONTROL COMUNISTA EN EUROPA ORIENTAL

El gobierno de los Estados Unidos reaccionó fuertemente contra las acciones soviéticas. El presidente Truman vio las elecciones libres en Polonia como la solución principal. Expresó la creencia de que, a la larga, este asunto tendría mucho que ver en las relaciones futuras entre los soviéticos y Occidente. Los Estados Unidos advirtió que si "el giro de los acontecimientos continuaba sin control, toda la estructura de cooperación mundial sería destruida".

Después de la guerra en Europa, se llevaron a cabo unas elecciones libres en Hungría, las cuales dieron muy pocos votos al comunismo. Pero la Unión Soviética estaba dispuesta a fortalecer la posición de los partidos comunistas en Hungría y en toda Europa oriental. Determinaron que sólo los individuos y grupos leales a Stalin podían encargarse de un gobierno. A todos los líderes políticos que "no eran de confiar" se les quitó el poder. Muchos fueron encarcelados o ejecutados. La enorme fuerza militar de la Unión Soviética estaba dispuesta a actuar si había cualquier señal de deslealtad a los gobiernos a favor de Stalin.

Las naciones de Europa oriental que cayeron bajo la influencia soviética incluían Polonia, Hungría, Rumania, Bulgaria, Checoslovaquia y Alemania Oriental. A estas naciones se les llamó *estados satélites*, es decir, dominados por la Unión Soviética. Yugoslavia también tenía un gobierno comunista pero éste pudo permanecer apartado de la influencia soviética.

LA CORTINA DE HIERRO

A principios de 1946, muchos dirigentes occidentales estaban alarmados por la poderosa posición de la Unión Soviética en Europa oriental. Temían que Rusia extendiera su poder a Europa central y occidental, valiéndose para esto de partidos comunistas nacionales que siguieran órdenes de Moscú.

En un discurso en Fulton, Missouri, en marzo de 1946, el Primer Ministro británico Churchill puntualizó los peligros de la "tendencia expansionista" de la Unión Soviética. Dijo allí que "una cortina de hierro ha caído sobre el continente". Instó a las naciones occidentales a que actuaran firmemente y con poder militar frente a la nueva amenaza.

LA GUERRA FRÍA TOMA FORMA

¿Por qué la Unión Soviética, con sus vastos territorios, quería apoderarse de los países de Europa oriental? Había por lo menos dos razones. En primer lugar, los líderes soviéticos querían extender el comunismo a través del mundo. El establecimiento del comunismo en Europa oriental era el primer paso hacia ese objetivo. Rusia también temía por su seguridad ya que en las dos grandes guerras mundiales había sido invadida desde el oeste y había sufrido pérdidas enormes. Los rusos creían que una manera de evitar que esto se repitiera era haciendo que todos los países de Europa oriental estuvieran bajo su control. Esto sería su protección, especialmente si Alemania lle-

gara a convertirse una vez más en una gran potencia militar.

Pero las potencias occidentales, dirigidas por los Estados Unidos, Gran Bretaña y Francia, estaban muy preocupadas por el creciente poderío de la Unión Soviética. Consideraban ellos que este país había roto ya las promesas de cooperación y de asegurar las libertades democráticas del pueblo de cada uno de los países liberados del yugo alemán. Las potencias occidentales temían que si no se detenía a la Unión Soviética, ellas estarían en peligro directo. A Francia e Italia, en particular, les preocupaba el asunto ya que ambos tenían partidos comunistas locales muy fuertes y leales a la Unión Soviética.

Así, se formaron dos bandos. La Unión Soviética y los Estados Unidos se miraban mutuamente con temor y sospecha. A esta situación se le llamó la *guerra fría*. Era una "guerra" sin fuerza militar pero sí con propaganda, amenazas, diplomacia, alianzas, espionaje, comercio y otras rivalidades "pacíficas".

LAS DOS ALEMANIAS

Una vez terminada la guerra se firmaron tratados de paz con los países más pequeños del Eje, incluyendo Italia, Hungría y Rumania. Pero lo más difícil era llegar a un acuerdo sobre Alemania. Este país estaba ocupado por cuatro fuerzas victoriosas: Estados Unidos, la Unión Soviética, Gran Bretaña y Francia. En 1949 estas potencias establecieron dos Alemanias, de acuerdo con los territorios ocupados por ellas. La *República Federal Alemana* (*Alemania Occidental*) tenía buenas relaciones con el Occidente. La *República Democrática Alemana* (*Alemania Oriental*) estaba muy unida a la Unión Soviética.

Hubo también otros arreglos entre las potencias. Occidente aceptó el control soviético sobre Bulgaria, Hungría y Rumania. La Unión Soviética aceptó que los Estados Unidos controlaran Japón.

Soldados del ejército griego capturan a un guerrillero en 1948. Para 1950, el gobierno griego, con ayuda de la Doctrina Truman, había derrotado la rebelión dirigida por los comunistas.

Las grandes potencias acordaron firmar un tratado de paz con Austria, en 1955. Austria sería neutral en la guerra fría.

LA DOCTRINA TRUMAN

A medida que la presión comunista crecía en el sureste de Europa, el miedo de que el poder y la influencia soviética aumentaran crecía en Occidente. En Grecia, las guerrillas comunistas habían provocado una guerra civil. Durante muchos meses, Gran Bretaña había ayudado económicamente al gobierno griego. En 1947 no pudo seguir apoyándole.

Al mismo tiempo, la Unión Soviética estaba presionando a Turquía. Los soviéticos tenían puestas sus miras en el control de los Dardanelos, el estrecho que conecta el Mar Negro con el Mar Mediterráneo y por tanto, de gran importancia militar.

El presidente Truman decidió que los Estados Unidos tenían que intervenir contra las actividades comunistas en Grecia y Turquía. Se dirigió personalmente al Congreso. Muchos norteamericanos pensaban que estaba acrecentando la guerra fría sin necesidad, pero, en general, la opinión pública apoyaba a Truman en su posición contra la expansión comunista.

Siguiendo la propuesta de Truman, el Congreso acordó conceder 400 millones de dólares a Grecia y a Turquía. A este programa se le llamó la *Doctrina Truman*. Esta ayuda fortaleció al gobierno griego y le hizo posible derrotar a las guerrillas. Turquía también obtuvo mayor seguridad.

CONTENCIÓN

La Doctrina Truman fue el primer paso de una nueva política de Estados Unidos llamada *contención,* cuya idea principal era la de detener la expansión del comunismo. En general, no se interferiría tras la Cortina de Hierro, es decir, donde el poder comunista estaba ya establecido.

Algunos norteamericanos temían que esta política de contención comprometiera a los Estados Unidos peligrosamente en los asuntos de los países menos potentes. Hasta se temía que la contención iba a llevar a un enfrentamiento con la Unión Soviética. Pero los seguidores de esta política de contención decían que los Estados Unidos tenía que demostrar a la Unión Soviética que no se le permitiría extender más su área de control. De otra forma, el poder soviético se haría tan grande que podría dominar totalmente a Occidente.

EL PLAN MARSHALL

Mientras tanto, Europa se recuperaba lentamente de la destrucción producida por la guerra. La industria había crecido muy poco. Los crudos inviernos que siguieron habían causado escasez de alimentos. Con esta crisis, los partidos comunistas de Italia, Francia y otros países de Europa se fortalecían.

Para prevenir el colapso en Europa, se propuso un nuevo programa norteamericano. En junio de 1947, en la Universidad de Harvard, el Secretario de Estado George C. Marshall, sugirió en un discurso un plan para ayudar a Europa. Los representantes de las naciones europeas se reunieron en París a las pocas semanas para establecer un plan de cooperación económica basado en las ideas del discurso de Marshall. Se invitó a la Unión Soviética a que tomara parte pero sus líderes desconfiaron de los propósitos de los Estados Unidos. La Unión Soviética y sus países satélites se retiraron de la conferencia. Las 16 naciones que se quedaron formaron la *Organización para la Cooperación Económica Europea* (OCEE). El plan que establecieron se llamó el *Plan de Recuperación Europea*.

Entre 1947 y 1952 los Estados Unidos proveyeron a la industria y a la agricultura europeas de unos 14 billones de dólares. El dinero se empleó principalmente en maquinaria, materias primas, alimentos, fertilizantes y otros suministros de primera necesidad.

El programa tuvo mucho éxito. En 1952, las fábricas y las granjas de Europa occidental estaban produciendo más que antes de la guerra. Este éxito condujo a otros programas para que las naciones europeas trabajaran juntas. Por otra parte, esta recuperación económica debilitaba las simpatías hacia el comunismo.

Al darse cuenta del éxito del Plan Marshall, la Unión Soviética estableció un plan similar de ayuda económica a la Europa oriental.

LA GUERRA FRÍA SE CALIENTA

En 1948 surge un período de crisis en la guerra fría. En febrero de ese año, el gobierno democrático de Checoslovaquia fue repentinamente derrocado por un grupo prosoviético. La oposición fue aplastada y Checoslovaquia cayó bajo el control comunista.

En la primavera del mismo año, 1948, la Unión Soviética retó directamente a las potencias occidentales cortando la entrada por carretera, camino, ferrocarril, río o canal, a Berlín, la antigua capital alemana. Esta ciudad estaba en el territorio comunista de Alemania oriental, pero, al igual que las tropas rusas, también la ocupaban tropas norteamericanas, británicas y francesas. El bloqueo soviético era claramente un intento de expulsar a las naciones occidentales de Berlín.

¿Qué se podía hacer? Un intento de llevar suministros por tierra a través de Alemania Oriental podía conducir a un peligroso enfrentamiento militar. Por otro lado, abandonar Berlín sería una aplastante derrota para Occidente. La respuesta fue un *puente aéreo*. Los Estados Unidos, ayudados por Gran Bretaña, abastecieron por aire a las fuerzas aliadas y a dos millones de habitantes de Berlín Occidental. Durante diez meses los aviones transportaron comida, combustible y otros suministros vitales a la parte occidental de Berlín. La Unión Soviética cortó el bloqueo al darse cuenta de que no había surtido el efecto de hacer salir a los Aliados.

EL PACTO DE LA OTAN

El miedo y la sospecha de Occidente hacia la Unión Soviética aumentaron tras

El puente aéreo rompe el bloqueo ruso y lleva abastecimientos de vital importancia a Berlín, en 1948.

la crisis de Berlín. Para fortalecerse aún más, los Estados Unidos acordaron formar una nueva alianza. Esta alianza fue la *Organización del Tratado del Atlántico Norte* (OTAN). El tratado se firmó en Washington, en abril de 1949. Los Estados Unidos se unieron a Canadá y a diez naciones de Europa occidental en un acuerdo militar que se relacionaba directamente con la expansión del poder soviético. El núcleo del pacto de la OTAN era el artículo 5 en el que se planteaba que un ataque armado contra una o más de estas naciones en Europa o Norteamérica se consideraría un ataque contra todas.

El 21 de julio de 1949, el Senado aprobó el pacto de la OTAN por 82 votos contra 13. Los Estados Unidos pusieron fuerzas militares al mando de la OTAN inmediatamente.

La OTAN existe todavía. Se considera una parte esencial del sistema de seguridad occidental. El grupo original aumentó a 15 por la posterior unión de Grecia, Turquía y Alemania Occidental. Las oficinas generales de la organización están en Bruselas, Bélgica.

EL PUNTO CUATRO

Otra parte del Plan Truman fue el programa llamado *Punto Cuatro*. Bajo este plan, los Estados Unidos dieron asistencia técnica a países subdesarrollados. Este programa se presentó como el cuarto punto del discurso inaugural de Truman en 1949. Dijo así:

Debemos embarcarnos en una política audaz para hacer accesibles los beneficios de nuestros avances científicos y progreso industrial para el mejoramiento y crecimiento de las áreas subdesarrolladas. Nuestro objetivo debe ser ayudar a los pueblos libres del mundo, por medio de sus propios esfuerzos, para que produzcan más alimentos, más ropa, más materiales para viviendas y más poder mecánico para aligerar su carga. Sólo colaborando con los miembros más desafortunados a que se ayuden ellos mismos puede la familia humana alcanzar una vida decente y satisfactoria, derecho de todo el mundo.

Se pensaba que este programa de ayuda a los países subdesarrollados mejoraría las condiciones de vida de esas zonas y también haría más difícil la expansión del comunismo. Poco después, muchos norteamericanos comenzaron a trabajar en el extranjero, para ayudar de distintas maneras a los pueblos de Asia, África y Latinoamérica.

Desde el final de la Segunda Guerra Mundial, los Estados Unidos han seguido un programa de *ayuda extranjera* a diferentes naciones del mundo con las que mantienen relaciones amistosas. Esta ayuda, militar y económica, le ha costado al pueblo norteamericano cerca de 200 billones de dólares.

ARMAS SOVIÉTICAS ATÓMICAS

En 1949, muchos líderes norteamericanos creían que el avance comunista había sido frenado. Los soviéticos habían suavizado las presiones sobre Berlín y la nueva alianza de la OTAN fortalecía a Occidente, aunque las fuerzas comunistas en China habían ganado una victoria sobre el gobierno nacionalista y en 1949 habían tomado el control del país. De todos modos, los Estados Unidos pensaban que sus intereses no peligraban allí. El programa de defensa norteamericana dependía enormemente de las armas atómicas. Pero muchos temían esta dependencia. La seguridad del país podía verse en peligro en caso de un conflicto atómico total.

De repente, en septiembre de 1949, la situación mundial cambió. Se supo que la Unión Soviética estaba experimentando con armas atómicas. Ya no había monopolio de los Estados Unidos. La Unión Soviética tenía o pronto tendría armas nucleares.

El gobierno de los Estados Unidos se sorprendió bastante. Comenzaron a hacer grandes esfuerzos para construir una

bomba de hidrógeno (bomba H). Esta bomba sería mucho más poderosa que la bomba atómica usada en la Segunda Guerra Mundial. El Consejo Nacional de Seguridad recomendó un enorme aumento para el presupuesto militar. De esta forma, los Estados Unidos estarían preparados para una guerra nuclear o, al menos, para una convencional, en caso de que no se usaran las armas nucleares.

LA GUERRA DE COREA

Hasta 1950, los Estados Unidos habían podido mantener la guerra fría más o menos controlada pero en ese año estalló una guerra violenta en Corea.

Corea, situada en una península que limita con China, había llegado a formar parte de Japón en 1910. En la Segunda Guerra Mundial fue ocupada por fuerzas soviéticas y norteamericanas. Los rusos estaban en el norte, los norteamericanos en el sur. Las dos naciones acordaron establecer el paralelo 38 como línea divisoria. Se suponía que sería sólo temporalmente. Sin embargo, se convirtió en una frontera firme y las dos partes de Corea se convirtieron en diferentes naciones. En junio de 1949, los norteamericanos trasladaron sus fuerzas fuera de Corea del Sur. Justo un año más tarde, las fuerzas norcoreanas, apoyadas por la Unión Soviética, atacaron Corea del Sur.

El presidente Truman vio esto como un reto de los comunistas a los Estados Unidos. Ordenó a las fuerzas militares bajo el general Douglas MacArthur que defendieran Corea del Sur. También llevó el asunto al Consejo de Seguridad de las Naciones Unidas. En esa época, la Unión Soviética estaba boicoteando al Consejo de Seguridad porque las Naciones Unidas habían rechazado como miembro a la China comunista. Con el delegado soviético incapacitado para usar su veto, el Consejo de Seguridad declaró a Corea del Norte como agresor. El Consejo pidió a los miembros de la ONU que enviaran fuerzas para expulsar a los invasores.

Tanques norteamericanos en acción en Corea. La marcha hacia el norte fue interrumpida por un ataque masivo por parte de las fuerzas chinas.

Unas 15 naciones accedieron a la petición de la ONU. Pero la mayor parte de las fuerzas eran norteamericanas y surcoreanas. MacArthur fue nombrado general de todas las fuerzas que defendían Corea del Sur bajo la bandera de las Naciones Unidas.

Al principio, las tropas de la ONU fueron obligadas a retroceder hasta el extremo sureste de Corea. Pero en una brillante operación militar que envolvía mar, tierra y aire, el general MacArthur llevó sus tropas al otro lado del frente enemigo y pronto recapturó casi toda Corea del Sur.

Ahora se planteaba una cuestión: ¿Hasta qué punto del norte debían trasladarse las tropas de la ONU? Se llegó a temer un ataque de China si las tropas ocupaban el norte para perseguir al enemigo. MacArthur era partidario de derrotar a los comunistas y reunificar Corea. Creía firmemente que China no entraría en la guerra.

MacArthur dirigió sus tropas al norte, al principio, con éxito. Se dirigieron hacia el río Yalú que separa Corea del Norte de la provincia china de Manchuria. En noviembre de 1950 un ejército chino cruzaba el río Yalú y se enfrentó a las fuerzas de la ONU que se vieron forzadas a retroceder a Corea del Sur. Sin embargo, en la primavera de 1951, las fuerzas de la ONU hicieron retroceder a los comunistas al norte del paralelo 38.

En este momento, el presidente Truman intentó negociar la paz. El enfrentamiento no había conseguido todo lo que los Estados Unidos habían esperado, pero había logrado preservar la independencia de Corea del Sur. Se había establecido que un país no podía agredir libremente a otro. Había peligro de una guerra con China —así lo creía Truman— y si esto sucedía, la Unión Soviética atacaría a Europa occidental. Para prevenir esto, conversaciones de tregua entre los Estados Unidos y Corea del Norte comenzaron en julio de 1951.

El general MacArthur se oponía a la decisión del presidente. Quería conseguir una victoria total de cualquier manera. Favorecía el bombardear y bloquear los puertos más importantes de China si fuera necesario. MacArthur expresó su opinión públicamente y fue relevado de su puesto. Muchos norteamericanos se entristecieron por la destitución de este héroe militar. MacArthur fue invitado a hablar ante el Congreso. Un comité investigó su destitución. Finalmente se acordó que el presidente, como comandante en jefe de las fuerzas armadas, tenía el derecho de destituir a cualquier militar.

Las negociaciones de tregua en Corea duraron varios años. Finalmente, en julio de 1953, con Eisenhower como presidente, se firmó un acuerdo estableciendo la paz. En líneas generales, la frontera seguía siendo la misma que antes de la guerra. Se estableció una zona neutral entre las dos naciones.

En la guerra de Corea ninguno de los bandos consiguió lo que quería ni tampoco fue derrotado. Probablemente gran parte del pueblo norteamericano aceptó esta solución como la mejor posible dadas las circunstancias.

ACTIVIDADES ANTICOMUNISTAS EN LOS ESTADOS UNIDOS

Los años de la guerra fría (finales de la década de 1940 y la década de 1950) fueron muy problemáticos. El avance del comunismo seguía en muchas partes del mundo. Las naciones occidentales creían que se tenían que oponer a este avance. En Corea había ocurrido una guerra sangrienta. Todo esto ayudaba a mantener un sentimiento anticomunista en los Estados Unidos y en otras naciones de Europa occidental.

Los presupuestos militares crecieron enormemente. Antes de 1950 se había gastado una media de 13 billones de dólares al año. Entre 1951 y 1952 los gastos militares alcanzaron los 44 billones. Hasta se le había permitido a Alemania rearmarse en cierto grado. Los países de la OTAN habían fortalecido su fuerza militar.

Por el estado de ánimo anticomunista, en los Estados Unidos se organizó una campaña contra los sospechosos de simpatizar con el comunismo. Los norteamericanos recordaban que habían sido la nación victoriosa en la Segunda Guerra Mundial. Estados Unidos se había convertido en la potencia más grande del mundo. Ahora, unos pocos años más tarde, muchos se soprendían de que otra nación pudiera atemorizarlos.

Para muchos, había una razón importante: creían que algunos ciudadanos eran desleales a la democracia norteamericana y podían colaborar para ayudar a la Unión Soviética. Se descubrieron espías en Canadá. También había constancia, hacía unos años, de actividades a favor de los comunistas en el gobierno de los Estados Unidos. Se establecieron nuevos programas de lealtad y seguridad. Por medio de éstos se quería expulsar a todos los elementos pro comunistas del gobierno y de las industrias privadas, algunas tan "delicadas", como la industria del cine. Algunos dirigentes comunistas fueron juzgados y encarcelados.

En esta atmósfera de temor, sospecha y a menudo histeria, el senador Joseph R. McCarthy, de Wisconsin, se erigió en cabeza de la causa anticomunista. Sus acusaciones de que había comunistas en el gobierno y otras áreas importantes nunca fueron probadas. Pero el asunto preocupaba a muchos. El Congreso aprobó la *Ley de Seguridad Interna McCarran* que controlaba fuertemente las actividades comunistas en los Estados Unidos. Esta ley también prohibía entrar en el país a cualquiera que alguna vez hubiera pertenecido a un grupo comunista.

LA ADMINISTRACIÓN DE TRUMAN

La guerra fría ensombreció la adminis-

Harry S. Truman luchó por que el Congreso aprobara varios programas, especialmente en el área de derechos civiles para los negros norteamericanos, pero éste no las aprobó sino hasta muchos años después.

tración de Truman. Por otro lado, Truman y la nación se enfrentaban a problemas nacionales que hasta hoy día ocupan la atención del pueblo.

La administración de Truman tenía que afrontar los problemas económicos de la nación. Muchas personas temían que el final de la guerra y los tremendos gastos militares del gobierno iban a provocar un colapso económico. Temían que se repitiera la experiencia de la década de 1930. Sin embargo, éste no era el caso. La demanda de mercancías para el consumo —automóviles, muebles, vestidos, casas— era muy fuerte y los negocios prosperaron. El gobierno ayudó en las viviendas, educación, cuidado médico y empleos.

La era de paz trajo consigo la eliminación del control de precios y salarios. Los precios sufrieron un alza, la mayor en la historia norteamericana. El dinero tenía cada vez menos poder adquisitivo. Además, el país se enfrentaba a serias huelgas laborales que encolerizaban a muchos norteamericanos.

EL PUEBLO PIDE CAMBIOS

Debido a los problemas que había en el período de posguerra, el Partido Republicano avanzó mucho en la elección de 1946. Era la primera vez desde 1928 que los republicanos ganaban el control de ambas cámaras del Congreso. En los dos años siguientes, el Presidente demócrata y el Congreso republicano, con frecuencia, no se ponían de acuerdo en la política que se debía seguir. Sin embargo, la dirección enérgica de Truman le ganó respeto. Vetó la *Ley Taft-Hartley*, que quitaba ciertos logros laborales de la época del Nuevo Trato. Aunque el Congreso anuló el veto, Truman se ganó el apoyo de los líderes laborales.

En la campaña presidencial de 1948, y aunque se creía que no iba a ganar, Truman fue postulado por los demócratas. Las posibilidades de Truman disminuyeron más porque muchos demócratas sureños no apoyaban su posición de igualdad de oportunidades para los negros. Estos demócratas formaron el *Partido Dixiecrat* y apoyaron al senador Strom Thurmond de South Carolina como candidato presidencial. Otro grupo de demócratas se oponía a la fuerte posición de Truman contra la Unión Soviética. Éstos organizaron el *Partido Progresista* y apoyaron a otro candidato, Henry Wallace.

Thomas E. Dewey, gobernador de New York, era el candidato republicano. Su partido confiaba en la victoria y la campaña de Dewey fue como la de alguien que estaba seguro que iba a ganar. Truman, por su parte, hizo una campaña con un recorrido de 31.000 millas, casi todas por tren, a través del país. Atacó al Congreso por "no hacer nada ni servir para nada".

Para sorpresa de todos, menos suya, Truman derrotó a Dewey en noviembre. Su partido también ganó el control de ambas cámaras. En su discurso inaugural, Truman propuso un programa de cambio social. Habló de un "trato justo" para todos los ciudadanos. Pero sus propuestas sorprendieron a la oposición, especialmente su idea de eliminar el impuesto del voto (había ciertos estados en los que se tenía que pagar un impuesto antes de votar). También hubo oposición a su deseo de establecer una comisión de derechos civiles para proteger los derechos de los negros. Parte de su programa fue atacado por una coalición de republicanos y demócratas sureños. A pesar de todo, el Congreso aprobó algunas leyes recomendadas por Truman. Se aprobó una ayuda federal para acabar con los arrabales y ayudar con la vivienda de gente pobre. Se aumentó el salario mínimo y el número de personas con derecho al Seguro Social. En un acto personal, Truman prohibió la separación racial y el favoritismo en los puestos gubernamentales y en las fuerzas armadas.

EXPLORACION DE HECHOS Y OPINIONES

I. Para mejorar tus conocimientos

Define, describe o identifica cada uno de los términos siguientes. Muestra cómo está conectado cada uno de ellos con la política norteamericana.

1—República Federal Alemana
2—República Democrática Alemana
3—Doctrina Truman
4—Plan Marshall
5—Organización para la Cooperación Económica Europea
6—Puente aéreo de Berlín
7—OTAN
8—Cuatro puntos
9—Senador McCarthy

II. Preguntas

Contesta a las preguntas siguientes. Da ejemplos específicos.

1—¿Por qué la Unión Soviética sentía la necesidad de una "esfera de influencia" en Europa oriental?

2—¿Por qué los Estados Unidos se oponían a esta "esfera de influencia"?

3—¿Cómo empezó la guerra fría?

4—¿Cómo creía Truman que los Estados Unidos tenían que actuar con el comunismo?

5—¿Cómo ayudaron los Estados Unidos a las naciones de Europa occidental después de la Segunda Guerra Mundial?

6—¿Cuáles eran los objetivos de la Organización del Tratado del Atlántico Norte?

7—¿Por qué entraron los Estados Unidos en la guerra de Corea?

8—¿Por qué fue MacArthur destituido de su puesto en Corea?

9—¿Cuáles fueron los resultados de la guerra de Corea?

III. Conceptos

Los términos que siguen representan conceptos, ideas amplias que han jugado un papel en la experiencia norteamericana. Con tus propias palabras, escribe una pequeña definición de cada una de ellas.

1—esferas de influencia
2—estados satélites
3—cortina de hierro
4—guerra fría
5—contención

IV. Ideas para construir

1—¿Cómo se convirtieron las naciones de Europa oriental en "estados satélites"?

2—¿Qué crees que quería decir Churchill cuando dijo "una cortina de hierro ha caído en el continente"?

3—¿Por qué se dividió Alemania en dos países después de la Segunda Guerra Mundial?

4—¿Cómo intentó el presidente Truman evitar la expansión del comunismo?

5—¿Qué significaba el término "guerra fría"? ¿Cómo se comprometieron los Estados Unidos y la Unión Soviética en la "guerra fría"?

6—¿Existe todavía hoy la guerra fría entre Estados Unidos y Rusia? Explícalo.

7—¿Qué problemas enfrentó Truman después de la guerra?

8—A principios de la década de 1950, muchos norteamericanos no podían encontrar trabajo porque sospechaban de su lealtad. Sin embargo, nada se podía probar. ¿Por qué crees que los patronos actuaron así?

9—El presidente Truman era demócrata, pero en parte de su período presidencial los republicanos controlaron el Congreso. ¿Crees que es mejor que las dos ramas sean controladas por un mismo partido o no?

V. Ideas organizadas

Siguen un número de "ideas organizadas". Cada una perfila hechos y conceptos estudiados en este capítulo y hace una generalización. A partir de tus lecturas y lo dicho en clase, da ejemplos específicos que aprueben o desaprueben estas ideas.

1—A Estados Unidos le interesa detener la expansión del comunismo por el mundo.

2—Cada nación debería tener derecho a determinar su forma de gobierno.

3—Tratados recíprocos de defensa pueden aumentar el peligro de guerra.

4—La industrialización es la clave del progreso económico de una nación.

5—Es más probable que ocurran revoluciones en naciones con graves problemas sociales y económicos.

Capítulo 25
UNA ERA DE TENSION Y CONFLICTO

LOS AÑOS DE EISENHOWER

Para la campaña presidencial de 1952, el Partido Republicano eligió como candidato al héroe de la Segunda Guerra Mundial, el general Dwight David Eisenhower. El senador Richard M. Nixon de California, conocido por su fuerte oposición al comunismo, fue elegido como su compañero. El Partido Demócrata eligió al gobernador de Illinois, Adlai E. Stevenson.

La campaña versó en torno a tres temas: "Corea, el comunismo y la corrupción". Nixon, especialmente, atacó a los demócratas por tener una actitud muy tolerante con el comunismo y también atacó la corrupción en la administración de Truman. El día de las elecciones, los republicanos obtuvieron una clara victoria. Finalizaron 20 años de gobierno presidido por demócratas.

Eisenhower, como los dirigentes de los negocios que lo apoyaban, quería limitar los gastos gubernamentales, reduciendo los gastos federales. Con todo, el nuevo presidente deseaba proseguir el gran número de programas gubernamentales que se habían desarrollado durante los años de Roosevelt y Truman. También creía que el Congreso estaba más cerca del pueblo y que por eso debía dirigir al país. Como presidente, ofrecería programas en los que el Congreso pudiera actuar. Trabajaría con un equipo de consejeros, la mayoría altos dirigentes de empresas. Veía

Dwight D. Eisenhower, popular héroe militar, fue el primer republicano elegido presidente en un período de 20 años.

sus funciones como las de un mediador entre ellos.

Poco después de hacerse cargo de la presidencia, Eisenhower logró terminar la guerra de Corea firmando un armisticio en julio de 1953.

La guerra de Corea duró más de tres años. Murieron . 33.600 norteamericanos. Al final de la guerra no se había logrado una victoria ni el pueblo sentía que había conseguido algo positivo. Todo lo contrario, la guerra había creado conflictos y amargura dentro de los Estados Unidos. Pero se preservó la independencia de Corea del Sur; y las naciones occidentales demostraron que harían frente militarmente a cualquier agresión. La guerra fría no estaba por terminar sino que empezaba un nuevo capítulo.

Con el final de la guerra y con el héroe militar en la Casa Blanca, el temor de posibles comunistas en el gobierno disminuyó. Sin embargo, el senador Joseph McCarthy continuó atacando a los empleados públicos. En una investigación senatorial televisada, acusó al ejército de los Estados Unidos de ser demasiado "complaciente" con el comunismo. Millones de norteamericanos observaban la actuación de McCarthy y después de cierto tiempo llegaron a la conclusión de que no había base para sus acusaciones. Finalmente, el país se volvió contra él. En diciembre de 1954, el Senado lo "condenó" por su conducta.

LA GUERRA FRÍA CONTINÚA

La guerra fría se moderó bastante con el armisticio de Corea. Como no había habido un arreglo de paz definitivo, aún había choques en el área fronteriza entre las dos Coreas. Pero las fuertes tensiones de la guerra en esa parte del mundo habían pasado.

Muchos norteamericanos esperaban que se abriera una nueva era en la que hubiera menos conflictos entre las naciones occidentales y las potencias comunistas. Pero estas esperanzas se frustraron. Los períodos presidenciales de Eisenhower a Johnson (de 1953 a 1968), fueron años de continuas tensiones en la guerra fría. La violencia, o la amenaza de violencia, ocurría en muchas partes del mundo.

JOHN FOSTER DULLES Y LA POLÍTICA DE LIBERACIÓN

La figura más representativa en las relaciones exteriores estadounidenses durante la administración de Eisenhower fue el secretario de estado John Foster Dulles.

Él, como secretario de estado, creía que la política de *contención* de Truman había sido un error; la consideraba una confesión de debilidad por parte de Estados Unidos. En vez de contener las fuerzas soviéticas, Dulles quería medidas activas para debilitar al mundo comunista. Una de las maneras de conseguir es-

Patriotas húngaros hacen una manifestación masiva contra la Unión Soviética en una calle destruida de Budapest, en 1956.

to, según él, sería ayudar a los estados satélites de Europa oriental para que se levantaran y lucharan por su libertad. Favorecía la liberación de los pueblos cautivos de Polonia, Hungría, Rumania, Alemania Oriental y Checoslovaquia.

La prueba de esta política de liberación llegó cuando se produjeron ciertas revueltas contra la forma de gobierno soviético en zonas de Europa oriental. Una de ellas acaeció en Alemania Oriental en 1953. Otra estalló en Hungría en 1956. Estas dos revueltas fueron rápidamente sofocadas por las fuerzas soviéticas. Los Estados Unidos estaban demasiado lejos para ayudar de una manera efectiva a los rebeldes sin caer en el peligro de entrar en una guerra con la Unión Soviética.

En estas dos ocasiones, y en 1968 en Checoslovaquia, pareció que los Estados Unidos no fueran capaces de hacer sentir su poderío militar en el "patio" soviético de Europa oriental.

UN SISTEMA DE ALIANZAS MUNDIALES

Dulles continuó la política de Truman de tratar de establecer un sistema de alianzas militares por todo el mundo. En el sureste asiático se estableció una nueva alianza en 1954, la *Organización del Tratado del Sureste Asiático* (OTSEA).

En el Oriente Medio se formó otra organización de defensa en 1955, la *Organización del Tratado Central* (OTC). Tanto la OTSEA como la OTC eran distintas a la OTAN porque no estipulaban combinaciones de fuerzas militares. Es decir, les faltaba fuerza para proteger sus planes. Ambas organizaciones resultaron inútiles.

Los Estados Unidos establecieron alianzas en otras partes del mundo. En Latinoamérica se formó el *Pacto de Defensa Interamericana*, en el que participaban 20 naciones latinoamericanas, todas miembros de la *Organización de Estados Americanos*. También realizaron un gran número de tratados con naciones individua-

les: Japón, Corea del Sur, China nacionalista y la República de Filipinas. Otro pacto se firmó con Australia y Nueva Zelandia. No todos se firmaron bajo la dirección de Dulles, pero todos estaban basados en sus planes o estrategias para un sistema mundial de alianzas.

PODER ATÓMICO Y "REPRESALIA MASIVA"

Las fuerzas militares de los Estados Unidos proporcionaron la fuerza básica del sistema de alianzas mundiales. Las armas atómicas eran el núcleo del poder militar norteamericano.

El secretario de estado Dulles explicó que la política norteamericana consistiría en responder a cualquier agresión soviética o china con una "represalia masiva". Creía que una amenaza como ésta disminuiría el peligro de guerras locales como la de Corea. Indicaba que la nueva política de defensa atómica reduciría los gastos militares. Sin embargo, los gastos de defensa norteamericana crecieron enormemente durante esos años.

PROBLEMAS EN EL SURESTE ASIÁTICO

La prueba de la política norteamericana de la represalia masiva llegó en el sureste asiático, donde los conflictos eran de larga duración. Después de la Segunda Guerra Mundial, los franceses volvieron a controlar la zona conocida como Indochina. Las guerrillas comunistas apoyadas por la China comunista, comenzaron a rebelarse contra el poder colonial francés. Los intentos franceses para sofocar la rebelión fracasaron. El ejército francés sufrió una tremenda derrota en Dienbienphu.

Francia pidió ayuda militar norteamericana. Algunos dirigentes norteamericanos creían que si las posesiones francesas caían bajo el poder comunista pronto todo el sureste asiático correría la misma suerte. A esto se llamó la "teoría del dominó". La idea era que la caída de un país podría, como en una fila de fichas de dominó, "volcar" a sus vecinos y derribar toda la línea. Algunos dirigentes militares norteamericanos sugirieron que los Estados Unidos usaran armas atómicas en Indochina para salvar al ejército francés y detener la avanzada del comunismo. Sin embargo, otros pensaban que este tipo de ayuda sería peligrosa, ya que podría llevar a la guerra con China o con la Unión Soviética.

El presidente Eisenhower no deseaba utilizar las fuerzas de los Estados Unidos en una guerra en Asia. Por tanto, los franceses fueron derrotados y expulsados de Indochina. Se mantuvo una conferencia de paz en Ginebra, Suiza. En estos *Tratados de Ginebra,* la Indochina francesa se dividió en los estados de Vietnam del Norte, Vietnam del Sur, Laos y Camboya. Vietnam del Norte quedó controlado por los comunistas y Vietnam del Sur por los pro norteamericanos o anticomunistas. Se estableció que unas elecciones libres tendrían lugar en 1956 para decidir en torno a un gobierno para todo Vietnam.

Los Estados Unidos no participaron en los tratados de Ginebra. Pero la administración de Eisenhower indicó que deseaba aceptarlos. De todos modos, la elección para la unificación del Vietnam nunca llegó a llevarse a cabo. En vez de esto, los dos estados vietnamitas se prepararon para luchar uno contra otro. Los Estados Unidos proporcionaron ayuda militar a Vietnam del Sur mientras que el gobierno del norte recibió ayuda de las potencias comunistas.

El primer ministro de Vietnam del Sur, Ngo Dinh Diem, estaba muy relacionado con los Estados Unidos. Para fortalecerse en el poder, empezó a deshacerse de la oposición política. La guerrilla comunista comenzó a luchar contra el gobierno de Diem. En Laos, su vecino, la guerrilla comunista se fortaleció a pesar de la ayuda militar a los anticomunistas en ese país.

Era obvio que el comunismo estaba ganando terreno en el sureste asiático. Los intentos de los Estados Unidos para resistir la expansión comunista tuvieron importantes repercusiones en la historia americana en las décadas de 1960 y 1970.

PROBLEMAS EN EL ORIENTE MEDIO

En el Oriente Medio, los países árabes se oponían con vehemencia a la nación de Israel, fundada en 1948. Repetidas incursiones a las fronteras israelitas, especialmente desde Egipto, crearon una situación muy tensa en esta área. Esto incumbía a los Estados Unidos ya que habían apoyado la creación de Israel y habían prometido ayudarla para que sobreviviera.

Cuando Egipto se acercó a la Unión Soviética, los Estados Unidos ofrecieron invertir dinero para construir una gran presa en Aswan, en el río Nilo. Esta oferta fue retirada cuando los Estados Unidos se enteraron de que Egipto había llevado a cabo varias incursiones militares en Israel y había ayudado a fomentar rebeliones en otras partes. Egipto reaccionó apropiándose el Canal de Suez de manos de la empresa propietaria del mismo, una firma privada anglo-francesa. Gran Bretaña y Francia temieron perder su abastecimiento de petróleo, que pasaba por ese canal. En octubre de 1956, Israel atacó a Egipto con la ayuda de fuerzas francesas y británicas. Los egipcios destruyeron parte del canal, inutilizándolo.

En esta época, se produjo una rebelión contra la Unión Soviética en Hungría. Los soviéticos rápidamente sofocaron la rebelión y amenazaron con usar la fuerza para ayudar a Egipto. Los Estados Unidos temieron que estallara una gran guerra; por esta razón se unió a la Unión Soviética para presionar a Gran Bretaña y Francia para que desistieran de la campaña contra el Canal de Suez. Las Naciones Unidas también consideraron a Israel como un agresor contra Egipto. Todas las fuerzas invasoras se retiraron poco después. Egipto ganó una gran ba-

Tanques del ejército israelí en acción contra el ejército egipcio, en octubre de 1956.

talla diplomática pero sufrió varias pérdidas en los enfrentamientos, especialmente contra Israel. Durante un tiempo se restauró la paz en el Oriente Medio. Pero los Estados Unidos siguieron temiendo las incursiones soviéticas en la zona.

En 1957, el presidente Eisenhower anunció una nueva política norteamericana conocida como la *Doctrina Eisenhower*. Esta política permitiría a los Estados Unidos usar las fuerzas armadas para ayudar a cualquier nación del Oriente Medio que pidiera ayuda para resistir una agresión comunista. La doctrina se puso en práctica en julio de 1958 cuando los Estados Unidos enviaron fuerzas militares para ayudar al gobierno del Líbano. No se produjo ningún enfrentamiento. El gobierno pro occidental del Líbano, amigo de Occidente, fue capaz de solucionar la crisis.

LA REVOLUCIÓN DE CASTRO EN CUBA

En Latinoamérica, el acontecimiento más importante durante el período de Ei-senhower fue la revolución cubana. En 1959, el gobierno del dictador, general Fulgencio Batista, fue derrocado por un grupo de rebeldes dirigidos por Fidel Castro. Castro fue pronto considerado como un héroe en gran parte de Latinoamérica en donde muchos gobiernos habían fracasado en el intento de eliminar la pobreza y la corrupción. Castro prometía importantes reformas de largo alcance.

Castro comenzó haciendo cambios en la economía y en la vida rural de Cuba. La vida de los cubanos pobres mejoró en muchos aspectos. Sin embargo, muchas de las personas que no estaban de acuerdo con la política de Castro fueron asesinadas o encarceladas. Otros abandonaron el país. Luego, Castro estableció relaciones estrechas con la Unión Soviética. Fomentó rebeliones en otros países latinoamericanos y criticó duramente a los Estados Unidos. El presidente Einsenhower reaccionó acordando armar a un grupo de cubanos exiliados para un posible ataque a la isla. A principios de 1961, los Estados Unidos rompieron las relaciones diplomáticas con Cuba.

HACIA UNA LIMITADA COOPERACIÓN SOVIÉTICO-NORTEAMERICANA

A pesar de las diferencias entre el Occidente y la Unión Soviética, aparecieron señales de calma en la guerra fría. Después de la muerte de Stalin, en 1953, nuevos dirigentes se hicieron cargo del gobierno de Moscú. Parecían más dispuestos que Stalin a vivir en una forma más pacífica con los Estados Unidos y sus aliados.

Eisenhower quería que ambas naciones no temieran continuamente un ataque por sorpresa. Así podría haber más esperanzas de trabajar juntos para lograr la reducción de armamentos y llegar a otros acuerdos.

A finales de la década de 1950, la Unión Soviética se puso a la cabeza del desarrollo de proyectiles y de los experimentos con satélites. Lanzaron el primer satélite que completó órbita a la tierra, el *Sputnik*, en 1957. Los Estados Unidos se esforzaron en alcanzar a los rusos en este campo. Muchos norteamericanos temían que los Estados Unidos se hubieran quedado atrás en tecnología, y posiblemente en poderío militar.

En el verano de 1959, el vicepresidente Richard M. Nixon fue a Rusia y Polonia y el dirigente soviético Anastas Mikoyan viajó a los Estados Unidos. Estas visitas eran preparatorias para el viaje del primer ministro Nikita Khrushchev a los Estados Unidos. Era la primera visita de un dirigente ruso a los Estados Unidos. En conversaciones privadas, Khrushchev y Eisenhower acordaron reunirse en una conferencia cumbre en París en 1960.

EL ASUNTO DEL U-2

La conferencia de París no llegó a efectuarse. Unos días antes, el primer ministro soviético reveló que un avión norteamericano había sido derribado en territorio soviético, un *U-2* de gran altura. El portavoz de los Estados Unidos dijo que

el avión realizaba operaciones meteorológicas y se había desviado de su curso. Sin embargo, los soviéticos anunciaron que el piloto del avión estaba vivo y ya había confesado espionaje fotográfico. Luego el presidente Eisenhower aceptó responsabilidad por el vuelo. La conferencia cumbre se desmoronó en un estado de terrible sospecha. Todas las esperanzas de acabar poco a poco con la guerra fría acabaron por el momento.

Los intentos del presidente Eisenhower por construir un "puente" entre los Estados Unidos y la Unión Soviética finalizaron en un fracaso. Los historiadores de hoy indican, en favor de Eisenhower, que éste terminó la guerra de Corea y que Estados Unidos rechazó comprometerse en una guerra en Asia para recuperar el imperio colonial francés de Indochina. Aún existían serias diferencias con la Unión Soviética, pero había indicios de que las relaciones podían mejorar. Comparados con acontecimientos más recientes, muchos consideran la década de 1950 como un período de paz y esperanza de progreso.

LA LUCHA POR LA IGUALDAD

Quizás lo más importante de los dos períodos presidenciales de Eisenhower fue la lucha por la igualdad de derechos de los negros. La chispa saltó en 1954 con el caso *Brown vs. Junta de Educación de Topeka.*

Éste era un caso proveniente de Kansas, un estado del norte, en donde tenían sus propias leyes locales en torno a los alumnos negros y blancos. En algunas zonas había escuelas segregadas para ambas razas, en otras no.

En Topeka, Kansas, las escuelas estaban segregadas. Un grupo de negros entabló una demanda para que la situación cambiara. En sus peticiones, el problema radicaba en el significado de la palabra *igual*. No argüían que las escuelas negras no fueran "iguales" en edificios, profesores, libros, sino que consideraban que obligar a los niños negros a ir a escuelas

Confrontaciones como ésta en Little Rock, Arkansas, fueron el distintivo de la integración en muchas escuelas sureñas. Como resultado de las decisiones de la Corte Suprema, las escuelas de los alumnos blancos se vieron obligadas a admitir a negros por primera vez.

diferentes de *cualquier* clase era de por sí, *desigual*.

Este grupo de personas intentaba impugnar la disposición de 1896 de "separados pero iguales". La Corte Suprema estuvo de acuerdo con ellos. El magistrado presidente Earl Warren dijo que las escuelas separadas creaban "un sentimiento de inferioridad" en los niños negros. Este sentimiento, decía, podría "afectar su corazón y su mente". El magistrado Warren opinó que en la educación pública "la doctrina de 'separados pero iguales' no tiene lugar".

Sin embargo, el cambio fue muy lento. En muchos lugares los blancos no estaban de acuerdo con la decisión de la Corte. En 1957, en Little Rock, Arkansas, los blancos amenazaron a los estudiantes negros que iban a la Central High School. La policía y las tropas federales tuvieron que proteger a los estudiantes negros.

ACCIÓN EN NUEVOS FRENTES

Una vez que la idea "separados pero iguales" fue desterrada de las escuelas públicas, los negros comenzaron a actuar para acabar con estas leyes y prácticas conocidas como "Jim Crow". Para que se produjeran estos cambios, la población negra tenía que organizarse. En unos cuantos años se consiguieron algunos objetivos. Entre ellos figuran:

El boicot de autobuses de Montgomery. En muchas zonas del sur, los negros tenían que ceder su asiento a una persona blanca si ésta se lo pedía. El 1º de diciembre de 1955, la señora Rosa Parks, una mujer negra de Montgomery, Alabama, rehusó hacer esto. La arrestaron y multaron. Todos los negros de la ciudad organizaron un *boicot* a los autobuses de Montgomery, es decir, decidieron no usar los autobuses. Uno de los dirigentes del boicot fue el Dr. Martin Luther King, Jr., que pronto se convirtió en uno de los máximos líderes del movimiento de los derechos civiles de los negros.

Durante varias semanas, los negros no usaron los autobuses y por tanto la compañía de autobuses perdió mucho dinero. Finalmente, la protesta negra produjo acciones legales. Una Corte federal de distrito ordenó que la segregación de asientos era ilegal. Cuatro meses más tarde, la

Corte Suprema confirmó esta decisión. Ésta se hizo ley.

A finales de la década de 1950, la lucha por los derechos civiles de los negros se fortaleció. En el año 1957, el Congreso aprobó la Ley de los Derechos Civiles: el gobierno federal respaldaba el derecho a voto de los negros. Los tribunales prohibieron las separaciones en los edificios públicos, en los aeropuertos, en las estaciones de autobuses y edificios comerciales interestatales. Casi cien años después de la Guerra Civil, el gobierno federal finalmente tomaba medidas para garantizar y proteger los derechos de igualdad de todos los norteamericanos.

LA NUEVA FRONTERA

En la campaña de 1960, dos hombres relativamente jóvenes fueron postulados como candidatos presidenciales de los dos partidos mayoritarios: Richard M. Nixon y John F. Kennedy. Nixon había sido senador antes de ser vicepresidente en los dos períodos de Eisenhower. Kennedy, igual que Nixon, también había sido miembro de las dos Cámaras del Congreso.

Uno de los puntos más importantes de la campaña fue una serie de cuatro debates entre los dos candidatos, que fueron televisados. El aplomo de Kennedy parecía haberle dado un pequeño margen. Pero Kennedy era católico y ningún católico había sido elegido como presidente. La "cuestión católica" fue muy importante en la campaña. Algunos protestantes atacaron a Kennedy diciendo que un católico "seguiría las órdenes del Papa". Kennedy respondió a eso de la siguiente manera:

"Creo en una América en que un día terminará toda intolerancia religiosa, donde todos los hombres e iglesias reciban trato igual, donde cada hombre tenga el derecho de asistir o no asistir a la iglesia de su elección, donde no haya voto católico ni anticatólico, ni de 'bloque' de ninguna clase, y donde los católicos y protestantes y judíos se guarden de la actitud de desprecio y

Al senador John F. Kennedy le sirvieron su juventud, atractivo y personalidad en su camino hacia la presidencia.

división que tan a menudo ha estropeado sus obras en el pasado y promuevan el ideal americano de hermandad.

Permítaseme expresar una vez más que éstos son mis puntos de vista; contrariamente a lo que han sugerido algunos periódicos, no soy el candidato católico sino el candidato del Partido Demócrata, que al mismo tiempo también es católico. En los asuntos públicos no hablo por mi iglesia y la iglesia no habla por mí".

Quizás este discurso tuviera efecto sobre las elecciones. Kennedy recibió sólo 120.000 votos más que Nixon. Kennedy, a los 43 años, se convirtió en el presidente más joven y en el primer católico elegido para ocupar el más alto cargo de la nación.

La juventud de Kennedy dió esperanzas a muchos. La nación se fortalecería y podría hacerle frente a cualquier problema. En su discurso inaugural pidió a todos los norteamericanos que se unieran "en una lucha contra los enemigos comunes del hombre: la tiranía, la pobreza, la enfermedad y la guerra". Concluyó diciendo: "No preguntes lo que tu país puede hacer por ti, pregunta lo que tú puedes hacer por tu país".

Pero uno de los primeros problemas que mereció la atención de Kennedy fue el aumento del poderío militar de los Estados Unidos. Se creía que siendo poderosos los Estados Unidos podrían tratar con la Unión Soviética bajo mejores circunstancias. El arsenal norteamericano de proyectiles de largo alcance aumentó. Mientras existiera una carrera armamentista entre las dos superpotencias, la guerra fría se mantendría en vigencia.

La administración de Kennedy también intentó extender el programa de ayuda económica a los países subdesarrollados. Además de ayudar a los habitantes de esos países a vivir mejor, disminuiría el atractivo de la propaganda comunista. Por eso se estableció el *Cuerpo de Paz.* Miles de jóvenes norteamericanos se unieron a esta organización y fueron enviados a países pobres de Asia, África y Latinoamérica. Contribuyeron al desarrollo de programas de educación, sanidad, cuidados infantiles, agricultura, industria, vivienda y otras áreas en donde se necesitaban mejoras urgentemente.

PROBLEMAS EN LATINOAMÉRICA

Para ayudar a mejorar las condiciones de Latinoamérica, Kennedy estableció un programa llamado *Alianza para el Progreso.* Con este programa se trataba de obtener cambios sociales y económicos en Latinoamérica. Los Estados Unidos proporcionarían grandes sumas de dinero para este propósito y colaboraría muy estrechamente con los países latinoamericanos para asegurarse de que las sumas de dinero se emplearían productivamente para ayudar al pueblo. El presidente Kennedy visitó varios países del área e intentó mejorar las relaciones con sus vecinos del hemisferio occidental.

Pero las relaciones de los Estados Unidos con las otras naciones del hemisferio occidental sufrieron enormemente por un intento fallido de invadir Cuba. Muchos cubanos habían huido a Estados Unidos después de que Fidel Castro tomara el poder. Las fuerzas cubanas anticastristas habían sido entrenadas en los Estados Unidos (con ayuda de la CIA o Agencia

Central de Inteligencia) para invadir Cuba. Los planes para esta invasión se habían llevado a cabo antes de que Kennedy se hiciera cargo de la presidencia. Aconsejado por los líderes militares y otros altos oficiales, Kennedy acordó apoyar a los exiliados cubanos. Una invasión de unos 1.200 cubanos a la Bahía de Cochinos, en la costa de Cuba, en abril de 1961, fracasó por completo. Kennedy rehusó proveer de ayuda militar a los invasores y personalmente aceptó la culpa de este fracaso. Desde entonces, en sus relaciones con Castro los Estados Unidos han utilizado medios diplomáticos y económicos.

UNA NUEVA CONFERENCIA CUMBRE (1961)

En junio de 1961, el presidente Kennedy y el primer ministro soviético, Nikita Khrushchev, se reunieron en Viena. Kennedy insistía en un arreglo para solucionar la guerra fría. Cada oponente reconocería los intereses vitales del otro y no podría interferir en los mismos. Pero el problema alemán era de gran importancia para la Unión Soviética. Khrushchev estaba decidido a que las potencias occidentales se marcharan de Berlín. También quería asegurarse de que Alemania Occidental no conseguiría armas nucleares. Amenazó con que Alemania Oriental ocuparía todo Berlín. Kennedy dejó bien claro que los Estados Unidos no cederían sus derechos en Berlín.

La conferencia de Viena se deshizo al tocar este punto y terminó sin ningún acuerdo; las tensiones entre Oriente y Occidente aumentaron. Más tarde, en ese mismo año, 1961, Alemania Oriental comenzó a construir una muralla para detener a los refugiados que huían a los sectores occidentales de la ciudad. Sin embargo, los comunistas no trataron de apoderarse de toda la ciudad de Berlín y la crisis disminuyó. Berlín quedó dividida en dos partes: la oriental y la occidental.

LA CRISIS DE LOS PROYECTILES EN CUBA

En 1962, la Unión Soviética comenzó a construir una base de proyectiles nucleares en Cuba. Los comunistas declararon que tenía como finalidad proteger a Cuba de otra invasión. Esto suponía un gran peligro para los Estados Unidos ya que las bases estarían sólo a 90 millas de los Estados Unidos. Además, si la operación de la construcción de la base tenía éxito, los Estados Unidos perderían influencia en Latinoamérica.

Kennedy rápidamente intentó que la Unión Soviética desistiera de su proyecto. Temía sobre todo que el éxito en el emplazamiento de proyectiles en Cuba condujera a otros actos de opresión militar en otros países. Ordenó un bloqueo naval de Cuba para prevenir que desembarcaran suministros militares adicionales. Kennedy también envió una seria advertencia de peligro de guerra nuclear a la Unión Soviética. Los Estados Unidos pidieron a la Unión Soviética que retirara los proyectiles inmediatamente. El delegado norteamericano en las Naciones Unidas, Adlai E. Stevenson, mostró fotografías del emplazamiento de los nuevos proyectiles.

En octubre de 1962, el presidente Kennedy expresó a su pueblo la grave situación en Cuba. Estaba claro que los Estados Unidos estarían dispuestos a ir a la guerra si desde Cuba se lanzaban proyectiles contra cualquier nación del hemisferio occidental.

La confrontación de Kennedy tuvo éxito y los barcos soviéticos que transportaban más proyectiles a Cuba retrocedieron a alta mar. La crisis comenzó a disminuir.

El premier Khrushchev respondió con una nota dando indicaciones que la Unión Soviética había cedido en esta disputa. Entonces envió otra nota a Kennedy en la que ofrecía retirar los proyectiles que ya tenían en Cuba si los Estados Unidos retiraban sus proyectiles de Turquía, cerca de la frontera soviética. Dos meses antes, Kennedy había ordenado que se retiraran los viejos proyectiles norteamericanos de Turquía pero estas órdenes no llegaron a cumplirse totalmente. Ahora Kennedy pensó que retirar estos proyectiles a petición de los rusos debilitaría la moral de Turquía. Simplemente, lo que hizo fue evitar el tema de la segunda nota y contestó sólo a la primera. Prometió que no habría más amenazas de invasión a Cuba si los soviéticos retiraban sus proyectiles. En poco tiempo se retiraron los proyectiles soviéticos de Cuba. Los Estados Unidos habían ganado una gran batalla diplomática.

LAOS Y VIETNAM

El segundo problema importante al que se tuvo que enfrentar la administración de Kennedy fue la situación en el sureste asiático. Después de la derrota de Francia en Indochina, Eisenhower había recomendado que los Estados Unidos prestaran ayuda a Laos para evitar que cayera bajo el poder comunista. Pero Kennedy decidió tratar de hacer a Laos un país neutral. Una conferencia en Ginebra estableció un nuevo gobierno en Laos con tres grupos: uno sería pro occidental y otro pro comunista. El tercer grupo sería neutral. Pero las incursiones comunistas a Laos continuaron, especialmente desde Vietnam del Norte. Laos se convirtió en un país dividido en zonas comunistas y no comunistas.

Mientras tanto, más ayuda militar de los Estados Unidos fue enviada a Vietnam del Sur. Los "asesores" norteamericanos empezaron a jugar un papel importante en algunas operaciones militares contra las fuerzas antigubernamentales, conocidas como *Vietcong*. En otras palabras, los norteamericanos estaban ayudando en los enfrentamientos en vez de ser sólo "asesores". Kennedy, sin embargo, optó por no enviar un gran número de tropas. Durante un tiempo parecía que la ayuda militar (abastecimientos y hombres) estaba funcionando muy bien para fortalecer el gobierno anticomunista de Vietnam del Sur dirigido por Ngo Dinh Diem. En enero de 1963, Kennedy anunció que los comunistas habían sido detenidos en su intento de apoderarse de Vietnam del Sur.

Pero pronto la situación en Vietnam empeoró. La guerra de guerrillas contra el gobierno de Diem se intensificó. El gobierno de Diem reaccionó con medidas más fuertes contra sus oponentes. El 1º de noviembre de 1963, Diem fue asesinado. La confusión se extendió por todo Vietnam del Sur. Como consecuencia de ello, se enviaron a este país más fuerzas norteamericanas.

EN LOS ESTADOS UNIDOS

En los Estados Unidos, los programas del gobierno trataban de impulsar el crecimiento del comercio. Durante los últimos años del período de Eisenhower el desarrollo del comercio de la nación había sido lento. Aunque se logró cierto grado de prosperidad, no la compartían todos los norteamericanos. Kennedy pidió al Congreso más ayuda federal para la educación y para la asistencia médica a las personas mayores. Sin embargo, el Congreso no aprobó esas leyes. Kennedy empezó a tener dificultades para llevar a la práctica muchas de sus ideas para lograr una "Nueva Frontera".

El movimiento por la igualdad de derechos de los negros continuó. El Departamento de Justicia, dirigido por el hermano del presidente, el procurador general Robert F. Kennedy, hizo mucho por proteger los derechos de los estudiantes negros. A menudo, la resistencia de ciertos sectores a la integración llevó a graves enfrentamientos. En Birmingham, Alabama, por ejemplo, la policía atacó a unos manifestantes con mangueras y perros. Millones de personas vieron los acontecimientos en las noticias de televisión, lo que dio más prominencia a la lucha por los derechos civiles.

En agosto de 1963, toda la nación pudo ver por televisión cómo casi 250.000 negros y blancos, encabezados por el doctor Martin Luther King, Jr., se reunieron en Washington, D.C., para mostrar su apoyo a la causa de la justicia racial.

EL ASESINATO DE KENNEDY

El presidente Kennedy había preparado un discurso que iba a pronunciar en Dallas, Texas, el 22 de noviembre de 1963. En ese discurso resumía los logros de su administración; pero nunca llegó a pronunciarlo ya que cuando se dirigía al lugar donde debía hacerlo fue asesinado.

Kennedy intentó aplacar la guerra fría. Instó al pueblo norteamericano y al soviético a que abandonaran el "vicioso y peligroso ciclo" de la sospecha recíproca. Intentó detener las pruebas de armas nucleares como primer paso para detener la costosa y temible carrera armamentista. En septiembre de 1963 se prohibieron las pruebas nucleares por acuerdo entre Estados Unidos, Rusia y Gran Bretaña. Esta prohibición incluía las pruebas nucleares atmosféricas, espaciales y submarinas.

Tal prohibición fue limitada: no prohibió las pruebas subterráneas ni disminuyó el arsenal de armas nucleares; pero, aún así, estas prohibiciones fueron consideradas como un gran paso hacia unas mejores relaciones americano-soviéticas y hacia la formación de una base firme para la paz mundial. En tratados posteriores, los Estados Unidos y la Unión Soviética acordaron no utilizar el espacio para propósitos militares e, igualmente, limitar las armas nucleares.

Los planes del joven presidente para mejorar a los Estados Unidos finalizaron con su repentina muerte en noviembre de 1963. Cuando se dirigía con su esposa al lugar de la conferencia en un auto descapotable, en una calle de Dallas un asesino le disparó y lo mató. El asesino fue Lee Harvey Oswald. Toda la nación y gran parte del mundo reaccionó con dolor e indignación. El dirigente que había levantado tanto el ánimo al pueblo norteamericano había muerto.

LA GRAN SOCIEDAD

Dos horas después de la muerte de Kennedy, el vicepresidente Lyndon B. Johnson, de Texas, prestó juramento como el 36° presidente. Johnson había intentado en vano ganar la postulación democrática en 1960. Kennedy lo escogió entonces como candidato a vicepresidente en su nómina. Con una larga experiencia en ambas cámaras del Congreso, Johnson siempre se había preocupado por los humildes y por las minorías raciales de Estados Unidos, desde la época del Nuevo Trato en la década de 1930. Como presidente, lo demostró.

Johnson dijo que continuaría los planes de Kennedy. Apoyaba la nueva *Ley de Derechos Civiles de 1964*, la cual prohibía la discriminación en los lugares públicos y establecía una comisión para prevenir la discriminación racial en los empleos. Una *Ley de registro de votantes* (1965) dio aún más protección al derecho de los negros al voto.

En mayo de 1964, en un discurso en la Universidad de Michigan, Johnson anunció su programa llamado la *Gran Sociedad*, que se construiría en tres lugares:

"Cada vez es más difícil vivir bien en las ciudades americanas de hoy. El catálogo de sus males es largo: hay deterioro en los centros urbanos y en los alrededores. No hay suficientes viviendas ni transportes...

El segundo lugar para empezar a construir la Gran Sociedad es en el campo. El agua que bebemos, la comida que comemos, el aire que respiramos están amenazados por la contaminación... Un tercer lugar para construir una Gran Sociedad es en las aulas de las escuelas de los Estados Unidos. Allí se forman las vidas de los niños. Nuestra sociedad no será grande hasta que to-

da mente juvenil se libere para explotar los más remotos confines del pensamiento y la imaginación."

En las elecciones presidenciales de 1964, Johnson ganó fácilmente a su oponente republicano, el senador Barry Goldwater, de Arizona. Apoyado por la mayoría demócrata en el Congreso, Johnson hizo aprobar un impresionante programa legislativo entre los que se cuentan:

• leyes de derechos civiles

• un programa federal de salud para los pobres y los ancianos

• ayuda para vivienda y desarrollo urbano

• controles de la contaminación

• embellecimiento de carreteras

• nuevas leyes de inmigración

El programa de la Gran Sociedad también incluía una multifacética "guerra" contra la pobreza, proveía de ayuda federal a las artes y establecía reglas para la seguridad de los automóviles y de las carreteras. Desde 1964 hasta 1968, su programa gastó 98 billones de dólares en sanidad, educación y otras formas de ayuda al pueblo. La mayor cifra para estos gastos había sido hasta entonces unos 54 billones.

DISTURBIOS EN EL PAÍS

Sin embargo, gradualmente, las nubes comenzaron a ensombrecer la Gran Sociedad. Los grupos minoritarios estaban cada vez más descontentos porque el avance de la igualdad de derechos y oportunidades era lento. Algunos de estos grupos decidieron actuar violentamente para llamar la atención y para forzar a la sociedad en general a que cambiara.

En 1962, James Meredith, un veterano negro de las fuerzas aéreas, trató de matricularse en la Universidad de Mississippi. Esto provocó disturbios en los que hubo dos muertos y cientos de heridos.

James Meredith fue el primer negro en graduarse de la Universidad de Mississippi. Ni aún la violencia lo pudo impedir.

Se necesitaron más de tres mil soldados para restaurar el orden público.

Más tarde, cuando Meredith asistía a clase, los oficiales federales iban con él para protegerlo.

Ocupación de restaurantes ("Sit-ins"). En la década de 1960, la mayoría de los restaurantes del Sur se negaban aún a servir a los negros. De todos modos, los negros que luchaban por sus derechos, en su mayoría jóvenes, iban a los restaurantes y cuando se negaban a servirles, permanecían sentados en el mostrador o en la mesa; muy a menudo eran insultados y a veces, golpeados. Pero estas "ocupaciones" representaban pérdidas para los restaurantes y finalmente los propietarios aceptaron servir a los negros al igual que a los blancos.

La lucha por el voto. En 1964, muchos blancos a favor de los derechos civiles se unieron a los negros para ayudarles a usar su derecho al voto. Los impuestos de votación habían sido abolidos por la enmienda vigesimocuarta. Pero muchas de las injustas "pruebas de alfabetización" continuaban.

Muchos de los oficiales blancos simplemente decían "no" cuando los negros iban a votar. Muchas veces, los negros tenían miedo de ir a votar ya que habían sido amenazados con violencia o con la pérdida de empleos.

Los nuevos grupos de blancos y negros organizaron "marchas de libertad" en el Sur para defender los derechos civiles. Esto animó a muchos negros a registrarse como votantes. A veces los atacaban los blancos sureños. Algunos de los trabajadores a favor de los derechos civiles murieron luchando por la causa, pero como consecuencia de estas luchas, muchos más negros se registraron y votaron.

En 1965 (en parte debido a las "marchas de libertad"), el Congreso aprobó una nueva *Ley de Derechos Civiles*. Acabó con las leyes de alfabetización para votar. Indicaba también que las autoridades federales podían ir a los estados sureños para asegurar que todo el que tuviera derecho al voto pudiera votar.

LA POBLACIÓN NEGRA TOMA DIFERENTES CAMINOS

Todos los líderes negros pedían justicia e igualdad para su pueblo. Pero a menudo disentían en cómo llevar a cabo sus acciones. Veamos algunas ideas de estos líderes:

Dr. Martin Luther King, Jr. — Amor y buena voluntad. El Dr. King era ministro bautista y dirigente de un grupo de negros llamado Southern Christian Leadership Conference (Conferencia Dirigente Cristiana del Sur). Para él, los negros podían obtener sus derechos a través de medios pacíficos y con "buena voluntad". Decía:

"Dependemos de las fuerzas morales y espirituales. En otras palabras, el gran instrumento es el instrumento del amor. Y cuando hablamos de amor hablamos de comprensión, de buena voluntad hacia todos los hombres. Vemos que la tensión real no está entre los ciudadanos negros y los blancos sino en el conflicto entre la justicia y la injusticia".

El Dr. King creía que, finalmente, tanto los blancos como los negros verían el problema de esa forma. Habría comprensión entre unos y otros y la justicia triunfaría.

Stokely Carmichael — "Poder negro". Un joven negro llamado Stokely Carmichael tenía otro punto de vista. Éste clamaba por el "poder negro". Urgía a los negros para que desarrollaran su propio poder político y económico, separados de la sociedad blanca.

En 1966, en la ciudad de New York, Carmichael le dijo a un público negro:

"Hermanos y hermanas, hemos estado viviendo con El Hombre (los blancos) demasiado tiempo. Tenemos que cambiar a una posición en que nos sintamos orgullosos, orgullosos de nuestra negrura. Tenemos que cambiar a una posición en que controlemos nuestro propio destino — una posición en que tengamos a negros representándonos para lograr nuestros objetivos.

A este país no lo mueve el amor. Lo mueve el poder. Y nosotros no tenemos nada de poder".

Malcolm X — "Nacionalismo negro". Ciertos líderes negros querían establecer una "nación negra" separada dentro de los Estados Unidos. Un portavoz de esta idea era Malcolm X, líder de un grupo llamado *Black Muslims* (Musulmanes Negros). Decía él:

"Los veinte millones de negros que hay hoy día en América forman una nación por derecho propio. No habrá paz en América mientras veinte millones de los llamados negros estén *mendigando* la igualdad de derechos que América sabe que jamás nos concederá. La única solución es la separación total".

Roy Wilkins — El punto de vista tradicional. Los líderes negros de más edad no estaban de acuerdo con el "poder negro" ni el "nacionalismo negro". Uno de éstos era Roy Wilkins, quien por mucho tiempo había dirigido la National Association for the Advancement of Colored People (Asociación Nacional para el Progreso de la Gente de Color). El señor Wilkins decía que podía haber progreso por medio de las instituciones existentes. En 1966, dijo ante un comité del Senado que a la mayoría de los negros no le gustaba la consigna de "poder negro". Dijo en esa ocasión:

"Es demasiado peligroso. Hay que pensar en todas las familias (negras) que tienen inversiones, que tienen hijos, son propietarias de sus casas, de negocios, que tienen relaciones con blancos, préstamos e hipotecas en bancos, empleos, esperanzas y ambiciones. Éstos no quieren ninguna consigna estudiantil con una etiqueta racial".

EL "SUEÑO AMERICANO"

En los años que siguieron a los enfrentamientos de mediados de la década de 1960, los negros, especialmente los jóvenes, desarrollaron un nuevo orgullo racial. Los peinados "afro", la música y las comidas "soul" ("del alma", es decir, "criollas") se veían por todas partes. Se popularizó el lema "Lo negro es hermoso". También hubo otros logros en el aspecto legal. Se decretaron nuevas leyes federales de "oportunidad de igualdad en el empleo". Era ilegal que no se empleara a alguien por su raza.

Muchos negros tomaban caminos diferentes, pero todos recordaban las palabras del Dr. Martin Luther King, Jr., que había sido asesinado en Memphis, Tennessee, en 1968. Cinco años antes de su muerte, durante la marcha a Washington, D.C., dijo en una manifestación:

"Tengo un sueño en el que veo que un día esta nación se levantará y vivirá el verdadero significado de su creencia de que 'todos los hombres son creados iguales'.

Cuando dejemos que triunfe la libertad podremos acelerar la llegada del día en que los hijos de Dios, los blancos y los negros, los judíos y los cristianos, los protestantes y los católicos, irán unidos de la mano y cantarán las palabras del viejo espiritual negro: '¡Libre al fin! ¡Libre al fin! ¡Gracias, Dios Todopoderoso, somos libres al fin!'"

En 1983, el Congreso de los Estados Unidos aprobó una ley por la cual se honrará la memoria del Dr. Martin Luther King, Jr., ganador del Premio Nobel de la Paz, con un día de fiesta el tercer lunes de enero. Dicha fiesta nacional empezará a celebrarse en todo el país a partir de 1986.

Después del asesinato de Martin Luther King, Jr., en abril de 1968, se produjeron disturbios en todas las áreas minoritarias del país. Hubo 43 muertos en las 172 ciudades en las que hubo motines. Hubo pérdidas por millones de dólares. Como si esto fuera poco, comenzaron las protestas en contra de la guerra de Vietnam en las universidades y también comenzaron las demandas de cambios sociales y educativos.

La década de 1960 fue una de protestas de muchas clases. Se formaron nuevos grupos para protestar la manera en que los norteamericanos vivían y actuaban en el país y en el extranjero. Nombres como

Panteras negras, Consejos de ciudadanos blancos, yippies, Weathermen, halcones (partidarios de la guerra), palomas (enemigos de la guerra), se hicieron muy populares. Además, los gastos ocasionados por la guerra en el sureste asiático hicieron subir los precios y acarrearon más problemas económicos a la nación, contribuyendo al clima de intranquilidad general.

La política de Kennedy de intentar mejorar las relaciones con los países de Latinoamérica sufrió una contrariedad durante la administración de Johnson. En 1965, grupos civiles y militares se rebelaron contra el gobierno establecido en la República Dominicana, en el Caribe. El presidente Johnson temía por la vida de los norteamericanos que estaban en la isla y también porque los comunistas se apoderaran del poder en el país. Por estas razones envió tropas norteamericanas a la República Dominicana, lo cual revivió el viejo temor al "imperialismo yanqui". Se hicieron arreglos para el establecimiento de un nuevo gobierno dominicano. Los Estados Unidos retiraron pronto sus tropas, las cuales fueron reemplazadas por fuerzas de la Organización de Estados Americanos. Sin embargo, la acción de Johnson, según muchos, fue un paso hacia atrás y causó gran tensión en las relaciones de Estados Unidos con Latinoamérica.

LA GUERRA DE VIETNAM EMPEORA

Fue en Vietnam donde la administración de Johnson tuvo sus mayores problemas. Los desacuerdos dentro de los Estados Unidos en torno a la guerra afectaban no sólo la vida política del país sino también a la civil en todos sus aspectos. Hubo un momento en que la sociedad parecía desgarrarse como nunca desde la época de la Guerra Civil.

Las fuerzas norteamericanas en Vietnam eran cada vez superiores, antes y después que Johnson asumiera la presidencia. El gobierno de Vietnam del Sur seguía siendo muy débil y la acción de guerra continuaba en su contra. En noviembre de 1963, el gobierno de Diem fue derrocado por los militares. Él y dos hermanos suyos murieron. Luego los regímenes militares se sucedían sin estar capacitados para unificar al pueblo o ganar la guerra. En 1966, por instancia norteamericana, se llevó a cabo una elección para elegir un gobierno civil. Pero había muchas dudas en torno a la honestidad de estas elecciones. Un ex general llamado Nguyen Van Thieu se convirtió en presidente. Mientras tanto, las fuerzas norteamericanas en Vietnam aumentaban. Su parte en la lucha se hacía cada vez mayor.

El 2 de agosto de 1964 se anunció que barcos PT de Vietnam del Norte habían atacado dos destructores norteamericanos en el Golfo de Tonkín, alejados de las costas de Vietnam del Norte. Los detalles del incidente nunca llegaron a clarificarse. Parece que los destructores sufrieron pocos daños y no hubo pérdida de vidas. Pero ante tal ataque, el presidente Johnson pidió permiso al Congreso para enfrentarse a esta situación. El Congreso aprobó una resolución en el Senado y una en la Cámara de Representantes. La resolución de la Bahía de Tonkín daba al presidente el derecho a "tomar todas las medidas necesarias" para proteger los intereses de los norteamericanos y acabar con las agresiones en el sureste asiático.

LA ELECCIÓN DE 1964 Y LOS AÑOS SIGUIENTES

En la elección presidencial de 1964, Johnson propugnó una acción norteamericana limitada en Vietnam. Su oponente republicano, Barry Goldwater, pedía, por el contrario, que se fortaleciera; insistía

Infantes de marina de los Estados Unidos investigan un túnel donde creen que hay soldados del Viet Cong.

en que era necesario hacer todo lo posible para derrotar a los comunistas en esa zona.

Johnson ganó fácilmente las elecciones. A principios de 1965, ordenó fuertes ataques aéreos contra Vietnam del Norte. A la vez, hubo un gran aumento de tropas de infantería en la región. Los norteamericanos tomaban ahora una parte más activa en la guerra. A finales de 1965 había cerca de 200.000 soldados de infantería en Vietnam. A finales de 1968, la cifra alcanzaba unos 536.000.

A finales de la década de 1960, unidades regulares del ejército de Vietnam del Norte comenzaron a tomar el puesto de los Vietcong en la lucha. Se creía que estas fuerzas norvietnamitas recibían ayuda de China comunista. Por eso, los proponentes de la guerra decían que era necesario vencer a Vietnam del Norte para parar la amenaza de China comunista.

Los bombardeos a Vietnam del Norte aumentaron. Durante el curso de la guerra, los bombarderos norteamericanos lanzaron en Vietnam del Norte y ciertas áreas de Vietnam del Sur un 50% más de explosivos que en la Segunda Guerra Mundial. La poderosa maquinaria militar norteamericana parecía incapaz de destruir la habilidad y la voluntad del enemigo por la lucha. Los informes oficiales hablaban de las grandes pérdidas que sufría el enemigo pero la guerra continuaba.

Cada vez más, los norteamericanos rechazaban la matanza y la destrucción que se estaba llevando a cabo en Vietnam. La oposición a la guerra era cada día mayor y en forma muy abierta, sobre todo entre la gente joven. Muchos jóvenes se negaban a aceptar la conscripción. La deserción de las fuerzas armadas comenzó a ser un grave problema.

Un efecto de la oposición a la guerra fue el fortalecimiento de los partidos radicales conocidos como la "nueva izquierda". A finales de la década de 1960, la oposición a la guerra se había extendido incluso a grupos conservadores, incluyendo muchas figuras demócratas de importancia. La guerra de Vietnam se convirtió en la guerra norteamericana más impopular a lo largo de su historia.

Como se acercaban las elecciones de 1968 las protestas dentro del Partido Demócrata aumentaron por la manera en que Johnson trataba con la guerra de Vietnam.

El momento decisivo llegó el 23 de marzo de 1968, cuando el presidente Johnson anunció que había detenido los bombardeos en Vietnam del Norte y ese mismo día anunció que no se presentaría a las elecciones presidenciales. Un poco más tarde, comenzaron en París las negociaciones del armisticio para terminar la guerra.

Robert F. Kennedy, ahora senador por New York, fue uno de los principales candidatos demócratas. Pero la noche de su victoria en la elección primaria de California, fue asesinado por un árabe palestino enfurecido por el apoyo de Kennedy a Israel. En un período de cinco años, dos hermanos Kennedy habían sido asesinados.

La elección presidencial de 1968 tuvo lugar mientras estaban estancadas en París las negociaciones para el armisticio vietnamita. El candidato republicano, Richard M. Nixon, anunció que tenía un plan para acabar con la guerra. Su oponente demócrata, Hubert H. Humphrey, era considerado como continuador de la política de Johnson. George Wallace era el candidato del tercer partido, el Partido Independiente Americano, de tipo conservador.

Contra sus dos oponentes, Nixon obtuvo el 43.4% del voto popular y ganó la elección. Humphrey obtuvo el 42.7%, lo que hizo ésta la elección más reñida de la historia del país. Con menos de la mitad del voto popular, Nixon se convirtió en presidente de minoría. Mientras tanto, la guerra de Vietnam seguía. Fue uno de los problemas más difíciles de solucionar con que tuvo que enfrentarse la nación.

EXPLORACION DE HECHOS Y OPINIONES

I. Para mejorar tus conocimientos

Define, describe o identifica cada uno de los términos siguientes. Muestra cómo está conectado cada uno de ellos con la política extranjera norteamericana.

1—John Foster Dulles
2—OTSEA
3—Pacto de Defensa Interamericana
4—Dien Bien Phu
5—Ngo Dinh Diem
6—Revuelta húngara
7—Martin Luther King, Jr.
8—Alianza para el Progreso
9—CIA
10—Resolución del Golfo de Tonkín

II. Preguntas

Contesta a las preguntas siguientes. Acompaña tus respuestas con ejemplos o información específica.

1—De acuerdo con John Foster Dulles, ¿cómo debían los Estados Unidos tratar con el comunismo?

2—¿Qué alianzas hicieron los Estados Unidos en la década de 1950?

3—¿Cómo actuó la Unión Soviética en la revuelta de Hungría?

4—¿Por qué apoyó el presidente Kennedy la invasión de la Bahía de Cochinos?

5—¿Por qué cortaron los Estados Unidos las relaciones diplomáticas con Cuba?

6—¿Cómo se resolvió la crisis de los proyectiles cubanos?

7—¿Qué pasos dio el presidente Johnson para intensificar la guerra en Vietnam?

III. Conceptos

Los términos que siguen representan *conceptos*, ideas amplias que han jugado un papel importante en la experiencia norteamericana, especialmente en la historia de la política exterior. Con tus propias palabras, escribe una pequeña definición de cada una de ellas.

1—liberación nacional
2—"imperialismo yanqui"
3—pobreza
4—teoría del dominó
5—radicalismo
6—superpotencias
7—igualdad
8—boicot
9—segregación
10—discriminación

IV. Ideas para construir

1—¿Fue sensato que el presidente Truman trasladara al general MacArthur de su puesto en el Pacífico? Explícalo.

2—¿Crees que fue sensato que los Estados Unidos se comprometieran en la guerra de Corea? Explica tu respuesta.

3—¿Deberían haber intentado los Estados Unidos ayudar a los rebeldes húngaros en 1956? ¿Qué clase de ayuda pudieran haberles ofrecido? Explícalo.

4—¿Qué efectos tuvo para la defensa mutua un pacto como el de OTSEA?

5—¿Qué significa la teoría del dominó? ¿Estás de acuerdo con ella? Explica.

6—¿Cuáles fueron los resultados de la Conferencia de Ginebra de 1954?

7—¿Qué cambios estableció Fidel Castro en Cuba?

8—¿Cómo afectó el asunto del U-2 a la guerra fría?

9—¿Por qué acordaron los rusos quitar los proyectiles de Cuba?

10—¿Cómo se comprometieron los Estados Unidos en la guerra de Vietnam?

11—¿Qué crees que quería decir Kennedy al expresar que el pueblo norteamericano y el soviético tenían que acabar con el "vicioso y peligroso círculo" de la sospecha? Explica tu respuesta.

12—¿Por qué crees que los negros pudieron progresar tanto entre 1954 y 1965?

13—¿Pueden las leyes y las decisiones de los tribunales cambiar las actitudes de la gente? ¿Pueden ayudarles? ¿Por qué sí o por qué no?

14—¿Qué crees que quiso decir James Meredith cuando dijo: "El cambio era una amenaza para la gente y... ésta era la única manera de lograrlo"? ¿Crees que ese sentimiento aún tiene validez?

V. Ideas organizadas

Siguen una serie de "ideas organizadas". Cada una perfila hechos y conceptos estudiados en este capítulo y hace una generalización. A partir de tus lecturas y lo dicho en clase, da ejemplos específicos que aprueben o desaprueben estas ideas.

1—Las pruebas de armas nucleares crean peligros en el medio ambiente.

2—Los desacuerdos, a menudo, se producen entre países fronterizos.

3—El desarrollo de la exploración espacial es de utilidad para los Estados Unidos.

Capítulo 26
POLITICA EXTERIOR EN NUESTROS DIAS

NIXON Y LA GUERRA DE VIETNAM

Richard M. Nixon, elegido presidente en el año 1969, era un experto en política internacional. Había sido vicepresidente durante el mandato de Eisenhower desde el año 1953 al año 1961, y en muchas ocasiones había viajado al exterior en misiones especiales. Como miembro del Consejo de Seguridad Nacional había ayudado a perfilar la estrategia política en las relaciones exteriores.

Richard Nixon

El plan del presidente Nixon en Vietnam tenía como objetivo la gradual reducción de las fuerzas armadas norteamericanas en dicho país. Estas fuerzas norteamericanas serían sustituidas por fuerzas vietnamitas. Según el presidente, la "vietnamización" de la guerra en esta forma haría posible que Estados Unidos evitara una victoria comunista y al mismo tiempo cumpliera con sus obligaciones de manera honorable.

A mediados de 1969 las fuerzas norteamericanas comenzaron a retirarse. En abril de 1969 había unos 543.000 soldados en Vietnam; en septiembre de 1973 solo quedaban unos 60.000.

LA GUERRA SE PROLONGA

Las negociaciones de paz se estaban llevando a cabo en París, pero se había progresado muy poco en ellas. Cada lado desconfiaba del otro y parecía que no encontraban una razón para lograr la paz. El objetivo de los Estados Unidos y de Vietnam del Sur era proteger al gobierno anticomunista de Saigón, la capital de Vietnam del Sur. Pero Vietnam del Norte y el Vietcong insistían en que los comunistas deberían tener un papel más relevante en el gobierno de Vietnam del Sur. Para la mayoría, el objetivo real de los comunistas era controlar todo Vietnam del Sur.

La guerra continuaba, pero parecía que ninguno de los dos bandos estaba capacitado para ganarla. En abril de 1970, las fuerzas

Nubes de gases lacrimógenos cubren Kent State University, Ohio, cuando miembros de la Guardia Nacional avanzan hacia una manifestación de estudiantes, en mayo de 1970.

de Vietnam del Sur unidas a las norteamericanas cruzaron la frontera de Camboya, al oeste de Vietnam, con el objetivo de atacar las bases norvietnamitas y del Vietcong que se hallaban en ese país. Estas bases se usaban para atacar a Vietnam del Sur, a pesar de que se suponía que Camboya era neutral.

Tal como se había planeado, la invasión duró sólo 60 días, pero la operación levantó una ola de protestas en los Estados Unidos. Las protestas, sobre todo en los círculos universitarios, eran cada vez mayores, a pesar de que se habían calmado un poco anteriormente. Se produjeron bastantes disturbios. En la universidad de Kent State de Ohio, en mayo de 1970, la Guardia Nacional, que había ido a mantener el orden, disparó contra los estudiantes y cuatro de ellos resultaron

muertos. Unos días después, dos estudiantes resultaron muertos en un enfrentamiento con la policía de Jackson State College, una universidad con un cuerpo estudiantil predominantemente negro, en Mississippi.

La oposición a la invasión de Camboya también se dejó oír en el Congreso. Hubo quienes opinaron que Nixon se había excedido sin justificación. Muchos representantes creían que era anticonstitucional. En 1970, el Senado revocó la Resolución del Golfo de Tonkín, que había dado al presidente todo el poder necesario para detener la agresión en el sureste asiático. Esta revocación tuvo muy poco efecto. Sin embargo, era una señal del cambio que se había producido, desde 1964, en los sentimientos del pueblo.

LOS VIETNAMITAS SUFREN

La conducta de ambos contrincantes contra las fuerzas enemigas y también contra la población civil fue bárbara y cruel. Un famoso incidente se produjo en *My Lai*, Vietnam del Sur, en 1968. Más de 100 aldeanos fueron asesinados por una tropa de soldados norteamericanos; entre las víctimas había mujeres, niños y ancianos. En 1971, un oficial del ejército norteamericano fue procesado por dicho motivo. Fue condenado por matar a "no menos de 22" civiles vietnamitas que no portaban armas ni presentaban resistencia.

El Vietcong y los norvietnamitas también cometieron actos de gran crueldad con cualquier vietnamita sospechoso de "colaborar con el enemigo" y hasta se jactaban de ello. Cuando los comunistas capturaron la ciudad de Hue en Vietnam del Sur, durante la llamada ofensiva de Tet en 1968, mataron a cientos de "traidores".

Lo que era cierto es que, a causa de la guerra, el pueblo vietnamita, el del norte y el del sur, estaba sufriendo enormemente.

EL FINAL DE LA GUERRA VIETNAMITA

El presidente Nixon fue reelegido en 1972 por un amplio margen. Esto fue interpretado como un voto de confianza por lo que había hecho en su período anterior. No sólo estaba tratando de solucionar el problema de Vietnam sino que también había mejorado las relaciones con China y la Unión Soviética.

A principios de 1973, los negociadores llegaron a un acuerdo de paz en París. Pero la paz en Vietnam parecía muy incierta. En el campo de batalla hubo muchas violaciones de la tregua. Los gobiernos de Vietnam del Sur, Camboya y Laos no se sentían seguros.

Los enfrentamientos continuaban. A pesar del armisticio, los comunistas atacaban y empezaban a ganar terreno, y los vietnamitas del sur, sin la ayuda militar ni moral de los Estados Unidos, parecía que no podían ofrecer mucha resistencia. En abril de 1975, los comunistas se aproximaban a Saigón, la capital de Vietnam del Sur.

El final estaba cerca. El presidente de Vietnam del Sur renunció e igualmente su sucesor. El presidente Ford, que había sustituido a Nixon después de su dimisión en agosto de 1974, ordenó que helicópteros norteamericanos trasladaran fuera del país a los 1000 norteamericanos que todavía permanecían en Saigón. El 30 de abril, el gobierno de la república de Vietnam del Sur se rindió a los comunistas.

Los dos Vietnam se convirtieron en un solo país: la *República Socialista de Vietnam*. La capital se estableció en Hanoi, en el norte. A Saigón se le llamó *Ho Chi Minh* en honor del fallecido dirigente de Vietnam del Norte. También se implantaron regímenes comunistas en Camboya y Laos.

Parecía que los Estados Unidos habían sufrido una derrota en el sureste asiático. El país había trabajado y luchado intensamente en esa parte del mundo y había sido en vano. Los comunistas eran los triunfadores en todas partes.

Pero, con el tiempo, se vio que muchos de los temores de los Estados Unidos no tenían fundamento. Los países comunistas no actuaron juntos como una fuerza revolucionaria opuesta a Occidente. Por ejemplo, Camboya y Vietnam tuvieron una guerra fronteriza. Vietnam, además, se negó a seguir a China, por lo que este país envió tropas al otro lado de la frontera vietnamita en 1979. Y los dos gigantes comunistas, China y la Unión Soviética, se convirtieron en encarnizados enemigos.

LA LEY DE PODERES DE GUERRA DE 1973

La guerra de Vietnam produjo un cambio importante en la manera en que Estados Unidos llevaba a cabo sus relaciones exteriores. Durante diversos períodos de la historia norteamericana han habido desacuerdos entre el presidente y el Congreso sobre la función de cada uno en la formación de la política exterior norteamericana. El presidente es el dirigente y el que guía, pero si la opinión pública se vuelve en su contra, el Congreso puede dictaminar que se ha "excedido". En ese caso, el Congreso puede hacer mayor uso de los poderes que le otorga la Constitución.

La guerra de Vietnam dio gran autoridad al presidente. La ayuda a Vietnam empezó modestamente con Truman y siguió aumentando constantemente con Eisenhower, Kennedy, Johnson y Nixon. Los Estados Unidos se enfrentaron a la guerra más costosa de su historia.

Pero no se había hecho ninguna declaración de guerra en el Congreso, como lo indica la Constitución. El Congreso dio su aprobación a la política presidencial en ciertas ocasiones, especialmente a la Resolución del Golfo de Tonkín en 1964. Sin embargo, el Congreso jugó un papel mucho menos importante que el del presidente.

Había un sentimiento general en todo el país acerca del poder desenfrenado del presidente. Por esto, en 1973 el Congreso aprobó una ley que decía lo siguiente:

- Si el presidente, sin una declaración de guerra, envía tropas estadounidenses a países extranjeros, dentro de las 48 horas siguientes debe enviar un informe al Congreso en el que explique el por qué de su decisión.

- El Congreso entonces debe votar si aprueba tal acción. Si la mayoría de cada cámara vota en contra, la acción tomada por el presidente se interrumpe inmediatamente.

- Si las dos cámaras del Congreso no votaran a favor de detener la acción militar, el presidente de todas maneras tendría que retirar las fuerzas dentro de un período de 60 días a menos que el Congreso *específicamente hubiese aprobado la medida o acción tomada.*

Esta ley se llamó la *Ley de poderes de guerra.* Desde que se aprobó, en 1973, muchas personas han opinado que restringe demasiado el poder de los presidentes. En este aspecto, y en muchos otros, lo ideal es encontrar un equilibrio entre el poder del presidente y el poder del Congreso.

CAMBIOS EN LA GUERRA FRÍA

El presidente Nixon había demostrado a lo largo de toda su carrera política un fuerte sentimiento anticomunista. Se había opuesto firmemente a reconocer a la China comunista y a mejorar las relaciones con la Unión Soviética. También se había destacado por atacar a sus oponentes políticos y acusarlos de no ser lo suficientemente firmes con el comunismo.

Sin embargo, cuando Nixon llegó a la presidencia tenía conciencia de los grandes cambios que se habían producido en el mundo. Por un lado, las dos grandes potencias comunistas, China y la Unión Soviética, ya no eran aliadas sino enemigas encarnizadas. También habían muchos países que rehusaban apoyar a los Estados Unidos o a la Unión Soviética. Las llamadas naciones "tercermundistas" empezaron a jugar un papel importante en el mundo. Finalmente, dentro de la alianza occidental, encabezada por los Estados Unidos, había un nuevo espíritu de independencia. Los Estados Unidos no podían "dirigir la orquesta" como ocurrió inmediatamente después de la Segunda Guerra Mundial. Es decir, que el mundo había cambiado y se necesitaba una política nueva para tratar con él.

Nixon decidió salir del "congelador" de la guerra fría. La actitud política que había prevalecido durante más de veinte años tenía que cambiar. Parece ser que contribuyó bastante a ello su consejero de política exterior, el Dr. Henry A. Kissinger, quien más tarde fue Secretario de Estado.

UNA NUEVA POLÍTICA EN TORNO A CHINA

Nixon, en primer lugar, intentó mejorar las relaciones con el pueblo de la República de China. Hasta entonces, Estados Unidos se había negado a reconocer a la República Popular y sólo reconocían al régimen nacionalista encabezado por Chiang Kai Shek, que ocupa la isla de Taiwan o Formosa. Este último país con unos 15 millones de habitantes,

El presidente Nixon en la Gran Muralla China, en 1972. Este viaje a la China señaló un cambio importantísimo en la política exterior de los Estados Unidos.

ocupaba el escaño de China en las Naciones Unidas. Cada vez que se presentaba el asunto de la admisión de China comunista en la ONU, Estados Unidos bloqueaba su entrada.

Pero en 1971, Nixon y Kissinger decidieron que había llegado la hora del cambio. El presidente anunció que su país ya no se oponía a que la República Popular de China entrara a formar parte de la ONU. Unos meses más tarde, China comunista entró en la ONU como una de las cinco potencias con escaño permanente en el Consejo de Seguridad. Sin embargo, se expulsó a China Nacionalista a pesar de la oposición de Estados Unidos.

Kissinger preparó también la visita del presidente Nixon a China comunista con un viaje preliminar. A principios de 1972, Nixon fue recibido allí afectuosamente. No se esta-

blecieron relaciones diplomáticas completas pero sí ciertos lazos. Se acordó, por ejemplo, que cada país mandaría un representante especial para llevar sus asuntos en las capitales respectivas. Los primeros pasos que se dieron estuvieron relacionados con aspectos comerciales. También se acordaron intercambios culturales. No era mucho, pero fue un cambio radical para las dos potencias. Fue un gran paso que abrió las puertas para asuntos más importantes en el futuro.

RECONOCIMIENTO DE CHINA COMUNISTA

Mao Tse-tung, el líder de la Revolución Comunista china y jefe del gobierno de su país durante casi 30 años, murió en 1976.

Después de la muerte de Mao, los nuevos líderes comunistas chinos consideraron que debían revisar cierta parte de su política. Sentían, especialmente, la necesidad de una mayor apertura hacia el Occidente, particularmente hacia los Estados Unidos. La administración de Carter, que siguió a la de Nixon y Ford, también deseaba establecer unas relaciones regulares. En 1978, los Estados Unidos y la China comunista entablaron relaciones diplomáticas oficialmente. A la vez, se tomaban las primeras medidas para establecer relaciones comerciales. China comenzó a comprar aviones norteamericanos y todo tipo de mercancías para el consumo.

Para Estados Unidos las nuevas relaciones con China comunista tuvieron como consecuencia la ruptura de sus relaciones diplomáticas con Taiwan. China comunista insistía en que era el auténtico gobierno chino. Pero la misma postura mantenían los chinos nacionalistas. No se podía reconocer a dos naciones. Taiwan, que tenía un tratado de defensa mutua con Estados Unidos desde 1954, vio terminadas sus relaciones formales con este país, y con ellas el tratado, el 1° de enero de 1979.

UN NUEVO ENFOQUE HACIA LA UNIÓN SOVIÉTICA: POLÍTICA DE "DÉTENTE"

En mayo de 1972, el presidente Nixon viajó a Moscú para reunirse con los dirigentes soviéticos. Al año siguiente, el primer ministro soviético Brezhnev visitó los Estados Unidos. Ambos líderes estuvieron de acuerdo en que era hora de tratar de poner fin a la guerra fría. Esta nueva política se llamó "détente" (una palabra francesa que significa "disminución de tensiones"). Esto no quería decir que las dos naciones serían aliadas y que se harían amigas, pero sí que habría menos sospecha y temor recíproco. La otra nación no sería simplemente el enemigo en quien no se podía confiar.

En ese año, los Estados Unidos y la Unión Soviética firmaron un tratado sobre la limitación de armas nucleares. Se llamó el *Tratado para la limitación de armas estratégicas I* (o como se conoce en inglés, SALT I). Más tarde, en 1979, una segunda parte de este tratado (SALT II) fue firmada por los presidentes Carter y Brezhnev. A pesar de este tratado para limitar su fabricación, ambos países tienen suficientes armas nucleares para destruirse mutuamente varias veces.

- Una *Conferencia Internacional de los Derechos Humanos* tuvo lugar en Helsinki, Finlandia, en 1975. Participaron 35 naciones, entre ellas los Estados Unidos y la Unión Soviética. Todas estas naciones prometieron ofrecer a sus ciudadanos los derechos humanos básicos como el derecho a la "libertad de pensamiento, conciencia, religión o creencia". Se acordó que se permitiría el libre movimiento de personas, comercio e ideas entre Oriente y Occidente. También se incluía el derecho a emigrar, es decir, poder dejar un país por otro.

- Las dos potencias acordaron estudiar la situación que vivían "lugares difíciles" como África y el Medio Oriente, e intentar trabajar juntas para ayudar a solucionar todos los problemas.

FRACASO DE LA POLÍTICA DE "DÉTENTE"

Incluso los que apoyaban la política de "détente" admitieron que no fue un éxito. Los norteamericanos criticaron muchas actitudes de la Unión Soviética, especialmente en lo referente a los derechos humanos. A pesar de las promesas hechas en Helsinki en 1975, se sabía que muchos ciudadanos soviéticos no tenían derecho a expresar sus ideas libremente. Hombres y mujeres habían sido condenados y castigados por el único "crimen" de criticar cierta política gubernamental. El derecho a viajar o a salir del país también había sido denegado o limitado. Esto ocurrió especialmente con los judíos soviéticos que deseaban emigrar a Israel o a otros países.

Los Estados Unidos se quejaron varias veces de las violaciones por parte de los soviéticos de los acuerdos sobre la limitación de armas. Pero a pesar de todo, la administración de Carter, en 1978, intentó que se llegara a nuevos acuerdos. El presidente y su secretario de estado, Cyrus R. Vance, establecieron que no había conexión entre las promesas humanas de la conferencia de Helsinki y los acuerdos para la limitación de armamentos. En otras palabras, los Estados Unidos deseaban negociar nuevos tratados en torno al tema de la limitación de armas. Pero para muchos norteamericanos, el "espíritu de détente" se encontraba severamente maltratado por el tratamiento soviético a sus ciudadanos.

REPUBLICANOS DE NIXON

Para Richard M. Nixon, como para otros presidentes anteriores, la política nacional fue secundaria. Acabar con la guerra en Vietnam y los tratados con la Unión Soviética y China ocuparon su atención durante sus primeros años en la presidencia.

En política nacional, Nixon se tuvo que enfrentar a serios problemas económicos. Los precios subieron, e igualmente el desempleo. Al principio, el presidente estaba en contra de amplias acciones gubernamentales dirigidas a los negocios, pero en agosto de 1971 ordenó la congelación de precios y salarios por noventa días. Siguieron diversos tipos de control. Durante un corto tiempo se implantó un impuesto adicional sobre las importaciones para que las mercancías extranjeras no compitieran con las nacionales. Además, el dólar se devaluó: el dólar valdría menos cuando se comparaba con otras monedas. Pero todas estas medidas tuvieron poco efecto. Los precios siguieron subiendo, especialmente cuando se eliminaron los controles.

El presidente Nixon se opuso a muchos de los programas iniciados por los demócratas en la década de 1960. Para sustituir los programas contra la pobreza y otros, propuso un programa llamado *"compartir rentas"*. Bajo este plan, el gobierno federal entregaba fondos directamente a los estados, y estos estados los administrarían como creyeran conveniente.

Dos importantes medidas tomadas en la administración de Nixon afectaron a los jóvenes norteamericanos. En 1970, la Enmienda vigésimosexta a la Constitución redujo la edad para votar a los 18 años. Unos años más tarde, cuando la guerra de Vietnam terminó, se acabó con la conscripción militar. Hoy día, las fuerzas armadas están formadas por voluntarios.

LAS ELECCIONES DE 1972 Y WATERGATE

En la elección presidencial de 1972, el senador George McGovern, de South Dakota, era el candidato demócrata. Nixon buscaba la reelección. La mejoría en las relaciones entre los Estados Unidos y la Unión Soviética y China ayudó al presidente Nixon. Recibió el mayor margen de voto popular desde 1964 y el mayor margen de votos electorales (521 a 17) desde 1936.

El triunfo de Nixon fue, a la vez, el comienzo de su caída. Unos meses más tarde, después de comenzar su segundo período presidencial, se produjo el mayor escándalo político en la historia norteamericana en el que se veía comprometido un presidente.

Todo comenzó antes de la elección, cuando Nixon formó un comité especial para la reelección presidencial. Este comité no formaba parte del Partido Republicano. El 17 de junio de 1972, siete hombres pagados por el comité fueron arrestados dentro de las oficinas generales del Partido Demócrata en el edificio Watergate en Washington D.C. Estaban intentando instalar micrófonos y fotografiar documentos.

La nación pudo ver con horror cómo el *Asunto Watergate* comenzó a salir a la luz. Todas las semanas, las investigaciones llevadas a cabo por periodistas, comités del Senado, y representantes especiales descubrían nuevas evidencias. Muchas de estas evidencias implicaban a Nixon y a su equipo de colaboradores. También salieron a la luz pública otras actividades ilegales por parte del Comité para la reelección presidencial. Un gran número de ayudantes del presidente y funcionarios que él había nombrado fueron obligados a dimitir: varios fueron juzgados, condenados y enviados a la cárcel por su relación con el asunto Watergate.

Para empeorar las cosas el vicepresidente Spiro T. Agnew también fue forzado a dimitir después de ser inculpado de recibir sobornos. Fue sustituido por el congresista Gerald Ford, de Michigan.

La caída del propio presidente se produjo porque él había grabado conversaciones mantenidas en su despacho. Bajo presión, Nixon fue forzado a facilitar copias escritas y las cintas de muchas de las conversaciones. Éstas contenían información muy desfavorable para él, implicándolo con el intento de encubrir el incidente Watergate.

En el verano de 1974, el Comité Judicial de la Cámara se reunió para considerar la impugnación del presidente Nixon. Después de varios días de vistas televisadas, votaron a favor de la impugnación. Recomendaron para que la Cámara de Representantes votara para llevar a juicio al presidente.

El 9 de agosto de 1974, enfrentado con un posible proceso de impugnación, el presidente Nixon dimitió. Fue el primer presidente que dejó la presidencia de este modo. El vicepresidente Ford lo sustituyó inmediatamente como presidente. Ford escogió como vicepresidente al ex-gobernador de New York, Nelson A. Rockefeller.

Un mes más tarde, asombrando a todo el país, el presidente Ford perdonó a Nixon por cualquier crimen federal que pudiera haber cometido. El presidente Ford dijo más tarde ante el Congreso que no había hecho ningún "trato" con Nixon en torno al perdón. Sin embargo, la acción de Ford enfureció a muchos ciudadanos.

LAS ELECCIONES DE 1976 — JIMMY CARTER

En la campaña electoral de 1976, el Partido Demócrata postuló al ex gobernador de Georgia, James ("Jimmy") Carter. El estaba a favor de la reducción en los gastos del gobierno y de acercar el poder al pueblo. Tras el escándalo Watergate, Carter acentuó la necesidad de la honestidad entre los funcionarios públi-

El presidente Jimmy Carter prometió restablecer la fe del pueblo en la presidencia, que se había deteriorado enormemente con el escándalo de Watergate.

cos. El presidente Ford fue postulado por los republicanos para esta campaña electoral, pero Carter resultó vencedor en noviembre.

Aunque la victoria de Carter había sido por muy pequeño margen, ocupó la presidencia bajo una atmósfera de buenos deseos y grandes esperanzas para el futuro. Sin embargo, una vez en la Casa Blanca, Carter se enfrentó a muchos de los mismos problemas que habían tenido que afrontar los presidentes anteriores. Sus primeros años en la presidencia quedaron marcados por algunos logros y algunos fracasos. El desempleo disminuyó y la economía prosperó un poco. Pero la inflación continuaba y el costo de la vida subía el 9% cada año.

Siendo consciente de que la nación se enfrentaba a un grave problema de falta de recursos energéticos, el presidente Carter intentó desarrollar una política energética de largo alcance. Persuadió al Congreso a que creara un nuevo Departamento de Energía y propuso varias medidas para reducir la dependencia que tenía el país del petróleo importado. Sin embargo, el Congreso trabajaba muy lentamente en estos proyectos, cambiaba algunas partes y no aprobaba otras. Los norteamericanos se vieron forzados a reconsiderar su uso de la gasolina y otros productos derivados del petróleo cuyo precio se elevaba constantemente.

A pesar de los problemas internos, el presidente Carter se ganó el apoyo de muchos por tratar de solucionar algunos problemas de la política exterior, particularmente por el papel que jugó en el tratado de paz entre Israel y Egipto en el año 1979.

Los Estados Unidos pasaron por duras pruebas en la década de 1970. La democracia, establecida bajo la Constitución unos 200 años atrás, las superó todas.

PROBLEMAS EN EL ORIENTE MEDIO

El Oriente Medio siguió siendo uno de los problemas más graves de la política exterior norteamericana, por varios motivos. En primer lugar, hay una cruda hostilidad entre el estado de Israel y todas las naciones árabes que lo rodean. Los Estados Unidos apoyan el derecho de Israel de vivir en paz y seguridad. Sin embargo, la Unión Soviética ha apoyado decididamente a las naciones árabes. Además, el Oriente Medio exporta más petróleo que ninguna otra parte del mundo. Gran parte del petróleo que los Estados Unidos necesitan para la calefacción, automóviles, energía, etc., proviene del Oriente Medio.

Ha habido cuatro guerras entre las naciones árabes e Israel desde 1948. En la última, en 1973, ninguno de los bandos resultó victorioso. Las fuerzas egipcias y sirias que se oponían a Israel usaron principalmente armas soviéticas. Sin embargo, los Estados Unidos y la Unión Soviética trabajaron juntos en la ONU para lograr una tregua. Un destacamento de la ONU fue enviado a principios de 1974 para ocupar una zona neutral entre las fuerzas israelitas y egipcias. Con los Estados Unidos y la Unión Soviética respaldando a contrincantes diferentes, se corría el peligro de que una guerra local se convirtiera en un conflicto mundial.

En el año 1974, los países árabes decidieron "castigar" a los Estados Unidos y a algunos países que habían respaldado a Israel en la guerra. Los árabes establecieron un embargo de ventas de petróleo a dichos países. En otras palabras, todas las ventas fueron suspendidas. Esto fue un duro golpe para los Estados Unidos. Hubo severa escasez de gasolina y petróleo en todo el país. Cuando las ventas se restablecieron a finales del año 1974, las naciones pertenecientes a la *Organización de Países Exportadores de Petróleo (OPEP)* subieron el precio del petróleo cuatro veces más. Aunque Estados Unidos produce más de la mitad del petróleo que consume, los precios se elevaron muchísimo. Lo mismo ocurrió en otros países.

Estaba bien claro que los árabes estaban utilizando el petróleo como un arma política. Aunque se podía comprar petróleo de nuevo, un segundo embargo podía ocurrir en cualquier momento. Egipto, a pesar de no ser un país productor de petróleo, jugó un papel muy importante en esta estrategia árabe.

Estados Unidos deseaba solucionar los problemas entre Israel y Egipto, la principal potencia árabe. El secretario de estado Henry Kissinger estuvo un tiempo viajando entre los dos países intentando encontrar una fórmula de paz con la que estuvieran de acuerdo ambos países. Se llevaron a cabo algunos acuerdos limitados, pero las diferencias principales entre ambos seguían sin resolverse. La mayor cuestión era lo que iba a suceder con el territorio ocupado por Israel después de su gran victoria en la guerra de 1967.

La administración de Carter, que comenzó en 1977, heredó el problema del Oriente Medio. El presidente Carter y el secretario de estado Vance reiteraron la promesa de ayudar a Israel a vivir con seguridad. Pero la administración de Carter quería ser más equitativa y vender aviones de guerra y otras armas tanto a los árabes como a Israel. Esta política fue muy criticada. El presidente Carter defendió su política diciendo que Estados Unidos no se ayudaría a sí mismo ni tampoco a Israel si se consideraba a los Estados Unidos como enemigo del pueblo árabe.

Uno de los acontecimientos más importantes en la política del Oriente Medio fue la apertura de una comunicación directa entre Egipto, representado por el presidente Anwar Sadat, e Israel, representado por el primer ministro Menachen Begin. El presidente Carter fomentó estas reuniones. En el otoño de 1978, Carter reunió a Sadat y Begin en

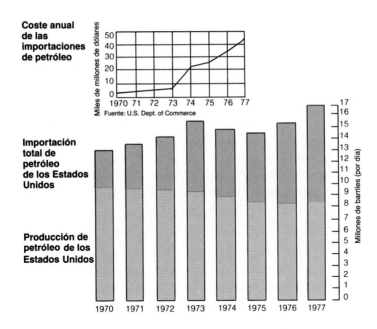

Coste anual de las importaciones de petróleo

Miles de millones de dólares

Fuente: U.S. Dept. of Commerce

Importación total de petróleo de los Estados Unidos

Producción de petróleo de los Estados Unidos

Millones de barriles (por día)

¿Qué te dicen estas gráficas sobre el problema del petróleo con que tuvieron que enfrentarse los Estados Unidos a fines de la década de 1970?

los Estados Unidos, en la residencia presidencial campestre de Camp David. A principios de 1979, Carter hizo un viaje especial a Egipto e Israel para estimular las conversaciones entre los dos países. El resultado de todo esto fue la firma de un tratado que resolvía parte de las grandes diferencias entre los dos países, aunque había problemas que seguían sin resolverse. Pero el simple hecho de que Israel y la mayor potencia árabe conversaran después de un largo silencio ya se consideraba un paso importante.

En Irán, el sha (emperador) fue derrocado en 1979. Un régimen islámico muy estricto lo sustituyó. Con el derrocamiento del sha los Estados Unidos perdieron uno de los aliados más fuertes que tenía en el Oriente Medio. El nuevo gobierno estaba bajo la dirección del Ayatollah Khomeini, un líder religioso que se había exilado en Francia. Este gobierno era muy antinorteamericano y culpó a este país de todos los actos crueles cometidos durante el previo gobierno.

En noviembre de 1979, militantes iraníes ocuparon la embajada de los Estados Unidos en Teherán, tomando como rehenes a todos sus ocupantes.

Los Estados Unidos trataron de rescatar a los rehenes por medio de una operación militar, pero ésta fracasó. Por fin, después de permanecer por más de un año en poder de los militantes, los Estados Unidos e Irán llegaron a un acuerdo mediante el cual se obtuvo la libertad de todos los rehenes.

POLÍTICA NORTEAMERICANA EN ÁFRICA

El continente africano es otra de las partes del mundo en la que Estados Unidos está vitalmente interesado. Es también un área en la que ha habido dificultades con la Unión Soviética y otros países comunistas.

Durante muchos años, la mayor parte de África estuvo bajo el control de países europeos. Después de la Segunda Guerra Mundial casi todas estas colonias se independizaron. Estados Unidos apoyó este cambio del colonialismo a la independencia, y estableció buenas relaciones con estos nuevos países y los ayudó económicamente. En algunos de estos países hay implantadas dictaduras militares que no respetan los derechos humanos. Estados Unidos ha dejado bien claro que no apoya este tipo de gobierno, aunque la clase gobernante sea ahora negra y no blanca.

En África existe todavía un país, Sudáfrica, en que la minoría blanca tiene el control del gobierno y posee prácticamente toda la riqueza. La mayoría negra tiene un mínimo de poder político o económico y se encuentra marginada. Estados Unidos ha utilizado su influencia, en la ONU y otros lugares, para promover cambios pacíficos en el país.

Estados Unidos ha tratado de que haya gobiernos democráticos elegidos por votación popular directa, "cada persona un voto". Ha habido ciertos logros en este sentido en la antigua Rodesia, hoy Zimbawe, que hasta hace poco estaba en condiciones muy parecidas a las de Sudáfrica. El progreso no ha sido igual en Sudáfrica, que tiene un sistema muy estricto de *apartheid*, o sea, de separación racial. La administración Carter afirmaba que si no había cambios urgentes, de una manera pacífica, podría haber derramamiento de sangre.

La Unión Soviética también ha intentado extender su influencia en África y hasta ha utilizado fuerzas militares en las disputas entre africanos. Por ejemplo, cuando Angola (en África occidental) se independizó de Portugal en 1975, diferentes grupos de angoleños intentaron ganar el control del país; algunos eran pro-comunistas y otros pro-occidentales. Con la ayuda de fuerzas militares enviadas por Cuba y de equipo soviético suministrado al grupo comunista, éste obtuvo el control del gobierno.

En 1977 estalló una guerra entre Etiopía y Somalia, en el este de África. Una vez más, las unidades cubanas, con fuerte ayuda soviética, entraron en la "lucha". Como resultado de esto Etiopía ganó. Cuando Zaire, en África central, fue atacada desde Angola en 1978, la administración Carter culpó a Cuba de haber intervenido en dicha invasión. Cuba negó su participación, pero era evidente que Cuba y la Unión Soviética favorecían a los invasores. Éstos fueron más tarde derrotados cuando Francia y Bélgica enviaron fuerzas para ayudar al gobierno de Zaire.

Estados Unidos cree que África debe ser libre, que cada nación debe resolver sus problemas internos. La intervención de las potencias extranjeras en los asuntos internos de una nación puede acarrear el peligro de guerra entre las grandes potencias.

PROBLEMAS POLÍTICOS EN LATINOAMÉRICA

La administración de Carter continuó la política de administraciones anteriores en torno al desarrollo de unas mejores relaciones con las naciones de Latinoamérica. Una de las principales ideas de esta política era tratar a las naciones latinoamericanas como iguales y mostrar total respeto hacia su derecho a la autodeterminación. Estados Unidos también otorgó a estas naciones ayuda económica a la vez que intentó cooperar con la Organización de los Estados Americanos, organización a la cual pertenecen los Estados Unidos y todas las naciones de Latinoamérica.

La firma de los *Tratados del Canal de Panamá*, en 1978, ha supuesto un cambio importante en Latinoamérica. De acuerdo con los tratados, el Canal y la Zona del Canal pasarán a ser controlados por la República de Panamá en el año 2000. Los Estados Unidos continúan con la responsabilidad de defender el Canal. El Canal será neutral y estará abierto a los barcos de todas las naciones.

Estos tratados contaron con todo el apoyo del presidente Carter, pero su ratificación en el Senado (1978) se logró después de una larga disputa. Sin embargo, en Panamá y el resto de Latinoamérica, los tratados fueron recibidos con alegría. Muchos opinaron que se había dado un gran paso para acabar con la antipatía al "imperialismo yanqui".

La mayoría de las seis naciones que componen Centroamérica —Guatemala, Costa Rica, El Salvador, Honduras, Nicaragua y Panamá— han tratado de eliminar la dictadura como una forma de gobierno. Pero esto no ha sido una tarea fácil.

A medida que la lucha se extendía en El Salvador y en Nicaragua durante los años 1979 y 1980, la administración de Reagan, que siguió a la administración de Carter, propuso aumentar la ayuda económica a la región.

La Iniciativa de la Cuenca del Caribe fue no sólo un plan de expansión económica sino también un medio para fomentar exportaciones de Centroamérica a los Estados Unidos. Se pretendía reducir las tarifas de importación de los productos que salían de la región. El presidente Reagan decía que la Iniciativa de la Cuenca del Caribe promovería "una tranquilidad política y social duradera basada en la libertad y en la justicia."

Sin embargo, poco a poco se llegó a la conclusión de que había que obtener más apoyo político para que la ayuda a la región caribeña y centroamericana surtiera efecto.

En 1983, Reagan nombró al ex secretario de Estado, Henry A. Kissinger para que dirigiera una comisión presidencial bipartita que estudiara la situación de Centroamérica. La comisión destacó que había una enorme inflación, lo que hacía muy difícil que la gente del área viviera mejor. Encontraron también que había un índice de desempleo cada vez mayor, disminuían los ingresos de las personas, el comercio se encontraba en crisis y muchas personas capacitadas se estaban yendo de la región. La comisión que dirigía Kissinger concluía que para mejorar el nivel de vida los Estados Unidos debían de aumentar la ayuda económica a más del doble, unos 8.000 millones de dólares.

¿Cómo iba a utilizarse esta cantidad de dinero? La ayuda económica facilitaría inversiones en nuevas industrias y negocios, apoyaría cooperativas agrícolas —los campesinos podrían trabajar juntos y hacer más eficiente su producción—, incrementaría la propiedad de la tierra, facilitaría la construcción de casas y escuelas y fortalecería las universidades y el sistema judicial.

La comisión esperaba que si se utilizaban estos fondos y se ponían en práctica las sugerencias hechas, se mejoraría la situación económica, terminarían la violencia y las guerras civiles, los ingresos y la riqueza se distribuirían de una manera más justa. De esta forma, se fomentaría el desarrollo y crecimiento de los gobiernos democráticos.

Geográficamente, los países de Centroamérica forman un puente de tierra entre Norteamérica y Suramérica. Aunque existen diferencias sociales, estos países comparten una serie de características similares. Sus habitantes son de origen indígena, africano y europeo y de distintas mezclas de esos grupos. Con pocas excepciones, el pueblo habla español y la mayoría profesa la religión católica. La mayor parte de estas tierras fueron colonizadas por España. Sus economías están basadas en la exportación de productos agrícolas. Los más importantes son el café, el banano, el tabaco y el algodón.

EL SALVADOR

El Salvador es el país más pequeño de América Central, y, sin embargo, tiene la mayor densidad de población. Desde 1930, ha habido conflictos entre las fuerzas del gobierno y grupos de guerrillas de tendencias izquierdistas. En 1979, una junta forzó al presidente, el general Humberto Romero, a dejar el poder, con la esperanza de poner fin a la creciente violencia que se estaba produciendo entre los dos bandos. José Napoleón Duarte, de tendencias moderadas, fue el líder de esta junta. En diciembre de 1980, tres monjas norteamericanas fueron asesinadas en una emboscada cerca de San Salvador. El presidente Carter suspendió toda clase de ayuda a El Salvador hasta que el gobierno investigara las causas de esta tragedia. En 1982, Duarte fue forzado a dejar el poder. Sin embargo, en 1984 su Partido Demócrata Cristiano ganó las elecciones, regresando al poder una vez más. Las elecciones fueron apoyadas por los Estados Unidos. En 1985, en elecciones nacionales y electorales su partido ganó una gran mayoría y se estableció firmemente en el poder. La oposición quería que el ejército interviniera para destruir esta elección pero no intervino. Esta actitud por parte del ejército de no interferir en el proceso democrático fue considerada como el punto de partida de la lucha de El Salvador por la democracia.

El Partido Demócrata Cristiano, de tendencias centristas, se encontró en medio de dos grupos opuestos. Por una parte la facción de derechas, la Alianza Republicana Nacionalista, dirigida por Roberto D'Aubuisson, y, por otra parte, la facción de izquierdas, el Frente de Liberación Nacional, de tendencias marxistas. Ambos lados usaron la violencia. El grupo derechista usó los "escuadrones de la muerte" para asesinar guerrilleros izquierdistas, así como para raptar a líderes locales sospechosos de tener tendencias liberales. Hasta el presente, esta guerra civil de nueve años ha causado alrededor de 50.000 muertes. Durante este tiempo ha habido muchos intentos para poder llegar a una conciliación pero sin éxito.

El nuevo presidente Alfredo Cristiani, del Partido Alianza Republicana Nacionalista, que ascendió al poder en elecciones efectuadas en 1989, ha reanudado conversaciones con líderes del Frente de Liberación Nacional con el propósito de llegar a un acuerdo para terminar la guerra civil.

NICARAGUA

Nicaragua es el único país en Centroamérica que ha tenido un gobierno de izquierda. Este gobierno ascendió al poder en 1979 cuando derrocó a la dictadura del general Anastasio Somoza Debayle.

En 1912, los Estados Unidos enviaron un contingente de infantes de marina a Nicaragua a petición de su nuevo presidente, Adolfo Díaz. Esta intervención norteamericana continuó hasta 1925 cuando el presidente Coolidge retiró todas las fuerzas militares norteamericanas del país.

En 1926, los Estados Unidos intervinieron de nuevo en Nicaragua para proteger el segundo mandato del presidente Díaz. Esta vez, un movimiento guerrillero bajo el mando del general Augusto César Sandino desafió dicha intervención. Las fuerzas norteamericanas no lograron derrotar, a pesar de muchos esfuerzos, el movimiento dirigido por el general Sandino, y por fin se retiraron en 1933 como parte de la política del "buen vecino", establecida por el nuevo presidente norteamericano, Franklin Delano Roosevelt.

Durante la presidencia de Juan B. Sacasa en Nicaragua, el general Sandino, que seguía al frente del movimiento rebelde que había creado, fue asesinado en 1934, al salir de una cena a la que había asistido en el palacio presidencial. Sandino fue asesinado por órdenes

de Anastasio Somoza, comandante de la Guardia Nacional, institución que había sido entrenada por los norteamericanos.

El general Somoza presionó tanto al presidente Sacasa que lo obligó a renunciar a la presidencia en el año 1936. El general Somoza ocupó el poder, estableciendo una dictadura militar, nombrándose él mismo como líder supremo. Aunque hizo algunos intentos para mejorar el país, se enriqueció él, su familia y amigos. El general Somoza era un anti-comunista y favoreció a los Estados Unidos. En 1956 el general Somoza fue asesinado y desde ese año hasta 1967, la presidencia fue dividida entre sus hijos y amigos de su familia. En 1967, uno de sus hijos, el general Anastasio Somoza Debayle, se convirtió en presidente. En 1979, un grupo guerrillero izquierdista llamado sandinista (tomó el nombre de Sandino), comenzó una guerra civil. En menos de dos meses de lucha, el general Somoza tuvo que dejar el país y los sandinistas ocuparon el poder.

En 1982, la administración de Reagan llegó a la conclusión de que los sandinistas trataban de establecer un régimen marxista y comenzó a apoyar a un grupo opuesto a los sandinistas. Este grupo guerrillero fue llamado "contras", con base en las fronteras de Honduras y Costa Rica, países vecinos de Nicaragua.

En 1984, hubo elecciones en Nicaragua. Estados Unidos criticó la forma en que estas elecciones se llevaron a cabo. El presidente Reagan impuso un embargo comercial a Nicaragua, y en 1985, el Congreso aprobó donar a los "contras" 27 millones de dólares para ayuda no militar.

En la Corte Mundial (una agencia de las Naciones Unidas), el gobierno de Nicaragua acusó de agresión al gobierno de los Estados Unidos. Aunque el gobierno norteamericano rehusó reconocer la jurisdicción de la Corte Mundial en este asunto, el tribunal tomó una resolución contra este país. En el Consejo de Seguridad de las Naciones Unidas, los Estados Unidos vetó la moción que los obligaba a obedecer al tribunal.

Desde 1979 han habido acusaciones de que la Agencia Central de Inteligencia (CIA) había provisto con ayuda ilegal a los contras e incluso había puesto minas en los puertos de Nicaragua. La administración de Reagan se enfrentó a un escándalo llamado "Irángate" cuando se descubrió que personal de la administración había enviado ilegalmente armas a Irán y había usado el dinero de los beneficios de la operación para suplir a los "contras" con provisiones en su lucha contra los sandinistas. Estas ventas tuvieron lugar entre 1985 y 1986, a pesar de que en 1984 el Congreso había aprobado la Enmienda de Ley Boland que prohibía directa o indirectamente ayudar a los "contras".

Después de muchos años tratando de que los dos bandos sostuvieran conversaciones, un cese al fuego fue firmado en marzo de 1988. Fue un momento histórico. Los "contras" acordaron terminar la lucha a cambio de concesiones políticas importantes por parte del gobierno.

Nicaragua se enfrenta a serias privaciones económicas. En octubre de 1988, un huracán asoló el país produciendo una gran destrucción. El país todavía no se ha recuperado de esta tragedia.

En enero de 1989, el presidente de Costa Rica, Oscar Arias Sánchez, pidió que una reunión cumbre de los presidentes de los países de Centroamérica se pospusiera para dar más tiempo al plan de paz regional que él había propuesto. Este plan había sido firmado en agosto de 1987, por cinco presidentes centroamericanos, y su objetivo era terminar el conflicto y promover la democracia en América Central.

El día 4 de agosto de 1989 los sandinistas y el partido de la oposición nicaragüense llegaron a un acuerdo para dispersar a los "contras" en Honduras y para organizar elecciones generales en 1990. Cinco presidentes centroamericanos representando los países de Costa Rica, El Salvador, Guatemala, Honduras y Nicaragua aprobaron dicho acuerdo y anunciaron que los campamentos de los "contras" en Honduras se disolverían, bajo supervisión internacional.

A finales de febrero de 1990 se celebraron elecciones presidenciales en Nicaragua. En estas elecciones el presidente Daniel Ortega líder de los sandinistas, perdió por un gran margen ante la candidata Violeta Barrios de Chamorro que encabezaba una coalición de 14 partidos de la oposición. Este acontecimiento significó el final del monopolio del poder del partido sandinista. Asimismo, esta pérdida en las elecciones reflejaba la grave crisis que estaban atravesando los gobiernos marxistas en todo el mundo.

Con la caída del sandinismo en Nicaragua, y con las reformas que estaba llevando a cabo el presidente Gorbachev en el Este de Europa se cerraban las puertas de la expansión marxista en el continente americano. Además, en Cuba, tanto en el aspecto político como en el económico, el gobierno de Fidel Castro se encontraba cada vez más alejado de sus viejos aliados.

GUATEMALA

En Guatemala también han ocurrido violaciones de los derechos humanos. Este país cuenta con una población de casi ocho millones de habitantes, la mayor de los países de Centroamérica. Desde 1954 el país había sido gobernado por dictaduras militares. Estos gobiernos trataron de eliminar la oposición mediante asesinatos masivos, sobre todo la de los indígenas que habitaban en zonas rurales. En 1977 los Estados Unidos suspendieron la ayuda militar al país y criticaron las continuas violaciones de los derechos humanos.

En 1984, una nueva Constitución fue aprobada y Marco Vinicio Cerezo, un demócrata cristiano, fue elegido presidente en unas elecciones que no fueron controladas por los militares. Aunque éstas fueron unas elecciones relativamente libres, todavía había oposición al gobierno. Un movimiento guerrillero, conocido como la Organización Revolucionaria del Pueblo en Armas, que se había rebelado contra la dictadura militar, continuaba presionando al nuevo gobierno. Se cree que uno de sus grupos es el responsable de la masacre cometida en 1988, en un pequeño pueblo llamado El Aguacate, en donde 22 campesinos desarmados fueron torturados y asesinados.

HONDURAS

Honduras es el país más pobre de Centro-américa. Tiene un promedio de ingreso de 600 dólares al año por persona. Su economía depende principalmente de la exportación de café, carne y bananos. No obstante, a pesar de ser un país pobre, existe una distribución más equitativa de los ingresos económicos que en otros países vecinos.

En 1969, Honduras fue invadido por El Salvador como respuesta a la deportación de varios miles de ciudadanos salvadoreños que habían establecido residencia ilegal en el país. La Organización de Estados Americanos (OEA) amenazó a El Salvador con intervención militar así como con sanciones económicas, y las fuerzas salvadoreñas abandonaron Honduras. Más de 1.000 personas murieron, y miles quedaron sin hogar.

En 1982, después de sucesivos gobiernos militares, Roberto Suazo fue elegido presidente en elecciones libres efectuadas en 1981. En 1985, José Azcona Hoyo se convirtió en el primer presidente en recibir su mando de manos de otro presidente civil, también elegido en elecciones libres por el pueblo.

COSTA RICA

De todos los países de Centroamérica, Costa Rica es el único que ha tenido un gobierno democrático durante muchos años. De hecho, carece incluso de un ejército. Como limita geográficamente con Nicaragua, guerrillas antisandinistas han usado muchas veces el territorio fronterizo como refugio. Pero Costa Rica, sin ninguna intención de verse involucrada en estos conflictos, ha declarado que prefiere mantenerse neutral.

LATINOAMÉRICA DE CARA AL FUTURO

Las naciones de Centroamérica siguen luchando para mejorar sus condiciones de vida. Sus pueblos no quieren que se violen sus derechos humanos. Entre los problemas que tienen que solucionar está el de aumentar los beneficios sociales, tales como la educación,

la enseñanza y el cuidado médico. Las economías de estos países tendrán que desarrollarse para permitir al pueblo producir más y obtener mayores beneficios. Esto podrá conseguirse a través de la instrucción y de una mayor inversión económica. Sin embargo, se cree que todavía falta mucho para lograr este progreso. Las clases dirigentes de algunos países no están dispuestas a hacer cambios sociales democráticos por temor a que disminuya su poder. Esto pone en peligro a esos países, sobre todo a sus economías. La población, en aumento cada vez mayor en esta región, necesita más servicios y alimentos. La economía no se puede construir sin suficientes fuentes de recursos. Además, hacen falta hombres y mujeres de negocios y administradores con experiencia para ayudar al desarrollo y crecimiento de una economía eficiente.

Los Estados Unidos ansían que haya paz en la región y que sus habitantes puedan mejorar sus vidas sin detrimento de los derechos humanos. Seguramente los ingresos tendrán que ser distribuidos más equitativamente, para que no haya tan pocos ricos y tantísimos pobres.

Los problemas que padecen las regiones del Caribe y de Centroamérica son serios. Desde el punto de vista de los Estados Unidos, las propuestas de la Alianza para el Progreso, la Iniciativa de la Cuenca del Caribe y la comisión de Kissinger, de ponerse en práctica, ofrecen un plan potencial para mejorar la situación.

En el futuro cercano, uno de los problemas más urgentes de los países latinoamericanos será sin duda alguna la deuda que tienen con el mundo occidental: 400.000 millones de dólares. La carga de esa deuda es lo que tanto dificulta a estas naciones poder mejorar sus condiciones económicas y sociales. Estos países encuentran cada vez más obstáculos para obtener los préstamos que necesitan para mejorar su agricultura. A continuación presentamos algunos ejemplos de cómo esa deuda afecta a determinados países:

—El presidente de México, Carlos Salinas de Gortari, la tratado por todos los medios de controlar el índice de inflación en el país.

—Brasil ha enfrentado enormes problemas económicos y está tratando de que los bancos extranjeros le extiendan nuevos créditos.

—El gobierno del Perú, está luchando para controlar una inflación de un 1.700 por ciento, y está afrontando una creciente oposición por parte del grupo guerrillero "Sendero Luminoso" que se aprovecha de estos problemas económicos para tratar de derrocar al gobierno.

Algunas naciones de Latinoamérica que buscan una solución a sus graves problemas ocasionados por su deuda internacional, se dirigen cada vez más a Estados Unidos para encontrar una forma satisfactoria de solucionar económicamente esta situación.

LAS ELECCIONES DE 1980

En la campaña presidencial los demócratas presentaron una vez más al presidente Jimmy Carter y al vicepresidente Walter Mondale. Por parte de los republicanos, los candidatos eran Ronald Reagan y George Bush.

La elección de 1980 trajo consigo un cambio importante en los asuntos nacionales. Ronald Reagan ganó las elecciones frente a Jimmy Carter por un amplio margen de votos.

El programa político de Reagan era muy conservador y hacía hincapié en el patriotismo norteamericano, en la economía, y en la reducción de la función que tenía que tener el gobierno federal en la vida diaria del pueblo. Reagan tenía 69 años cuando comenzó la campaña presidencial y algunos líderes republicanos creían que su edad sería un obstáculo. Al inicio de su carrera trabajó de comentarista deportivo en la radio, después se convirtió en un conocido actor de cine y televisión. En 1966 fue elegido gobernador de California. Junto con su esposa Nancy, fue un candidato vigoroso y fuerte. El asunto de la edad se olvidó.

En su campaña presidencial, aprovechando cualquier oportunidad que se le presentaba, preguntaba a los votantes: "¿Vives mejor hoy que hace cuatro años?" El mismo respondía a la pregunta con un fuerte "¡No!", haciendo alusión a los índices de desempleo y de inflación y a los gastos gubernamentales. Usando la economía como el centro de su campaña política, Reagan pudo convencer a un gran número de personas para que votaran por él.

Además, los republicanos lograron ganar el control en el Senado y aumentaron sus escaños en la Cámara de Representantes. Ronald Reagan fue elegido presidente con un fuerte apoyo republicano en el Congreso.

Reagan estaba firmemente convencido de que el gobierno federal era demasiado grande. Con relación a ello, elaboró un programa que fue conocido como "Reagonomics", una palabra inventada que sería como "reagonomanía". Este programa aparecía respaldado por una teoría económica denominada *"supply-side"*. Sencillamente, lo que significaba era que el gobierno debía estimular la economía total de diferentes formas:

1) reducir los impuestos para que el ciudadano tuviera más dinero para comprar productos y servicios;

2) estimular la industria y los negocios en una forma tal que pudieran desarrollarse, para lo cual había que eliminar las regulaciones del gobierno que coartaban la actividad comercial;

3) eliminar los gastos "innecesarios" para crear un equilibrio en el presupuesto federal.

Este programa tuvo como meta expandir las operaciones comerciales, aumentar el empleo reduciendo así las cifras de desempleo, y aumentar la producción de bienes y servicios.

El programa propuesto, basado en la reducción de gastos "innecesarios" para poder equilibrar el presupuesto, causó una gran preocupación entre diferentes grupos de la población. Los ancianos, los pobres, los negros y los hispanos, entre otros, observaron inmediatamente que en muchos de los gastos "innecesarios" del presupuesto federal se incluían cosas muy importantes tales como cupones de comida para los pobres y una variedad de programas federales destinados a mejorar las condiciones de vida de estos grupos.

El día 30 de marzo de 1981, un joven llamado John Hinckley intentó asesinar al presidente Reagan cuando salía del hotel Hilton en Washington, D.C., donde había asistido a un acto oficial.

Reagan recibió un disparo en el pecho y su secretario de prensa y otras dos personas también fueron heridas. Urgentemente, llevaron a Reagan a un hospital donde los médicos extrajeron la bala. Poco tiempo después del atentado, el presidente regresó de nuevo a su trabajo. Hinckley fue juzgado y aunque el jurado declaró que no podía sentenciarlo como culpable debido a su estado de inestabilidad mental, fue recluido en un hospital psiquiátrico donde todavía permanece.

PROGRAMA POLÍTICO DOMÉSTICO

Durante el verano de 1981 el Congreso dio a conocer el presupuesto federal de 1982. De una forma u otra, muchos programas federales se vieron afectados. Algunos programas de investigación fueron eliminados. Otros fueron reducidos, entre ellos los préstamos a estudiantes universitarios, cupones de comida, instrucción laboral y ayuda a las ciudades. Al mismo tiempo se redujeron los impuestos, tanto a nivel individual como empresarial.

El presidente Reagan se alegró por todo ello. En su charla semanal sabatina a la nación, hacía resaltar continuamente las ventajas que su programa iba a tener para el pueblo. Pero otros críticos no se sentían tan contentos ni optimistas como el presidente. Decían que debido a las condiciones en las que se encontraba el país y la situación en que vivía el mundo era imposible lograr un presupuesto equilibrado como pretendía el programa económico de Reagan. La política monetaria de la Junta de Reserva Federal (Federal Reserve Board) hizo que los bancos nacionales tuvieran que aumentar sus tasas de intereses en préstamos. Como resultado de ello se hacía muy difícil pedir préstamos de dinero. Y la economía de la nación comenzó a empeorar.

A finales de 1981 los Estados Unidos se encontraban en un estado de recesión. Grandes industrias, como la del acero y la de automóviles, rápidamente comenzaron a reducir el personal o a cerrar sus puertas. La bolsa (stock market) decayó, muchos negocios se arruinaron y la industria de la vivienda también se vio en crisis.

El año 1982 presentó un triste panorama económico a nivel doméstico. El desempleo aumentó a más del 10%. Los mismos grupos que antes se preocupaban por los gastos "innecesarios" en el presupuesto se encontraban pidiendo ayuda de forma desesperada. Los grupos minoritarios mostraron que cuando el desempleo llegó al 10% en la población general, en las comunidades negras e hispanas había llegado a ser el doble. Aún se enojaron más estos grupos cuando uno de los consejeros de Reagan dijo que "no hay gente pobre en América".

El presidente Reagan no olvidó nunca las promesas que hizo en su campaña política de reducir la participación del gobierno federal en los asuntos nacionales. En 1982, su discurso sobre el "Estado de la Unión" hablaba de un "nuevo federalismo". Reagan quería darle a los estados autoridad para administrar muchos programas que fueron en otros tiempos administrados por el gobierno federal. Estos programas incluían los de asistencia pública, transporte y educación. Reagan creía que el presupuesto federal podría reducirse de forma considerable si cada estado financiaba estos programas. A su modo de ver, cada estado sería responsable de conseguir los fondos para mantener vivos dichos programas. Muchos gobernadores se opusieron porque, según ellos, varios de esos problemas trascendían los límites estatales.

POLÍTICA EXTERIOR

La política exterior de Reagan se basaba en un aumento de los gastos destinados a defensa y en una rápida reestructuración y fortalecimiento de todas las fuerzas armadas. El punto fuerte de su política iba dirigido a la Unión Soviética y a contener la expansión del comunismo. Acusó al gobierno soviético de fomentar actividades terroristas por todo el mundo.

En el mes de noviembre de 1982, Leonid Brezhnev, el premier soviético y jefe del gobierno, murió, siendo reemplazado por Yuri Andropov quien había sido jefe de la temida KGB o policía secreta. Reagan propuso un plan de reducción de armas en el cual los Estados Unidos limitarían el número de proyectiles en la OTAN (NATO) si los soviéticos retiraban sus proyectiles de alcance medio destinados a Europa. Pero las conversaciones no llegaron a mucho debido, sobre todo, a los acontecimientos que se originaron en Polonia, un país satélite de la Unión Soviética. Los obreros polacos se declararon en huelga en 1980. Lech Walesa se convirtió en el líder de la organización obrera llamada Solidaridad. Conforme Solidaridad ganaba fuerza, el gobierno polaco se debilitaba y comenzó a tomar medidas muy fuertes contra Solidaridad y Lech Walesa. Reagan reaccionó enérgicamente contra estas acciones las cuales creía él, habían sido instigadas por la Unión Soviética. Impuso una serie de sanciones a Polonia y a la Unión Soviética hasta que las rígidas medidas fueran eliminadas. Estas sanciones incluían la interrupción de un crédito por valor de 25 millones de dólares extendido por Estados Unidos, así como el negarse a renovar varios acuerdos que existían entre los EE.UU. y la U.R.S.S.

Ronald Reagan fue mucho más firme que Carter en sus declaraciones públicas. Estaba dispuesto a cambiar el prestigio y la imagen pobre que se tenía de los Estados Unidos en todo el mundo.

Habló fuerte a la Unión Soviética y adoptó una línea firme anti-comunista en América Central. Sintió que era necesario para los Estados Unidos tomar una posición fuerte e intensificó, debido a ello, la carrera de las armas. Esto incluía un aumento en los gastos de fuerzas convencionales y nucleares, una insistencia en la renegociación de los térmi-nos del tratado de la limitación de armas Salt II, y el desplazamiento de los misiles Pershing II en las bases militares de Europa Occidental. Durante su presidencia, la política exterior de los Estados Unidos estuvo dirigida a varias áreas del mundo.

Durante la guerra de Irán e Irak, en 1984, barcos petroleros fueron atacados por misiles modernos en el golfo pérsico. Esto interrumpió la distribución del petróleo a occidente. En 1987, el destructor norteamericano USS Stark fue alcanzado por uno de los misiles, disparado por un avión iraquí. En el Medio Oriente había una guerra en el Líbano, entre los musulmanes libaneses, apoyados por Siria, y los cristianos libaneses. La política exterior de los Estados Unidos fue la de contener a la Unión Soviética y prevenir que extendiera su influencia en esta zona. Siria se consideraba como país con relaciones amistosas con Rusia. Israel, el país más fuerte de la región, era un estado democrático, con relaciones amistosas con los Estados Unidos, y le preocupaba que su seguridad pudiera verse amenazada.

Israel necesitaba mantener en paz y estabilidad sus fronteras: En las áreas de los Altos de Golán, frente a Siria, al norte de la frontera libanesa, y en el oeste, frente a Jordania. Al norte, bases militares de la OLP (Organización para la Liberación de Palestina) utilizaban áreas de estacionamiento para desde ellas realizar incursiones en Israel. Para destruir a la OLP, Israel invadió el Líbano. Como resultado, el ejército palestino salió de Beirut, la capital del Líbano. Para servir como "mediadores", infantes de marina de los Estados Unidos fueron enviados al Líbano. El 23 de octubre de 1983, un camión suicida con un cargamento de TNT chocó contra la sede de la marina matando a más de 200 infantes de marina. Y el 7 de febrero de 1984, Reagan retiró a los marinos del puerto de Beirut.

La isla de Granada es el país más pequeño del hemisferio occidental. Mide un total de 344 millas cuadradas y tiene una población de unas 100.000 personas. En 1974 cambió su status de colonia de Gran Bretaña y pasó a formar parte de la comunidad de naciones británicas. Su ministro, Eric M. Gairy fue derrocado por un movimiento izquierdista dirigido por Mauricio Bishop, simpatizante de Fidel Castro.

En el mes de octubre de 1983, un golpe militar destituyó al primer ministro Maurice Bishop, el cual pereció a manos de tropas militares. El nuevo gobierno de esta pequeña isla caribeña era de izquierda, y firmó acuerdos militares con algunos países del bloque comunista. Llegaron a la isla trabajadores de la construcción y algunas tropas cubanas para construir un campo de aviación. Tratando de prevenir la expansión e influencia del gobierno de Cuba, y alegando que se temía por la seguridad de los estudiantes norteamericanos que asistían a la facultad de medicina de Granada, el presidente Reagan ordenó el día 25 de octubre de 1983, que 1.900 infantes de marina invadieran la isla. Se formó un nuevo gobierno y se obligó a los cubanos que salieran de la isla.

En las elecciones que tuvieron lugar en 1984, Herbert Blaize fue elegido primer ministro.

En el mes de marzo de 1982, un suceso que tuvo lugar en la parte sur atlántica del continente comprometió a los Estados Unidos. Los líderes militares de la Argentina, la "junta", ocuparon una posesión británica, las islas Malvinas. Las Malvinas estaban escasamente pobladas, de terreno montañoso, y de poco valor económico. Desde hacía muchos años,

Margaret Thatcher

Argentina venía reclamando la posesión de estas islas. Aunque no tenían valor económico o estratégico, los argentinos las veían desde un punto de vista nacionalista. Margaret Thatcher, la primer ministro británica, luchó firmemente para evitar esta invasión argentina, y el presidente Reagan suministró información a los ingleses a través de sus servicios de inteligencia secretos, así como ayuda militar y apoyo en las Naciones Unidas. Inglaterra volvió a tomar las Malvinas en una guerra en donde ambos lados lucharon usando misiles y armas modernas.

Ronald Reagan

REAGAN ES REELEGIDO PRESIDENTE EN 1984

En 1980, Ronald Reagan fue elegido presidente basándose en un programa político que prometía fusionar al pueblo norteamericano en "una cruzada nacional para restablecer la grandeza de los Estados Unidos." Con la promesa de descentralizar los programas federales, reducir la dimensión y los gastos del gobierno, fortalecer la defensa nacional, restaurar la prosperidad económica a través de la empresa privada, y fomentar la iniciativa individual en vez de la dependencia del gobierno, el cuadragésimo presidente de los Estados Unidos de Norteamérica se lanzó con un programa innovador para cumplir esas promesas.

En las elecciones de 1984, el ex gobernador de California y el vicepresidente George Bush triunfaron de nuevo por un margen de 13 millones de votos, 53 millones de votos para el Partido Republicano contra poco menos de 40 millones de votos que tan sólo alcanzó el Partido Demócrata que presentó como candidatos a Walter Mondale y Geraldine Ferraro. Reagan lograba 525 de los 538 votos electorales, mientras que Mondale lograba la cifra de 13 votos electorales (10 de su estado natal, Minnesota, y los otros 3 de Washington, D.C., la capital de la nación). Geraldine Ferraro es la primera mujer en la historia de los Estados Unidos que se presentó como candidato para ocupar la vicepresidencia del país.

POLÍTICA EXTERIOR EN EL SEGUNDO PERÍODO PRESIDENCIAL

Una de las preocupaciones de Reagan en su segundo período presidencial, fue la de tomar una actitud dura contra el terrorismo. En el mes de octubre de 1985, un crucero griego, el Achile Lauro, fue asaltado por un grupo de terroristas palestinos. Los turistas norteamericanos que iban a bordo del barco fueron maltratados, y un anciano murió. Como respuesta Estados Unidos envió una aeronave de la sexta flota para interceptar un avión en el que un grupo de terroristas volaban, forzándolo a aterrizar en Italia. Reagan advirtió a todos los terroristas: "podrán correr pero no podrán esconderse". En enero de 1986, Reagan acusó a Libia de ayudar a terroristas palestinos que estaban atacando aeropuertos. Suspendió los lazos económicos con Libia y con su líder, Muammar el-Qaddafi. Aviones norteamericanos bombardearon Trípoli, la capital de Libia, y la propia casa de Qaddafi. Muchos ciudadanos libios murieron incluyendo uno de los hijos pequeños de Qaddafi.

En Filipinas, en 1986, una campaña electoral comprometió también a los Estados Unidos. El presidente Ferdinando Marcos se encontró en las elecciones con una oponente: la señora Corazón Aquino. Marcos contó los votos y clamó victoria. Durante su presidencia,

había sido respaldado por los Estados Unidos. Marcos tenía una gran reputación tanto como dictador como por cometer corrupción, enriqueciéndose él, su familia y amigos a expensas del pueblo filipino. Observadores de las elecciones enviados por los Estados Unidos afirmaron que éstas habían sido un fraude y que Aquino había ganado la mayoría de los votos. Marcos trató de mantenerse en el poder pero el presidente Reagan lo convenció para que renunciara su cargo, ofreciéndole vivir en los Estados Unidos, en la isla de Hawaii.

En noviembre de 1986, salió a la luz el asunto Irán/Contras. El almirante John Poindexter, asesor de Seguridad Nacional, y su ayudante, el teniente coronel Oliver North, fueron suspendidos de sus cargos debido a que habían salido a relieve "serios problemas morales". North destruyó documentos que podían haber mostrado evidencias de haber cometido algo impropio. Tanto él como el almirante Poindexter fueron llamados a comparecer ante el Comité de Inteligencia del Senado para testificar. Ambos reclamaron el privilegio que les otorga la quinta enmienda de la constitución y rehusaron responder a cualquier pregunta. El presidente Reagan afirmó que él "no sabía nada" y que él "no recordaba" si le habían informado de lo que habían hecho. Una comisión presidencial dirigida por el ex-senador John Tower descubrió que la ley había sido violada.

RELACIONES CON LA UNIÓN SOVIÉTICA

Ronald Reagan tenía objetivos muy específicos en cuanto a sus relaciones con la Unión Soviética. Éstos incluían paz, limitación de la carrera armamentista, deseos de llevar a cabo una reducción del arsenal de armas nucleares, suavizar las tensiones de ambas partes conocida como "détente" (disminución o relajamiento de tensiones entre naciones), y establecimiento de mejores relaciones comerciales. Aunque estas metas no diferían mucho de las de presidentes previos, Reagan veía a la Unión Soviética como a un "imperio malo". Revisó la política del presidente Carter de restricción y reconciliación, y quiso tratar con los rusos desde una posición de fuerza, comprometiéndose a fortalecer el equipo militar. En sus primeros tres años en la administración, Reagan aumentó los gastos de defensa en un 40%. Los rusos igualaron el aumento norteamericano.

Reagan continuó la política del presidente Carter de colocar misiles Cruise en Europa Occidental para contrarrestar los misiles SS-20 soviéticos (misiles de rango intermedio con tres cabezas nucleares cada uno). Cuando Reagan anunció esto, en noviembre de 1983, Rusia puso fin a las negociaciones que se estaban llevando a cabo en Ginebra sobre el control de armas. Y en 1985, los Estados Unidos gastaban ya 300.000 millones de dólares cada año en defensa.

Al principio, Reagan apoyó la decisión de Carter de responder a la invasión soviética en Afganistán imponiendo un bloqueo económico a la Unión Soviética. No sólo rehusó venderle cereales a los soviéticos sino también trató de convencer a sus aliados de no comerciar con el bloque de las naciones del este. Estas medidas fueron tomadas a pesar de que el comercio era importante para el presidente Reagan, sobre todo porque los Estados Unidos tenían un enorme excedente de grano. En septiembre de 1983, los Estados Unidos y la Unión Soviética hicieron el mayor trato en el negocio de cereales en la historia. En 1985, casi todas las restricciones comerciales fueron anuladas.

En enero de 1985, Reagan dejó de llamar a Rusia un "imperio malvado". Estaba dispuesto a reunirse con el nuevo líder soviético, Mikhail Gorbachev, para discutir el control de armas. La política de Gorbachev, de "glasnost", (apertura), estaba dirigida a producir una serie de reformas internas en Rusia, y a suavizar las tensiones en el exterior. En noviembre de 1985, una conferencia cumbre se celebró en Ginebra para intentar llevar a cabo una reducción de armas. Reagan proponía un 50% de reducción de armas nucleares y una expansión de su Iniciativa de Defensa Estratégica (conocida como el programa de la Guerra de las Galaxias). El apartado destinado a defensa comenzó a representar una parte cada vez más importante del presupuesto del país, y el déficit federal empezó a aumentar más que nunca. Sin embargo, Gorbachev pensaba que el programa de los Estados Unidos de Iniciativa de Defensa Estratégica daría a los Estados Unidos una ventaja inaceptable y desequilibraría la balanza de poder. Aunque la Unión Soviética también proponía reducir sus gastos de defensa de tal forma que una mayor cantidad de dinero podría estar disponible para utilizarse en productos de consumo y mejorar la vida del pueblo ruso, no estaba dispuesto el gobierno soviético a aceptar la propuesta de Reagan.

Así que no hubo resultados positivos en la reunión cumbre de Ginebra. Una segunda conferencia se celebró en agosto de 1986, en Reykjavik, Islandia. Allí, Reagan y Gorbachev acordaron eliminar todas las armas nucleares y sistemas de misiles en un período de diez años. Sin embargo, no se llegó a firmar el acuerdo porque Reagan no quiso abandonar el programa de Iniciativa de Defensa Estratégica, uno de los requisitos que pedía Gorbachev. En el otoño de 1987, hubo un acuerdo sobre una pequeña reducción de armas y la eliminación en Europa de los misiles de corto alcance.

SUDÁFRICA

En Sudáfrica continuó la represión de la mayoría negra y aumentó la brutalidad y violencia de la represión. Las pantallas de la televisión y los reportajes en los periódicos representaban estas escenas. El régimen sudafricano prohibió a los medios televisivos cubrir los eventos que ocurrían en Sudáfrica. En los Estados Unidos, estudiantes universitarios demandaron que compañías norteamericanas que mantenían relaciones comerciales con Sudáfrica pusieran fin a las mismas. También querían que si sus universidades tenían inversiones en corporaciones con negocios en Sudáfrica, que se deshicieran de tales inversiones.

El presidente Reagan quería continuar impulsando las inversiones norteamericanas, pero con base al principio Sullivan. Este principio o norma llevaba el nombre de un pastor negro de Philadelphia, quien en 1977 fundó sus bases. Decía que los Estados Unidos debían apoyar a aquellas corporaciones con negocios en Sudáfrica siempre y cuando proveyeran con oportunidades de trabajo a los trabajadores negros sudafricanos, pagándoles un salario justo, y también proporcionando oportunidades para que los negros pudieran convertirse en gerentes y empresarios. Sullivan pensó que esto podría ser de gran utilidad a la gran mayoría de negros, de otra manera, si las corporaciones norteamericanas abandonaban el país, podrían reducirse las oportunidades de trabajo para la población negra.

Sin embargo, en 1987 Sullivan condenó los propios principios que él mismo creó y afirmó que, simplemente, no habían sido efectivos. Pensó que, en vez de mejorar, las cosas habían empeorado. Sin embargo, Reagan siguió con su política. Pero muchas universidades norteamericanas se deshicieron de sus inversiones en Sudáfrica.

LAS ELECCIONES PRESIDENCIALES DE 1988

La enmienda de ley número 22 de la Constitución de los Estados Unidos requiere que ningún presidente puede servir más de dos períodos, es decir, un total de 8 años en la administración del gobierno. El presidente Reagan estaba en su segundo período y por tanto no podía presentarse de nuevo.

En 1987 había muchas personas con aspiraciones a postularse. Los republicanos tenían a su vicepresidente, George Bush, así como a algunos miembros del Congreso tales como Robert Dole. Cuando el Partido Republicano se reunió para postular a su candidato, estaba claro que el líder del partido a ser seleccionado iba a ser el vicepresidente Bush, y así ocurrió, postulándolo el partido en forma unánime.

En cuanto al Partido Demócrata se hacía mucho más difícil. Eran muchos los candidatos. En el verano de 1988, era obvio que los dos candidatos más importantes para postularse eran Jesse Jackson, quien llevó a cabo una gran campaña para lograr los votos necesarios, y su oponente, Michael Dukakis, go-

George Bush

bernador de Massachusetts. Cuando la convención demócrata se reunió en agosto de 1988, Michael Dukakis ganó el suficiente apoyo para ser elegido candidato del partido.

George Bush eligió como candidato para la vicepresidencia al senador de Indiana, Dan Quayle, un hombre relativamente poco conocido. Por su parte, Michael Dukakis eligió al senador Lloyd Bentsen, de Texas.

En la campaña que siguió, ambos candidatos trataron de llevar sus ideas al público electoral. Hubo dos debates presidenciales pero no motivaron ninguna reacción especial en el pueblo. Conforme se aproximaba el día de las elecciones y el país se preparaba a votar, la mayoría de los periodistas creían que Bush sería el ganador. Efectivamente, a las diez de la noche de ese día, George Bush ya había obtenido los votos electorales necesarios para ser declarado el ganador. En enero de 1989, el grupo electoral se reunió y declaró oficialmente a George Bush como el nuevo presidente de los Estados Unidos.

Estas elecciones fueron importantes por varias razones. Era la primera elección presidencial en la que un hombre negro, Jesse Jackson, se presentaba como un contendiente serio y fuerte. El hecho de haber elegido el Partido Demócrata a Michael Dukakis fue también importante. Fue el primer norteamericano de ascendencia griega que aspiraba al puesto de presidente. Su padre había llegado a este país a principios de siglo y Michael Dukakis mostraba que el "sueño americano" podía convertirse en realidad. En la "tierra de las oportunidades", Dukakis pudo llegar a ser gobernador de un estado importante, así como candidato a la presidencia.

Otro hecho importante que emergió de estas elecciones es que mientras que el Partido Republicano ganó la presidencia, el Partido Demócrata ganó un control mayor del Congreso. Esto quería decir que, sin duda, el nuevo presidente tendría que encontrar la manera de trabajar conjuntamente con el Congreso para asegurarse de que su programa legislativo pudiera aprobarse. Estas elecciones no le dieron a Bush el margen de control que él aspiraba. Él deseaba un congreso republicano que le ayudara a realizar las promesas que hizo en la campaña. Era la primera vez en este siglo que un presidente era elegido con tan pocos miembros de su propio partido en el Congreso.

Estas elecciones demostraron que el pueblo norteamericano ya no vota a un solo partido como antaño. Demostró que los votantes habían seleccionado, indistintamente de sus afiliaciones políticas, a ciertos individuos para cargos específicos en vez de elegir a todos republicanos o a todos demócratas. Ambos partidos políticos tendrán que tener esto en cuenta de acuerdo a los planes que hagan para el futuro.

El presidente Bush tomó el poder y comenzó a llevar a cabo las promesas que hizo en su campaña electoral. Entre ellas, reducir el armamento y mejorar el medio ambiente. Cuando la Corte Suprema dictó que quemar la bandera de los Estados Unidos como protesta no era inconstitucional, el presidente Bush pidió una rectificación de la Constitución que prohibiera la quema de la bandera.

PROBLEMAS INTERNACIONALES

Durante los primeros 18 meses de Bush en la presidencia, ciertos acontecimientos mundiales afectaron a los Estados Unidos:

PANAMÁ

En las elecciones presidenciales celebradas en Panamá el 7 de mayo de 1989, Guillermo Endara retó al candidato que había elegido el general Manuel Antonio Noriega. Hubo equipos internacionales de inspección para asegurar que no hubiera irregularidades. Uno de estos equipos de observadores de la votación electoral estaba dirigido por el ex-presidente Jimmy Carter, así como por algunos miembros del Congreso de los Estados Unidos.

Guillermo Ford, que se presentaba como el segundo vicepresidente de Endara, fue severamente golpeado cuando clamaba victoria en la elección; fue golpeado por el "batallón de la dignidad", un grupo de hombres controlados por el general Noriega. Muy pronto se supo que el candidato del general Noriega había perdido la elección. Y poco después, Noriega anuló la elección aludiendo que Estados Unidos había interferido en los asuntos internos del país apoyando con sumas de dinero la campaña del partido de la oposición. El ex-presidente Carter y otros observadores declararon que el gobierno había tratado de ganar la elección de forma fraudulenta. Estados Unidos reconoció a Endara como el presidente elegido de Panamá.

El día 3 de Octubre de 1989 se produjo un intento militar para derrocar el gobierno del general Noriega. Este intento, dirigido por jóvenes oficiales del ejército, fracasó después de varias horas de enfrentamiento con las fuerzas militares que apoyaban a Noriega. El general Noriega aludió que los Estados Unidos pretendieron derrocar su gobierno con este intento militar. El presidente Bush, por otra parte, negó estas alegaciones.

El día 15 de diciembre de 1989 el general Noriega se proclamó "líder máximo" de Panamá. Un día después testigos norteamericanos afirmaron que soldados panameños dispararon a un infante de marina del ejército de los Estados Unidos, con base en el Canal de Panamá, causándole la muerte. El presidente Bush declaró en Washington que las vidas de

Manuel Antonio Noriega

los norteamericanos en Panamá se encontraban en peligro y, secretamente, ordenó al Pentágono la invasión a Panamá, la captura de Noriega y el establecimiento de un gobierno democrático.

El día 19 de diciembre, 24.000 soldados norteamericanos invadieron a Panamá derrotando al ejército del general Noriega. Seguidores de Noriega resisitieron durante varias semanas. El número de muertos civiles se desconoce. La Organización de Estados Americanos (OEA) y la Organización de las Naciones Unidas (ONU), así como la mayoría de los gobiernos del mundo, denunciaron la invasión. El general Noriega se refugió en la embajada del nuncio del Vaticano, pero terminó rindiéndose a las autoridades norteamericanas. En una base militar de los Estados Unidos, Guillermo Endara se pronunció, bajo juramento, presidente del nuevo gobierno.

CHINA

En el mes de mayo de 1989, grupos de estudiantes comenzaron a manifestarse en la plaza Tiananmen, en Beijing, la capital de China. Comenzaron una huelga de hambre para reforzar sus peticiones. Lo que querían específicamente no estaba claro pero en general pedían: que terminaran los abusos del poder por parte del partido dirigente, libertad de prensa y democracia.

Si tratáramos de poner todas estas demandas juntas, podríamos decir que lo que realmente querían los estudiantes, y el pueblo que los apoyó, era que se produjeran cambios políticos importantes.

A los 3.000 estudiantes pronto se sumó más de un millón de personas que querían expresar su deseo por una mayor libertad y prosperidad. Miles de personas bloquearon el paso de soldados que llegaban a la ciudad. Algunas personas se dirigían a los soldados diciéndoles: "somos seres humanos iguales que ustedes . . . ¿serían capaces de herirnos?" Construyeron una estatua: la "diosa de la democracia", muy parecida a la Estatua de la Libertad, para representar sus metas y sueños.

El gobierno no tomó ninguna acción hasta el día 4 de junio cuando los soldados entraron en la plaza y usaron sus cinturones para azotar con ellos a la gente que se cruzaba a su paso, y después comenzaron a disparar con rifles y ametralladoras. Más de 3.000 personas murieron y muchas más resultaron heridas. El gobierno empezó después a arrestar a aquellos individuos que creían habían sido los cabecillas de este movimiento espontáneo.

Estos antecedentes fueron recogidos por la televisión y por la prensa en general, presenciándose en todo el mundo. Después de esta masacre, China nunca podrá ser la misma. Sin embargo, el gobierno chino afirmó que los acontecimientos no habían sido tan graves como se había dicho, ni el número de muertos era el afirmado por la prensa internacional. Asimismo, manifestó que los estudiantes formaban un grupo de oposición política reaccionario que trataba de derrocar al gobierno.

Estados Unidos criticó las medidas represivas del gobierno chino y, actualmente, sigue muy de cerca lo que está ocurriendo en China.

MIKHAIL GORBACHEV: TRANSFORMACIÓN POLÍTICA DE LA UNIÓN SOVIÉTICA Y DE LA EUROPA DEL ESTE

Historiadores, políticos, y la prensa internacional, coinciden al afirmar que el presidente soviético Mikhail Sergeyevich Gorbachev ha sido la figura política más importante de la década de 1980. Empezó a destacarse en el mundo político internacional cuando fue elegido secretario del Comité Central, en 1979, a los 48 años de edad. En 1985, era jefe del partido. En menos de cinco años, con su política de "glasnost" (apertura) y de "perestroika" (renovación económica), logró romper con el monopolio de poder del partido comunista en la Unión Soviética, creando las bases de un gobierno democrático multipartidista.

Durante 72 años, el país había seguido el decreto unipartidista de Lenin, de un gobierno único que no permitía otra forma de poder más que la del comunismo. Ante el asombro del mundo entero, en febrero de 1990, Gorbachev declaraba al pueblo soviético que el nuevo ideal del país era alcanzar un socialismo humano y democrático. Su programa de elecciones libres, dentro de un régimen político multipartidista, significaba el fin de la era de Lenin y el principio de un nuevo período histórico, político y económico.

Mikhail Gorbachev

Pero el programa de Gorbachev no sólo ha afectado a la vida de la Unión Soviética sino que ha influido directamente en la transformación política que se ha producido en los países de la Europa del Este.

Después de haber sido nombrado presidente, Gorbachev trató de llevar a cabo una serie de reformas importantes dentro de la Unión Soviética. Él reconocía que la "perestroika" y el "glasnost" tan sólo podían triunfar si se hacía una revisión importante del sistema económico del país. La economía estaba desorganizada y el sistema agrícola no podía proveer suficiente comida para alimentar al pueblo soviético. En realidad, la Unión Soviética estaba arruinada. Aunque el presidente Gorbachev era respetado en el mundo occidental, radicales del Partido Comunista y del gobierno tenían otra opinión. Para ellos, Gorbachev estaba destruyendo el país.

En agosto de 1991, los radicales intentaron dar un golpe de estado e hicieron prisionero al presidente Gorbachev cuando éste se encontraba en su residencia veraniega en Crimea. Los radicales creían que el pueblo soviético apoyaría el golpe, eliminando así a Gorbachev y su programa de reformas. Pero se equivocaron. Boris Yeltsin, líder de la república rusa, dirigió el movimiento de resistencia y sofocó el golpe de estado, capturando a sus responsables.

En diciembre de ese año, las repúblicas bálticas de Latvia, Lituania y Estonia declaraban su independencia de la Unión Soviética. Ucrania y Rusia, dos de las repúblicas soviéticas más importantes, también declararon su independencia.

Así, pues, la Unión Soviética moría después de 73 años de haber sido creada. Gorbachev fue su último presidente. En su lugar, nació una confederación compuesta de once de los antiguos estados de la Unión Soviética, llamada Comunidad de Estados Independientes (Armenia, Azerbaiyán, Bielorrusia, Kazajastán, Kirguizistán, Moldavia, Rusia, Tayikistán, Turkmenistán, Ucrania y Uzbekistán). La confederación tiene una organización flexible, y se espera que las repúblicas restantes formen parte también de esta organización.

Los dos factores más importantes que, por el momento, las mantienen unidas son: por una parte, la necesidad de ayudarse mutuamente, debido a la crisis económica que sufren, y, por otra, el control del arsenal nuclear y de las fuerzas armadas. Boris Yeltsin, quien fue elegido como primer presidente de Rusia, es el portavoz no oficial de la Comunidad de Estados Independientes.

La Comunidad de Estados Independientes busca urgentemente asistencia económica del Fondo Monetario Internacional y del Banco Mundial para ayudar a crear una economía similar a la capitalista y evitar así la destrucción total de su sistema.

La difícil situación de la economía y los numerosos inconvenientes para lograr convertir el antiguo estado comunista en una nación democrática han creado innumerables conflictos.

El más serio se produjo entre el presidente Yeltsin y la Cámara Legislativa. Yeltsin forzó al poder legislativo a que adoptara una nueva constitución y a que se celebraran elecciones parlamentarias. La nueva constitución fue aceptada, pero en las elecciones parlamentarias los votantes no estuvieron de acuerdo con su programa de reformas. Los votantes dieron al ultranacionalista del Partido Demócrata Liberal, Vladimir V. Zhirinovsky, mayor número de votos que a cualquier otro partido de los doce que se presentaron a las elecciones. Los votantes rusos culparon al progama de reformas de Yeltsin como el causante de la increíble inflación, la pobreza, y el aumento del índice de delitos en el país.

Aunque Yeltsin continuará con una política económica de mercado libre, se estima que el establecimiento de este programa económico no será fácil y requerirá mucho más tiempo de lo que se esperaba. Esto podría obstaculizar sus esperanzas de conseguir mil quinientos millones de dólares más en préstamos del Fondo Monetario Internacional. El presidente Clinton apoya la política del presidente Yeltsin de crear una economía de mercado libre en Rusia.

Por otra parte, Zhirinovsky continúa su campaña política de tendencias reaccionarias, promoviendo un nuevo nacionalismo ruso, afirmando que los "extranjeros" son los culpables de los problemas del país, y manifestando un abierto antisemitismo. El presidente Yeltsin se enfrenta a un período difícil en su programa de reformas en Rusia.

POLONIA

En Polonia, en donde hubo grandes represiones políticas para sofocar manifestaciones estudiantiles y obreras producidas en 1956, 1968, 1976, 1980 y 1981, el sindicato obrero *Solidaridad*, que había sufrido la supresión y el encarcelamiento de sus líderes durante siete años, se convirtió en partido político. El pueblo obrero se organizó impulsado por su líder Lech Walesa.

Gorbachev fue el hombre que dejó la puerta abierta para que el país se renovara políticamente de forma libre. Y, en agosto de 1989, se constituyó, después de 40 años de dominio stalinista, el primer gobierno no-comunista en la Europa del Este, con el nombramiento de Tadeusz Mazowiecki como primer ministro.

Polonia está haciendo grandes avances para transformar su sistema económico y político. Estos cambios tienen como meta crear una sociedad nueva y moderna. Lech Walesa se convirtió en el primer presidente libremente elegido de Polonia e inició urgentemente un programa de reformas cruciales para mejorar la economía y el nivel de vida del pueblo polaco.

HUNGRÍA

Hungría fue otro de los países que sufrió la represión de la política stalinista. En 1956, los tanques soviéticos aplastaron una rebelión del pueblo, y el líder comunista moderado Imre Nagy fue ejecutado. En 1988, el comunista moderado Karoly Grosz expresó las necesidades que tenía el país de una reforma política. Gorbachev vio su postura como aceptable, y en enero de 1989, el parlamento húngaro permitió la formación de partidos políticos en las próximas elecciones.

Otro hecho importante, durante este año de 1989, fue el acuerdo que el gobierno húngaro firmó con las Naciones Unidas referente al status de los refugiados políticos, según el cual las autoridades no obligarían a estos refugiados a regresar a sus países de origen. Miles de alemanes del Este, con el apoyo del gobierno húngaro, pudieron entrar en Alemania Occidental, en donde recibieron automáticamente la ciudadanía.

REUNIFICACIÓN DE ALEMANIA

Fue en octubre de 1989, en la ciudad de Leipzig, cuando comenzó la revolución en la Alemania Oriental, con manifestaciones de miles de personas pidiendo la libertad del pueblo alemán. El día 7 de octubre, Mikhail Gorbachev, en una visita que hizo a Berlín del Este con motivo del 40 aniversario del estado comunista, declaró a los líderes del gobierno que si usaban la fuerza para contrarrestar estas protestas, que no contaran con el apoyo soviético. Y les aconsejó que pusieran en práctica su propia "perestroika".

Apertura del Muro de Berlín

Dos días después, el presidente alemán Erich Honecker quiso usar la fuerza para reprimir las manifestaciones pero la Unión Soviética no le apoyó, ni tampoco el líder encargado de la seguridad pública, Egon Krenz, quien poco después sustituiría a Honecker en el liderazgo del país. El hecho más simbólico de este nuevo gobernante alemán se produjo cuando Krenz ordenó la apertura del Muro de Berlín. La muralla cayó el 10 de noviembre de 1989, una fecha histórica para las dos Alemanias.

El día 3 de diciembre, el partido comunista renunció a su liderazgo con una llamada al pueblo a que se organizaran elecciones libres.

Otro paso de carácter histórico que ocurrió en estos meses, concretamente en febrero de 1990, fue la declaración de Gorbachev de que no se opondría a la reunificación de las dos Alemanias. En una reunión con el canciller de Alemania Occidental, Helmut Kohl, Gorbachev reiteró su postura de apoyo y respeto con relación a la reunificación del pueblo alemán, si era ese el destino que libremente deseaban elegir.

En ese mismo mes se celebraron elecciones en Alemania Oriental en donde obtuvo la mayoría la Alianza Democrática, que estaba a favor de la reunificación de las dos Alemanias, y el 14 de septiembre de 1990 los cuatro países aliados en la Segunda Guerra Mundial: Estados Unidos, la Unión Soviética, Francia e Inglaterra, firmaron un tratado reconociendo la soberanía de una Alemania Unida.

El día 3 de octubre de 1990, después de 45 años separadas, se celebró la reunificación de las dos Alemanias en una sola nación. Una multitud jubilosa, frente a la Puerta de Brandenburgo, alzaba la bandera de una nueva Alemania.

Hans-Dietrich Genscher, ministro de relaciones exteriores de Alemania Occidental decía: "Nosotros perdimos nuestra libertad y más tarde la paz cuando el Nazismo cayó sobre Alemania" – denunciando así los daños de la dominación nazi. Y, después, añadió: "Los alemanes queremos solamente vivir en libertad, democracia y paz con todos los pueblos del mundo".

CHECOSLOVAQUIA

Las demostraciones de protesta comenzaron en el mes de noviembre de 1989, en Praga, la capital del país. Primero, fueron 3.000 estudiantes organizados por el grupo de mayoría comunista, llamado la *Unión de la Juventud Socialista*, los que se manifestaron en la plaza Wenceslas Square, pero fueron atacados brutalmente por la policía, y la protesta fue suprimida. Este hecho hizo estremecer a muchos que todavía recordaban lo que ocurrió en junio en la Tiananmen Square de Beijing, China, con la masacre de estudiantes chinos. Pero al día siguiente de lo ocurrido en Wenceslas Square, miles de ciudadanos checos marcharon a la plaza pidiendo la dimisión del gobierno y la reorganización política y económica del país.

Héroes revolucionarios checos como Alexander Dubcek y el actual presidente, el escritor Vaclav Havel, regresaron al escenario político. El pueblo había acabado de forma pacífica con el poder del gobierno comunista. Havel llamó a esta transición la "revolución suave". En diciembre de 1989, de los 21 miembros del gabinete del gobierno, once no eran comunistas. La formación de partidos rivales se había legalizado y el *Foro Cívico*, la coalición no-comunista, adquiría un poder que nunca tuvo, preparándose para las próximas elecciones libres.

Bajo la presidencia de Havel, elegido libremente por el pueblo checo en 1989, Checoslovaquia comenzó a avanzar hacia una sociedad democrática. Sin embargo, el pueblo eslovaco, que habita la parte este del país, comenzó a declararse como nación independiente. Este sentimiento nacionalista se convirtió en un problema tan importante que Havel, al considerar que su permanencia en el poder no iba a poder solucionar este conflicto, renunció a la presidencia.

El 1 de enero de 1993 la nación de Checoslovaquia se disolvía y nacían dos naciones: la República Checa y la de Eslovaquia. Desaparecía así la antigua nación de Checoslovaquia, que había nacido en 1918 como resultado de la Primera Guerra Mundial.

BULGARIA

Tanto en Checoslovaquia como en Bulgaria, Gorbachev dejó bien claro que el ejército de la Unión Soviética no intervendría. Las manifestaciones de protesta en Bulgaria comenzaron a mediados de septiembre de 1989. El dictador, Todor Zhivkov, quien durante 35 años había ocupado el poder, fue obligado a dimitir. El nuevo líder, Petar Mladenov, prometió legalizar los partidos de la oposición y ayudar a crear un gobierno democrático basado en elecciones libres.

RUMANIA

A diferencia de la transformación política de los otros países de la Europa del Este, los cambios que se produjeron en Rumania costaron la vida a miles de personas. Antes de caer del poder, el gobierno del dictador Nicolae Ceausescu arremetió brutalmente contra el pueblo rumano. De nuevo, fueron los estudiantes los que comenzaron las protestas en las ciudades de Bucharest y Timisoara. En esta última ciudad, la policía secreta de Ceausescu, llamada *Securitate*, produjo masacres de familias indefensas, mujeres y niños. En un extraordinario y valiente levantamiento del pueblo, el viejo tirano fue apresado y sentenciado junto a su esposa Elena. Y el día 25 de diciembre de 1989 fueron ejecutados los dos. Rumania es hoy un país políticamente libre en donde se está llevando a cabo una profunda reorganización social y económica.

En diciembre de 1989, en el parlamento soviético, Mikhail Gorbachev declaró que "cualquier nación tiene el derecho de decidir por sí misma su destino". Años antes era difícil de imaginar que el dirigente comunista más poderoso del mundo pudiera hablar de esta forma. Sin embargo, Gorbachev no sólo fue fiel a sus ideas sino que también las puso en práctica. Con los Estados Unidos, creó unas relaciones políticas firmes de reducción tanto de armas nucleares como de fuerzas militares. Con la Europa del Este, sembró las semillas para la creación de un nuevo camino de paz, libertad y democracia.

Nelson Mandela

LA LIBERTAD DE NELSON MANDELA Y EL FUTURO DE SUDÁFRICA

El día 11 de febrero de 1990 se dio uno de los acontecimientos históricos más importantes ocurridos en el siglo XX: la libertad del líder negro Nelson Mandela, después de 27 años y medio en la cárcel.

Mandela nació el 18 de julio de 1918, en Qunu, una pequeña aldea en la región de Transkei; su padre era uno de los líderes de la tribu tembu. Mandela estudió durante dos años en la universidad de Fort Hare, pero fue expulsado por participar en una manifestación estudiantil. Se trasladó a Johannesburg y estudió derecho por correspondencia, en la Universidad de Wiwatersrand. En 1944, junto con dos compañeros más, Oliver Tambo y Walter Sisulu, formaron la Liga Joven del Congreso Nacional Africano.

Una vez que acabó sus estudios de derecho, creó con Sisulu un bufete, el primer despacho de abogados negros en el país. Poco después, Mandela y otros fueron arrestados por la policía. Pero continuó su lucha política para liberar a su pueblo del monopolio blanco del poder en Sudáfrica y de la política de discriminación racial del "apartheid".

En marzo de 1960, en la ciudad de Shaperville, la policía mató a 69 negros que se manifestaron defendiendo la libertad. El go-

bierno declaró al país en estado de emergencia y el Congreso Nacional Africano y otros grupos políticos fueron prohibidos. Un año después, Mandela fue elegido dirigente de *Lanza de la Nación*, una facción militar de su partido. En 1962, después de regresar de un viaje al extranjero, fue detenido por salir ilegalmente del país y por tratar de derrocar al gobierno. Fue sentenciado a cinco años de prisión. Pero, dos años más tarde, la policía descubrió en la oficina clandestina del Congreso Nacional Africano, en Rivonia, documentos con un plan de guerrilla contra el gobierno. Y en 1964, Mandela, y otros siete presos políticos, fueron sentenciados a cadena perpetua.

Millones de personas pidieron al gobierno racista de Sudáfrica la libertad de Mandela. En 1980, el Consejo de Seguridad de las Naciones Unidas, hizo un llamado al gobierno para conseguir su libertad. Años después, Estados Unidos y numerosos otros países impusieron sanciones económicas al gobierno, pidiendo el fin de la política racista del "apartheid".

En octubre de 1989, Sisulu y cuatro presos políticos fueron puestos en libertad. Meses después, el presidente De Klerk legalizó el Congreso Nacional Africano y otras organizaciones políticas. Y el día 10 de febrero de 1990, De Klerk anunció la libertad de Nelson Mandela. Un día después, Mandela era un hombre libre. Al final del discurso que pronunció al pueblo africano, repitió un fragmento de la declaración que hizo en 1964 cuando fue sentenciado. El texto dice así:

"Durante toda mi vida me he dedicado a esta lucha del pueblo africano. He luchado contra la dominación blanca, y he luchado contra la dominación negra. He abrazado el ideal de una sociedad libre y democrática en la que todas las personas vivan juntas en armonía y con igualdad de oportunidades. Es el ideal que espero vivir y lograr. Pero, si es necesario, es el ideal por el cual estoy dispuesto a morir por él."

Nelson Mandela y el presidente De Klerk, después de innumerables negociaciones, llegaron a un acuerdo para establecer un gobierno de unidad nacional que regirá por cinco años. Durante este período de cinco años, se espera llegar a un acuerdo definitivo donde el concepto de mayoría impere y se pueda crear en Sudáfrica un gobierno democrático bajo el cual todos sus ciudadanos tengan los mismos derechos.

En 1993, como reconocimiento a este histórico acontecimiento, el presidente De Klerk y Nelson Mandela obtuvieron el Premio Nobel de la Paz.

En el mes de abril de 1994, se celebraron las primeras elecciones donde la mayoría de los habitantes del país, de raza negra, pudo votar. Como resultado de estas elecciones, Nelson Mandela fue elegido como el primer presidente negro de Sudáfrica.

DISTURBIOS EN LOS TERRITORIOS OCUPADOS POR ISRAEL

En el mes de octubre de 1990, a raíz de un incidente ocurrido en Jerusalén donde 21 palestinos perdieron sus vidas y más de 100 resultaron heridos, las Naciones Unidas aprobaron unánimemente una resolución condenando la manera violenta en que el gobierno israelí estaba suprimiendo las protestas de jóvenes palestinos. El Consejo de Seguridad de la ONU acordó enviar a Israel un grupo de investigadores para estudiar las causas de los hechos en Jerusalén, pero el gobierno israelí se negó a recibir al equipo de investigadores.

Estados Unidos, en dicha resolución de la ONU, y por primera vez desde que Israel invadiera el sur del Líbano, se unió a la comunidad internacional de naciones criticando la postura de Israel. Asimismo, advertía al gobierno israelí que la solución pacífica del problema palestino era imprescindible para conseguir una estabilidad política y económica en el Medio Oriente.

La Intifada (intifadeh), o lucha palestina, comenzó en el mes de diciembre de 1987. Un grupo de palestinos residentes en Gaza, jóvenes la mayoría de ellos, pedían una solución a los territorios ocupados por Israel en la faja de Gaza, los Altos del Golán y en Jerusalén.

Recientemente, se han celebrado numerosas reuniones entre representantes del gobierno de Israel y del pueblo palestino para llegar a un acuerdo que permita a los palestinos establecer un gobierno autónomo para sus ciudadanos en los territorios ocupados por Israel. Al principio, esta autonomía abarcaría a los palestinos que residen en la faja de Gaza y en el área de Jericó, dejando para futuras negociaciones la administración del resto del territorio bajo el control de Israel. La elección de Yitzak Rabin como Primer Ministro de Israel dio un ímpetu significativo a estas negociaciones. Su gobierno, con el apoyo de Estados Unidos, reanudó las conversaciones que había sostenido el gobierno anterior con representantes de la OLP y las naciones árabes del Medio Oriente.

En el mes de septiembre de 1993, la Casa Blanca fue sede de una reunión importante donde el presidente Clinton consiguió que el líder de la Organización para la Liberación de Palestina y el Primer Ministro de Israel se dieran las manos. Rabin dijo: "¡Demasiada sangre y lágrimas derramadas! ¡Basta ya!" Ambos líderes acordaron continuar las negociaciones con el fin de llegar a un acuerdo definitivo que establezca una paz duradera. Esto no se producirá tan fácilmente pero al menos ambos lados están negociando. Tanto el Primer Ministro Rabin como el líder palestino Arafat se enfrentan con la oposición de grupos radicales dentro de sus propios pueblos.

Estos grupos han efectuado actos terroristas que han afectado tanto a palestinos como a israelíes, siendo el más serio hasta el presente el ataque efectuado por un ultranacionalista israelí en una mezquita en Hebron donde perdieron la vida más de 40 musulmanes.

El camino hacia una paz duradera entre los palestinos, los países árabes e Israel está lleno de dificultades y serán necesarias muchas negociaciones hasta que todos los grupos logren llegar a un acuerdo definitivo.

LA INVASIÓN DE KUWAIT POR IRAK

El día 2 de agosto de 1990, tropas iraquíes, bajo las órdenes del presidente Saddam Hussein, invadieron y ocuparon el pequeño y rico emirato árabe de Kuwait.

Con la ocupación de Kuwait, Saddam Hussein se convertía en el líder más fuerte del mundo árabe e Irak en el segundo país productor de petróleo del mundo.

Hussein justificó la invasión aludiendo que Kuwait había producido una profunda crisis económica en su país, por haber violado las cuotas de la OPEP (Organización que regula los precios del petróleo en el mundo) al producir petróleo en exceso. Asimismo, el presidente iraquí afirmaba que la ocupación tenía también razones históricas debido a que el territorio de Kuwait le pertenecía a Irak ya que había sido declarado independiente por Inglaterra en 1961 sin el consentimiento del pueblo iraquí.

Con relación al tema del petróleo, Hussein denunciaba que seis familias emíres árabes controlaban el 40% de la producción de petróleo que se vendía en el mundo, y que a expensas de ello habían amasado fortunas, creando diferencias económicas y manteniendo a la mayor parte de la población árabe de la región en un estado de pobreza.

Hussein criticó, asimismo, la situación en que se encontraba el pueblo palestino en Israel, y la ocupación de Israel en el sur del Líbano.

Saddam Hussein

La ocupación de Kuwait produjo una reacción de condena en casi todo el mundo. El emir de Kuwait, Jaber Al-Ahmed Al-Sabah, pudo refugiarse en Arabia Saudita. Este país, fronterizo con Kuwait, sintiéndose amenazado por un posible ataque de Irak, pidió ayuda militar a Estados Unidos.

Estados Unidos condenó la invasión de Kuwait. La actitud de Hussein atentaba no sólo contra las leyes internacionales y la libertad del pueblo kuwaití, sino también ponía en peligro la economía mundial, al depender ésta en parte de la producción de petróleo de la región.

El Consejo de Seguridad de las Naciones Unidas denunció la ocupación y exigió la retirada inmediata de Irak del territorio ocupado, decretando al mismo tiempo un embargo a Irak por tierra, mar y aire.

Para llevar a cabo este embargo internacional y proteger las fronteras de Arabia Saudita, Estados Unidos envió más de 400.000 miembros de sus fuerzas armadas al Golfo Pérsico, bajo el comando del general H. Norman Schwarzkopf. Fue el mayor despliegue de fuerzas armadas estadounidenses desde la guerra de Vietnam.

Fuerzas armadas de Gran Bretaña, Francia, Italia, Arabia Saudita, Egipto, Siria, Kuwait, y otros países se unieron a las fuerzas norteamericanas, formando una coalición de más de 550.000 miembros, que incluía unidades aéreas, terrestres y marítimas.

Líderes de países amigos del régimen iraquí trataron de convencer al presidente Hussein de que abandonara Kuwait y así evitar un conflicto bélico. Estas gestiones no tuvieron éxito ya que el gobernante iraquí insistió que su decisión de anexar a Kuwait como la decimonovena provincia de Irak, era irrevocable.

El 29 de noviembre de 1990, el Consejo de Seguridad de las Naciones Unidas se reunió para autorizar a la coalición el uso de sus fuerzas armadas para liberar a Kuwait si las tropas de Irak no se habían retirado de ese emirato para el día 15 de enero de 1991. El Secretario General de las Naciones Unidas, Javier Pérez de Cuéllar, visitó Irak a principios de enero de 1991 pero no pudo convencer al presidente Hussein de que ordenara la retirada de sus tropas antes del día 15 de enero, según el mandato de las Naciones Unidas.

El Congreso de los Estados Unidos se reunió a principios de enero de 1991 para debatir el uso de las fuerzas militares de este país en el conflicto del Golfo Pérsico y, tanto la Cámara de Representantes como el Senado, aprobaron una resolución dándole al presidente Bush autorización para utilizar dichas fuerzas militares en la lucha contra Irak.

Ante la intransigencia del líder iraquí, el presidente Bush autorizó, el día 17 de enero de 1991, el comienzo de la operación militar llamada "Tormenta en el Desierto." La primera etapa de esta operación militar tenía como objetivo principal conseguir la supremacía en el aire y eliminar la estructura militar e industrial de Irak. Las fuerzas aéreas de los países aliados bombardearon fábricas, depósitos de armas químicas, y lanzaderas fijas y móviles de misiles *Scud* diseminados por todo el país. Otro objetivo de esta primera etapa era destruir el potencial bélico de las ocho divisiones de la Guardia Republicana desplegadas en torno a la frontera entre Irak y Kuwait, así como las tropas regulares iraquíes que ocupaban Kuwait.

El resultado de estos ataques aéreos fue devastador y después de más de 30 días de ataques continuos, autoridades militares norteamericanas estimaban que más de un 40% del potencial bélico iraquí había sido destruido. Miles de soldados y civiles iraquíes fueron muertos y heridos, aunque las cifras, tanto por parte de Irak como por parte de las fuerzas aliadas, eran difícil de precisar.

Como represalia a estos ataques aéreos, el presidente Hussein ordenó ataques con misiles *Scud* contra poblados en Israel y Arabia Saudita. Más de 50 misiles fueron dirigidos a ambos países ocasionando muertos y heridos. La mayoría de estos misiles *Scud* fueron interceptados por antimisiles *Patriot*, destruyéndolos antes de que llegaran a su destino.

El propósito principal de atacar a Israel con estos misiles era el de involucrar a este país en el conflicto y de esta manera romper la alianza de los países árabes con los países occidentales en contra de Irak. Sin embargo, el gobierno de Israel, a instancias del presidente Bush, quien temía que una acción militar israelí contra Irak disolviera la coalición antiiraquí, decidió no tomar represalias en contra de Irak, reservándose el derecho de responder contra estos ataques en el momento oportuno.

A principios de febrero de 1991, el presidente soviético Mikhail Gorbachev trató de mediar en el conflicto. El Ministro de Relaciones Exteriores de Irak, Tariq Aziz, se entrevistó en Moscú con el presidente Gorbachev quien le sometió un plan de paz que incluía la retirada de las fuerzas iraquíes de Kuwait, para que fuera sometido a la consideración del presidente Hussein.

El día 22 de febrero, el líder iraquí aceptó el plan soviético con ciertas condiciones que fueron rechazadas por el presidente Bush, después de consultarlo con los otros miembros de la coalición. Al mismo tiempo que rechazaba la oferta condicional de Irak, el presidente Bush declaró que Irak tenía hasta el mediodía del día 23 de febrero para aceptar, sin condiciones, las doce resoluciones adoptadas por las Naciones Unidas, y comenzar la retirada de las tropas iraquíes del emirato, y así evitar la enorme ofensiva terrestre, aérea y naval que tenían planeada los países de la coalición.

El líder iraquí no respondió al ultimátum dado por los Estados Unidos, y el general Schwarzkopf, actuando bajo órdenes del presidente Bush, ordenó el comienzo de la ofensiva terrestre en la madrugada del domingo 24 de febrero.

Las fuerzas militares de los miembros de la coalición atacaron en cinco frentes al mismo tiempo. Estos ataques con fuerzas mecanizadas sumamente móviles tomaron por sorpresa a la defensa iraquí de Kuwait y en menos de 24 horas, fuerzas de la coalición se encontraban en las afueras de la capital de Kuwait, la cual capturaron, sin resistencia, al día siguiente.

Durante su avance a través del territorio de Kuwait, cientos de tanques y piezas de artillería iraquíes fueron destruidos, y miles de sus soldados se rindieron sin ofrecer resistencia a las fuerzas aliadas.

Otra fuerza mecanizada de la coalición penetró en el territorio de Irak con el propósito de atrapar a las ocho divisiones de la Guardia Republicana que tenía en reserva el ejército iraquí al norte de la frontera que divide Irak y Kuwait.

La Guardia Republicana ofreció poca resistencia a las fuerzas aliadas, y en poco tiempo fueron rodeadas, eliminando la posibilidad de que puedieran ser utilizadas en un contraataque contra las fuerzas de la coalición.

En la ofensiva, más de la mitad del material bélico de estas divisiones iraquíes fue destruido y varios miles de soldados de estas fuerzas especiales de Hussein se rindieron a la coalición.

Al final del cuarto día de operaciones militares, el presidente Bush declaró en un discurso a la nación, que el emirato de Kuwait había sido liberado y que había dado instrucciones al ejército de coalición para que cesaran las operaciones militares siempre y cuando no fueran atacados por el ejército iraquí.

Al mismo tiempo, el presidente Bush declaró que los países de la coalición estaban dispuestos a firmar un tratado de paz con Irak si este país aceptaba, entre otras condiciones, las doce resoluciones adoptadas por las Naciones Unidas, se abstuviera de atacar a otros países, y liberara a todos los prisioneros de guerra y civiles que se encontraban bajo su custodia. Otra de las condiciones que Irak tenía que aceptar, era la devolución de todas las propiedades que había saqueado de Kuwait, incluyendo el oro que se había llevado de los bancos y los aviones de la línea aérea de Kuwait que ahora se encontraban pintados con los colores de la línea aérea iraquí.

El día 2 de marzo de 1991, el Consejo de Seguridad de las Naciones Unidas aprobó, por amplia mayoría, una nueva resolución donde reafirmaba todas las sanciones tomadas contra Irak, exceptuando ayuda humanitaria, y establecía firmes condiciones para poner fin a la guerra.

Al día siguiente, una delegación representando a los países miembros de la coalición, encabezada por el general Schwarzkopf, se reunió con una delegación de altos miembros de las fuerzas militares iraquíes para discutir todos los aspectos que conducirían a una tregua permanente en la guerra del Golfo Pérsico. Al final de la reunión, que duró casi dos horas, el general Schwarzkopf anunció que la delegación iraquí había aceptado todas las condiciones impuestas por las fuerzas aliadas.

Aunque Irak, al final de la Guerra del Golfo, decidió aceptar las resoluciones de las Naciones Unidas, todavía hay problemas pendientes que afectan al mundo. El gobierno de Saddam Hussein aún se resiste a cooperar plenamente con las Naciones Unidas, que han tratado de efectuar una investigación intensa sobre la producción en Irak de armas biológicas y nucleares, pero Hussein no ha permitido que el equipo de investigadores visite ciertas bases.

LA DESINTEGRACIÓN DE YUGOSLAVIA

A comienzos de 1992, circulaban en Yugoslavia rumores de descontento. Esta nación había sido creada después de la Primera Guerra Mundial, al unir el territorio habitado por los eslavos del sur con Serbia y Montenegro. Yugoslavia, la nueva nación que surgió de esta unión, estaba compuesta de Eslovenia, Croacia, Montenegro, Bosnia-Herzegovina y Macedonia. Yugoslavia era un mosaico de muchas y diferentes religiones y culturas.

Yugoslavia continuó organizada de esta forma, aún después de la Segunda Guerra Mundial cuando el Mariscal Tito se convirtió en el dirigente comunista del país. Pero, poco después de terminada la guerra, Tito rompió los lazos con la Unión Soviética, proclamando una política de comunismo nacional. Tito falleció en 1980.

En 1992, Yugoslavia comenzó a tener conflictos internos. Croacia declaró su independencia, igual que Bosnia-Herzegovina. El ejército yugoslavo, compuesto por soldados serbios, atacó la ciudad de Sarajevo, en Bosnia-Herzegovina, produciéndose una guerra civil. Sarajevo se convirtió en un campo de batalla, sufriendo el ataque constante de las tropas serbias situadas en las montañas que rodean la ciudad.

Ha habido reportes de matanzas masivas, de establecimiento de campos de concentración en territorios ocupados por serbios, y de la supuesta realización de la llamada "limpieza étnica". La "limpieza étnica" es la eliminación de todos los musulmanes de las tierras serbias. Miles de personas han sido brutalmente desarraigadas de sus tierras.

Todos los intentos de las Naciones Unidas para conseguir un cese al fuego y establecer cierta conciliación han sido obstaculizados por todos los bandos guerrilleros. Los habitantes de Sarajevo y otras ciudades musulmanas se han enfrentado a constantes bombardeos, hambre y muerte. A principios de febrero de 1994, en la mañana de un sábado, el día de compras más importante de la semana, un proyectil estalló en el mercado principal de Sarajevo ocasionando la muerte a 68 personas e hiriendo a más de 200.

Este ataque produjo una reacción de repudio entre las naciones del mundo occidental. Los dieciséis países miembros de la OTAN se reunieron y acordaron enviar un ultimátum al gobierno serbio en el cual se exigía que dejaran de bombardear inmediatamente a Sarajevo y retiraran todos los cañones, morteros y tanques que amenazaban a esta ciudad, a una distancia de por lo menos 12.4 millas o los colocaran bajo el control de las Naciones Unidas. El ultimátum le otorgaba diez días al gobierno serbio para aceptar estas condiciones o, de lo contrario, las fuerzas aéreas, bajo el control de la OTAN, bombardearían los lugares donde estas armas se encontraban situadas, hasta eliminar la amenaza que las mismas representaban a Sarajevo.

El gobierno serbio, siguiendo los consejos del gobierno ruso, que había intervenido en este problema para ayudar a solucionarlo, decidió aceptar las condiciones impuestas por el ultimátum de la OTAN.

Se espera que con el cese de las hostilidades se puedan reanudar las negociaciones entre todos los bandos para llegar a una paz duradera en este país.

SOMALIA

A pesar del gran potencial económico que tiene África, el continente se enfrenta con muchos problemas económicos, sociales y políticos. La anarquía gobierna en Somalia, una de sus naciones. El país está situado en la parte central este del continente, en el llamado "Cuerno de África". Es una nación que ha sido devastada económica y políticamente por una guerra civil que ha tomado miles de víctimas. Se desconoce el número de personas que han muerto, pero muchas de ellas no ha sido por las balas de los fusiles, sino por el hambre.

Organizaciones de ayuda privada no han logrado sus objetivos de alimentar a los sectores más necesitados debido al fracaso y a la desorganización del gobierno. En una acción humanitaria, el presidente Bush ordenó la *Operación de Restaurar la Esperanza* y envió miles de soldados norteamericanos a Somalia para restaurar el orden y facilitar que los cargamentos de provisiones pudieran llegar a quienes los necesitaran.

Unos 25.000 soldados estadounidenses fueron enviados al país. Esta operación fue supervisada por las Naciones Unidas, que están interviniendo en los asuntos domésticos de la nación para alimentar a sus habitantes. Esta acción humanitaria se tomó como última medida para acabar con el horror que produce la anarquía de un pueblo desesperado por el hambre.

Las fuerzas norteamericanas lograron poner fin a la situación de inanición en que se encontraba el país. Sin embargo, el general Mohammed Farrah Aidid, un líder político, ordenó a su ejército abrir fuego contra las tropas norteamericanas y las de las Naciones Unidas. Más de 18 soldados murieron, y el cuerpo de un soldado americano fue arrastrado por las calles de la capital somalí. Como resultado de este ataque, el presidente Clinton decidió retirar las tropas norteamericanas en la primavera de 1994. Todavía se llevan a cabo negociaciones para crear un gobierno que incluya a todos los bandos políticos del país, antes de que las Naciones Unidas abandonen Somalia.

LAS ELECCIONES PRESIDENCIALES DE 1992

El presidente republicano George Bush estaba decidido a continuar en la presidencia y se presentó de nuevo a las elecciones presidenciales para un segundo período. Un buen número de candidatos se presentó a las elecciones primarias. El republicano Pat Buchanan aparecía como uno de los candidatos más destacados, tratando de ganar la postulación de su partido. Pero en las elecciones primarias no encontró apoyo suficiente.

Varios candidatos por el partido demócrata se presentaron también a las primarias. El más visible fue el gobernador Bill Clinton, del estado de Arkansas. En la convención del Partido Demócrata, celebrada en julio de 1992, el gobernador Clinton ganó la postulación de su partido. El senador Al Gore, del estado de Tennessee, fue escogido por Clinton como candidato para la vicepresidencia.

Pero la campaña presidencial de 1992 iba a ser diferente a las que se habían visto anteriormente. La campaña parecía ser, al principio, una lucha entre dos candidatos, pero, inesperadamente, un nuevo candidato independiente, el millonario del estado de Texas, Ross Perot, decidió participar en las elecciones presidenciales. Perot seleccionó como candidato para la vicepresidencia de su campaña política al almirante retirado James Stockdale, quien había sido prisionero de guerra en Vietnam.

A diferencia del presidente Bush y del gobernador Clinton, quienes condujeron sus respectivas campañas políticas viajando por el país y hablando directamente con toda clase de grupos, Perot, sin embargo, concentró su estrategia electoral en

El presidente Bill Clinton

los medios de comunicación, especialmente a través de varios programas de televisión pagados por él. La mayoría de los expertos coincidieron en que el problema más importante que estos candidatos debían tratar era presentar un programa para solucionar la crisis económica nacional.

El gobernador Clinton ganó las elecciones y se convirtió en el nuevo presidente de los Estados Unidos. Durante su campaña, él hizo énfasis en un "nuevo acuerdo" o "pacto", donde explicó los cambios que había que hacer para mejorar la economía y convertir de nuevo a los Estados Unidos en una nación próspera. Los puntos más importante de su programa económico son los siguientes:

- controlar el déficit nacional y tratar de reducirlo de forma significativa;

- proveer un programa de salud que garantice a todos una protección adecuada;

- restaurar los valores tradicionales del gobierno de los Estados Unidos;

- proveer un nuevo liderazgo en Washington para asegurar que las ramas ejecutiva y legislativa del gobierno trabajen juntas en forma armoniosa para desarrollar y llevar a cabo la legislación necesaria para ayudar a todas las personas del país.

Durante el primer año de su presidencia, Clinton sufrió varios reveses en el Congreso, pero también obtuvo algunos éxitos.

Firmó el Tratado de Libre Comercio que reducirá o eliminará la mayor parte de los aranceles entre Estados Unidos, Canadá y México. Se espera que este importante acuerdo aumentará las exportaciones y creará más empleos.

El presidente Clinton ha desarrollado un plan para reducir el déficit. También ha presentado al Congreso un proyecto bajo el cual todo ciudadano en este país tendrá derecho a recibir atención médica. Se espera que el Congreso modifique sustancialmente dicho plan. Sin embargo, se espera que este plan incluya una buena parte de las ideas que presentó Clinton. La señora Hillary Rodham Clinton, la primera dama, colaboró con un grupo de expertos que preparó el programa que se presentó al Congreso.

En temas de política exterior, el mayor logro del presidente fue la reunión histórica que tuvo lugar en la Casa Blanca entre el jefe de la Organización para la Liberación de Palestina y el primer ministro de Israel. El presidente Clinton desempeñó un papel importante al lograr que ambos líderes se reunieran, y ha apoyado las negociaciones entre ambos grupos para crear la base de un acuerdo que resulte en una paz duradera en esa región.

EXPLORACION DE HECHOS Y OPINIONES

I. Para mejorar tus conocimientos

Define, describe o identifica cada uno de los términos siguientes. Muestra cómo está conectado cada uno de ellos con la política norteamericana.

1—Vietcong
2—Principio Sullivan
3—My Lai
4—Ley de Poderes de Guerra de 1973
5—Sandinistas
6—Conversaciones de "SALT"
7—Conferencia Internacional de los Derechos Humanos
8—OPEP
9—Escándalo Watergate
10—Acuerdos de Camp David
11—"Reagonomics"
12—Solidaridad
13—Iniciativa de la Cuenca del Caribe
14—Comisión de Kissinger
15—Comunidad de Estados Independientes

II. Preguntas

Contesta a las preguntas siguientes. Acompaña tus respuestas con ejemplos o información específica.

1 — ¿Cómo pensaba el presidente Nixon terminar con la guerra de Vietnam?

2 — ¿Qué acontecimientos dieron como resultado la dimisión de Nixon?

3 — ¿Cuáles fueron los resultados de la guerra de Vietnam?

4 — ¿Cómo afectó la guerra de Vietnam a la guerra fría?

5 — ¿Qué acuerdos llevó a cabo Estados Unidos con la Unión Soviética en la década de 1970?

6 — ¿Cómo han negociado los Estados Unidos con Sudáfrica?

7 — ¿Cómo ha intentado la Unión Soviética extender su influencia en África?

8 — ¿Por qué los Estados Unidos decidieron ceder el control del Canal de Panamá a Panamá para el año 2000?

9 — ¿Qué significa el programa "Reagonomics" que presentó el presidente Reagan?

10 — ¿Cómo ha ayudado la política de "Glasnost", adoptada por el presidente Gorbachev, a cambiar las relaciones entre los Estados Unidos y la Unión Soviética?

11 — ¿Cuáles son las principales ideas de Nelson Mandela?

12 — ¿Qué ocurrió en la plaza de Tiananmen, en China?

13 — ¿Por qué aparece Boris Yeltsin como el portavoz de la nueva organización llamada Comunidad de Estados Independientes?

III. Conceptos

Los términos que siguen representan conceptos, ideas amplias que han jugado un papel importante en la experiencia norteamericana, especialmente en la historia de la política exterior del país. Con tus propias palabras escribe una pequeña definición de cada una de ellas.

1—Tercer mundo
2—Détente
3—Apartheid
4—Potencias globales
5—Neoaislacionismo
6—"Limpieza étnica"

IV. Ideas organizadas

Sigue un número de "ideas organizadas". Cada una perfila hechos y conceptos estudiados en este capítulo y hace una generalización. A partir de tus lecturas y lo dicho en clase, da ejemplos específicos que aprueben o desaprueben estas ideas.

1 — La Unión Soviética presenta la mayor amenaza de seguridad a los Estados Unidos.

2 — Estados Unidos no debería enviar ayuda a las naciones que niegan a sus pueblos los derechos humanos básicos.

3 — Las naciones tercermundistas de hoy pueden llegar a ser naciones líderes mañana.

4 — La opinión del presidente en la política exterior debería ser más importante que la del Congreso.

V. Ideas para construir

1 — Apenas dos años después de que Nixon fuera reelegido, fue forzado a dimitir. ¿Cómo sucedió esto?

2 — El presidente Gerald Ford perdonó a Nixon porque creía que era perjudicial que la nación atravesara por el trauma de un largo proceso judicial contra el anterior presidente de la nación. ¿Estás de acuerdo con esta decisión? ¿Por qué sí o por qué no?

3 — Los presidentes de los Estados Unidos deben dirigir la política nacional e internacional. ¿Crees que una persona sola puede llevar con éxito ambas funciones? Explica.

4 — ¿Qué esfuerzos realizó el presidente Nixon para mejorar las relaciones entre los Estados Unidos y la Unión Soviética?

5 — ¿Por qué la paz en el Oriente Medio fue considerada como uno de los objetivos más importantes de la política exterior de los Estados Unidos en la década de 1970?

6 — ¿Por qué muchos norteamericanos criticaron la política exterior de la década de 1970? Si tú hubieras sido presidente, ¿qué cambios hubieras hecho en la política exterior? Explícalos.

7 — ¿Crees que Estados Unidos seguirá siendo una potencia mundial en la década de 1990?

8 — ¿Cuál ha sido, básicamente, el programa político de Reagan con relación a la Unión Soviética?

9 — ¿De qué manera la falta de un programa importante de educación e instrucción afecta la economía de algunas naciones de Centroamérica?

10— ¿Cuáles crees que son las causas principales que produjeron el fracaso de la Unión Soviética, Yugoslavia y Checoslovaquia?

VI. Aplicación de ideas y formación de juicios

Contesta a las preguntas siguientes. Asegúrate de apoyar tus ideas y opiniones a partir de tus lecturas o lo dicho en clase.

1 — En los últimos años, los Estados Unidos han intentado mantener relaciones amistosas con Israel y los países árabes vecinos a Israel. Estados Unidos ha proporcionado armas y otro tipo de ayuda a ambos lados. ¿Por qué han tratado los Estados Unidos de llevar esta política "equitativa" en el Oriente Medio? ¿Estás de acuerdo con esa política? Si los Estados Unidos hubieran apoyado sólo a un lado, ¿qué efectos hubiera tenido esta política sobre la paz mundial?

2 — En un intento de acabar con la guerra fría, los Estados Unidos trataron de establecer mejores relaciones con la Unión Soviética. Sin embargo, hay muchas áreas de conflicto entre los Estados Unidos y la principal potencia comunista. ¿Qué puede hacer Estados Unidos en el futuro para evitar una guerra con la Unión Soviética? ¿Qué puede hacer la Unión Soviética para evitar una guerra con los Estados Unidos?

3 — Considera los dos párrafos siguientes:

— El escándalo Watergate fue una mancha negra en la historia política de este país. Un comité de la Cámara de Representantes llegó a la conclusión de que el presidente de los Estados Unidos había obstaculizado la justicia, abusado del poder de su cargo, y desafiado al Congreso. En consecuencia, por primera vez un presidente fue forzado a dimitir.

— Watergate marca un punto decisivo en la política norteamericana. Demostró que un sistema de "verificación y equilibrio" sirve para corregir los abusos de poder. Además, a pesar del escándalo, el vicepresidente asumió el cargo de presidente de acuerdo con la Constitución.

¿Con qué párrafo estás más de acuerdo? ¿Por qué?

Capítulo 27

HACIA EL SIGLO XXI

Tecnología y Medio Ambiente

CAMBIOS TECNOLÓGICOS

Después de la Segunda Guerra Mundial, el desarrollo tecnológico en los Estados Unidos ha sido muy acelerado. Inventos y descubrimientos han cambiado notablemente las viejas industrias y han conducido al establecimiento de nuevas industrias. Los consumidores norteamericanos han conocido una gran cantidad de productos nuevos. Ha habido increíbles adelantos en los campos del plástico, las comunicaciones electrónicas y computadoras, la exploración espacial, los productos químicos, la energía nuclear y la ciencia médica.

Muchos de estos productos han sido creados por la *industria química*. Materiales sintéticos han aparecido en el mercado para su uso en telas, construcción de edificios, aplicaciones para el hogar y otros usos diferentes. La química moderna también nos ha dado preservativos más eficientes, pesticidas para controlar los insectos, fertilizantes para aumentar la producción agrícola y preparaciones para estimular el crecimiento de aves y ganado.

Quizás los avances más importantes se han dado en el campo de la *electrónica*. La invención del transistor para reemplazar el tubo al vacío fue un paso importante hacia la *tecnología de computadoras*. Gradualmente se han ido desarrollando computadoras más complejas y eficientes, y han producido una revolución en el proceso de datos y registro de los mismos. Hoy día las computadoras se usan tanto para diagnósticos médicos como para pronosticar el tiempo. Estamos en una fase del *uso de la máquina (electrónica) para controlar otras máquinas*.

Posiblemente el ejemplo de innovación tecnológica más espectacular es el de los *programas espaciales*. Desarrollando cohetes, satélites, vehículos lunares y otros materiales espaciales, se han descubierto productos nuevos o perfeccionado ciertos inventos. La investigación también ha provocado avances en la metalurgia, meteorología y medicina, lo cual aporta beneficios a millones de personas.

Hay quienes temen que el predominio de la automatización desplace a los trabajadores y cause desempleo. Pero la experiencia ha demostrado que tales cambios tecnológicos han llevado a la creación de un gran número de empleos, que no existían, en industrias nuevas. (Hay que vender, instalar y reparar las computadoras, por ejemplo). El uso de la automatización también ha servido para eliminar parte de lo rutinario del trabajo.

Pero las industrias que están más mecanizadas necesitan menos trabajadores que antes para producir la misma cantidad de mercancías. A muchos de los viejos trabajadores les ha sido difícil adaptarse a la especialización requerida en los nuevos empleos. A muchos trabajadores con poca preparación o experiencia les es imposible encontrar trabajo.

El desempleo crónico se ha convertido en uno de los problemas sociales y económicos de hoy, especialmente entre los adolescentes y grupos minoritarios.

LA CRISIS ENERGÉTICA

Durante la década de 1970, el pueblo de los Estados Unidos se percató de que los recursos naturales esenciales para la vida moderna se estaban reduciendo. Las grandes reservas de muchos minerales, de petróleo y de madera se estaban agotando.

El problema afecta a los Estados Unidos y a todo el mundo. Pero en los últimos años, los Estados Unidos, con cerca del 6% de la población mundial, han estado usando casi el 50% de toda la materia prima existente. Con el rápido crecimiento de la población y las riquezas y la gran demanda de mercancías por parte de los consumidores en todas partes del mundo, es difícil imaginar cómo se podrá continuar con esta situación durante largo tiempo.

Muchos recursos naturales son limitados. Una vez que se usan, no se pueden reemplazar. Esto ocurre con los depósitos petrolíferos. A la naturaleza le ha tomado millones de años formar estos depósitos y si se gastan en unas cuantas generaciones, habrá que encontrar algo que los sustituya.

Muchos norteamericanos parecen dar por sentado que seguirán disfrutando de su alto nivel de vida, consumiendo gran cantidad de

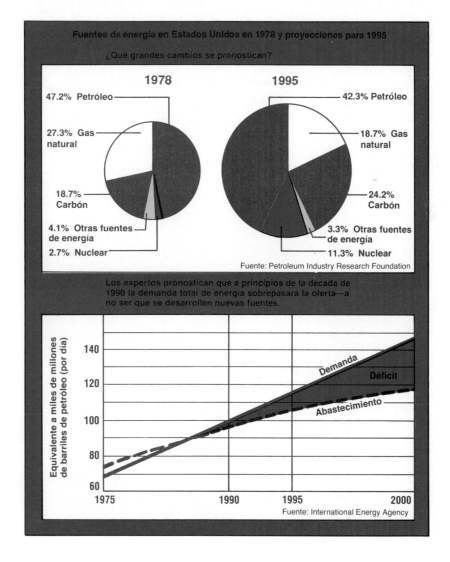

Fuentes de energía en Estados Unidos en 1978 y proyecciones para 1995

¿Que grandes cambios se pronostican?

1978
- 47.2% Petróleo
- 27.3% Gas natural
- 18.7% Carbón
- 4.1% Otras fuentes de energía
- 2.7% Nuclear

1995
- 42.3% Petróleo
- 18.7% Gas natural
- 24.2% Carbón
- 3.3% Otras fuentes de energía
- 11.3% Nuclear

Fuente: Petroleum Industry Research Foundation

Los expertos pronostican que a principios de la década de 1990 la demanda total de energía sobrepasará la oferta—a no ser que se desarrollen nuevas fuentes.

Equivalente a miles de millones de barriles de petróleo (por día)

Demanda — Déficit — Abastecimiento

Fuente: International Energy Agency

productos. Los economistas advierten que el actual consumo de las materias primas en los Estados Unidos no puede seguir. En el futuro, la ciencia tendrá que sustituir todos los productos naturales gastados. Pero no sabemos hasta qué punto la ciencia podrá emular a la naturaleza, además de que será muy costoso emularla o tratar de hacerlo.

La escasez de recursos se hizo evidente en la década de 1970 en el campo de la *energía*. Estados Unidos se vio amenazado con la falta de petróleo y gas natural. Anteriormente, sus habitantes habían disfrutado de cantidades ilimitadas de estos productos y a un precio relativamente bajo. Ahora el país tenía que depender de recursos extranjeros. En cualquier momento podrían cortar el abastecimiento y subir los precios. ¿Cómo podría el país funcionar sin suficiente gasolina para casi 125 millones de vehículos de motor? ¿Sin suficiente petróleo y gas natural para calefacción? ¿Sin suficiente combustible para hacer funcionar las plantas que generan energía?

Para tratar estos problemas, el gobierno federal creó en 1977 un nuevo *Departamento de Energía*, con un secretario que forma parte del gabinete presidencial. Su propósito era el de trabajar en programas y planes para conservar la energía y ayudar a desarrollar nuevas fuentes energéticas.

Todo el mundo está de acuerdo en que hay que encontrar nuevas fuentes de energía y no depender del petróleo, pero el desarrollo de esas otras fuentes ha sido muy lento.

El *programa de energía nuclear* que produce energía con reactores nucleares ha avanzado algo, pero se ha enfrentado a una seria oposición debido al miedo a posibles accidentes nucleares y al problema de la eliminación de peligrosos residuos radioactivos. El movimiento antinuclear se fortaleció tras un serio accidente ocurrido en la central nuclear de *Three Mile Island*, cerca de Harrisburg, Pennsylvania, en 1979. La planta se cerró sin riesgos pero los que se oponen a la energía nuclear se quejaron de que poco faltó para que ocurriera un gran desastre nuclear y de que la radiación de la planta defectuosa pudo haber afectado a muchos residentes del área. Esto no se sabrá con certeza durante muchos años.

La planta nuclear de Three Mile Island.

EL DESASTRE OCURRIDO EN CHERNOBYL

El 18 de abril de 1986, técnicos detectaron anomalías en el aire de una región de Escandinavia. Encontraron altos niveles de radiación. Un estudio de las corrientes de aire indicaba que la fuente de esta radiación procedía de la Unión Soviética. Aunque inicialmente negaron cualquier relación con este incidente, los soviéticos admitieron, finalmente, que había ocurrido un accidente en su estación de Chernobyl, localizada a unas 60 millas de Kiev, una ciudad importante.

En un principio, el gobierno soviético rehusó dar detalles del accidente y culpó a las naciones occidentales de exagerar lo ocurrido con el propósito de humillar a la Unión Soviética. Naciones colindantes que importaban productos comestibles de la Unión Soviética cortaron inmediatamente sus compras. Estudios satélites de la planta indicaban que el sistema de refrigeración había fallado, y como resultado el uranio usado para crear energía comenzó a fundirse, desprendiendo gases de hidrógeno que al mezclarse con el oxígeno empezó a arder con el calor, el cual alcanzó cerca de 9.000 grados Fahrenheit. La explosión resultante destruyó la planta, ocasionando un fuego en la parte central del reactor que estaba compuesta de grafito. La planta nuclear no tenía un domo o cúpula de contención tal como la de los reactores de los Estados Unidos. Como resultado, el núcleo del edificio reactor estalló en el aire intensificando el fuego y descargando la peligrosa radiación directamente en la atmósfera. El número de víctimas, según datos facilitados por las autoridades soviéticas, era de 23 personas, pero más tarde cientos de personas podrían correr el peligro de contraer cáncer.

En muchas naciones europeas, y por un período de tiempo, ciertas provisiones comestibles fueron contaminadas. Este desastre fue el accidente nuclear más serio ocurrido en el mundo.

LA CONSERVACIÓN DE ENERGÍA

La *energía solar* y la energía derivada de la utilización de *restos orgánicos* todavía no ha llegado a ser económicamente factible a gran escala.

Estados Unidos tiene grandes reservas de carbón, pero el continuo uso de ciertos tipos de carbón puede acarrear contaminación ambiental, perjudicial a los seres humanos. Algunos científicos creen que produce cáncer. También ha suscitado oposición la *excavación a cielo abierto* ("strip mining"). Se han propuesto nuevos usos del carbón, como la gasificación del material sólido, pero esto necesita nueva tecnología para que funcione.

Una de las mejores medidas que el pueblo norteamericano puede tomar para resolver el problema energético es *conservar energía*. Hay que evitar malgastarla. Nombremos algunas de las cosas que se pueden hacer:

- Utilizar automóviles más pequeños con motores más eficientes.
- Viajar en grupos, en menos autos ("car pools").
- Utilizar más los medios de transporte público.
- Reducir el uso de la electricidad.
- Bajar la temperatura de la calefacción en el invierno y utilizar menos el aire acondicionado en el verano.
- Reducir el uso de anuncios luminosos.

LA CONTAMINACIÓN AMBIENTAL

El problema de la contaminación del aire, la tierra y otras partes del medio ambiente ha sido ampliamente reconocido por la sociedad. El pueblo norteamericano parece que se ha dado cuenta de la situación y ha intentado controlarla de diferentes modos. Pero todavía falta mucho por hacer.

Los automóviles seguirán contaminando el aire de las ciudades hasta que haya sistemas adecuados de transporte público. Muchas industrias siguen contaminando las aguas y la atmósfera. Habría que tomar serias medidas para controlar tales industrias. También habría que preocuparse más por el diseño de las nuevas viviendas y los alrededores de las nuevas comunidades para hacerlas más atractivas y habitables.

Una de las dificultades es que las medidas que se toman para controlar la contaminación a veces requieren el uso de grandes cantidades de recursos energéticos, lo cual puede hacer subir los costos de los negocios, lo que a su vez produce precios más altos para el consumidor. En otras palabras, un programa para limpiar el ambiente puede dar la impresión de que interfiere con programas para ahorrar energía y combatir la inflación.

De igual modo, los comerciantes concuerdan en que las medidas para prevenir la contaminación pueden tener efectos negativos para nuevas inversiones. Por ejemplo, una corporación que quiere poner una planta química puede decidir que los costos serán demasiado altos si tiene que seguir reglas muy estrictas para la pureza del aire y del agua. Y la economía de los Estados Unidos necesita tal clase de inversión para poder continuar proporcionando trabajo y un alto nivel de vida a más de 250 millones de habitantes.

EL DESASTRE EN BHOPAL

En la mañana del 3 de diciembre de 1984, 2.500 personas murieron y otras 10.000 resultaron gravemente heridas en el accidente industrial más serio de la historia. Una planta americana propiedad de la Union Carbide, que fabricaba insecticidas en la India, se convirtió repentinamente en una pesadilla para los habitantes de Bhopal. Un producto químico conocido con el nombre de metilo isocanato comenzó a rezumar de un depósito de almacenamiento. Pero cuando el escape fue localizado y empezaron a tomar acciones para frenarlo, ya era demasiado tarde. Vientos del noroeste, en dirección a la ciudad india de Bhopal, llevaban el gas blanco mortal desprendido. Junto a numerosas personas, murieron también perros, vacas sagradas y búfalos. Muchas personas que no murieron en el instante sufrieron graves efectos causándoles incapacidad física tales como ceguera, infecciones en el hígado y en los riñones, daños en el cerebro, esterilidad, e incluso tuberculosis.

¿Podría ocurrir este accidente en una ciudad de cualquier nación industrial del mundo?

¿Podría ocurrir en los Estados Unidos? Este desastre suscitó un gran interés en los Estados Unidos. Como consecuencia de lo ocurrido, se presentaron en el Congreso proyectos de ley con la intención de asegurar los controles sobre la contaminación del aire. Unos treinta Estados han presentado ya leyes conocidas con el nombre de *"el derecho a saber"* exigiendo a la Agencia de Protección del Medio Ambiente regular los agentes contaminadores del aire. Esta Agencia ha dado a conocer una lista de 403 productos químicos considerados como "inminentemente peligrosos para la vida y para la salud". Tanto el Congreso como el cuerpo legislativo de varios Estados han comenzado a reaccionar para asegurar que este tipo de desastre no pueda ocurrir en los Estados Unidos.

Para un problema de esta clase no hay soluciones simples. Tenemos que continuar la búsqueda de medios más efectivos para hacerle frente a *todas* nuestras necesidades sociales y económicas, sin olvidar ninguna. En muchos casos habrá que tomar medidas preventivas. La meta es que haya un buen nivel de vida para todos, que haya seguridad sin poner vallas a las oportunidades para logros individuales, que haya la mayor libertad personal posible, que se conserven materiales escasos y se desarrollen sustitutos adecuados para ellos, que haya un ambiente saludable, atractivo y satisfactorio, y se obtenga la cooperación de todas las naciones para lograr que en el mundo haya prosperidad, seguridad y paz.

LA TRAGEDIA DEL "EXXON VALDEZ" EN ALASKA

El día 24 de marzo de 1989, el buque petrolero Exxon Valdez chocó con un escollo en Prince William Sound, en Alaska. Once millones de galones de petróleo crudo cayeron al agua. Esto es el equivalente a 270.000 barriles de petróleo. Fue el peor derrame de petróleo en la historia de los Estados Unidos. Biólogos marinos y especialistas del medio ambiente temieron inmediatamente que este trágico suceso dañaría la vida marina de Prince William Sound. Temían que las nutrias, ballenas, marsopas, aves marinas y peces podrían morir como resultado de esta catástrofe. Grandes zonas de playa también podrían ser contaminadas. La limpieza costaría muchos millones de dólares y pronto surgió la pregunta de quién pagaría por todo ello.

El Estado de Alaska y el Gobierno Federal acusaron a la compañía Exxon como responsable de este accidente. Exxon llevó a cabo la limpieza de toda el área afectada por el desastre. Sin embargo, tanto el Estado de Alaska como el Gobierno Federal insisten que esta limpieza no ha eliminado el daño ocasionado.

El Gobierno Federal ha entablado una demanda judicial contra Exxon en la Corte Federal del Distrito de Anchorage, Alaska.

Problemas Sociales

A partir de la década de 1950, las reformas sociales en los Estados Unidos han tenido un nuevo empuje y objetivo: proteger los derechos de los grupos minoritarios. Estas nuevas reformas comenzaron con el intento de mejorar las condiciones de vida de la población negra. Más tarde se ha comenzado a pensar en otros grupos minoritarios como el pueblo indio, la población mexicano-americana y la comunidad puertorriqueña, entre otros.

La nueva reforma no se ha limitado a los grupos raciales. Se han organizado otros grupos como el de las mujeres, el de los ancianos, el de los pobres y el de los jóvenes.

Quizás la mayor prueba a las modernas reformas es la condición de los pobres. A principios de la década de 1960, un escritor llamado Michael Harrington escribió un libro llamado *La Otra América*, en el que indicaba que hay millones de personas en los Estados Unidos que viven en la miseria y que tienden a hacerse invisibles dentro de la sociedad. A esta gente no se debe olvidar, hay que ayudarla.

LOS DESAMPARADOS

¿Qué les ocurre a las familias que se ven forzadas a dejar sus hogares debido a incendios, inundaciones, o algún otro tipo de desastre ocasionado por el ser humano o por causas naturales, y se ven incapacitadas para afrontar los gastos que produce el alquilar otro lugar para vivir? ¿Qué les ocurre a los ancianos que viven en edificios que son demolidos con la idea de construir edificios de lujo y no pueden pagar el precio tan alto de los nuevos alquileres? ¿A dónde pueden ir? Y, ¿qué les ocurre a esas madres jóvenes que tienen niños pero que carecen de una profesión o de estudio y tampoco tienen trabajo ni marido que las sostengan? ¿Qué les ocurre a los jóvenes que se escapan de sus casas y a los niños que quieren salir de sus hogares debido a los graves problemas que viven, y tratan de buscar un refugio en cualquier lugar? Estas personas son los nuevos desamparados, las personas sin hogar que proceden de todas las razas étnicas, religiones y edades. Todas estas personas tienen algo en común: No tienen un lugar donde vivir.

No todas estas personas son drogadictos, alcohólicos, mujeres desaliñadas, o vagos. Son seres humanos que simplemente no pueden salir adelante en sus vidas. Se ven sucios, huelen mal, y generalmente tienen mal aspecto. Pero hay que tener en cuenta que estas personas desamparadas no tienen casas ni grandes facilidades como para mantenerse constantemente limpios y aseados.

En las grandes ciudades, el número de estas personas está alcanzando proporciones casi epidémicas, e incluso en las ciudades pequeñas se les comienza a ver deambulando por las calles. ¿Por qué ha ocurrido esto? Hay un número de razones. La construcción de apartamentos para personas de ingresos bajos y medios ha disminuido considerablemente. Los costos de la construcción han aumentado mucho y la inversión en tales edificaciones ha dejado de ser rentable para algunos constructores. Para estos inversionistas, les es más rentable construir edificios para oficinas y apartamentos de lujo. La renovación de las zonas urbanas ha hecho que muchos barrios viejos se hayan convertido en zonas valiosas. Los propietarios de edificios de apartamentos cuyos alquileres están bajo control prefieren que los viejos inquilinos o que las personas pobres que viven en ellos los evacúen para poder alquilarlos a mucho más precio. Algunos propietarios usan una variedad de técnicas para atemorizar a sus inquilinos y forzarlos a salir de los apartamentos: cortando servicios esenciales como el agua y el gas; amenazando sus vidas; o, no dándoles calefacción. Algunas de estas áreas urbanas se han deteriorado y se han convertido en centros de la droga y del crimen. Muchas de estas personas pobres y ancianas que han sido forzadas a salir de sus casas se han convertido en gentes sin hogar.

En los Estados Unidos, el resultado de todo esto ha sido lo que ha creado esta subcultura... *Los desamparados*, las personas sin hogar. Muchas de estas personas han sido forzadas a ir a asilos y lugares de refugio; otras personas se resisten a vivir en estos sitios y buscan cualquier espacio en donde haya un poco de calor. La unidad de la familia se rompe, y la miseria y las enfermedades aumentan. ¿Cuál es la respuesta a este problema? La sociedad todavía busca la solución.

LOS DERECHOS DE LA MUJER

Durante el siglo XIX, la mujer norteamericana luchó por sus derechos legales, tal como el derecho al voto. Recientemente, la lucha que ha sostenido la mujer para lograr sus derechos se ha conocido con el nombre de *Movimiento de los Derechos de la Mujer*. El objetivo del Movimiento ha sido lograr más derechos sociales y económicos. Una de las líderes más sobresalientes de esta lucha ha sido Gloria Steinem, y es preciso destacar también a otra mujer, Betty Friedan, fundadora de una de las organizaciones más importantes llamada *Organización Nacional para la Mujer*, más conocida como NOW. La cita siguiente es una sección del programa NOW:

"Ha llegado la hora de crear un nuevo movimiento dirigido a conseguir la verdadera igualdad para todas las mujeres de los Estados Unidos. El poder de la ley y la protección que garantiza la Constitución de los Estados Unidos a los derechos civiles de todos los individuos debe cumplirse para eliminar la discriminación sexual, para asegurar la igualdad en el trabajo y en la educación, para lograr la igualdad de los derechos políticos y civiles de la mujer, así como de la población negra y de otros grupos privados de sus derechos."

La declaración de NOW promulgaba que la mujer no debería verse forzada a elegir entre ser esposa y madre, o tener una carrera fuera del hogar. La creación de guarderías infantiles haría posible que las mujeres fueran madres y a la vez trabajaran fuera del hogar.

En los años que siguieron a la promulgación de NOW, se consiguieron algunos de esos objetivos. Una nueva legislación sobre "la igualdad de oportunidad en el trabajo" posibilitó a muchas mujeres conseguir trabajos que previamente sólo podían realizar los hombres. Asimismo, una nueva legislación sobre el salario posibilitaba a la mujer recibir, por el mismo trabajo que desempeñaba el hombre, el mismo salario que él.

En 1972, se propuso una nueva enmienda a la Constitución, que promulgaba lo siguiente: "La igualdad de derechos ante la ley no será negada por los Estados Unidos o por ninguno de los estados por razones de sexo". Esta enmienda se conoció con el nombre de ERA.

Aquellos que apoyaban los derechos de la mujer estaban a favor de la enmienda. Sostenían que la enmienda garantizaría que la mujer recibiera en su puesto de trabajo el mismo tratamiento que el hombre ya fuera al frente de un negocio, o recibiendo igual salario por el mismo trabajo. Los que se oponían a esta enmienda temían que con el ERA se terminaría el trato que favorecía a muchas mujeres cuando se divorciaban, al no tener que trabajar en turnos de tardes, o librarse de tareas arduas durante el servicio militar.

La enmienda ERA tenía que ser ratificada, no más tarde de 1979, por las tres cuartas (¾) partes de los estados. En 1979 todavía no había sido aprobada. El Congreso extendió la fecha límite a 1982, pero la enmienda ERA fracasó porque un buen número de estados no pudieron ratificarla. Sin embargo, aunque la enmienda no fue aprobada, la mujer ha aumentado en gran medida sus derechos y se está aproximando a lo que podría ser una verdadera igualdad.

LA DROGA Y EL ABUSO DEL ALCOHOL

Uno de los problemas sociales más graves que vive el pueblo norteamericano es el abuso de las drogas y el alcohol. Se calcula que alrededor de un millón y medio de personas son adictas a la heroína, cerca de diez millones usan la cocaína, y más de veinte millones usan la mariguana. Estas estadísticas explican la gran preocupación existente. Sin embargo, hace relativamente poco tiempo que el público ha tomado conciencia de los peligros que encierra el abuso de la droga y del alcohol.

En los años de 1800, no había leyes federales que regularan el uso de las drogas que tienen poder de adicción. La morfina podía comprarse sin necesidad de prescripción médica y el hachís se anunciaba legalmente. Muchas de estas drogas estaban consideradas como necesarias y efectivas para reducir el dolor producido por enfermedades. Aunque los médicos de estos años de 1800 no sabían cómo tratar muchas enfermedades, recomendaban a los enfermos tomar dichos narcóticos para que pudieran sentirse mejor. Por ejemplo, prescribían el uso del opio para enfermedades tales como inflamaciones, neumonía, reumatismo y diabetes.

Entre 1885 y 1910, la cocaína podía comprarse libremente tanto en tiendas y farmacias como por correos a través de catálogos. Muchos la consideraban como una droga milagrosa. Aunque se recomendaba para remediar la sinusitis y la fiebre alta, la cocaína se usaba para "curar" todo, desde el dolor de muelas hasta la depresión. La heroína se consideraba como un calmante efectivo. Alrededor del año 1900, más de un millón de norteamericanos eran adictos a la cocaína, al opio, y a otras drogas.

A medida que empezó a conocerse que estas drogas eran adictivas, y a aumentar el número de consumidores, el Congreso decretó en 1914, la Ley de Antinarcóticos Harrison. Era la primera ley dirigida a combatir el abuso de la droga. En la década de 1920, comenzó la prohibición, y la manufactura y venta de sustancias tóxicas se hizo ilegal. La decimoctava (18) Enmienda de Ley de la Constitución de los Estados Unidos (1919) no solo prohibía bebidas alcohólicas, sino, al mismo tiempo, el gobierno tomaba medidas enérgicas para limitar el uso de drogas. La nueva Agencia Federal de Narcóticos afirmaba que se había reducido el número de adictos. Sin embargo, estas medidas estrictas ocasionaron un comercio clandestino de la droga.

Entre los años 1933 y 1945, llegaron a los Estados Unidos grandes cantidades de mariguana. Después de la Segunda Guerra Mundial, aumentó el consumo de la droga. La heroína comenzó a extenderse entre los jóvenes que vivían en los suburbios de la ciudad así como en los barrios de clase media. En los años de 1950 a 1960, se abusaba de las anfetaminas, también conocidas con el nombre de "píldoras estimulantes" o "veloces". Esto producía algunas veces dependencia de la droga o enfermedad mental. Algunos estudiantes y hippies experimentaron también con el LSD, un alucinógeno peligroso.

Aproximadamente, alrededor de 1970, comenzó a disminuir la adicción a la heroína, pero, sin embargo, aumentó el abuso de la cocaína. Y en los años de 1980, muchos norteamericanos comenzaron a usar el "crack", una forma de cocaína muy adictiva. Hoy día, el problema de la droga se ha convertido en epidémico, y representa uno de los problemas más graves de los Estados Unidos.

Cada año se gastan en los Estados Unidos 140.000 millones de dólares en el consumo de drogas ilegales. El año pasado, 37 millones de norteamericanos usaron drogas ilegales. Seis millones de norteamericanos usan diariamente la mariguana.

En los últimos siete años, el gobierno de los Estados Unidos ha gastado más de 24.000 millones de dólares para luchar contra la droga. La DEA (Drug Enforcement Agency – Agencia para Combatir las Drogas), encabeza estos esfuerzos. Pero, todos los gabinetes del gobierno norteamericano, y actualmente, al menos tres docenas de agencias del gobierno, luchan hoy contra la droga.

En el mes de agosto de 1989, el presidente George Bush anunció un plan de ayuda a Colombia en su lucha para controlar y eliminar la droga así como a las organizaciones que la distribuyen. Bush presentó a la nación un gran programa anti-droga, el cual empezó a ser implantado.

El día 15 de febrero de 1990, Bush viajó a Cartagena, Colombia, para reunirse con los presidentes de Colombia, Perú y Bolivia, con el objetivo de llevar a cabo un programa de cooperación entre sus gobiernos para combatir el problema de la droga.

Coincidiendo con el viaje de Bush, la universidad de Michigan dio a conocer un estudio realizado sobre el nuevo uso de las drogas entre los estudiantes norteamericanos. Dicho estudio mostraba un descenso considerable en el uso de la mariguana. En 1988, 17 por ciento de los estudiantes en el último año de bachiller superior afirmaban que habían usado mariguana durante el mes anterior. En 1979, sin embargo, el porcentaje fue de un 37 por ciento. Si bien en el consumo de mariguana se reflejaba un descenso notable, no lo fue así en el estudio que se realizó del uso del "crack" o de drogas fuertes.

¿Por qué es tan difícil combatir el tráfico de la droga? Una respuesta a esta pregunta es el dinero. Para las naciones que las producen, organizaciones del crimen, y los traficantes de drogas, éstas representan un negocio provechoso. Más de 33 millones de norteamericanos son adictos o bien a las drogas o al alcohol.

Muchos legisladores y autoridades locales piden hoy que el gobierno de los Estados Unidos, tanto en su política interior como exterior, considere la lucha contra la droga como el problema más importante que hay que resolver. Ellos dicen que el abuso de la droga representa hoy "la amenaza más grande a nuestra seguridad nacional". El representante del gobierno en el estado de New York, Charles Rangel, jefe del Comité elegido por la Cámara de Representantes sobre el Control del Abuso de Narcóticos, afirmaba: "Los comunistas no son los que están matando a nuestros niños. Son las drogas y los traficantes de la droga".

EL SIDA

Hace menos de diez años, la gente estaba casi convencida de que las enfermedades infecciosas no representaban ya una amenaza para los países desarrollados del mundo. Se pensaba que las enfermedades no infecciosas, tales como las enfermedades del corazón, el cáncer y las enfermedades que adolece la vejez, serían las de mayor preocupación. Sin embargo, alrededor de 1980, la enfermedad del SIDA cambió tanto las convicciones populares como el pensamiento científico.

SIDA quiere decir *Síndrome Inmune de Deficiencia Adquirida*, una enfermedad que hoy no tiene cura. Está causada por un nuevo virus, el virus humano de inmuno-deficiencia, conocido por (HIV), que destruye el sistema de inmunidad del cuerpo, haciéndolo incapaz de luchar incluso contra pequeñas infecciones. El virus conduce a una serie de enfermedades serias y mortales. Y se extiende por la sangre, por medio de partículas infectadas del virus que permanecen en las jeringuillas, a través del acto sexual, y de madre a hijo.

En los Estados Unidos, en julio de 1988, un total de 66.464 adultos y niños eran víctimas del SIDA. De éstos, 37.535 —más de la mitad— han muerto. Es posible el estar infectado por HIV por años sin mostrar síntoma alguno de la enfermedad. El Departamento de Salud y Servicios Humanos de los Estados Unidos nos dice que "es posible estar infectado por años, sentirse bien, lucir bien y no saber que está infectado, excepto si se hace un análisis del virus del SIDA." Sin embargo, durante este período, las personas infectadas con el virus del SIDA pueden pasar el virus a su pareja sexual, a personas con quienes comparten la misma jeringuilla para inyectarse drogas, y a niños antes o durante el parto. Una vez que aparecen los síntomas, estos son similares a los síntomas de cualquier otra enfermedad. Conforme la enfermedad progresa, el virus del SIDA no deja que las defensas naturales del cuerpo funcionen correctamente.

Aunque el SIDA se ha extendido por el norte y sur de América, así como por Europa occidental, no ha tenido, sin embargo, mucho impacto en Asia. Por otra parte, en África, el SIDA se ha convertido en uno de los mayores problemas de salud que tiene la población de los países en ese continente. Se estimaba que, a mediados de 1988, había más de 100.000 casos de SIDA en África. Se estima también que si la enfermedad continúa extendiéndose, habrá más de 400.000 casos en los próximos cinco años en las zonas urbanas de los países africanos. Al menos tres millones de africanos están infectados con el virus HIV, según datos de la Organizacion Mundial de la Salud de las Naciones Unidas. En África, a diferencia del mundo industrializado, el SIDA se extiende principalmente por contacto heterosexual.

La Era Espacial

LA FRONTERA ESPACIAL: "El ÁGUILA HA ATERRIZADO"

"Houston, ésta es 'Tranquility Base'. ¡El Águila ha aterrizado!" Estas palabras, pronunciadas por el astronauta *Neil Armstrong* fueron transmitidas desde la Luna a las 4:17 de la tarde del domingo 20 de julio de 1969. Armstrong y su copiloto el *coronel Edwin E. Aldrin, Jr.* habían descendido a la superficie de la Luna a bordo de una cápsula espacial. Arribaron al lugar conocido como Mar de la Tranquilidad.

Seis horas más tarde, salían de su cápsula para dar los primeros pasos en la superficie de la Luna. Estados Unidos había llegado a la frontera del espacio, el ejemplo más reciente del ardiente deseo, siempre presente, de conquistar otra frontera.

LOS COMIENZOS DE LOS COHETES

Los seres humanos siempre habían soñado con llegar a la Luna. Pero sólo pudo hacerse con el desarrollo de los cohetes.

La historia de la gran aventura norteamericana en el espacio comienza con los cohetes y con el científico norteamericano Robert Goddard, a quien se llama a veces "el padre de los cohetes". Hacia 1926, este científico hizo volar un pequeño cohete propulsado por combustible.

Tras los logros de Goddard, los avances más importantes se llevaron a cabo en Alemania ya que los alemanes estaban interesados en los cohetes como armas bélicas. Hacia finales de la Segunda Guerra Mundial, Alemania produjo el cohete *V-2* que armado con explosivos, era un arma mortal.

Al finalizar la Segunda Guerra Mundial, las fuerzas norteamericanas capturaron a varios alemanes expertos en cohetes y los llevaron a los Estados Unidos. Uno de éstos era el *Dr. Werner von Braun*, científico alemán que contribuyó más tarde a la tecnología espacial estadounidense.

SPUTNIK I. COMIENZA LA ERA ESPACIAL

La era espacial comenzó el 4 de octubre de 1957 cuando Rusia envió el primer satélite hecho por el hombre al espacio. Pesaba 184 libras y se llamaba *Sputnik I*.

Esto sorprendió y alarmó a los Estados Unidos. En aquella época, Estados Unidos estaba compitiendo con Rusia en el terreno de las armas atómicas. Esta carrera había

El 27 de junio de 1982, la nave espacial Columbia despega para realizar una órbita circular de 241.000 kilómetros. Esta fue la última prueba antes de empezar el sistema de transporte espacial.

comenzado en el año 1949 cuando los rusos construyeron su primera bomba atómica. (Estados Unidos había producido dicha bomba en 1945). Desde entonces, los Estados Unidos intentaban aventajar a Rusia en las investigaciones científicas y técnicas. El exitoso lanzamiento del *Sputnik I* fue un serio golpe para el prestigio norteamericano.

Pero el asunto era más grave. ¿Qué pasaría si los rusos desarrollaban un sistema de armas basado en los satélites en órbita alrededor de la tierra? Esto era un gran peligro para la seguridad de los Estados Unidos.

Como consecuencia, muchos ciudadanos comenzaron a pedir más fondos federales para los programas espaciales. La carrera de armas se convirtió en la "carrera del espacio".

LA NASA — SE ESTABLECE UN CENTRO DE OPERACIONES

En abril de 1958 el control de los programas

espaciales fue dado a una agencia civil del gobierno. Se creó la *NASA (National Aeronautics and Space Agency)* que se encargó de los programas espaciales de los Estados Unidos.

Bajo la supervisión de la NASA, los programas espaciales comenzaron a ser más ambiciosos. En vista del éxito de los rusos, el Congreso proveyó con más dinero a los programas espaciales y se comenzó a trabajar en el proyecto *Mercurio*.

El proyecto *Mercurio* fue diseñado para enviar a un hombre alrededor de la órbita de la Tierra. En enero de 1961 se consiguió un éxito parcial cuando Estados Unidos puso en órbita al chimpancé *Ham*. Ham volvió a la tierra en buenas condiciones físicas. Parecía que el cuerpo y el sistema nervioso humano podrían soportar la tensión del vuelo espacial.

Se avanzó todavía más cuando el astronauta *Alan Shepard* fue lanzado en una cápsula Mercurio a un vuelo suborbital durante 15 minutos, el 5 de mayo de 1961. Shepard fue el primer héroe espacial de este país. Pero este éxito no fue muy importante; casi un mes antes, la Unión Soviética había protagonizado otra importante "primicia". El 12 de abril de 1961, *Yuri Gagarin* se convirtió en el primer ser humano que rodeó la Tierra en una cápsula espacial.

Como muchos norteamericanos, el presidente *John F. Kennedy* vio este nuevo triunfo soviético como un fracaso de los Estados Unidos. Quería recuperar el prestigio de la nación. Y decidió de inmediato que se seguiría un programa espacial intensivo para que un norteamericano llegara a la Luna. En un discurso al Congreso dijo el presidente:

"Creo que esta nación se debe proponer, antes de que esta década termine, enviar un hombre a la Luna y conseguir que regrese en buenas condiciones a la Tierra".

LA TÉCNICA ESPACIAL SE PERFECCIONA

Como resultado de la decisión de Kennedy y de la presión de la opinión pública, el Congreso acordó conceder más dinero a la NASA y al proyecto Mercurio. El 20 de febrero de 1962 el astronauta *John Glenn*, dentro de la cápsula Mercurio *Friendship 7*, fue lanzado en órbita alrededor de la Tierra por el cohete *Atlas*. Glenn se convirtió en el primer norteamericano en órbita.

Cuando se completó el programa Mercurio, la NASA comenzó una segunda fase en un programa para conseguir que un hombre llegara a la Luna: el programa *Géminis*. Consistía éste en diez vuelos, de dos tripulantes cada uno, en vehículos espaciales en órbita de la Tierra. Estos vuelos, como los del Mercurio, eran preliminares al vuelo para llegar a la Luna.

En los vuelos Géminis, los astronautas perfeccionaban el dominio de sus cápsulas. También aprendieron a enlazar dos vehículos espaciales. Otras de las actividades del programa eran la mayor duración de los vuelos y la entrada de regreso en la atmósfera.

Como resultado de toda esta actividad, Estados Unidos no sólo aventajó a los rusos en la carrera espacial sino que se puso a la cabeza de las empresas espaciales en el mundo.

PROYECTO *APOLO* — LA LLEGADA A LA LUNA

El proyecto *Apolo* siguió al *Géminis*. Durante los vuelos *Apolo*, la tercera y última parte del programa, los astronautas americanos llegarían, con toda seguridad, a la Luna.

En el proyectado descenso a la Luna, un vehículo de aterrizaje lunar pequeño de dos tripulantes se separaría de un vehículo mayor de mando que seguiría en órbita de la Luna. El vehículo de aterrizaje bajaría a la superficie del satélite; y después de una corta "visita", volvería a despegar del mismo para volver a unirse con el vehículo de mando en el espacio.

Durante la construcción de la nave Apolo y del cohete Saturno que la propulsaría, ocurrió un trágico accidente. El 27 de enero de 1967, los tres tripulantes del *Apolo 1* murieron en un incendio que destruyó su nave.

Pero el programa Apolo no fue todo tragedia. En realidad, fue un éxito detrás de otro, comenzando con el vuelo de *Apolo 8* en octubre de 1968, que transportó a seres humanos alrededor de la Luna por primera vez. Luego el Apolo 10 llevó a los astronautas a nueve millas de la Luna. El objetivo del programa estaba a la vista. La misión que el presidente Kennedy se había propuesto ocho años atrás estaba en camino de ser toda una realidad.

Como dijimos anteriormente, el *Apolo 11* fue el que descendió en la Luna. Cuando Neil Armstrong y el coronel Edwin E. Aldrin, Jr. pusieron sus pies en la Luna, el mundo entero los observó con asombro. Ese caluroso día de julio de 1969, millones de televidentes vieron a dos astronautas norteamericanos —a dos seres humanos— caminar en la Luna. El *Águila* (su vehículo) había alunizado. La exploración detallada de la superficie de este satélite iba a empezar. El ambicioso programa Apolo, que costó veinticinco mil millones de dólares, fue todo un éxito.

Un astronauta tratando de guardar equilibrio en la Luna (izquierda). La huella de Armstrong en la superficie del satélite (derecha).

REVALUACIÓN Y REPLIEGUE

Para muchos, la llegada a la Luna fue la mayor empresa del siglo XX. Pero para otros, fue una pérdida de tiempo y dinero. Aunque se obtuvo mucho conocimiento con los cinco vuelos que siguieron, éstos parecieron insignificantes. Una vez pasada la primera impresión de la maravilla de los viajes espaciales, la gente comenzó a acostumbrarse a ello y a verlos como meros viajes aéreos.

Otras causas también contribuyeron al desencanto. Por ejemplo, la lucha por los derechos civiles continuaba acaparando la atención de la nación. Los problemas sociales y económicos empeoraban. Por lo tanto, muchos ciudadanos comenzaron a criticar los programas espaciales; se preguntaban si el dinero invertido en los proyectos espaciales no podía ser empleado en algo mejor. Para estas personas, era preferible mejorar las condiciones de vida en la tierra que extender las fronteras al espacio.

EXPLORACIONES ESPACIALES RECIENTES

Estados Unidos ha continuado con los programas espaciales en los últimos años, pero a una escala más modesta que anteriormente. En 1973, una estación espacial, el *"Skylab"*, fue puesta en órbita alrededor de la Tierra. Tres tripulaciones diferentes pasaron varias semanas en el "Skylab" haciendo experimentos científicos. En 1976, se lanzaron vehículos espaciales sin tripulación a Marte, que enviaron espléndidas fotos de este planeta. También se han realizado varios experimentos de encuentro y acoplamiento ejecutados por soviéticos y norteamericanos.

En 1981 la nave espacial Columbia fue enviada al espacio. Era la primera nave espacial que se usaba por segunda vez. Se diseñó para acoplarse a otra nave espacial de tal forma que pudiera transportarse de una base a otra. El primer vuelo lo realizó con mucho éxito. Desde el momento en que despegó de Cabo Cañaveral (Cape Canaveral) hasta que ate-

La nave espacial Columbia regresa después de su tercer viaje. Pasó ocho días en órbita. Para llevarla de New Mexico, donde aterrizó, al centro espacial de NASA en Florida, se utilizó un avión especial 747.

rrizó en California, la nave dio un total de 36 vueltas alrededor de la Tierra. John Young y Robert Crippen fueron los pilotos astronautas. Después de este feliz viaje, el Columbia hizo uno más en 1981 y tres más en 1982.

En abril de 1983, Challenger, la nave hermana de Columbia, realizó su primer viaje espacial. En junio hizo otro nuevamente; esta vez llevaba a bordo la primera mujer astronauta norteamericana, Sally K. Ride. El viaje que hizo el Challenger en febrero de 1984 fue otro acontecimiento histórico en la conquista del espacio. En este viaje, Bruce McCandless pidió permiso para abandonar la nave en pleno vuelo. Fue la primera persona que permaneció flotando en el espacio sin depender de un cable de salvamento que saliera de la nave. Lo importante de esta misión espacial, que pronto fue repetida por el astronauta Robert Stewart, fue que permitió a los astronautas volar en el espacio sin ningún cable o correa que los uniera a la nave, con la ayuda única de un aparato que les permitía flotar y maniobrar en cualquier dirección que desearan.

El programa espacial de los Estados Unidos sufrió el accidente más serio de su historia cuando la nave Challenger estalló al despegar de Cabo Cañaveral (Cape Canaveral), el 28 de enero de 1986. En este accidente perdieron la vida siete astronautas, entre ellos la maestra Christa McAuliffe, la primera mujer civil seleccionada para este programa.

Este fue el peor desastre de los vuelos espaciales. Se hizo una investigación profunda para determinar las causas del desastre. Se realizó una revisión completa de todo el sistema de la nave. Cada parte fue revisada minuciosamente para que pudiera garantizarse que el cohete espacial no ofrecía peligro alguno. Se hicieron mejoras a la sección propulsora del cohete, la órbita, los motores más importantes, y los tanques de propulsión.

El resultado fue el diseño de una nueva nave espacial llamada "Descubrimiento". En octubre de 1988, 32 meses después del desastre ocurrido con el "Challenger", Estados Unidos se encontraba de nuevo en condiciones de explorar el espacio. El "Descubrimiento" fue lanzado con éxito desde el Centro Espacial Kennedy. El presidente Reagan dijo que los "Estados Unidos regresaban de nuevo el espacio", añadiendo, en aquel momento, que tenía "los dedos cruzados como todo el mundo".

Uno de los acontecimientos espaciales más importantes de finales de la década del 80 ha sido la extraordinaria información transmitida desde el espacio por la nave "Voyager", que había sido lanzada en el año 1977.

En 1989, "Voyager" tomó fotos del planeta Neptuno y de varios de sus anillos y lunas. Las fotos presentaban a los científicos una nueva y valiosa información de datos astronómicos.

EXPLORACION DE HECHOS Y OPINIONES

I. Para mejorar tus conocimientos

Define, describe o identifica cada uno de los términos siguientes. Muestra cómo está conectado cada uno de ellos con la política norteamericana.

1—NASA
2—John Glenn
3—Sputnik
4—Werner von Braun
5—John F. Kennedy
6—Robert Goddard
7—Apolo 2
8—Columbia
9—Yuri Gagarin
10—Mercurio y Géminis
11—Challenger

II. Preguntas

Contesta a las preguntas siguientes. Acompaña tus respuestas con ejemplos o información específica.

1 — ¿Cómo influyó Rusia en el programa espacial norteamericano?

2 — Imagina que los pobres fueran más "visibles" y estuvieran menos "alejados". ¿Crees que habría más organizaciones para ayudarlos? ¿Por qué sí o por qué no?

3 — ¿Por qué fue importante el éxito del programa Apolo para los Estados Unidos y para el mundo?

4 — ¿Por qué los Estados Unidos comenzó a reducir su programa espacial a principios de la década de 1970?

5 — Algunas personas se oponen al movimiento feminista. Arguyen que los hombres y las mujeres son básicamente diferentes y que cada sexo debe tener una función distinta en la sociedad. ¿Estás de acuerdo o no con este punto de vista? ¿Por qué?

6 — ¿Cuál fue el aspecto más importante del proyecto Columbia?

III. Conceptos

Los términos que siguen representan conceptos, ideas amplias que han jugado un papel importante en la experiencia norteamericana. Con tus propias palabras escribe una pequeña definición de cada una de ellas.

1—Tecnología de computadoras
2—Automatización
3—Contaminación
4—Cohetes y tecnología espacial
5—Crisis energética
6—Era espacial
7—Movimiento antinuclear
8—Uso y abuso de la droga

IV. Ideas organizadas

Siguen cuatro "ideas organizadas". Cada una perfila hechos y conceptos estudiados en este capítulo y hace una generalización. Basándote en tus lecturas y lo dicho en clase, da ejemplos específicos que aprueben o desaprueben estas ideas.

1 — Los logros tecnológicos van precedidos de un período de investigación científica, descubrimiento y pruebas.

2 — La disponibilidad de grandes cantidades de "hombres, dinero y materiales" para la investigación, frecuentemente acelera los descubrimientos científicos y el desarrollo tecnológico.

3 — El prestigio de una nación casi siempre está relacionado con sus logros científicos y técnicos.

4 — La competencia entre las naciones no siempre es motivada por la guerra. También puede existir una competencia intelectual o científica.

V. Ideas para construir

1 — ¿Por qué crees que el prestigio de una nación es tan importante en la "carrera espacial"?

2 — ¿Crees que el presidente Kennedy debía haber dado el mismo énfasis a otros programas como lo hizo con el programa espacial? Si lo crees así, ¿qué crees que podía haber hecho? Y si no, ¿por qué?

3 — ¿Crees que las medidas basadas en la voluntad de los ciudadanos pueden ser efectivas para conservar el petróleo y otros combustibles?

4 — ¿Qué se puede hacer para extender el abastecimiento de energía en los Estados Unidos?

5 — ¿Cómo pueden afectar a tu vida diaria las limitaciones o la reducción de energía?

6 — ¿Qué programas se han llevado a cabo para prevenir la contaminación del medio ambiente? ¿Qué medidas se pueden tomar para el futuro?

7 — ¿Cómo podrías comparar las hazañas de los astronautas con las de los exploradores de los siglos XV y XVI?

8 — ¿Por qué crees que los alemanes expertos en cohetes estaban dispuestos a trabajar para los Estados Unidos?

9 — ¿Qué importancia tiene el viaje espacial de Sally K. Ride?

VI. Aplicación de ideas y formación de juicios

Contesta a las preguntas siguientes. Asegúrate de sostener tus ideas a partir de tus lecturas y lo dicho en clase.

1 — Cuando Armstrong llegó la Luna dijo: "Esto es un paso pequeño para un hombre y un salto gigante para la raza humana". ¿Qué crees que quiso decir? ¿Estás de acuerdo o en desacuerdo? ¿Por qué?

2 — Los Estados Unidos y la Unión Soviética firmaron un tratado por el que se prohibían las armas en el espacio. Pero sólo han sido capaces de llegar a un limitado acuerdo para reducir las armas en la Tierra. ¿Cómo te explicas esta aparente contradicción?

3 — El poeta americano Carl Sandburg dijo una vez: "El sendero del destino americano ha sido siempre hacia lo desconocido". ¿En qué medida la historia de la expansión territorial norteamericana y la exploración del espacio aprueban o desaprueban las observaciones de Sandburg?

4 — Imagina que criaturas de otros planetas lleguen a la Tierra. ¿Qué efectos sociales, políticos, militares y espirituales tendrían en el mundo? ¿Por qué?

Capítulo 28

LOS ESTADOS UNIDOS— UNA NACION DE INMIGRANTES

TODOS SOMOS INMIGRANTES

La población norteamericana procede de diferentes naciones y culturas. Todos juntos han formado una nación.

Observa cuidadosamente la fotografía.

Muestra una escena en las calles de New York por el año 1900. La mayoría de las personas de esta fotografía son inmigrantes, personas que han venido del país donde nacieron y han formado un nuevo hogar en esta tierra.

¿QUÉ ES UN INMIGRANTE?

El presidente John F. Kennedy describió una vez al pueblo de su país con estas palabras: "Todos nosotros somos inmigrantes". Con esto quería decir que los habitantes de los Estados Unidos o sus antepasados llegaron de otras tierras, de otros países.

Los primeros pobladores, los indios, llegaron del norte de Asia hace miles de años. Más tarde, españoles, franceses e ingleses llegaron a establecerse en las colonias. También llegaron negros de África, pero encadenados, víctimas de la esclavitud.

Más tarde, oleadas de inmigrantes llegaron de Europa y Asia. En unos 100 años, entre 1820 y 1920, más de 33 millones de personas llegaron a los Estados Unidos procedentes de países extranjeros.

Estados Unidos se convirtió en una nación de "grupos étnicos", personas con pasados culturales y raciales completamente diferentes. Los habitantes de Estados Unidos son ingleses, españoles, franceses, alemanes, polacos, irlandeses, italianos, rusos, escandinavos, mexicanos, sudamericanos, chinos y puertorriqueños, entre otros.

¿Cómo describirías los sentimientos de estos nuevos inmigrantes que se encuentran en Ellis Island, New York, alrededor de 1900?

LOS "NUEVOS" INMIGRANTES

Hasta la década de 1880, la mayoría de los inmigrantes que venían a Norteamérica procedían de Inglaterra, Irlanda y el norte de Europa. Más tarde comenzaron a llegar personas del sur y del este de Europa: Italia, Rusia, Polonia y el imperio austro-húngaro.

Entre 1881 y 1910 tan sólo de Italia llegaron más de 3 millones de "nuevos" norteamericanos. Más o menos la misma cantidad llegó de las tierras austro-húngaras de Europa central y del sureste. Llegaron también muchos procedentes de Rusia y de Polonia.

Para los "viejos" inmigrantes, los recién llegados eran personas "extrañas", tenían nombres raros, lenguas que no tenían o tenían muy poca relación con el inglés y con el alemán. Llevaban ropas "ridículas" y comían comidas "raras", según ellos.

La mayoría de los nuevos inmigrantes eran pobres y no tenían dinero para comprar tierras, por lo cual se congregaron en las grandes ciudades. Algunos iban a ciudades del Medio Oeste, como Chicago, pero la mayoría se quedaban en la ya congestionada ciudad de New York.

Muchos se hicieron vendedores callejeros. Algunos trabajaban por pequeños sueldos en la construcción o en restaurantes. Otros, incluyendo mujeres y niños, trabajaban en pequeñas industrias, la mayoría relacionadas con el tejido, las llamadas "sweatshops" donde se les explotaba en extremo.

LOS CHINOS BUSCAN UNA "MONTAÑA DE ORO"

Mientras que los inmigrantes de Europa se establecieron en la costa este o en el Medio Oeste, otros grupos se establecieron en la costa oeste. Los primeros inmigrantes a esta costa vinieron de China.

En 1848 se descubrió oro en California. Las noticias del descubrimiento se extendieron por Estados Unidos, Europa y hasta el sur de China.

Hasta esta época muy pocos chinos habían llegado a Norteamérica. Pero ahora habían oído hablar de la "montaña de oro" que existía en la costa oeste norteamericana. Hacia 1860, más de 35.000 chinos habían llegado a California con la esperanza de encontrar el preciado metal.

Pero los inmigrantes que llegaban a California no planeaban establecerse en los Estados Unidos, como los inmigrantes de Europa; simplemente, querían ganar dinero y volver a su país. En idioma chino, eran conocidos como *Gum Shan Hock*, es decir, "huéspedes de la montaña de oro".

Sin embargo, los chinos, lo mismo que los europeos, pronto vieron que Norteamérica no les ofrecía riquezas muy fácilmente. La mayoría de ellos no lograron el oro que ansiaban y tuvieron que trabajar como simples obreros. Sus condiciones de vida en China los habían preparado para los duros trabajos mal pagados que los norteamericanos rechazaban.

En 1864, miles de chinos que llegaron a la costa oeste encontraron trabajo en la construcción del ferrocarril Central Pacific, que tenía su punto de partida en California y debía unirse al Union Pacific, que se dirigía desde Nebraska al oeste. Las dos líneas se juntaron en un punto del norte del actual estado de Utah.

La mayor parte de los rieles del Central Pacific fueron puestos por inmigrantes chinos. (El Union Pacific empleó a obreros irlandeses principalmente.) Muchos chinos perdieron la vida en accidentes, tempestades de nieve y temperaturas glaciales.

Los trabajos del ferrocarril terminaron en 1869 y, por tanto, muchos chinos se vieron obligados a volver a las ciudades y buscar otra clase de trabajo.

COMIENZAN A LLEGAR LOS JAPONESES

Hasta 1860 no había llegado ningún japonés a los Estados Unidos. Recordemos que durante varios siglos Japón había si-

Obreros chinos colocando los rieles para el Union Pacific, en Denver, en la década de 1870.

do una nación completamente cerrada a las demás culturas. Pocos podían entrar o salir de ese país.

Pero en 1854, el comodoro Matthew Perry en un viaje a Japón persuadió a los japoneses a que abrieran sus puertos y establecieran relaciones comerciales con otros pueblos y el comercio prosperó. Para la época de la "nueva inmigración" un gran número de japoneses llegaban a los Estados Unidos.

Algunos fueron primero a Hawaii a trabajar en las plantaciones de azúcar y piña. Después de que Hawaii se convirtiera en territorio de los Estados Unidos, muchos de ellos se trasladaron al continente. Se establecieron principalmnte en California y otros lugares de la costa del Pacífico.

EL COMIENZO DE LOS PREJUICIOS

Los primeros inmigrantes habían sido, por lo general, muy bien recibidos en Estados Unidos. La población era muy pequeña, el país era grande y había necesidad de trabajadores.

Pero hacia 1840 comenzaron a verse señales de cambio en esta actitud de recibir con agrado a los recién llegados. Los irlandeses que llegaban a las ciudades del este estaban dispuestos a tomar cualquier tipo de trabajo por los salarios más bajos y los trabajadores norteamericanos comenzaron a temer que les arrebataran sus empleos.

En 1844 un tropel de gentes en Philadelphia atacó a la comunidad irlandesa y quemó una iglesia católica. Este tipo de sucesos se repitieron en diferentes partes. Como la mayoría de los norteamericanos de esta época no eran católicos y los irlandeses sí lo eran, comenzó a desarrollarse un sentimiento en contra de la iglesia católica. Algunos patronos rehusaban contratar a católicos. En muchos trabajos se decía "no se aceptan irlandeses". Debido a esta situación, algunos inmigrantes irlandeses cometieron actos delictivos. Ante tal situación se comenzó a culpar, sin fundamento, a los irlandeses y a los nuevos inmigrantes de todos los problemas sociales que sufría el país.

Los norteamericanos con más tiempo en el país, y los nativos, estaban también preocupados porque los nuevos inmigrantes no se "americanizaban" rápidamente sino que sólo se hacían ciudadanos. Habían prestado juramento de fidelidad al país pero muchos los veían como "anti-norteamericanos".

Los recién llegados tendían a formar comunidades con otras personas de su mismo país; incluso continuaban hablando su lengua. Sus nombres, ropa, comidas y costumbres parecían "extraños".

En la escuela, los niños se enfrentaban a otra forma de vida, la "norteamericana", que no era la que vivían en sus hogares.

LAS PUERTAS COMIENZAN A CERRARSE

Hasta finales del siglo XIX, apenas hubo límites en la inmigración a los Estados Unidos. Las puertas estaban abiertas. Pero en 1880, el sentimiento público contra los inmigrantes era demasiado fuerte como para ser ignorado. Estos sentimientos dieron forma a leyes:

Leyes para controlar la inmigración

1882: Los convictos, anormales y personas que pudieran vivir de la caridad pública tenían prohibida la entrada a los Estados Unidos. La Ley de Exclusión de los chinos prácticamente prohibía la entrada a todos los inmigrantes chinos.

1885: Se prohibe que lleguen a los Estados Unidos "trabajadores contratados". (Es decir, no podían vender su trabajo de antemano para pagar su viaje a América.)

1892: Se renueva la Ley de Exclusión de los chinos.

1902: Se prohibe total y absolutamente toda inmigración china.

1907: Japón y Estados Unidos llegan a un acuerdo de cooperación para limitar la inmigración japonesa. Dando palabra de "caballero", Japón promete que no permitirá que trabajadores japoneses salgan para los Estados Unidos.

1917: Se requiere que los inmigrantes pasen una prueba de alfabetización. (El objetivo era que no entraran personas mayores de 16 años que fueran analfabetas en inglés o por lo menos, en otra lengua.)

1920: (década de) Los Estados Unidos adopta un "sistema de cuota" para la inmigración. Número total de admisiones: 150.000, a partir de 1929. A cada país extranjero se le daba una "cuota" o porcentaje de ese total. La cuota dependía del porcentaje de personas de ese país que se encontraban en los Estados Unidos.

(El resultado fue que las cuotas más grandes se le dieron a países del norte y de Europa occidental. Se dieron cuotas más pequeñas a los países del sur y de Europa oriental. A Japón no se le dio cuota alguna, con lo que terminó por completo la inmigración japonesa. No se puso límite a la inmigración de Canadá ni de Latinoamérica.)

1968: Se cambió la Ley de Inmigración y Nacionalidad. No se permitía la entrada anual de más de 120.000 personas de todas las naciones del Hemisferio Occidental.

LA INMIGRACIÓN EN LOS ÚLTIMOS AÑOS

La inmigración alcanzó su punto más alto entre 1900 y 1910. En ese período llegaron más de 8,7 millones de personas.

Después de 1910, la ola de inmigrantes comenzó a disminuir, principalmente por la existencia de cuotas.

En la década de 1930 disminuyó aún más, debido a la depresión, un período de pésimas condiciones económicas en Estados Unidos, sin posibilidades de trabajo.

Después de la Segunda Guerra Mundial, el "sistema de cuota" para la inmigración cambió. En vista de que miles de europeos quedaron sin hogar, el Congreso aprobó una ley especial por la que se permitía que los europeos vinieran a los

Estados Unidos en busca de nuevos hogares. También se eliminaron por esa misma época las leyes que prohibían la entrada de chinos, japoneses y otros asiáticos.

En 1965, el Congreso aprobó una nueva ley de inmigración que terminó con el sistema de cuota basado en la nacionalidad. La ley empezó a regir en 1968. El total de inmigrantes que pueden entrar en el país está aún limitado, pero por año. Esta limitación está basada en las condiciones especiales de cada país y en la capacitación de los individuos. Sin embargo, no puede haber más de 20.000 inmigrantes de un solo país durante un año.

Entre los nuevos inmigrantes, muchos provienen de culturas hispánicas.

En 1910 estalló una guerra civil en México. Una nueva ola de inmigración pasó la frontera del sur de los Estados Unidos. Casi un cuarto de millón de mexicanos llegó a los Estados Unidos entre 1911 y 1920. Después de 1920 llegaron muchos más. La mayoría venía a trabajar en labores agrícolas y rancheras; algunos fueron a trabajar de obreros en pequeñas ciudades; también llegaron algunos profesionales.

Los mexicanos pronto constituyeron una parte importante de la industria agrícola y ganadera del suroeste norteamericano.

Se convirtieron en la columna vertebral de la economía cosechando remolacha azucarera, frutas y vegetales.

En la década de 1930, miles de mexicano-americanos que trabajaban en granjas se declararon en huelga pidiendo mejores salarios y el fin de la discriminación. Aunque esta huelga no tuvo éxito, fue precursora de la *National Farm Workers Association* (*Asociación Nacional de Trabajadores Campesinos*) que se formó en 1962.

Entre 1942 y 1964 llegaron entre cuatro y cinco millones de *braceros* a los Estados Unidos. Venían con contratos de trabajo escritos, para reemplazar a los campesinos norteamericanos que se habían marchado a la guerra o a los que habían abandonado las granjas para irse a trabajar a las fábricas, donde eran mejor pagados. Los braceros mexicanos trabajaban en más de 38 estados, pero principalmente en Texas, New Mexico, Arizona y Arkansas. Vinieron en busca de mejores salarios. Los Estados Unidos les pagaba el transporte y los gastos para vivir. La contribución de los braceros durante la guerra fue enorme.

En la década de 1950, miles de inmigrantes seguían llegando de México. Buscaban trabajo, como los inmigrantes anteriores. Muchos entraban en el país ilegalmente. El gobierno expulsó a miles de "wetbacks" ("mojados"), así llamados porque entraban a Estados Unidos en balsas que navegaban a través del Río Grande, o nadando.

En 1968, con el cambio de la Ley de Inmigración y Nacionalidad, que prohibía la entrada a más de 120.000 personas al año, muchos mexicanos que querían entrar a los Estados Unidos no podían hacerlo. Pero los que pudieron se establecieron y una gran cantidad de ellos se hicieron ciudadanos. Muchos de ellos o sus descendientes han llegado a triunfar en el mundo del arte, en el mundo académico, en los negocios y en la política.

Más de 7,2 millones de personas de origen mexicano forman parte de la sociedad norteamericana. Algunos de los famosos son: Anthony Quinn y Ricardo Montalbán (actores), Pancho González (campeón de tenis), José Limón (bailarín de fama mundial), Vikki Carr (cantante y artista), Trini López (cantante). Entre los políticos son notables: Gerald Apodaca (fue elegido gobernador del estado de New Mexico en 1974); Edward Roybal, Manuel Luján y Kika de la Garza (que llegaron al Congreso), Henry Cisneros y Federico Peña (miembros del gabinete del presidente Clinton).

Uno de los líderes mexicano-americanos más conocidos es César Chávez, organizador del movimiento "La Causa", que protestaba por la discriminación hacia los trabajadores mexicano-americanos. Fue también uno de los principales organizadores de la *National Farm Workers Association*, la asociación de trabajadores campesinos que por medio de una serie de huelgas contra los cultivadores de uvas y lechuga de California logró que se admitiera a los campesinos en un sindicato y se les diera el derecho al pacto colectivo.

El crecimiento de la población hispana o hispanohablante en Estados Unidos ha sido muy grande y sigue en aumento. De los 3,1 millones que había en 1960, la población alcanzó 12 millones, según estimó el censo en 1978. Muchos estiman que la población hispana (incluyendo a los indocumentados) sobrepasa los 20 millones.

La población hispana proviene de diferentes partes del mundo. El mayor grupo es el *chicano*, de origen mexicano. Muchos de ellos remontan su permanencia en este país a la época en que el suroeste de los Estados Unidos era parte de México. A este grupo le sigue la población *puertorriqueña*, en el noreste, y luego la *cubana*, residente especialmente en Florida. También habitan en los Estados Unidos muchos *ecuatorianos*, *dominicanos*, *colombianos* y de otras nacionalidades centro y suramericanas. La mayoría de estos grupos son católicos y hablan español.

Los hispanos han traído diferentes variedades culturales que han entrado a formar parte del estilo de vida norteamericano. El sistema educativo y económico de los países de origen de estas poblaciones no es uniforme. Para ayudar a estos nuevos norteamericanos se han creado programas especiales bilingües en las escuelas, los cuales no son ya sólo para los hispanos sino para niños hablantes de muchas otras lenguas.

Antes de la Primera Guerra Mundial apenas si había puertorriqueños en los Estados Unidos. Los puertorriqueños no inmigraban en el sentido auténtico de la palabra ya que su país se había convertido en parte de los Estados Unidos en 1898 y en 1917 sus ciudadanos obtuvieron la nacionalidad estadounidense. Por tanto, cuando venían a los Estados Unidos simplemente viajaban de una parte del país a otra.

Entre 1941 y 1965, unas 500.000 personas llegaron a Estados Unidos procedentes de Puerto Rico. Es una población joven, en crecimiento. La cifra estimada en 1980 es de 1,8 millones. La mayoría de los puertorriqueños viven en el noreste del país, principalmente en New York.

La población hispana ha tratado de obtener y conseguir empleos en todos los campos: industria, política, carreras profesionales, por ejemplo. La industria textil de New York tiene hoy en día un gran número de trabajadores hispanos. Los hispanos están ahora representados en todas las industrias y poco a poco están obteniendo cargos oficiales y políticos. Podemos nombrar a Luis Olmedo, asambleísta estatal de New York, y a Víctor Robles, concejal de la ciudad de New York, como hispanos que han obtenido cargos políticos. El presidente Carter nombró a muchos hispanos en el gobierno federal.

Hoy la población hispana va por el mismo camino tradicional que han seguido los inmigrantes anteriores. Primero se congregan en las grandes ciudades, luego la segunda generación comienza a alejarse y extenderse por ciudades más pequeñas en todo el país. El mayor problema al que se enfrenta el inmigrante hispano es la falta de instrucción y especialización para conseguir un trabajo que lo lleve del "barrio" al medio de la sociedad. Cuando la economía no es muy saludable hay desempleo. Y la mayor parte de los desempleados son los que tienen menos estudios y los que no tienen especialización. Es por esto que la educación y la especialización profesional es uno de los objetivos más importantes de la población hispana.

Últimamente han llegado otros inmigrantes a los Estados Unidos, procedentes de Asia. Después de la guerra de Vietnam y los trastornos que causó, un gran número de personas de Tailandia, Camboya y Vietnam han pedido y recibido refugio en los Estados Unidos. También han llegado muchas personas de Rusia, sobre todo judíos. Y del Caribe han llegado muchísimos haitianos.

UNA TIERRA DE MUCHAS CULTURAS

Hoy día, Estados Unidos es todavía una tierra de diversas culturas en donde los viejos prejuicios no han desaparecido por completo. Los italo-americanos protestan de que son representados en libros y en el cine como "gángsters". Los judíos se quejan de sufrir discriminación en ciertas zonas. Y así, cada grupo tiene algo que no le satisface.

Muchas de las ideas preconcebidas comienzan ya a desaparecer. Los grupos étnicos no deben caracterizarse en "estereotipos". En cualquier grupo puede haber toda clase de personas, tanto aquellas que perjudican a la sociedad como aquellas otras que son personas honestas, trabajadoras, e inteligentes.

También se ha producido últimamente un fenómeno de "orgullo cultural": orgullo del pasado, de las tradiciones y raíces de los diferentes pueblos.

Estados Unidos, tierra de inmigrantes, todavía es una tierra de muchas culturas.

EXPLORACION DE HECHOS Y OPINIONES

I. Para mejorar tus conocimientos

Define, describe o identifica cada uno de los términos siguientes. Muestra cómo está conectado cada uno de ellos con la historia de la inmigración a los Estados Unidos.

1—prueba de alfabetización
2—iglesia establecida
3—acuerdo entre caballeros
4—Ley de exclusión de los chinos
5—"sweatshop"
6—Ley de Inmigración de 1965

II. Preguntas

Contesta a las preguntas siguientes. Acompaña tu respuesta con ejemplos o información específica.

1—¿Cuáles fueron los principales problemas a los que se enfrentaron los inmigrantes de finales del siglo XIX y principios del XX?

2—¿En qué se diferenciaban los inmigrantes de principios del siglo XIX a los de finales del siglo XIX?

3—Durante el siglo XIX, ¿cuáles eran las quejas de los norteamericanos nativos en torno a los inmigrantes?

4—¿Cuáles fueron las restricciones a la inmigración establecidas en 1882? ¿Por qué?

5—¿Cuál era el "sistema de cuota" que limitaba la inmigración en la década de 1920? ¿Cuál era su propósito? ¿Por qué fue eliminado ese sistema? ¿Qué lo sustituyó?

III. Conceptos

Los términos que siguen representan conceptos, ideas amplias que han jugado un papel importante en la experiencia norteamericana, especialmente en la historia de la inmigración. Con tus propias palabras, escribe una pequeña definición de cada una de ellas.

1—inmigración
2—prejuicio
3—americanización
4—libertad religiosa
5—sistema de cuota
6—nueva inmigración
7—idea preconcebida

IV. *Ideas organizadas*

Siguen cuatro "ideas organizadas". Cada una perfila hechos y conceptos estudiados en este capítulo y hace una generalización. Basándote en tus lecturas y lo dicho en clase, da ejemplos específicos que aprueben o desaprueben estas ideas.

1—La migración se produce cuando las personas no están satisfechas con las condiciones de vida que tienen en su país de origen y esperan encontrar una vida mejor en otro país.

2—Los inmigrantes son mejor recibidos cuando tienen una especialización o cuando pueden ofrecer servicios que el país que los recibe necesita.

3—Mientras más difieren en la apariencia y en las costumbres de las personas que ya viven en un país, tanto más son víctimas los inmigrantes de la discriminación.

4—Los inmigrantes, al principio, pueden ser criticados pero finalmente sus tradiciones culturales y su especial forma de hacer las cosas puede enriquecer a su nuevo país.

¿Qué otras ideas se pueden desarrollar a partir del material de este capítulo?

V. *Ideas para construir*

1—Personas de diferentes culturas han trabajado juntas en Estados Unidos luchando por el mismo objetivo. ¿Por qué ha sido esto posible?

2—¿Crees que esto hubiera podido ocurrir en países en donde la población ha ido creciendo más a través de conquistas de pueblos extranjeros que a través de la inmigración? Explica.

3—¿Crees que el orgullo de raza o cultura es bueno o malo para Estados Unidos? ¿Cómo afecta esto a las ideas preconcebidas? ¿Por qué?

4—¿Estás de acuerdo con las restricciones de inmigración de los Estados Unidos? ¿Por qué sí o por qué no?

5—¿Por qué crees que el sistema de cuota favoreció a los habitantes del norte y el oeste de Europa que querían inmigrar a los Estados Unidos? ¿Crees que esto muestra algún tipo de prejuicio? Explica tu respuesta.

6—Si tuvieras que defender el sistema de cuota con argumentos importantes, ¿podrías establecer que el sistema era para "beneficio de todos"? Explícalo.

7—¿Crees que hay algún sistema para regular la inmigración que sea aceptable para todo el mundo? Explícalo.

8—¿Por qué crees que uno que ha sido inmigrante puede despreciar a inmigrantes más recientes? ¿Por qué podría esta persona pedir que se les impida la entrada?

9—¿Por qué puede ser una escuela una experiencia sumamente desagradable para los niños inmigrantes?

10—¿Por qué crees que Estados Unidos podía ofrecer soluciones a los problemas que tenían los inmigrantes europeos?

11—El hecho de que muchos inmigrantes vivan en arrabales ha hecho que muchos ciudadanos norteamericanos los desprecien. ¿Cómo explicas esto?

12—¿Crees que los Estados Unidos se hubiera podido desarrollar sin la ayuda de la mano de obra barata que ofrecían los inmigrantes? ¿Por qué sí o por qué no?

VI. Aplicación de ideas y formación de juicios

Contesta a las preguntas siguientes. Asegúrate de apoyar tus ideas y opiniones con evidencia a partir de tus lecturas o lo dicho en clase.

1—Los prejuicios y discriminación que había en los Estados Unidos contra los inmigrantes ciertamente se conocían en Europa y Asia. Pero los inmigrantes seguían llegando a los Estados Unidos. ¿Cómo se explica esto?

2—Los prejuicios contra los grupos de inmigrantes tienden a desaparecer cuando los hijos nacidos y criados en los Estados Unidos llegan a la edad adulta. ¿Qué factores podrían producir el cambio?

3—El traslado de los japoneses-americanos de la costa oeste durante la Segunda Guerra Mundial tuvo poca oposición en el momento del hecho, pero ha sido muy criticado más tarde. ¿Cómo se explica que hubiera tan poca oposición entonces? ¿Por qué los norteamericanos de hoy pueden pensar que la política que se llevó a cabo fue errónea?

4—¿Crees que la actual política de inmigración de los Estados Unidos es acertada? ¿Por qué sí o por qué no? ¿Qué cambios recomendarías si fueran necesarios?

CONSTITUCION DE LOS ESTADOS UNIDOS DE AMERICA

PREÁMBULO

Nosotros, el Pueblo de los Estados Unidos, a fin de formar una Unión más perfecta, establecer la justicia, garantizar la tranquilidad nacional, atender a la defensa común, fomentar el bienestar general y asegurar los beneficios de la libertad para nosotros y para nuestra posteridad, por la presente promulgamos y establecemos esta Constitución para los Estados Unidos de América.

ARTÍCULO I

Sección 1. Todos los poderes legislativos otorgados por esta Constitución residirán en un Congreso de los Estados Unidos que se compondrá de un Senado y de una Cámara de Representantes.

Sección 2. La Cámara de Representantes se compondrá de miembros elegidos cada dos años por el pueblo de los distintos estados, y los electores en cada estado cumplirán con los requisitos exigidos a los electores de la Cámara más numerosa de la Asamblea Legislativa de dicho estado.

No podrá ser representante ninguna persona que no haya cumplido veinticinco años de edad, que no haya sido durante siete años ciudadano de los Estados Unidos y que al tiempo de su elección no resida en el estado que ha de elegirlo.

Tanto los representantes como las contribuciones directas se prorratearán entre los diversos estados que integren esta Unión, en relación al número respectivo de sus habitantes, el cual se determinará añadiendo al número total de personas libres, en el que se incluye a las que estén obligadas al servicio por determinado número de años y se excluye a los indios que no paguen contribuciones, las tres quintas partes de todas las demás. Se efectuará el censo dentro de los tres años siguientes a la primera reunión del Congreso de los Estados Unidos, y en lo sucesivo cada diez años, en la forma en que éste lo dispusiere por ley. No habrá más de un representante por cada treinta mil habitantes, pero cada estado tendrá por lo menos un representante. En tanto se realiza el censo, el Estado de New Hampshire tendrá derecho a elegir tres representantes; Massachusetts, ocho; Rhode Island y las Plantaciones de Providence, uno; Connecticut, cinco; New York, seis; New Jersey, cuatro; Pennsylvania, ocho; Delaware, uno; Maryland, seis; Virginia, diez; North Carolina, cinco; South Carolina, cinco y Georgia, tres.

Cuando ocurrieren vacantes en la representación de cualquier estado, la autoridad ejecutiva de éste ordenará la celebración de elecciones para cubrirlas.

La Cámara de Representantes elegirá su Presidente y demás funcionarios y sólo ella tendrá la facultad de iniciar procedimientos de residencia.

Sección 3. El Senado de los Estados Unidos se compondrá de dos senadores por cada estado, elegidos por sus respectivas Asambleas Legislativas por el término de seis años. Cada senador tendrá derecho a un voto.

Tan pronto como se reúnan en virtud de la primera elección, se les dividirá en tres grupos lo más iguales posible. El término de los senadores del primer grupo expirará al finalizar el segundo año; el del segundo grupo al finalizar el cuarto año y el del tercer grupo al finalizar el sexto año, de forma que cada dos años se renueve una tercera parte de sus miembros. Si ocurrieren vacantes, por renuncia o por cualquier otra causa, mientras esté en receso la Asamblea Legislativa del estado respectivo, la autoridad ejecutiva del mismo podrá hacer nombramientos provisionales hasta la próxima sesión de la Asamblea Legislativa, la que entonces cubrirá tales vacantes.

No podrá ser senador quien no haya cumplido treinta años de edad, no haya sido durante nueve años ciudadano de los Estados Unidos y no resida, en la época de su elección, en el estado que ha de elegirlo.

El vicepresidente de los Estados Unidos será Presidente del Senado, pero no tendrá voto, excepto en caso de empate.

El Senado elegirá sus demás funcionarios así como también un presidente pro témpore en ausencia del vicepresidente o cuando éste desempeñare el cargo de Presidente de los Estados Unidos.

Tan sólo el Senado podrá conocer de procedimientos de residencia. Cuando se reúna para este fin, los senadores prestarán juramento o harán promesa de cumplir fielmente su cometido. Si se residen-

ciare al Presidente de los Estados Unidos, presidirá la sesión el Juez Presidente del Tribunal Supremo. Nadie será convicto sin que concurran las dos terceras partes de los senadores presentes.

La sentencia en procedimientos de residencia no podrá exceder de la destitución del cargo e inhabilitación para obtener y desempeñar ningún cargo de honor, de confianza o de retribución en el Gobierno de los Estados Unidos; pero el funcionario convicto quedará, no obstante, sujeto a ser acusado, juzgado, sentenciado y castigado con arreglo a derecho.

Sección 4. La Asamblea Legislativa de cada estado determinará la fecha, lugar y modo de celebrar las elecciones de senadores y representantes; pero el Congreso podrá en cualquier momento mediante legislación adecuada aprobar o modificar tales disposiciones, salvo en relación al lugar donde se habrá de elegir a los senadores.

El Congreso se reunirá por lo menos una vez al año y tal sesión comenzará el primer lunes de diciembre, a no ser que por ley se fije otro día.

Sección 5. Cada Cámara será el único juez de las elecciones, resultado de las mismas y capacidad de sus propios miembros; y la mayoría de cada una de ellas constituirá quorum para realizar sus trabajos; pero un número menor podrá recesar de día en día y estará autorizado para compeler la asistencia de los miembros ausentes, en la forma y bajo las penalidades que cada Cámara determinare.

Cada Cámara adoptará su reglamento, podrá castigar a sus miembros por conducta impropia y expulsarlos con el voto de dos terceras partes. Cada Cámara tendrá un diario de sesiones, que publicará periódicamente, con excepción de aquello que, a su juicio, deba mantenerse en secreto; y siempre que así lo pidiere la quinta parte de los miembros presentes, se harán constar en dicho diario los votos afirmativos y negativos de los miembros de una u otra Cámara sobre cualquier asunto.

Mientras el Congreso estuviere reunido, ninguna Cámara podrá, sin el consentimiento de la otra, levantar sus sesiones por más de tres días ni reunirse en otro lugar que no sea aquél en que las dos estén instaladas.

Sección 6. Los senadores y representantes recibirán por sus servicios una remuneración fijada por ley y pagadera por el Tesoro de los Estados Unidos. Mientras asistan a las sesiones de sus respectivas Cámaras, así como mientras se dirijan a ellas o regresen de las mismas, no podrán ser arrestados, excepto en casos de traición, delito grave o alteración de la paz. Tampoco podrán ser reconvenidos fuera de la Cámara por ninguno de sus discursos o por sus manifestaciones en cualquier debate en ella.

Ningún senador o representante, mientras dure el término por el cual fue elegido, será nombrado para ningún cargo civil bajo la autoridad de los Estados Unidos, que hubiere sido creado o cuyos emolumentos hubieren sido aumentados durante tal término; y nadie que desempeñe un cargo bajo la autoridad de los Estados Unidos podrá ser miembro de ninguna de las Cámaras mientras ocupe tal cargo.

Sección 7. Todo proyecto de ley para imponer contribuciones se originará en la Cámara de Representantes; pero el Senado podrá proponer enmiendas o concurrir en ellas como en los demás proyectos.

Todo proyecto que hubiere sido aprobado por la Cámara de Representantes y el Senado será sometido al Presidente de los Estados Unidos antes de que se convierta en ley. Si el Presidente lo aprueba, lo firmará. De lo contrario, lo devolverá con sus objeciones a la Cámara en donde se originó el proyecto, la que insertará en su diario las objeciones íntegramente y procederá a reconsiderarlo. Si después de tal reconsideración dos terceras partes de dicha Cámara convinieren en aprobar el proyecto, éste se enviará, junto con las objeciones, a la otra Cámara, la que también lo reconsiderará y si resultare aprobado por las dos terceras partes de sus miembros, se convertirá en ley. En tales casos la votación en cada Cámara será nominal y los votos en pro y en contra del proyecto así como los nombres de los votantes se consignarán en el diario de cada una de ellas. Si el Presidente no devolviere un proyecto de ley dentro de los diez días (excluyendo los domingos), después de haberle sido presentado, dicho proyecto se convertirá en ley, tal cual si lo hubiere firmado, a no ser que, por haber recesado, el Congreso impida su devolución. En tal caso el proyecto no se convertirá en ley.

Toda orden, resolución o votación que requiera la concurrencia del Senado y de la Cámara de Representantes (salvo cuando se trate de levantar las sesiones) se presentará al Presidente de los Estados Unidos; y no tendrá efecto hasta que éste la apruebe o, en caso de ser desaprobada por él, hasta que dos terceras partes del Senado y de la Cámara de Representantes la aprueben nuevamente, conforme a las reglas y restricciones prescritas para los proyectos de ley.

Sección 8. El Congreso tendrá facultad: para imponer y recaudar contribuciones, derechos, impuestos y arbitrios; para pagar las deudas y proveer para la defensa común y el bienestar general de los Estados Unidos; pero todos los derechos, impuestos y arbitrios serán uniformes en toda la Nación;

Para tomar dinero a préstamo con cargo al crédito de los Estados Unidos;

Para reglamentar el comercio con naciones extranjeras, así como entre los estados y con las tribus indias;

Para establecer una regla uniforme de naturalización y leyes uniformes de quiebras para toda la Nación;

Para acuñar moneda, reglamentar el valor de ésta y de la moneda extranjera, y fijar normas de pesas y medidas;

Para fijar penas por la falsificación de los valores y de la moneda de los Estados Unidos;

Para establecer oficinas de correo y vías postales;

Para fomentar el progreso de la ciencia y de las artes útiles, garantizando por tiempo limitado a los autores e inventores el derecho exclusivo a sus respectivos escritos y descubrimientos;

Para establecer tribunales inferiores al Tribunal Supremo;

Para definir y castigar la piratería y los delitos graves cometidos en alta mar, así como las infracciones del derecho internacional;

Para declarar la guerra, conceder patentes de corso y represalia y establecer reglas relativas a capturas en mar y tierra;

Para reclutar y mantener ejércitos; pero ninguna asignación para este fin lo será por un período mayor de dos años;

Para organizar y mantener una armada;

Para establecer reglas para el gobierno y reglamentación de las fuerzas de mar y tierra;

Para dictar reglas para llamar la milicia a fin de hacer cumplir las leyes de la Unión, sofocar insurrecciones y repeler invasiones;

Para proveer para la organización, armamento y disciplina de la milicia y el gobierno de aquella parte de ella que estuviere al servicio de los Estados Unidos, reservando a los estados respectivos el nombramiento de los oficiales y la autoridad para adiestrar a la milicia de acuerdo con la disciplina prescrita por el Congreso;

Para ejercer el derecho exclusivo a legislar en todas las materias concernientes a aquel distrito (cuya superficie no excederá de diez millas en cuadro) que, por cesión de algunos estados y aceptación del Congreso, se convirtiere en la sede del Gobierno de los Estados Unidos; y para ejercer igual autoridad sobre todas aquellas tierras adquiridas con el consentimiento de la Asamblea Legislativa del estado en que radicaren, con el fin de construir fuertes, almacenes, arsenales, astilleros y otras edificaciones que fueren necesarias; y

Para aprobar todas las leyes que fueren necesarias y convenientes para poner en práctica las precedentes facultades, así como todas aquellas que en virtud de esta Constitución puedan estar investidas en el Gobierno de los Estados Unidos o en cualquiera de sus departamentos o funcionarios.

Sección 9. El Congreso no podrá antes del año 1808 prohibir la inmigración o importación de aquellas personas cuya admisión considere conveniente cualquiera de los estados existentes; pero se podrá imponer un tributo o impuesto a tal importación que no excederá de diez dólares por persona.

No se suspenderá el privilegio del auto de hábeas corpus, salvo cuando en casos de rebelión o invasión la seguridad pública así lo exija.

No se aprobará ningún proyecto para condenar sin celebración de juicio ni ninguna ley *ex post facto.*

No se impondrá capitación u otra contribución directa, sino en proporción al censo o enumeración que esta Constitución ordena se lleve a efecto.

No se impondrán contribuciones o impuestos sobre los artículos que se exporten de cualquier estado.

No se dará preferencia, por ningún reglamento de comercio o de rentas internas, a los puertos de un estado sobre los de otro. Tampoco podrá obligarse a las embarcaciones que se dirijan a un estado o salgan de él, que entren, descarguen o paguen impuestos en otro.

No se podrá retirar cantidad alguna del Tesoro sino a virtud de asignaciones hechas por ley; y periódicamente se publicará un estado completo de los ingresos y egresos públicos.

Los Estados Unidos no concederán títulos de nobleza; y ninguna persona que desempeñe bajo la autoridad del Gobierno un cargo retribuido o de confianza podrá aceptar, sin el consentimiento del Congreso, donativo, emolumento, empleo o título, de clase alguna, de ningún rey, príncipe o nación extranjera.

Sección 10. Ningún estado celebrará tratado, alianza o confederación alguna; concederá patentes de corso y represalia; acuñará moneda; emitirá cartas de crédito; autorizará el pago de deudas en otro numerario que no sea oro y plata; aprobará ningún proyecto para condenar sin celebración de juicio, ley *ex post facto* o que menoscabe la obligación de los contratos, ni concederá títulos de nobleza.

Ningún estado podrá, sin el consentimiento del Congreso, fijar impuestos o derechos sobre las importaciones o exportaciones, salvo cuando fuere absolutamente necesario para hacer cumplir sus leyes de inspección; y el producto neto de todos los derechos e impuestos que fijare cualquier estado sobre las importaciones o exportaciones, ingresará en el Tesoro de los Estados Unidos. Todas esas leyes quedarán sujetas a la revisión e intervención del Congreso.

Ningún estado podrá, sin el consentimiento del Congreso, fijar derecho alguno de tonelaje, ni mantener tropas o embarcaciones de guerra en tiempos de paz, ni celebrar convenios o pactos con otro estado o con potencias extranjeras, ni entrar en guerra, a menos que fuere de hecho invadido o estuviere en peligro tan inminente que su defensa no admita demora.

ARTÍCULO II

Sección 1. El poder ejecutivo residirá en el Presidente de los Estados Unidos de América. Éste desempeñará sus funciones por un término de cuatro años y se le elegirá, junto con el vicepresidente, quien también desempeñará su cargo por un término similar, de la siguiente manera:

Cada estado designará, en la forma que prescribiere su Asamblea Legislativa, un número de compromisarios igual al número total de senadores y representantes que le corresponda en el Congreso; pero no será nombrado compromisario ningún senador o representante o persona alguna que ocupare un cargo de confianza o retribuido bajo la autoridad de los Estados Unidos.

Los compromisarios se reunirán en sus respectivos estados, y mediante votación secreta votarán por dos personas, de las cuales, por lo menos una no será residente del mismo estado que ellos. Se hará una lista de todas las personas por quienes se hubiere votado así como del número de votos que cada una obtuviere. Los compromisarios firmarán y certificarán esta lista, y la remitirán sellada a la sede del Gobierno de los Estados Unidos, dirigida al Presidente del Senado. En presencia del Senado y de la Cámara de Representantes, el Presidente del Senado abrirá todos los certificados y se procederá entonces a verificar el escrutinio. Será presidente la persona que obtuviere mayor número de votos si dicho número fuere la mayoría del número total de compromisarios designados. Si más de una persona obtuviere tal mayoría y recibiere el mismo número de votos, entonces de entre ellas la Cámara de Representantes, por votación secreta, elegirá inmediatamente al presidente. Si ninguna persona obtuviere mayoría, entonces la Cámara elegirá en igual forma al presidente de entre las cinco personas que hubieren obtenido más votos en la lista. Pero en la elección del presidente la votación será por estados y la representación de cada estado tendrá derecho a un voto. Para este fin el quórum constará de uno o más miembros de las dos terceras partes de las representaciones de los estados, y para que haya elección será necesaria una mayoría de todos los estados. En cualquier caso, una vez elegido el presidente, será vicepresidente la persona que obtuviere el mayor número de votos de los compromisarios. Pero si hubiere dos o más con un número igual de votos el Senado, por votación secreta, elegirá entre ellas al vicepresidente.

El Congreso determinará la fecha de seleccionar los compromisarios y el día en que habrán de votar, que serán los mismos en toda la Nación.

No será elegible para el cargo de presidente quien no fuere ciudadano por nacimiento o ciudadano de los Estados Unidos al tiempo en que se adopte esta Constitución. Tampoco lo será quien no hubiere cumplido treinta y cinco años de edad y no hubiere residido catorce años en los Estados Unidos.

En caso de destitución, muerte, renuncia o incapacidad del presidente para desempeñar las funciones de su cargo, le sustituirá el vicepresidente. En caso de destitución, muerte, renuncia o incapacidad tanto del presidente como del vicepresidente, el Congreso dispondrá mediante legislación quién desempeñará la presidencia y tal funcionario ejercerá el cargo hasta que cese la incapacidad o se elija un nuevo presidente.

Como remuneración por sus servicios el presidente recibirá, en las fechas que se determinen, una compensación que no podrá ser aumentada ni disminuida durante el término para el cual se eligió, y no percibirá durante dicho término ningún otro emolumento de los Estados Unidos ni de ninguno de los estados.

Antes de comenzar a desempeñar su cargo, el presidente prestará el siguiente juramento o promesa: "Juro (o prometo) solemnemente que desempeñaré fielmente el cargo de Presidente de los Estados Unidos y que de la mejor manera a mi alcance guardaré, protegeré y defenderé la Constitución de los Estados Unidos."

Sección 2. El presidente será jefe supremo del ejército y de la armada de los Estados Unidos, así como de la milicia de los distintos estados cuando ésta fuere llamada al servicio activo de la Nación. Podrá exigir opinión por escrito al jefe de cada departamento ejecutivo sobre cualquier asunto que se relacione con los deberes de sus respectivos cargos y tendrá facultad para suspender la ejecución de sentencias y para conceder indultos por delitos contra los Estados Unidos, salvo en casos de residencia.

Con el consejo y consentimiento del Senado tendrá poder para celebrar tratados, siempre que en ellos concurran las dos terceras partes de los senadores presentes. Asimismo, con el consejo y consentimiento del Senado, nombrará embajadores, otros ministros y cónsules públicos, los jueces del Tribunal Supremo y todos los demás funcionarios de los Estados Unidos cuyos cargos se establezcan por ley y cuyos nombramientos esta Constitución no prescriba. Pero el Congreso podrá por ley, confiar el nombramiento de aquellos funcionarios subalternos que creyere prudente, al presidente únicamente, a los tribunales de justicia o a los jefes de departamento.

El presidente tendrá poder para cubrir todas las vacantes que ocurrieren durante el receso del Senado, extendiendo nombramientos que expirarán al finalizar la próxima sesión del Senado.

Sección 3. El presidente informará periódicamente al Congreso sobre el estado de la Unión y le recomendará aquellas medidas que él estime necesarias y convenientes. Podrá, en ocasiones extraordinarias, convocar a ambas Cámaras o a cualquiera de ellas; y en caso de que las Cámaras no estuvieren de acuerdo con relación a la fecha para recesar, el presidente podrá fijarla según lo juzgue conveniente. El presidente recibirá a los embajadores y demás ministros públicos. Velará por el fiel cumplimiento de las leyes y extenderá los nombramientos de todos los funcionarios de los Estados Unidos.

Sección 4. El presidente, el vicepresidente y todos los funcionarios civiles de los Estados Unidos serán destituidos de sus cargos mediante procedimiento de residencia, previa acusación y convictos que fueren de traición, cohecho u otros delitos graves y menos graves.

ARTÍCULO III

Sección 1. El poder judicial de los Estados Unidos residirá en un Tribunal Supremo y en aquellos tribunales inferiores que periódicamente el Congreso creare y estableciere. Los jueces, tanto del Tribunal Supremo como de tribunales inferiores, desempeñarán sus cargos mientras observen buena conducta y en determinadas fechas recibirán por sus servicios una compensación que no será rebajada mientras desempeñen sus cargos.

Sección 2. El poder judicial se extenderá a todo caso que en derecho y equidad surja de esta Constitución, de las leyes de los Estados Unidos, así como de los tratados celebrados o que se celebraren bajo su autoridad; a todos los casos que afecten a embajadores y otros ministros y cónsules públicos; a todos los casos de almirantazgo y jurisdicción marítima; a todas las controversias en que los Estados Unidos sean parte; a las controversias entre dos o más estados; entre un estado y los ciudadanos de otro estado; entre los ciudadanos de diferentes estados; entre los ciudadanos del mismo estado que reclamaren tierras en virtud de concesiones hechas por diversos estados, y entre un estado o sus ciudadanos y estados, ciudadanos o súbditos extranjeros.

El Tribunal Supremo tendrá jurisdicción original en todos los casos que afectaren a embajadores, ministros y cónsules públicos y en aquellos en que un estado fuere parte. De todos los demás casos antes mencionados conocerá el Tribunal Supremo en apelación, tanto sobre cuestiones de derecho como de hecho, con las excepciones y bajo la reglamentación que el Congreso estableciere.

Se juzgarán ante jurado todas las causas criminales, excepto las que den lugar al procedimiento de residencia; y el juicio se celebrará en el estado en que se cometió el delito. Si no se cometiere en ningún estado, se celebrará el juicio en el sitio o en los sitios que el Congreso designare por ley.

Sección 3. El delito de traición contra los Estados Unidos consistirá solamente en tomar las armas contra ellos o en unirse a sus enemigos, dándoles ayuda y facilidades. Nadie será convicto de traición sino por el testimonio de dos testigos del hecho incriminatorio o por confesión en corte abierta.

El Congreso tendrá poder para fijar la pena correspondiente al delito de traición; pero la sentencia por traición no alcanzará en sus efectos a los herederos del culpable ni llevará consigo la confiscación de sus bienes salvo durante la vida de la persona sentenciada.

ARTÍCULO IV

Sección 1. Se dará entera fe y crédito en cada estado a los actos públicos, documentos y procedimientos judiciales de los otros estados. El Congreso podrá prescribir mediante leyes generales la manera de probar tales actos, documentos y procedimientos así como los efectos que deban surtir.

Sección 2. Los ciudadanos de cada estado disfrutarán de todos los privilegios e inmunidades de los ciudadanos de otros estados.

Toda persona acusada de traición, delito grave o de cualquier otro delito, que huyere del estado en donde se le acusa y fuere hallada en otro estado, será, a solicitud de la autoridad ejecutiva del estado de donde se fugó, entregada a dicha autoridad para ser devuelta al estado que tuviere jurisdicción para conocer del delito.

Ninguna persona obligada a servir o trabajar en un estado, a tenor con las leyes allí vigentes, que huyere a otro estado, será dispensada de prestar dicho servicio o trabajo amparándose en leyes o reglamentos del estado al cual se acogiere, sino que será entregada a petición de la parte que tuviere derecho al susodicho servicio o trabajo.

Sección 3. El Congreso podrá admitir nuevos estados a esta Unión; pero no se formará o establecerá ningún estado nuevo dentro de la jurisdicción de ningún otro estado. Tampoco se formará ningún estado por unión de dos o más estados, o partes de estados, sin el consentimiento tanto de las Asambleas Legislativas de los estados en cuestión como del Congreso.

El Congreso podrá disponer de, o promulgar todas las reglas y reglamentos necesarios en relación con, el territorio o cualquier propiedad perteneciente a los Estados Unidos. Ninguna disposición de esta Constitución se interpretará en forma tal que pudiere perjudicar cualesquiera reclamaciones de los Estados Unidos o de algún estado en particular.

Sección 4. Los Estados Unidos garantizarán a cada estado de esta Unión una forma republicana de gobierno y protegerán a cada uno de ellos contra toda invasión; y cuando lo solicitare la Asamblea Legislativa o el Ejecutivo (si no se pudiere convocar la primera), le protegerá contra desórdenes internos.

ARTÍCULO V

El Congreso propondrá enmiendas a esta Constitución, siempre que dos terceras partes de ambas Cámaras lo estimen necesario; o, a petición de las Asambleas Legislativas de dos terceras partes de los estados, convocará una convención para proponer enmiendas, las cuales, en uno u otro caso, serán válidas para todos los fines y propósitos, como parte de esta Constitución, cuando las ratifiquen las Asambleas Legislativas de las tres cuartas partes de los estados, o las convenciones celebradas en las tres cuartas partes de los mismos, de acuerdo con el modo de ratificación propuesto por el Congreso; Disponiéndose, que ninguna enmienda hecha antes del año mil ochocientos ocho afectara en modo alguno los incisos primero y cuarto de la novena sección del primer artículo; y que no se privará a ningún estado, sin su consentimiento, de la igualdad de sufragio en el Senado.

ARTÍCULO VI

Todas las deudas y obligaciones contraídas antes de promulgarse esta Constitución serán tan válidas contra los Estados Unidos bajo esta Constitución como lo eran bajo la Confederación.

La presente Constitución, las leyes de los Estados Unidos que en virtud de ella se aprobaren y todos los tratados celebrados o que se celebraren bajo la autoridad de los Estados Unidos serán la suprema ley del país. Los jueces de cada estado estarán obligados a observarla aun cuando hubiere alguna disposición en contrario en la Constitución o en las leyes de cualquier estado.

Los senadores y representantes antes mencionados, los miembros de las Asambleas Legislativas de los diversos estados, así como todos los funcionarios ejecutivos y judiciales, tanto de los Estados Unidos como de los diversos estados, se comprometerán bajo juramento o promesa a sostener esta Constitución; pero no existirá requisito religioso alguno para desempeñar ningún cargo o empleo, retribuido o de confianza, bajo la autoridad de los Estados Unidos.

ARTÍCULO VII

La ratificación de las convenciones de nueve estados será suficiente para que esta Constitución rija entre los estados que la ratificaren.

DADA en convención con el consentimiento unánime de los estados presentes, el día diecisiete de septiembre del año de Nuestro Señor mil setecientos ochenta y siete, duodécimo de la independencia de los Estados Unidos de América. En testimonio de lo cual suscribimos la presente.

GEORGE WASHINGTON

Presidente y Diputado
por Virginia

Doy fe: WILLIAM JACKSON, *Secretario*

New Hampshire

John Langdon   Nicholas Gilman

Massachusetts

Nathaniel Gorham   Rufus King

Connecticut

Wm. Sml. Johnson   Roger Sherman

New York

Alexander Hamilton

New Jersey

Wil. Livingston   Wm. Paterson
David Brearley   Jona. Dayton

Pennsylvania

B. Franklin   Thos. Fitzsimons
Thomas Mifflin   Jared Ingersoll
Robt. Morris   James Wilson
Geo. Clymer   Gouv. Morris

Delaware

Geo. Read   Richard Bassett
Gunning Bedford (Hijo)   Jaco. Broom
John Dickinson

Maryland

James McHenry   Danl. Carroll
Dan. of St. Thos. Jenifer

Virginia

John Blair   James Madison (Hijo)

North Carolina

Wm. Blount   Hu. Williamson
Rich. Dobbs Spaight

South Carolina

J. Rutledge   Charles Pinckney
Charles Cotesworth   Pierce Butler
Pinckney

Georgia

William Few   Abr. Baldwin

ENMIENDAS

ENMIENDA I

El Congreso no aprobará ninguna ley con respecto al establecimiento de religión alguna, o que prohíba el libre ejercicio de la misma o que coarte la libertad de palabra o de prensa; o el derecho del pueblo a reunirse pacíficamente y a solicitar del Gobierno la reparación de agravios.

ENMIENDA II

Siendo necesaria para la seguridad de un Estado libre una milicia bien organizada, no se coartará el derecho del pueblo a tener y portar armas.

ENMIENDA III

En tiempos de paz ningún soldado será alojado en casa alguna, sin el consentimiento del propietario, ni tampoco lo será en tiempos de guerra sino de la manera prescrita por ley.

ENMIENDA IV

No se violará el derecho del pueblo a la seguridad de sus personas, hogares, documentos y pertenencias, contra registros y allanamientos irrazonables, y no se expedirá ningún mandamiento, sino a virtud de causa probable, apoyado por juramento o promesa, y que describa en detalle el lugar que ha de ser allanado, y las personas o cosas que han de ser detenidas o incautadas.

ENMIENDA V

Ninguna persona será obligada a responder por delito capital o infamante, sino en virtud de denuncia o acusación por un gran jurado, salvo en los casos que ocurran en las fuerzas de mar y tierra, o en la milicia, cuando se hallen en servicio activo en tiempos de guerra o de peligro público; ni podrá nadie ser sometido por el mismo delito dos veces a un juicio que pueda ocasionarle la pérdida de la vida o la integridad corporal; ni será compelido en ningún caso criminal a declarar contra sí mismo, ni será privado de su vida, de su libertad o de su propiedad, sin el debido procedimiento de ley; ni se podrá tomar propiedad privada para uso público, sin justa compensación.

ENMIENDA VI

En todas las causas criminales, el acusado gozará del derecho a un juicio rápido y público, ante un jurado imparcial del estado y distrito en que el delito haya sido cometido, distrito que será previamente fijado por ley; a ser informado de la naturaleza y causa de la acusación; a carearse con los testigos en su contra; a que se adopten medidas compulsivas para la comparecencia de los testigos que cite a su favor y a la asistencia de abogado para su defensa.

ENMIENDA VII

En litigios en derecho común, en que el valor en controversia exceda de veinte dólares, se mantendrá el derecho a juicio por jurado, y ningún hecho fallado por un jurado, será revisado por ningún tribunal de los Estados Unidos, sino de acuerdo con las reglas del derecho común.

ENMIENDA VIII

No se exigirán fianzas excesivas, ni se impondrán multas excesivas, ni castigos crueles e inusitados.

ENMIENDA IX

La inclusión de ciertos derechos en la Constitución no se interpretarán en el sentido de denegar o restringir otros derechos que se haya reservado el pueblo.

ENMIENDA X

Las facultades que esta Constitución no delegue a los Estados Unidos, ni prohíba a los estados, quedan reservadas a los estados respectivamente o al pueblo.

ENMIENDA XI

El poder judicial de los Estados Unidos no será interpretado en el sentido de extenderse a los litigios en derecho o en equidad, incoados o seguidos contra uno de los estados de la Unión por ciudadanos de otro estado, o por ciudadanos o súbditos de cualquier estado extranjero.

ENMIENDA XII

Los compromisarios se reunirán en sus respectivos estados y votarán por votación secreta para presidente y vicepresidente, uno de los cuales, por lo menos, no será residente del mismo estado que ellos; designarán en sus papeletas la persona votada para presidente, y en papeleta distinta la persona votada para vicepresidente, y harán listas distintas de todas las personas votadas para presidente, y de todas las personas votadas para vicepresidente, con indicación del número de votos emitidos en favor de cada una, listas que serán firmadas y certificadas y remitidas por ellos debidamente selladas a la sede del gobierno de los Estados Unidos, dirigidas al Presidente del Senado. Éste, en presencia del Senado y de la Cámara de Representantes, abrirá todos los certificados y se procederá a contar los votos. La persona que obtenga el mayor número de votos para el cargo de presidente, será presidente, si tal número constituye la mayoría del número total de los compromisarios nombrados; y si ninguna persona obtuviese tal mayoría, entonces de entre las tres personas que obtengan el mayor número de votos para presidente, la Cámara de Representantes elegirá inmediatamente, por votación secreta, al presidente. Pero al elegir al presidente, los votos se emitirán por estados, teniendo un voto la representación de cada estado; a este fin, el quorum consistirá de un miembro o miembros de dos terceras partes de los estados, siendo necesaria la mayoría de todos los estados para la elección. Y si la Cámara de Representantes, cuando el derecho de elegir recaiga sobre ella, no elige presidente antes del cuarto día del mes de marzo siguiente, entonces el vicepresidente actuará como presidente, al igual que en el caso de muerte u otra incapacidad constitucional del presidente. Será vicepresidente la persona que obtenga el mayor número de votos para el cargo de vicepresidente, si dicho número equivale a la mayoría del número total de compromisarios designados. Si ninguna persona obtiene mayoría, entonces el Senado elegirá al vicepresidente de entre las dos personas que obtengan el mayor número de votos. A este fin el quorum consistirá de las dos terceras partes del número total de senadores, requiriéndose la mayoría del número total para la elección. Ninguna persona inelegible constitucionalmente para el cargo de presidente será elegible para el de vicepresidente de los Estados Unidos.

ENMIENDA XIII

Sección 1. Ni la esclavitud ni la servidumbre involuntaria existirán en los Estados Unidos o en cualquier lugar sujeto a su jurisdicción, salvo como castigo por un delito del cual la persona haya sido debidamente convicta.

Sección 2. El Congreso tendrá facultad para hacer cumplir las disposiciones de esta enmienda mediante legislación adecuada.

ENMIENDA XIV

Sección 1. Toda persona nacida o naturalizada en los Estados Unidos y sujeta a su jurisdicción, será ciudadana de los Estados Unidos y del estado en que resida. Ningún estado aprobará o hará cumplir ninguna ley que restrinja los privilegios o inmunidades de los ciudadanos de los Estados Unidos; ni ningún estado privará a persona alguna de su vida, de su libertad o de su propiedad, sin el debido procedimiento de ley, ni negará a nadie, dentro de su jurisdicción, la igual protección de las leyes.

Sección 2. Los representantes serán prorrateados entre los diversos estados de conformidad con sus respectivos habitantes, contando el número total de personas en cada estado, excluyendo a los indios que no paguen contribuciones. Pero cuando en cualquier elección para la designación de compromisarios que hayan de elegir al presidente y al vicepresidente de los Estados Unidos, a los representantes en el Congreso, a los funcionarios ejecutivos y judiciales de un estado o a los miembros de su Asamblea Legislativa, se negare el derecho a votar a cualquiera de los residentes varones de tal estado que tenga veintiún años de edad y sea ciudadano de los Estados Unidos, o cuando de cualquier modo ese derecho le sea restringido, excepto por participar en cualquier rebelión o en otro delito, la base de la representación será reducida en dicho estado en la proporción que el número de tales ciudadanos varones guarde con respecto al total de ciudadanos varones de veintiún años de edad en tal estado.

Sección 3. No será senador o representante en el Congreso, ni compromisario para elegir presidente o vicepresidente, ni desempeñará cargo civil o militar alguno, bajo la autoridad de los Estados Unidos o de cualquier estado, quien, habiendo jurado previamente defender la Constitución de los Estados Unidos, como miembro del Congreso, como funcionario de los Estados Unidos o como miembro de una Asamblea Legislativa de cualquier estado o como funcionario ejecutivo o judicial del mismo, haya tomado parte en alguna insurrección o rebelión contra los Estados Unidos, o haya suministrado ayuda o facilidades a sus enemigos. Pero el Congreso, por el voto de dos terceras partes de cada Cámara, podrá dispensar tal incapacidad.

Sección 4. No se cuestionará la validez de la deuda pública de los Estados Unidos autorizada por ley, incluyendo las deudas contraídas para el pago de pensiones y recompensas por servicios prestados para sofocar insurrecciones o rebeliones. Pero ni los Estados Unidos ni ningún estado asumirá o pagará deuda u obligación alguna contraída en ayuda de insurrección o rebelión contra los Estados Unidos, ni reclamación alguna por la pérdida o emancipación de ningún esclavo; y tales deudas, obligaciones y reclamaciones serán consideradas ilegales y nulas.

Sección 5. El Congreso tendrá facultad para hacer cumplir las disposiciones de esta enmienda mediante legislación adecuada.

ENMIENDA XV

Sección 1. Ni los Estados Unidos ni ningún estado de la Unión negará o coartará a los ciudadanos de los Estados Unidos el derecho al sufragio por razón de raza, color o condición previa de esclavitud.

Sección 2. El Congreso tendrá facultad para hacer cumplir las disposiciones de esta enmienda mediante legislación adecuada.

ENMIENDA XVI

El Congreso tendrá facultad para imponer y recaudar contribuciones sobre ingresos, sea cual fuere la fuente de que se deriven, sin prorrateo entre los diversos estados y sin considerar ningún censo o enumeración.

ENMIENDA XVII

El Senado de los Estados Unidos se compondrá de dos senadores por cada estado, elegidos por el pueblo de éste por un período de seis años, y cada senador tendrá derecho a un voto. Los electores de cada estado deberán poseer los requisitos necesarios para ser electores de la rama más numerosa de las Asambleas legislativas estatales.

Cuando en el Senado ocurran vacantes

en la representación de algún estado, la autoridad ejecutiva de tal estado convocará a elecciones para cubrir tales vacantes, disponiéndose que la Asamblea Legislativa de cualquier estado podrá facultar a su ejecutivo a extender nombramientos provisionales hasta que el pueblo cubra las vacantes por elección, en la forma que disponga la Asamblea Legislativa.

Esta enmienda no será interpretada en el sentido de afectar la elección o término de ningún senador elegido antes de que se convalide la misma como parte de la Constitución.

ENMIENDA XVIII

Sección 1. Transcurrido un año después de la ratificación de esta enmienda, quedan prohibidas la fabricación, venta o transportación dentro de, así como la importación a o la exportación desde los Estados Unidos y todo territorio sujeto a su jurisdicción, de bebidas embriagantes.

Sección 2. El Congreso y los diversos Estados tendrán facultad concurrente para hacer cumplir las disposiciones de esta enmienda mediante legislación adecuada.

Sección 3. Esta enmienda no surtirá efecto alguno a menos que las Asambleas Legislativas de los diversos estados la ratifiquen como enmienda a la Constitución, conforme a lo preceptuado en ésta, dentro de siete años contados a partir de la fecha en que el Congreso la someta a la consideración de los estados.

ENMIENDA XIX

El derecho de sufragio de los ciudadanos de los Estados Unidos no será negado o coartado por los Estados Unidos o por ningún estado por razón de sexo.

El Congreso tendrá facultad para hacer cumplir las disposiciones de esta enmienda mediante legislación adecuada.

ENMIENDA XX

Sección 1. El término del presidente y

del vicepresidente expirará al mediodía del vigésimo día de enero, y el de los senadores y representantes al mediodía del tercer día de enero, de los años en los cuales tal término hubiese expirado de no haberse ratificado esta enmienda; y entonces empezará el término de sus sucesores.

Sección 2. El Congreso se reunirá por lo menos una vez al año y tal sesión comenzará al mediodía del tercer día de enero, a menos que por ley se fije otra fecha.

Sección 3. Si en la fecha en que el presidente haya de empezar a desempeñar su cargo, el presidente electo hubiere muerto, el vicepresidente electo será el presidente. Si no se hubiere elegido presidente antes de la fecha en que debe empezar a desempeñar su cargo, o si el presidente electo dejare de tomar posesión, entonces el vicepresidente electo actuará como presidente hasta que un presidente quede habilitado; y el Congreso podrá por ley proveer para el caso en que ni el presidente ni el vicepresidente electos reúnan los requisitos necesarios, declarando quién actuará entonces como presidente, o el modo en que se seleccionará el que haya de actuar como tal, debiendo dicha persona actuar en esa capacidad hasta que se designe un presidente o un vicepresidente que reúna los requisitos necesarios.

Sección 4. El Congreso podrá por ley proveer para el caso del fallecimiento de cualquiera de las personas de entre las cuales la Cámara de Representantes puede elegir un presidente, cuando sobre ella recaiga el derecho de tal elección, y para el caso del fallecimiento de cualquiera de las personas de entre las cuales el Senado puede elegir un vicepresidente, cuando sobre dicho Senado recaiga el derecho de tal elección.

Sección 5. Las secciones 1 y 2 empezarán a regir el decimoquinto día del mes de octubre siguiente a la ratificación de esta enmienda.

Sección 6. Esta enmienda no surtirá efecto alguno a menos que las Asambleas Legislativas de tres cuartas partes de los diversos estados la ratifiquen como enmienda a la Constitución, dentro de siete años contados a partir de la fecha en que les sea sometida.

ENMIENDA XXI

Sección 1. La Enmienda XVIII a la Constitución de los Estados Unidos queda por la presente derogada.

Sección 2. La transportación o importación de bebidas embriagantes a cualquier estado, territorio o posesión de los Estados Unidos, para entrega o uso en los mismos, en violación de las leyes allí en vigor, queda por la presente prohibida.

Sección 3. Esta enmienda no surtirá efecto alguno a menos que haya sido ratificada como enmienda a la Constitución por convenciones en los diversos estados, conforme a lo preceptuado en la Constitución, dentro de siete años contados a partir de la fecha en que el Congreso la someta a la consideración de los estados.

ENMIENDA XXII

Nadie podrá ser elegido más de dos veces para el cargo de presidente, y nadie que haya ocupado el cargo de presidente, o que haya actuado como presidente por más de dos años del término para el cual fue elegida otra persona, podrá ser elegido más de una vez para el cargo de presidente. Pero este artículo no se aplicará a persona alguna que ocupara el cargo de presidente cuando dicho artículo fue propuesto por el Congreso, y no impedirá que cualquier persona que esté ocupando el cargo de presidente, o actuando como presidente, durante el término en que este artículo entre en vigor, ocupe el cargo de presidente o actúe como presidente durante el resto de dicho término.

Este Artículo se quedará inoperativo a menos que sea ratificado como enmienda a la Constitución por las legislaturas de tres cuartos de los varios Estados dentro de siete años después de la fecha de su presentación a los Estados por el Congreso.

ENMIENDA XXIII

Sección 1. Por constituir la sede del Gobierno de los Estados Unidos, el Distrito nombrará en la forma que los disponga el Congreso:

Un número de compromisarios de presidente y vicepresidente que será igual al número total de senadores y representantes en el Congreso a que el Distrito tendría derecho si fuera un estado, pero en ningún caso mayor que el número de compromisarios del estado menos poblado; dichos compromisarios se nombrarán además de los elegidos por los estados, pero se considerarán, para los fines de la elección de presidente y vicepresidente, como compromisarios nombrados por un estado; y se reunirán en el Distrito y realizarán las funciones prescritas por la duodécima enmienda.

Sección 2. El Congreso tendrá facultad para hacer cumplir las disposiciones de este artículo mediante legislación adecuada.

ENMIENDA XXIV

Sección 1. El derecho que tienen los ciudadanos de los Estados Unidos de votar en cualquier elección primaria, o de otra naturaleza, de presidente o vicepresidente de compromisarios de presidente o vicepresidente, o de senador o representante en el Congreso, no les será negado o restringido por los Estados Unidos o por cualquier estado por razones de falta de pago de cualquier impuesto de capacitación o de otra naturaleza.

Sección 2. El Congreso tendrá facultad para hacer cumplir las disposiciones de este artículo mediante legislación adecuada.

ENMIENDA XXV

Sección 1. En caso de destitución, muer-te o renuncia del presidente, el vicepresidente reemplazará al presidente.

Sección 2. Cuando ocurra una vacante en el cargo de vicepresidente, el presidente designará un vicepresidente, quien tomará posesión de su cargo una vez que ambas Cámaras del Congreso confirmen su designación por mayoría de votos.

Sección 3. Cuando el presidente trasmita al presidente pro témpore del Senado y al presidente de la Cámara de Representantes su declaración por escrito de que se encuentra imposibilitado para desempeñar los deberes y atribuciones de su cargo, y mientras no les envíe por escrito una declaración en contrario, tales deberes y atribuciones serán desempeñadas por el vicepresidente con el carácter de presidente interino.

Sección 4. Cuando el vicepresidente y la mayoría de cualesquiera de los principales funcionarios de los departamentos ejecutivos, o de otros cuerpos que el Congreso establezca por ley, transmitan al presidente pro témpore del Senado y al presidente de la Cámara de Representantes su declaración por escrito de que el presidente se encuentra imposibilitado para desempeñar los deberes y atribuciones de su cargo, el vicepresidente asumirá inmediatamente los deberes y atribuciones del cargo con el carácter de presidente interino.

En lo sucesivo, cuando el presidente transmita al presidente pro témpore del Senado y al presidente de la Cámara de Representantes su declaración por escrito de que no existe incapacidad, el presidente reanudará los deberes y atribuciones de su cargo, a menos que el vicepresidente y la mayoría de cualesquiera de los principales funcionarios del departamento ejecutivo de otros cuerpos que el Congreso establezca por ley, transmitan al presidente pro témpore del Senado y al presidente de la Cámara de Representantes, dentro del plazo de cuatro días, su declaración por escrito de que el presidente se encuentra imposibilitado para desempeñar los deberes y atribuciones de su cargo. Entonces el Congreso decidirá el asunto, reuniéndose para este objeto dentro del término de cuarenta y ocho horas, si no está en período de sesiones. Si el Congreso, dentro de los veintiún días de la fecha en que deba reunirse si el Congreso no está en período de sesiones, determina, por voto de los dos tercios de ambas Cámaras, que el presidente está imposibilitado para desempeñar los deberes y atribuciones de su cargo, el vice-presidente continuará desempeñándolas con el carácter de presidente interino; si no, el presidente reanudará el desempeño de los deberes y atribuciones de su cargo.

ENMIENDA XXVI

El derecho al voto que tienen los ciudadanos de los Estados Unidos que tengan 18 o más años de edad no les será negado o restringido por los Estados Unidos o por cualquier estado por razón de su edad.

INDICE ALFABETICO